Este livro é
para sempre

Formação dos líderes da nova Economia

A Escola dos Deuses

Formação dos líderes da nova Economia

Elio D'Anna

Tradução Graça Congro

6ª. edição revista e ampliada

Barany
Livro para ser Livre

São Paulo 2021

Título original: La Scuola degli Dei
Copyright © Elio D'Anna.
Publicado de acordo com a
UR Music - European School of Economics - Itália

Todos os direitos reservados. Nenhuma parte deste livro poderá ser reproduzida, de forma alguma, sem a permissão escrita do Autor, exceto as citações incorporadas em artigos de crítica ou resenhas.

Diretora Editorial: Júlia Bárány
Preparação de Texto: Barany Editora
Revisão: Salete Brentan e Bel Ribeiro
Projeto Gráfico e Produção: Berel Alterman e Luis Chiapinotto
Diagramação da edição 2012: Barany Editora
Capa da edição 2012: Emília Albano
Imagem da Capa: Wainer Vaccari

Dados Internacionais de Catalogação na Publicação (CIP)
(Câmara Brasileira do Livro, SP, Brasil)

D'Anna, Elio
  A escola dos deuses / Elio D'Anna ; tradução de Graça Congro. -- São Paulo : Barany Editora, 2007.

  Título original: La scuola degli dei.

  1. D'Anna, Elio 2. Empreendedores – Biografia I. Título.

07–7614   CDD-338.04092

Índices para catálogo sistemático:
1. Empreendedores : Biografia   338.04092

ISBN 978-85-61080-16-7

Todos os direitos desta edição são reservados à
Barany Editora © 2021
São Paulo - SP - Brasil
contato@baranyeditora.com.br

www.baranyeditora.com.br

Livro para ser Livre

Ao Dreamer que se encontra em cada ser,

que impulsiona meu sonho

a alturas além do meu intelecto

e a profundezas além das minhas emoções,

que me chama e me comanda

a me tornar livre

Apresentação ao leitor brasileiro

Ler este livro foi uma das grandes viagens que já empreendi. O autor nos leva a trilhar o caminho para nosso interior. Em ritmo ágil, vai levando o leitor a fazer um novo pacto com a vida.

O personagem principal poderia ser alguém de qualquer área de atividade. Ocorre que é, de início, uma figura bem conhecida no ambiente de negócios, o executivo de sucesso que tem no trabalho seu grande significado existencial. Não opõe resistência aos mil chamarizes da vida executiva, que atraem sua atenção para fora de si: crescimento profissional, boa situação financeira, compromissos sociais, festas, adulações. Ele investe pesadamente no sucesso material e profissional, deixando para terceiro ou quarto planos a vida espiritual e a qualidade dos seus relacionamentos. Acaba sendo um ser isolado, sem ninguém, amigo ou parente, a quem possa chamar de "próximo".

No mundo do trabalho, corre-se o risco da fascinação por uma pseudorrealidade. Quem já não se identificou com o papel que exerce nesse jogo? A ilusão é reforçada diariamente pelas nossas próprias percepções e anseios. Ficamos indefinidamente interpretando, enquanto a evolução da alma fica estagnada. Criamos tamanha cegueira interna que, ao final, perdemos a conexão com nossas próprias fontes de felicidade e evolução. Nem sabemos o que queremos realmente. Um indivíduo assim dependente, amarrado, é como um zumbi, sem qualquer rastro de vida interior. Na sua ilusão de ser fraco diante dos desafios, tem muito para mostrar aos outros, mas não tem o que mostrar para si próprio. Perde-se na correria de todo dia, sem saber onde mora sua vontade.

Para romper as redes de dependência com o mundo externo, eventualmente temos a sorte de, de repente, sermos encontrados por um Dreamer, um guia interior, que estava à nossa espreita e nos tira do torpor. Se estivermos receptivos, certamente, Ele não deixará que a oportunidade se perca. Se não estivermos receptivos, o Dreamer aguardará até que estejamos prontos. A vida oferece oportunidades a toda hora, por meio de pequenos toques, de eventos mais dramáticos, de pessoas do nosso relacionamento.

Entretanto, o Dreamer nada pode fazer se não utilizarmos o livre arbítrio para empreender com sinceridade a viagem para dentro de nós mesmos. O caminho não é nem reto e nem plano. Ao contrário, como retrata *A Escola dos Deuses*, é um caminho tortuoso, com idas e vindas, momentos de profundo desânimo e momentos de glória.

Como todo mundo, tive (e terei) na vida pontos decisivos, quando vou em busca de meu ser interior com mais intensidade. Nessas transições, costumo lançar mão de algum suporte: percorri a pé o Caminho de Santiago, fiz muitas anotações para um livro, procurei coaches para receber orientação e assessoramento pessoal e profissional. Para encontrar os meus dreamers, procuro o apoio de pessoas amigas ou de profissionais que atuem como espelho e, sempre que possível, crio espaços grandes de isolamento e afastamento da rotina.

Isso tem me auxiliado no trabalho com famílias empresárias em processo de transformação e profissionalização. Minha tarefa é ajudá-las a desempenhar o ser no campo dos negócios. Além das técnicas e do conhecimento específico, acredito, meus mergulhos interiores os têm estimulado a se interiorizarem também. Um feedback assentado na própria interiorização é, para o cliente, uma parede de contato com sua própria realidade, sempre muito mais rica e vasta que as aparências.

Senti grande afinidade com o conteúdo deste livro porque ele revela a enorme amplitude de ação que cada ser humano pode ter. A obra oferece como que um itinerário do autoconhecimento e mostra como o medo de sermos nós mesmos é o grande obstáculo a ser vencido. Descreve a luta de um homem para aprender que nós mesmos criamos as barreiras que nos cerceiam. O Dreamer também o leva a compreender que entre ser, ter e fazer, tudo começa pelo ser, e não o contrário.

O sal da vida está em ousar ser quem se é por dentro. Pessoas que estão firmemente ancoradas em seu interior têm o condão de ver barreiras imensas como pequenas dificuldades circunstanciais. Têm coragem e clareza para mudar a realidade para si e para os outros.

Herbert Steinberg

Herbert Steinberg é presidente-fundador da MESA Corporate Governance e da HPI Brasil – Human Perspectives International. É counsellor de presidentes e membros de conselho de administração. Coordena o comitê estratégico de governança corporativa da American Chamber (Amcham) em São Paulo. Foi vice-presidente de recursos humanos do grupo Santander Banespa, diretor corporativo de RH do Citibank, diretor de RH do McDonald's e sócio-diretor da DBM – Drake Beam Morin do Brasil. Tem se dedicado a estimular as pessoas a buscarem mais espiritualidade e autoconhecimento e com tal objetivo escreveu Sabático – *Um tempo para crescer* e *Um executivo no Caminho – Da razão ao coração*. Escreveu também *A dimensão humana da governança corporativa*.

Este Livro

Este livro é um mapa, um plano de fuga.

Seu objetivo é mostrar a trajetória que um homem comum seguiu para escapar da hipnótica narração do mundo, da lamentosa e acusatória descrição da existência, para escapar da trilha de um destino já traçado.

Este livro jamais teria existido, nem eu poderia ter escrito uma linha sequer, não houvesse encontrado o Dreamer e Seus ensinamentos.

A Ele, o Dreamer, dedico minha infinita gratidão por ter me conduzido pela mão no mundo do SONHO, no mundo da coragem e da impecabilidade, onde o tempo e a morte não existem, e a riqueza não conhece *ladrões nem ferrugem*.

Nessa viagem de retorno à essência, tive de me livrar de muitos pesos: pensamentos medíocres, emoções negativas, convicções e ideias de segunda mão. Tive de *vencer a mim mesmo*, reconhecer e enfrentar minha parte mais obscura.

Tudo aquilo que vemos, tocamos e ouvimos, a realidade em toda a sua multiplicidade, é a projeção de um universo invisível, que existe acima do nosso mundo, e dele é a verdadeira causa. Dificilmente tomamos consciência de que estamos circundados pela invisibilidade; vivemos em um mundo que resulta do SONHO, e tudo aquilo que importa e é real num ser humano é invisível.

Todos os nossos pensamentos, sentimentos, fantasias, imaginações são invisíveis. Nossas esperanças, ambições, segredos, medos, dúvidas, perplexidades, incertezas, e todas as nossas sensações, atrações, desejos, aversões, amores ou ódios pertencem ao sutil, ao impalpável, porém real, mundo do ser.

O invisível não é algo metafísico, poético ou mítico, nem misterioso, secreto ou sobrenatural; não é uma porção estável do mundo dos fenômenos e dos eventos, das categorias da realidade. Em cada época, a mudança do momento histórico, do ambiente intelectual, e o uso de instrumentos mais sofisticados modificam continuamente as fronteiras, inserindo porções sempre maiores do invisível de ontem entre os legítimos temas da pesquisa científica de hoje.

Este livro é a história do *renascimento* de um homem comum, síntese de uma humanidade decadente, fracassada. Sua viagem de retorno à essência é um novo êxodo em busca da integridade perdida.

A primeira condição para começar essa viagem é a consciência do próprio estado de escravidão.

A raiz, a causa primeira de todos os problemas do mundo, desde a endêmica pobreza de regiões inteiras do planeta até a criminalidade e as guerras, encontra-se na própria humanidade, que pensa e sente negativamente.

As emoções negativas governam o mundo que conhecemos. Elas são irreais, e mesmo assim ocupam cada canto de nossa vida. Para mudar o destino do ser humano é preciso mudar sua psicologia, seu sistema de convicções e crenças. É preciso extirpar de seu âmago a tirania de uma mentalidade conflituosa, frágil, mortal. A doença mais temida do planeta não é o câncer nem a aids, mas o pensamento conflituoso do homem. É esse o esteio sobre o qual se apoia a habitual visão do mundo, o verdadeiro assassino planetário.

A direção indicada pelo Dreamer é assustadora e maravilhosa, sofrida e alegre, absurda e necessária, tal qual o percurso do salmão que sobe o rio contra a correnteza.

Ainda que de início Sua filosofia me parecesse uma transgressão às leis naturais a que está sujeita toda a humanidade, seus preceitos são previstos e desejados pela ordem universal das coisas, e desta exprimem a visão mais elevada.

Este livro é a narração dos anos de estudo e de preparação vividos ao lado de um ser *extraordinário*, de quem tive o privilégio de receber a mais incrível das tarefas: a criação de uma Escola planetária, uma Universidade sem fronteiras.

*Sonhei uma Revolução Individual
capaz de mudar completamente os paradigmas mentais da velha humanidade
e libertá-la para sempre dos conflitos,
da dúvida, do medo, da dor.*

*Sonhei uma Escola que eduque
uma nova geração de líderes
e capacite-os a harmonizar os aparentes antagonismos de sempre:
Economia e Ética, Ação e Contemplação,
Poder Financeiro e Amor.*

Crescendo, mudando diante dos meus olhos como um ser em gestação, dia após dia, *A Escola dos Deuses* construía-se, e eu me construía. Aparentemente, era eu a escrevê-lo; na realidade, o livro já estava escrito desde sempre.

ESTE LIVRO

As leis do Dreamer, Suas ideias, ainda estão escavando-me por dentro e, em sua maioria, permanecem incompreendidas.

Como Prometeu, apossei-me de uma centelha do mundo do Dreamer e conservo-a zelosamente para um dia poder doá-la aos homens e às mulheres que, como eu, desejarão abandonar os círculos infernais da mediocridade.

Uma vez acreditei que escrever e, principalmente, ensinar, fosse o verdadeiro dar. Hoje sei que ensinar é somente um estratagema para se conhecer, para descobrir a própria imperfeição e curá-la.

Pode-se ensinar somente se não se sabe, disse o Dreamer. *Quem realmente sabe, não ensina!*

Aquilo que já compreendemos, o que realmente possuímos, não se pode transferir.

A felicidade, a riqueza, o conhecimento, a vontade, o amor não podem ser adquiridos fora, não podem ser dados, mas somente recordados. São bens inalienáveis do ser e, por isso, patrimônio natural de todo ser humano.

Nenhuma política, religião ou sistema filosófico pode transformar a sociedade. Somente uma revolução individual, um renascimento psicológico, um restabelecimento do ser, de cada ser humano, célula por célula, poderá conduzir a um bem-estar planetário, a uma civilização mais inteligente, mais verdadeira, mais feliz.

No relato do quanto aprendi ao lado do Dreamer, evitei intencionalmente incluir episódios, acontecimentos e revelações que pudessem exceder a capacidade de aceitação do leitor, escolhendo apenas aqueles temas que, ainda que *revolucionários*, pareceram-me condizentes com o estado atual da humanidade.

1
O encontro com o Dreamer

Naquele tempo eu morava em Nova York, em um apartamento na Roosevelt Island, a pequena ilha no meio do East River, entre Manhattan e Queens. A ilhota, como um navio ancorado, parecia a ponto de se desvencilhar das amarras e deixar-se levar pela correnteza rumo à liberdade do oceano; todavia, dia após dia, permanecia imóvel na escuridão ondulada do rio.

Entrei no quarto para dar boa-noite às crianças, mas já dormiam. Na ponta dos pés, retornei à sala. O silêncio da noite envolvia-me, ocultava-me. Um sentimento de estranheza, quase repulsão, fazia-me sentir um ladrão embrenhado na vida de um desconhecido. Continuei observando a silhueta pontilhada de luzes da Queensborough Bridge. A ponte parecia suspensa sobre o imenso vazio dos seus átomos de metal. O frio pairava como uma ameaça iminente.

Jennifer havia pouco retirara-se para o quarto, no melhor estilo americano de pontuar um desentendimento. Eu havia voltado tarde aquela noite.

Havia ido ao aeroporto J. F. Kennedy buscar um amigo que não via fazia tempo. Do encontro restou-me a impressão de que sua vida era mais tranquila e mais feliz que a minha. Sentimentos de inveja, ciúmes e uma rivalidade cega, emersos em um passado não resolvido, manifestaram-se por uma incontida loquacidade, um impulso de falar sem freios. No carro, desfilei uma sucessão de mentiras, uma história romanceada dos meus anos em Nova York. Falei-lhe da minha impossibilidade de comparecer a todas as festas a que me convidavam, contei das vernissages, das premières teatrais, dos meus sucessos profissionais, dos meus hobbies, e, sobretudo, do quanto eu era feliz com Jennifer.

As palavras sufocavam-me, um pranto despontava. Sentia uma crescente náusea de mim mesmo e daquele jorro denso e irreprimível de insinceridades, daquele descontrole de mentiras. Era insuportável. Queria pôr fim àquela absurda exibição, porém, quanto mais tentava interromper aquele fiasco, mais sentia a impossibilidade de separar-me daquele ser mecânico, o homem que eu era; quanto mais me repugnavam as palavras que eu próprio pronunciava, mais eu via a impossibilidade de remediar a situação.

Éramos dois no mesmo corpo. Aterrorizava-me a ideia de ficar preso num ser bifronte, siamês, centauro, andrógino, de ser um eterno recluso de uma simbiose grotesca e feroz.

O ar tornou-se pesado. Percebi ter errado o caminho. Estávamos entrando num labirinto ermo e triste de vias mal iluminadas, cada vez mais sujas. As palavras apagaram-se e um gelado silêncio tomou o carro. Eu conduzia lentamente, como se estivesse sob a violência de uma tempestade torrencial, quando vimos atrás de nós os faróis de outro carro aproximarem-se e, então, vi vultos furtivos movimentarem-se atrás da pilastra de um viaduto. Voltei-me para olhar o meu amigo. Gelei. Ele tremia descontroladamente; seu rosto era uma máscara de terror. Acelerei. Meu coração batia tão forte que o sentia fugir do peito. Instintivamente, entrei na primeira travessa que encontrei. Tive de esterçar bruscamente para evitar bater em um grupo de mendigos espremidos ao redor de uma fogueira improvisada. As sombras dos edifícios eram goelas monstruosas, a garganta de um inferno que nos devorava.

Um grito insistente de sirene cortou o ar e chocou-se contra aquela atmosfera opressiva, estilhaçando-a. Pelo retrovisor, por onde observava desesperado o carro que nos seguia, vi os faróis distanciarem-se até desaparecerem engolidos pela escuridão. Reconheci os sinais de um bairro mais humano e algumas placas indicadoras que enfim nos socorreram.

Nunca mais revi aquele velho amigo.

Subi pelo elevador na companhia de um enorme homem negro, meio retardado, que tagarelou sem cessar até eu descer no 17º andar. Na Roosevelt Island, naquela época, faziam-se experimentos de integração social, e não era raro o encontro com deficientes que residiam na ilha com seus acompanhantes.

A acolhida que Jennifer me reservou, com seu cabelo que ondulava envolto em bobes, como as serpentes da medusa, o cigarro entre os dedos enquanto esbravejava e media, a passos nervosos, a sala de estar, foram os seus últimos reflexos no espelho da minha vida. Senti o vazio da nossa relação e toda a dor da minha existência, como se o lento anestésico que me havia entorpecido por anos estivesse de repente perdendo o efeito. Aquele apartamento, o relacionamento com aquela mulher ou qualquer objeto sobre o qual eu pousasse o olhar mostravam uma mediocridade irremediável. Aquelas escolhas que acreditei serem expressões da minha personalidade estavam se revelando armadilhas sem saída.

Não era isso que eu havia sonhado para minha vida! Percebi com repugnância a minha impotência. Um desespero mudo me dominou. Uma torrente gélida, densa, abateu cada barreira, cada mentira, cada compromisso, e lançou-me como um náufrago sobre a margem desolada do ser. Reclinei a cabeça sobre os braços. A tristeza transformou-se em sono.

O interior da casa estava imerso em escuridão profunda, somente quebrada pelos presságios do crepúsculo da manhã. Uma antiga tela ocupava a parede do fundo da grande sala. A luz tênue permitia-me ver a paisagem campestre com uma figura sonhadora ao centro. Como na pintura, cada detalhe daquele ambiente, da arquitetura à decoração, transmitia uma intensa mensagem de beleza. Encontrar-me naquela casa, àquela hora incerta entre a noite e a aurora, era muito estranho. Mas não me sentia surpreso. Tudo me parecia familiar, ainda que estivesse certo de jamais ter estado ali antes.

A casa permanecia silenciosa, como absorta em um pensamento. Subi a antiga escada de pedra até a porta maciça de um cômodo. Reparei que eu estava cuidadosamente vestido, como para um encontro com uma autoridade desconhecida. Não me recordo o que agitava meu espírito, mas estava ansioso, mal-humorado. Uma ciranda de pensamentos alimentava meu monólogo interior como gravetos em uma fornalha. Tirei os sapatos, deixando-os à porta. Também esse ato pareceu-me natural. Certamente, aqueles movimentos, conhecidos e necessários, faziam parte de um ritual já realizado outras vezes. Tinha a impressão de até mesmo saber o que me esperava além daquela porta, sem que na verdade fizesse a mínima ideia. Ao bater à porta, uma repentina inquietação substituiu imediatamente o fluxo dos meus pensamentos; senti uma espécie de temor reverencial. Alguma coisa dentro de mim sabia. Sem esperar resposta às minhas leves batidas, apoiei meu peso sobre a maçaneta de ferro e empurrei a porta o suficiente para minha passagem.

Meus olhos pousaram sobre a lareira. O intenso brilho das chamas fez-me arder a vista, tanto que precisei desviar o olhar e fechar as pálpebras para não lacrimejar. *Ele* estava ao lado do fogo. De costas para mim. Vi projetada na parede a sombra do Seu vulto. O cômodo que o fogo distante deixava na penumbra era, em dois de seus lados, atravessado por imponentes arcos que emolduravam janelas antigas, órbitas oculares de pedra abertas na escuridão. Através delas, a leste, eu via uma porção do céu suavizar-se em cores de aurora.

Eu avançava cauteloso e havia dado poucos passos sobre o mármore branco do pavimento, quando Sua voz ressoou alta e terrível, congelando cada movimento e cada pensamento meus.

Seu estado é desastroso!, disse, sem se voltar. Posso sentir isso pelo modo como entrou, por seus passos e, sobretudo, pelo mau cheiro das suas emoções. Você é uma multidão, uma turba de pensamentos. Aonde vai nesse estado? Com que dificuldade você deve conseguir viver essa sua existência de subalterno!

"Eu não sou um subalterno!", rebati com força, como se me defendesse de um ataque físico inesperado. Quem quer que fosse, era oportuno já estabelecer a distância certa entre nós. Mas o ímpeto de minhas palavras abateu-se como se atingisse paredes almofadadas. Assaltado por um temor desconhecido, com esforço reencontrei a voz para replicar: "Eu sou um executivo!".

O silêncio que se seguiu cresceu no ser ao extremo. Dentro, uma risada mordaz ecoou por um tempo infinito. Permaneci em inquieta apreensão, incerto sobre do que Ele zombava em mim e se, de fato, o fazia. Depois daquela eternidade, a voz emergiu de novo.

Como você se permite dizer EU?, falou com um tom de desprezo que me golpeou como uma bofetada. *No meu mundo, dizer EU é uma blasfêmia.*

EU é a divisão que você carrega dentro de si... EU é a sua multidão de mentiras... Cada vez que você declara um desses seus pequenos eus, você está mentindo.

Pode dizer EU somente quem conhece a si mesmo, é dono da própria vida... quem possui uma vontade.

Houve uma pausa.

Quando recomeçou, Suas palavras soaram ainda mais ameaçadoras:

Não pronuncie nunca mais eu, ou então aqui você não poderá mais voltar!

Observe-se... Descubra quem você é!

Ser uma multidão significa ficar preso num sistema irreal, inescapável, um sistema autocriado de falsas crenças e mentiras.

A falta de unidade deixa o ser humano na prisão da ignorância, do medo e da autodestruição, e causa doença, degradação, violência, crueldade e guerras no mundo externo.

O mundo é como você o sonha... é um espelho. Fora você encontra o seu mundo, o mundo que você construiu, que você sonhou.

Fora você encontra você! Vá ver quem você é. Descobrirá que os outros são a imagem refletida da mentira que você carrega, da penhora moral, da sua ignorância... Mude!... E o mundo mudará.

Você cria um mundo doente e depois tem medo da sua própria criatura, da violência que você mesmo gerou. Acredita que o mundo seja objetivo... mas o mundo é como você o sonha. Vá pelo mundo e aceite... Encontre os pobres, os violentos, os leprosos que você carrega. Aceite-os... Não os evite, não os acuse... Renda-se ao seu mundo. Vá e aceite conscientemente aquilo que você criou, um mundo rígido, ignorante... sem vida.

O poder de um homem encontra-se em possuir a si mesmo e, ao mesmo tempo, em render-se a si mesmo.

Bruscamente, a voz assumiu o tom áspero de uma ordem:
Na minha presença... papel e caneta!, ordenou. *Não se esqueça disso!*

O tom peremptório e aquela repentina mudança de assunto desconcertaram-me. O desconcerto transformou-se rapidamente em medo e pânico.

Senti-me subjugado por uma ameaça mortal. Cada sentido estava em alerta máximo quando senti Sua voz se transformar em um potente sibilo.

Desta vez terá de escrever. Papel e caneta serão sua única salvação. Escrever Minhas palavras é o único modo de você não esquecer... Escreva! Somente assim poderá reunir os pedaços dispersos da sua existência.

Depois, como se não houvesse jamais interrompido, retomou minha última afirmação e rebateu:

Um executivo é um empregado, um subalterno que se esforça em acreditar naquilo que faz; impõe uma crença... é o sacerdote de um culto que, por mais medíocre que seja, dá a ele uma competência, a sensação de ter uma direção. Mas você não tem nem mesmo isso! Pensamentos, sensações e desejos sem a presença da vontade são fragmentos insensatos dentro do ser, e você é um fragmento à deriva no Universo...

Suas palavras caíram sobre mim como uma ducha fria e imprevista que me deixou atordoado. A temperatura pareceu baixar muitos graus. Senti-me regelar. Um embaraço enorme, como nunca antes experimentei, apoderou-se de mim com cruel lentidão. Estremeci ao ouvir Sua voz falar-me aos ouvidos, tão próxima a ponto de poder sentir Sua respiração. O tom era um sussurro rouco, sem doçura.

Nas tribos indígenas da América havia uma casta dos últimos representantes: homens que não eram nem xamãs nem guerreiros, não caçavam, não competiam nem pela própria posição nem pelas mulheres... A eles eram destinados os trabalhos mais pesados e fatigantes. Eram aqueles que retrocediam diante das provas de coragem, de incorruptibilidade.

Deteve-se para, em seguida, dar-me Sua estocada. Eu estava paralisado e não podia fazer nada para me proteger ou deter o movimento: *Em qualquer tribo, primitiva ou moderna*, sussurrou com ferocidade, *você seria colocado ali, naquele ponto da escala.*

O golpe atingiu-me em pleno peito. Explodi de vergonha. Agora não me importava nem ao menos que parasse. Queria somente fugir, encontrar forças para simplesmente dar as costas e desaparecer. Bastaria o som de um telefone ou de um despertador para tirar-me dali. Mas eu não podia mover um músculo nem fazer movimentos. Uma lei implacável, bem ali, no mundo do Dreamer, não permitia um só gesto, um só suspiro que não possuísse dignidade.

Eu sei, você gostaria de sair do Sonho, continuou sem dar trégua. *Mas Eu sou a realidade. Sua vida, o mundo que você acredita poder escolher e decidir são irreais... são um horrível pesadelo. Casar-se, ter filhos, fazer carreira, ter uma casa, ser estimado e reconhecido pelos outros... e mais tudo aquilo em que você sempre acreditou são fetiches sem sentido que você idolatrou e colocou à frente de tudo.*

Somente o Sonho é real, afirmou. *O Sonho é a coisa mais real que existe. Aprenda a se movimentar no mundo do real. Aqui os hábitos e as convicções, os velhos códigos, não têm valor... Aquilo que você chama realidade é só aparência, algo completamente distorcido, e no velho não existe nada que você possa aproveitar... Você deverá aprender um novo modo de pensar, de respirar, de agir e de amar.*

Você tem vivido uma existência sem finalidade... dolorosa. Escondido atrás de um emprego, atrás da proteção ilusória de um salário, você está perpetuando a pobreza, o sofrimento do mundo, diagnosticou com voz doce e severa, como se estivesse diante da constatação de um dano grave. *A vida é muito preciosa para depender e é muito rica para perder! É hora de mudar!*

Uma pausa multiplicou a força do que anunciou em seguida:

É tempo de abandonar sua visão conflituosa de mundo. É tempo de morrer para tudo aquilo que não tem vida. É tempo de um renascimento. É tempo de um novo êxodo, de uma nova liberdade. É a maior aventura que um homem pode imaginar: a reconquista da própria integridade.

Meus olhos haviam se habituado àquela penumbra quando a aurora começou a dissipar a escuridão da noite. Um raio de sol atingiu a grande trave de mogno sobre a qual pousava o frontão de pedra. Entalhadas em grandes letras góticas e pintadas a ouro apareceram as palavras:

Visibilia ex Invisibilibus.

O trabalho é escravidão

"Quem é Você?", mal tive forças para perguntar.

Eu sou o Dreamer. Eu sou o sonhador, e você, o sonhado. Você chegou a Mim por um instante de sinceridade.

O silêncio ampliou os próprios contornos ao infinito. Sua voz tornou-se um murmúrio.

Eu sou a liberdade!, anunciou. *Depois de ter Me encontrado, você não poderá mais viver uma existência tão insignificante.*

O que me disse a seguir ficou gravado para sempre na minha memória:

Depender é sempre uma escolha pessoal, ainda que involuntária. Nada nem ninguém pode obrigá-lo a depender; somente você pode fazê-lo.

Fixando-me propositalmente, afirmou que a atitude de acusar o mundo e lamentar-se era a maior prova da incompreensão desses princípios. Um homem não depende de uma empresa; não é limitado por uma hierarquia ou por um chefe, mas o é pelo medo. Dependência é medo.

Depender não é efeito de um contrato, não é ligado a um cargo, nem nasce do fato de se pertencer a uma determinada classe social. Depender é a consequência da perda da própria dignidade. É o resultado de um esmagamento do ser.

Essa condição interior, essa degradação, assume no mundo a forma de um emprego, assume o aspecto de uma posição de subordinação. Depender é o efeito de uma mente tornada escrava por apreensões imaginárias, pelo próprio medo... A dependência é o efeito visível da capitulação do sonho.

Essa conclusão e o modo cadenciado de pronunciar as sílabas da palavra DEPENDER revelavam-me o seu verdadeiro significado, oculto no uso comum.

A dependência é uma doença do ser!... Nasce da sua própria incompletude, denunciou o Dreamer. *Depender significa deixar de acreditar em si mesmo. Depender significa deixar de sonhar.*

Quanto mais eu refletia no que me dissera, mais o ensinamento calava fundo dentro de mim. Meu ressentimento aguçou-se até a cólera. Aquele Seu modo de exprimir juízos peremptórios sobre uma gama tão vasta de pessoas era intolerável. O que tinha a ver a vida, o trabalho de um homem, com seus sentimentos ou com seus medos? Para mim, esses dois mundos, interno e externo, sempre foram separados, e assim deveriam continuar. Eu acreditava firmemente que se podia depender externamente e ser livre internamente. Essa certeza alimentava minha indignação.

Como milhões de homens, você sempre viveu escondido nos cantos das organizações sem vida, acusou-me. *Você negociou sua liberdade por um punhado de ilusórias certezas. É tempo de sair de seu sono hipnótico, de sua visão infernal da existência!*

Ninguém jamais havia me tratado daquele modo.

"Quem lhe deu autoridade para falar assim comigo?", irrompi desafiante.

Você.

Aquela resposta inesperada encarcerou-me no estado de impotência. Sentia um opressivo sentimento de culpa. Queria me esconder. Uma inexplicável sensação de vergonha me fazia sentir nu diante daquele ser que ainda não possuía um rosto. Com as últimas forças, tentei recuperar a situação que me projetava para além dos confins do mundo.

"Mas como as organizações poderiam funcionar sem empregados?", perguntei com comedimento, na tentativa de reconduzir aquele diálogo à coerência e à razão. O Dreamer permaneceu calado. Encorajado por Seu silêncio, que interpretei como perplexidade ou incapacidade de me responder, saí ao seu encalço: "Não fossem eles... o mundo pararia...".

Ao contrário!, rebateu secamente. *O mundo está parado porque existem seres humanos dependentes, seres humanos extremamente assustados. A humanidade, assim como é, não pode, não consegue conceber uma sociedade livre da dependência.*

Percebendo que eu estava no limite da minha capacidade de compreensão, amenizou o tom, agora quase encorajador: *Não tema!*, disse com sarcástica solicitude. *Enquanto houver homens como você, o mundo da dependência existirá sempre e continuará a ser densamente habitado.*

Uma pausa congelou a atmosfera entre nós. De leve e irônico, Seu tom tornou-se duro como aço: *Você!... não poderá mais fazer parte dele... porque você encontrou a Mim!*

Senti um bisturi a laser perfurar dolorosamente camadas calcificadas de pensamentos e de quinquilharia emocional.

A dependência é a negação do sonho. A dependência é a máscara que os homens vestem para esconder a ausência de liberdade, a renúncia à vida.

Aquela expressão, *dependente*, eu a havia escutado e pronunciado tantas vezes, mas somente a partir daquele primeiro encontro com o Dreamer percebi quão dolorosa ela era. A condição de empregado se revelava uma moderna transposição da antiga escravidão, um estado de imaturidade interior, de sujeição. Por uma abertura na minha consciência, vi massas humanas condenadas ao destino de Sísifo, acorrentadas à repetição de um trabalho-fadiga, um trabalho sem alternativa de escolha, um trabalho sem criatividade.

Num *flashback*, revi a fachada do edifício da Rusconi[1] com a placa *Entrada de Empregados* acima dos intermináveis corredores reservados aos funcionários. Por aquela garganta imaginei passar um exército de milhares de seres subjugados, derrotados, como os romanos em Sâmnio, submetidos às forças caudinas. Uma procissão de homens e mulheres que havia deixado de acreditar na própria unicidade. Um

---

1. Empresa editorial na Via Sarca, em Milão. (N. T.)

presságio de morte do indivíduo obscureceu o ar e toda a tristeza daquele destino amordaçou minha alma.

O Dreamer penetrou naquela visão com a delicadeza de quem está cuidando de uma ferida mortal. Suas palavras soaram solenes:

Um dia, uma sociedade que sonha não trabalhará mais. Uma humanidade que ama será suficientemente rica para sonhar, e infinitamente rica porque sonha. O Universo é abundante, é uma cornucópia transbordante de tudo o que o coração de um ser humano pode desejar... Em um Universo assim é impossível temer a privação. Somente homens como você, burlados pelo medo e pela dúvida, podem ser pobres e perpetuar a dependência e a miséria no mundo.

"Mas eu não sou pobre!", gritei com a voz embargada pela indignação. "Por que você diz isso?" Dentro de mim, eu justificava e tentava juntar todas as possíveis razões para demonstrar o absurdo daquela acusação.

O Dreamer continuava silencioso.

"Eu não sou pobre!", gritei novamente. "Tenho uma bela casa, um trabalho de dirigente, amigos que gostam de mim... tenho dois filhos, dos quais sou pai e mãe..." Aqui eu parei, arqueado pela intolerável injustiça e ofensa sem fundamento.

Pobreza significa não ver os próprios limites, definiu o Dreamer. *Ser pobre significa ter cedido os próprios direitos de artífice em troca de um trabalho que não ama, que não foi escolhido por você.*

Você!, acrescentou quando eu já esperava que houvesse concluído, *é o mais pobre dentre os pobres, porque, além do mais, não sabe quem você é... Você esqueceu! A ninguém mais dei tanta oportunidade. Esta é a última vez.*

De repente, o sentimento de ofensa, de injustiça, que havia invadido cada parte do meu ser, desapareceu, e minhas defesas dobraram-se àquele decisivo golpe de aríete. Senti ruírem as antigas bases sobre as quais eu apoiava minha existência. As convicções mais radicais, como templos abalados em seus alicerces, estavam caindo.

Abra os olhos sobre sua condição e saberá quanto o ser humano se distanciou de sua realeza. Aparentemente, estamos aqui no mesmo cômodo; porém, separam-nos éons infinitos de tempo.

Aquelas palavras, como a luz intensa de um raio que rasga a escuridão da noite, permitiram-me perceber quão distante se encontrava aquele ser. Compreendi a falsidade de minha dignidade ofendida e a insignificância daquele eu que, como um ganido ao Universo, tinha pronunciado diante do Dreamer.

Tal qual cortina que encerra uma ópera bufa, caiu minha ilusão de pertencer a uma classe de poder de decisão, a uma elite de homens responsáveis, donos da própria vida. Meus olhos estavam úmidos. Sem me dar conta, eu estava sendo engolido pela areia movediça da autopiedade.

Providencialmente, o Dreamer interveio com um áspero tratamento:

Agora acorde! Faça a sua revolução... Insurja-se contra si próprio!, ordenou, chacoalhando-me, oferecendo-me uma saída da posição de contrição na qual eu estava me recolhendo. *Sonhe a liberdade... a liberdade de todas as limitações. Você é o único obstáculo a tudo que possa desejar. Sonhe... Sonhe... Sonhe sem descanso! O sonho é a coisa mais real que pode existir.*

Sou uma mulher...

Sua entonação mudou, e a voz, de profunda e resoluta, transformou-se na de uma mulher. Fiquei estupefato. Não era possível! Aquela voz... era... era... O pensamento caiu em um precipício... As palavras que pronunciou, mesmo que não mais violentas, tornaram-se insuportáveis:

Sou uma mulher no final da vida, disse aquela voz.

O breve silêncio deu todo o tempo para eu provar a náusea amarescente provocada por um terror desconhecido. Cabeça baixa, paralisei. Um olho impiedoso, imenso como todo o horizonte, abria-se sobre meu passado. Suportaria a visão?

Sou uma mulher doente de câncer que o amaldiçoa pelo seu abandono, por sua incapacidade de suportar uma morte anunciada.

Teso e atento, com o corpo em arrepios, sentia que cada palavra me impulsionava em direção a um abismo. Era Luisa quem me falava, encontrando-me além do tempo, além dos confins da vida, com sua indefesa docilidade. As terríveis circunstâncias de sua morte, aos vinte e sete anos, estavam agora se manifestando à consciência. A mesquinharia de tantos episódios da nossa vida juntos, o egoísmo que me havia feito barganhar tudo e todos por uma ninharia de segurança, as preocupações ligadas a dinheiro, carreira, à minha incapacidade de amá-la explodiram dentro de mim em uma única percepção de dor. Uma vergonha imensa, quase repulsa, inundou minha alma. Tentei distanciar-me do homem que eu tinha sido.

Essa é a sua morte, a morte de tudo aquilo que você foi, a morte do ranço que você carrega... Não fuja... Enfrente-a de uma vez por todas! Um homem para renascer deve primeiro morrer.

"O que significa morrer?", perguntei. O tom submisso que usei ao formular aquela breve pergunta surpreendeu a mim mesmo ao revelar quão diferente era agora a minha atitude.

Morrer significa reverter completamente a própria visão. Morrer significa desaparecer de um mundo grosseiro, governado pelo sofrimento, para então reaparecer em um nível de ordem superior, anunciou misteriosamente.

Eu continuava a não entender. Uma parte de mim de algum modo queria se opor. Aquelas ideias, jamais ouvidas antes, estavam me destroçando. Em seguida, um rio caudaloso derrubou cada barreira e inundou meu ser, arrastando consigo as recordações, os amigos, as minhas convicções mais radicais. Por anos eu havia desesperadamente estudado para ser o número um. Tinha trabalhado incansavelmente para me afirmar, motivado pela ambição de me tornar alguém. Vencer, vencer... superar qualquer obstáculo que se colocasse entre mim e meu objetivo. Competir e vencer no mundo, superar os outros, era o princípio que havia guiado minha vida, o único em que acreditei de verdade... E agora teria de renegar, anular tudo isso? Parecia-me injusto que o Dreamer condenasse meus esforços.

Arrastado pelas ondas, ainda me agarrava à vontade de emergir, àquele resto de vontade que considerava a parte mais saudável, mais vital de mim mesmo.

Tudo que acontece fora de você precisa de sua aprovação interna para se manifestar. Isto significa que qualquer coisa que acontece em sua vida é o fiel reflexo da sua vontade, disse Ele, e eu aspirei aquelas palavras como oxigênio depois de uma longa apneia, mas a tentativa de raciocinar sobre aquilo que estava acontecendo fez-me perder o laivo de lucidez. Uma angústia mortal tomou seu lugar.

"Então eu fui responsável pela morte de Luisa, eu pedi isso?"

O mundo ao seu redor morre porque você morre dentro... Uma pessoa muito querida morre para você perceber sua visão mortal da existência que é a verdadeira causa de todas as suas tormentas. Não deixe que o sacrifício dela seja desperdiçado por causa de sua incompreensão e autopiedade! Qualquer circunstância ou evento que o faça entender e conhecer a você mesmo, apesar de insuportável, é sempre bom.

"Como posso remediar isso?", perguntei, "Eu daria minha vida, agora, para mudar esta tragédia."

Você é um mentiroso e seu passado é o reflexo de sua hipocrisia e sua imaginação doentia. Uma mudança mínima que fosse em seu Ser teria projetado um passado totalmente diferente. Este momento é o único ponto da experiência física em que você pode mudar seu passado e, com cada mundança em seu Ser, você se torna uma pessoa diferente vivendo num mundo diferente. Com uma mudança mínima de seus estados internos, a memória do seu passado, seu futuro e o universo inteiro mudarão simultaneamente. Sua história passada, que você acredita já ter vivido, e lhe é tão familiar, não passa de uma experiência imaginária que você cria nesse exato instante.

Lembre-se! Todas as possibilidade estão no Agora!

Uma espécie em extinção

Ninguém pode jamais prevalecer sobre os outros!, disse o Dreamer, penetrando nos meus pensamentos espalhados como sucata. *A ideia de prevalecer sobre os outros é uma ilusão... um preconceito da velha humanidade conflituosa, predatória... perdedora.*

A pausa que acompanhei deu-me por alguns instantes a ilusão de uma trégua. Mas era somente o movimento de preparo de um martelo antes de malhar com ainda mais força:

Você é o símbolo dessa espécie em extinção, sentenciou, desferindo o golpe, *uma espécie que está dando lugar a um ser mais evoluído.*

Um túnel estava sendo escavado, rompendo camadas e mais camadas de conceitos ultrapassados. Senti os espasmos de uma criatura no esforço supremo de nascer, e receei não conseguir. Em seguida, o Universo se fez maleável, fluido, até se revelar líquido. Eu nadava então em águas profundas.

Aquilo que você sente com aspecto de morte é a asfixia de uma humanidade que está trocando a pele, de uma espécie à beira do abismo, obrigada a abandonar suas superstições, seus truques que já não funcionam mais.

Tais palavras esculpiram-se no ar como uma epígrafe universal da condição humana. Vi-me debatendo-me desesperadamente em uma superfície infinita de cabeças agitadas, náufragos já conformados a se deixarem morrer.

Os seres humanos, desde os primeiros anos, são educados para viver na zona mais desolada do ser... Colocados diante de uma ideia grandiosa, ou de qualquer coisa que exorbite os limites da visão que têm, rejeitam-na e tentam diminuí-la a fim de ajustá-la ao minúsculo continente das próprias consciências.

Veio-me imediatamente a imagem dos selvagens de Bornéo secando as cabeças de seus inimigos para lhes exorcizar a força. Sua voz tirou-me bruscamente desses pensamentos:

É hora de você enfrentar a viagem, anunciou com paternal gravidade.

Senti ternura, um estado de profunda tristeza e, junto, a autoridade de quem sabe. Notei que Seu tom se adequava perfeitamente à minha atitude de escutá-Lo, como se me refletisse em um espelho sonoro. Áspera e impiedosa contra as minhas resistências, violenta quanto ao meu estado de ânimo, repousante e doce como minha rendição, Sua voz agora havia adquirido um tom diverso. Com um gesto teatral, aproximou a própria mão do ângulo da boca, como para me fazer uma comunicação confidencial, e sussurrou:

Diante do teste da vida, até agora você não encontrou nada melhor do que se abarrotar de trabalho ou procurar refúgio no sexo, no sono ou em qualquer leito de hospital. Com intencional rudeza para me remover da autopiedade em que estava mergulhando, disse: *Curvar-se sob o peso de situações desagradáveis, de desgraças, e encará-las com tanta seriedade significa reforçar a funesta descrição do mundo, perpetuar seus eventos.*

"E agora, o que devo fazer?", perguntei com a voz abalada pelo desespero.

Se um homem muda sua atitude em relação àquilo que lhe acontece, no decorrer do tempo isso modificará a própria natureza dos eventos que encontra. Nosso ser cria nossa vida, completou, aproximando-se de modo imperceptível.

Afastou-se não mais que poucos centímetros, movimento que me inquietou. Entrei em estado de alerta, de angustiante vigilância. Não sabia o que me esperava. Nunca me vi tão atento; era como se minhas células, bruscamente despertadas de um sono ancestral, fossem agora ouvidos descerrados e olhos arregalados, atentos a captar. O Dreamer esperou que minha atenção fosse máxima para pronunciar o que agora tinha a dizer:

A morte de sua mulher é a materialização, a representação dramática do canto de dor que você sempre carregou dentro de si. Estados e eventos são duas faces de uma única realidade.

Já não O acompanhava mais. Provei a náusea de um insuportável sentimento de culpa. Um abismo imenso e sem fim abriu-se diante de mim, pronto a me engolir. Estava resistindo com todas as minhas forças à mais simples e à mais difícil das verdades: era eu o único responsável por todos os fatos de minha vida, era eu a única causa de cada sofrimento, de cada adversidade.

As luzes do mundo empalideceram, quase se apagando. Encontrava-me no limite de um limbo. Deixei-me levar, entregando-me a um torpor irresistível.

O despertar

Desperto, não pude pensar em outra coisa. Lá fora era ainda noite. O tráfego de Manhattan fluía num curso sutil, lava luminosa alimentada pela boca de um vulcão invisível. Permaneci por algum tempo imóvel, observando o 'mundo' flutuar sobre minha consciência com a palidez de um fantasma. Uma luminosidade nova, impiedosa, examinava com minúcia e cuidado cada ângulo de minha vida e daquele apartamento. Na mesma velocidade, móveis, livros e objetos refletiam o sofrimento de uma vida insignificante e sem alegria. Apertou-me o coração aquela particular melancolia que emana de objetos já sem dono. Senti o esforço terrível para existir, a impossibilidade de mudar. Um espasmo juntou-se ao pensamento de encontrar as crianças e ver nos olhos delas a mesma morte que impregnava cada coisa à volta. Temia que pudesse perder as forças e desaparecer com todo o resto.

Trabalhei por horas para transcrever tudo quanto havia acontecido no encontro com o Dreamer e tudo o que havia ouvido Dele naquela casa misteriosa, no cômodo de pavimento branco.

Aquele ser era agora parte da minha vida. Reproduzi fielmente Suas palavras e cada detalhe daquele encontro. Não foi difícil. Bastava fechar ligeiramente os olhos para ver aflorar na memória cada particularidade com absoluta nitidez. Nunca estive assim lúcido como no tempo sem tempo transcorrido ao Seu lado. Agora sabia que pertencia ao mar escuro de uma humanidade dividida, ignara, a uma massa planetária de sonâmbulos incapazes de amar. Não poderia mais fingir ou ignorar isso.

Nas semanas seguintes, li e reli escrupulosamente as anotações em busca de qualquer pista que pudesse reconduzir-me a Ele e ao Seu mundo.

Do terraço do Café de la France eu observava os turistas ocidentais entrarem no *souk*.[2] Via-os circularem no labirinto de suas ruas, glóbulos brancos nas veias de El Fna.[3] Avançavam com dificuldade, assediados que eram pelos nativos ruidosos, pela multidão de mãos mendigas castigadas pelo Sol, por vendedores de água arreados de odres lanosos. Jovens vendedoras de colares de metal e pedras roçavam de passagem os estrangeiros, esfregando-os como amuletos a quem pediam a magia de poucos dirrás.[4] Eu conhecia aquele olhar – sutis raios de fogo negro – e os sorrisos de súplica, como em um jogo entre amantes.

Havia três dias que eu retornava àquele café circundado pela vida frenética de Marraquesh. Esperava lendo ou bebericando um chá. Fazia-me companhia um casal de camaleões comprado assim que cheguei. Às vezes, abandonava a leitura e observava o caleidoscópico espetáculo da vida nas ruas, a agitação do comércio, o trabalho intenso dos nativos. Depois, retornava à minha mesa. Começava a me desencorajar! A ideia de pegar o primeiro voo de volta a Nova York e não pensar mais retornava insistente conforme passavam as horas e os dias. Estava tentando colocar as ideias no lugar, encontrar solução para tudo quanto estava acontecendo. Tinha partido para encontrá-Lo sem nenhuma outra indicação que não o nome daquela cidade, um monte de palmeiras e de casas concentradas entre os lábios ardentes do Saara.

---

2. Bairro comercial numa cidade árabe; feira. (N. T.)
3. Praça e mercado na cidade de Marraquesh, no Marrocos. (N. T.)
4. Moeda usada nos Emirados Árabes Unidos e no Marrocos. (N. T.)

O ENCONTRO COM O DREAMER

Depois de haver recebido uma mensagem Sua, hesitei muito antes de partir. A mim parecia loucura atravessar o oceano para encontrar um ser fantástico, de quem não sabia nem mesmo o nome. Mil dificuldades e obstáculos surgiram e conspiraram contra a viagem. Além disso, eu me via sem ter como explicá-la a Jennifer. Dia após dia eu adiava a decisão. A necessidade de reviver aquela sensação de cura sentida apenas ao Seu lado, o receio de perder aquela única oportunidade de reencontrá-Lo predominaram. Decidi partir. Ajudou-me a tomar a decisão a minha confidente, o único ser humano a quem havia falado do Dreamer e do meu encontro com Ele: Giusepponal.

"Vá, filho!", encorajou-me em sua linguagem essencial, marcada pelo forte sotaque napolitano, quando, no seu quarto, fui lhe falar. "Vá encontrá-Lo. Esse Dreamer me parece uma ótima pessoa."

Giuseppona me viu nascer. Sempre fez parte da família e ajudou Carmela no trabalho de parto quando nasci. Com ela, dei meus primeiros passos, com ela ao lado enfrentei os primeiros dias de escola. Todas as manhãs, enquanto me acompanhava, escutava dela a história, sempre nova, das ruelas e da gente de Nápoles. Dela absorvia e assimilava os gostos, as lendas e os heróis daquela cidade do *cuore* antigo, raízes perdidas de civilizações apoiadas umas sobre as outras, como a túnica bufante de polichinelo, tornada depois estrato de sua pele. Com Giuseppona sentia-as ainda vivas e palpitantes; debaixo de remendos e trapos, eu via filtrarem-se lampejos de ouro e sedas preciosas. Recordo-me ainda do meu embaraço quando, nos dias de chuva, ela irrompia na sala de aula, no meio da manhã, depois de render guardas e bedéis, para me fazer trocar meias e sapatos molhados. Já maior, eu não quis mais que ela me levasse à escola segurando-me pela mão, mas ainda por algum tempo me acompanhou, seguindo-me a distância. Na adolescência, foi minha confidente em todas as questões de amor. O seu lacônico juízo "Ma chella non era per te!" por anos concluiu consoladamente as minhas desilusões amorosas. Adorou Luisa desde o primeiro dia, e, quando nos casamos e tivemos a primeira menina, ela veio morar conosco. Foi a melhor governanta que poderíamos ter tido para Giorgia e Luca, aos quais sempre foi ligada por um afeto e por uma devoção sem limites.

Autodidata, decidida e combativa, de caráter rude e um pouco despótico, Giuseppona era baixa e robusta. A estrutura física e os traços decididos davam-lhe um ar ameríndio, um misto de índia anciã e chefe de tribo, de quem possuía a dignidade e a coragem. Era lenta, pesada, mas onde quer que chegasse colocava ordem. Com ela nunca faltava nada. Sua capacidade de julgamento, a mesma a que recorri em tantos momentos da vida, era uma mistura incomum e sempre nova de bom senso e sabedoria popular. Sua presença trouxe alegria e bom humor em todos os lugares que me acompanhou, em qualquer parte do mundo, e foi uma referência constante por toda a minha vida. Quando Luisa adoeceu e depois faltou, foi mãe dos meus filhos, sem esmorecer um dia sequer. Não poderei jamais pagar a dívida de gratidão, nem exprimir o que esse ser representou para quatro gerações da minha família.

Querida Giuseppona, eu a terei no meu coração para sempre.

Em Marraquesh, minha procura pelo Dreamer foi vã. Chegado o terceiro dia, eu nem estava mais certo de que o enigmático bilhete que me havia levado até lá era Seu.

Passei as longas horas de espera vagando pela cidade em busca de qualquer indício. Por volta das duas horas da madrugada, retornando ao hotel depois de uma intensa jornada de buscas infrutíferas, repassei mentalmente cada detalhe de nosso encontro, tentando descobrir qualquer pista que pudesse me levar a Ele.

Naquela manhã eu estava atravessando uma vez mais o coração do *souk*, aquele dédalo sombrio de ruelas perfumadas pelas especiarias. Os sorrisos astutos de inúmeros mercadores convidavam-me a entrar em seus empórios, bodegas e lojas apinhadas de mercadoria duvidosa. Tratava-se quase sempre de quinquilharias que ali chegavam e ali mesmo eram deixadas, como destroços depois de um naufrágio. A sequência interminável daqueles antros de comércio, muitas vezes inóspitos, escuros como vespeiros, formava as margens de um rio humano que escoava carregando consigo nacionalidades, etnias, cores e línguas do mundo.

Um homem em trajes típicos, um *mustafá* corpulento que parecia saído da prancheta de Disney, soube, para desilusão e inveja dos vizinhos, atrair-me à sua bodega. Tinha um ar bonachão e inteligente, olhos espertos e maliciosos. O interior da loja era surpreendentemente espaçoso. Assistido por duas auxiliares, eu o desafiei a encontrar alguma coisa que me pudesse interessar. Desenrolou centenas de tapetes e lustrou na própria manga, antes que eu os examinasse, uma montanha de objetos de cobre e de prata. Após inúmeras tentativas e xícaras de chá que os hábitos locais não dispensam, eu havia, então, decidido sair. De uma última prateleira, dentre milhares de bugigangas, saltou-me à vista uma caixa de madeira e marfim. Era tão finamente entalhada, suas proporções tão perfeitas, que eu não conseguia desviar os olhos dela, enquanto o mercador, percebendo meu interesse, às minhas costas acrescentava qualidades e, mentalmente, o preço.

Sobre a tampa da caixa, gravadas em caracteres góticos, liam-se as palavras: *Visibilia ex Invisibilibus*. Tudo aquilo que vemos e tocamos nasce do invisível.

Mudar o passado

Do *souk* retornei ao terraço do Café de la France para pegar meus pequenos companheiros verdes e escamosos. Ali, apoiado no parapeito, refletia sobre o que havia acontecido.

A primeira regra para enfrentar o deserto é viajar com pouca carga, alguém às minhas costas disse. Sobressaltei-me ao som daquela voz. Por mais que esperasse aquele momento e desejasse revê-Lo, não pude evitar o susto. Senti com assombro o desconhecido, o hálito do prodígio em meu pescoço. Com esforço, voltando-me muito lentamente, encontrei coragem para olhá-Lo.

O Dreamer sorria. Sua aparência era a de um rico aristocrata viajante de outros tempos. Tinha um ar de tédio e o modo enfadonho dos esnobes, mas Sua voz carregava uma inesgotável energia. Quando começou a falar, reconheci Seu tom decisivo, aparentemente áspero.

Despojar-se de um ser exige um enorme trabalho, preveniu-me, entrando no tema sem preâmbulos. *Exige abandono de tudo o que os pais, os educadores, os mestres de infortúnios e os profetas das desgraças lhe impuseram. Deles aprendemos a ter a mentalidade de vítimas, a entrar na aflição, na pobreza e na doença.* Depois, aproximando lentamente Seu rosto do meu, completou:

Deles aprendemos os milhares modos de morrer. Dos primórdios da civilização, mediante um contágio entre gerações, milhões de homens, submetidos a um sono hipnótico, aprenderam a acreditar cegamente na carência e no limite.

"Por quê?", perguntei. "Por que não deveríamos escolher a vastidão, a ausência de cada limite... Por que não deveríamos escolher a vida?"

Porque o homem está irremediavelmente hipnotizado. Atrás de cada infortúnio encontra-se o mal dos males: a crença irremovível na inevitabilidade da morte. O primeiro passo em direção à liberdade, o mais difícil, é compreender que esse medo governa tiranicamente toda a sua vida.

Aquelas palavras e a gravidade do tom acentuada por Seu movimento de aproximação colocaram-me em estado de agitação. Como nos cultos e nos espetáculos sagrados das antigas civilizações, Sua teatralidade transformava o simples ato em um gesto mágico, um evento cósmico construtor do mundo.

Um aperto no estômago fez-me saber que o anúncio que estava por fazer desembocaria em um julgamento decisivo.

Seu passado é um castigo de Deus!, denunciou o Dreamer com voz rouca. E parou. Particularmente longa, aquela pausa foi como se, para poder ir além, esperasse um sinal que tardava a aparecer.

É preciso resgatá-lo... redimi-lo... é preciso mudá-lo.

"Mudar... o passado?", perguntei.

No seu passado existem ainda muitas lacunas... contas não saldadas, débitos interiores jamais pagos, senso de culpa, vitimismo, e, sobretudo, cantos escuros em que predominam ferrugem e pó, listou, revolvendo-me como uma gaveta cheia de objetos de pouco valor.

Seu ser é um negócio mal administrado, sem critério de preço... aquilo que tem valor é vendido abaixo do custo, e as bugigangas a preços altos. Continuar nessas condições significa falir.

Eu teria colocado uma barreira protetora diante da força explosiva daquelas palavras que me perseguiam sem um minuto de trégua.

"Como é possível modificar o passado, situações e eventos já acontecidos?", perguntei para me defender, para desviar aquela pressão que exigia uma responsabilidade insustentável.

Existe um lugar onde pensamentos, sensações, emoções, ações e eventos são registrados para sempre e, mesmo depois de anos, podemos reencontrá-los como objetos sem uso, guardados no sótão, aparentemente inativos, inermes. Na realidade, eles continuam a agir e a condicionar toda a nossa existência. É para lá que você deve retornar! Exigirá uma longa preparação.

"De quanto tempo?", perguntei com a agitação e o temor de quem tem diante de si uma viagem arriscada.

Serão necessários tantos anos quantos foram aqueles de inábil gestão, foi a lapidar resposta que golpeou tanto minha conduta na vida quanto a insolência de minha pergunta. Um fulminante sentimento de ofensa surgiu como um reflexo psicológico condicionado que invadiu cada parte do meu ser. Do mesmo jeito que apareceu, foi-se, como um resmungo.

O Dreamer ocupava uma das mesinhas do café. Com um aceno, indicou-me um lugar ao Seu lado. Calado por longo tempo, a atmosfera tornou-se mais profunda à medida que a noite atenuava os sons confusos que animavam El Fna.

Perdoar-se dentro

O por do sol lançava seus últimos raios. No cobalto cambiante do céu, Órion era já visível. A temperatura havia caído de repente, mas o Dreamer não deu sinal de se ressentir disso nem de querer entrar. Tudo indicava que estava por se abrir um novo e importante capítulo do meu aprendizado. Peguei caneta e caderno, decidido a tomar nota de cada palavra Sua, não obstante a incipiente escuridão na qual o terraço rapidamente mergulhava. Senti-me bem com aquele gesto. Entendi a importância de sempre ter papel e caneta à mão. Papel e caneta queriam dizer RE-CORDAR, recuperar, recolher partes de mim dispersas pelo mundo quando longe Dele. Escrever diante Dele, anotar cada coisa que dissesse, significava entrar na ponta dos pés em zonas inacessíveis do ser. Sua voz flagrou-me:

Para conquistar aquela especial condição de liberdade do ser, de conhecimento, de poder... são necessários anos de Trabalho sobre si mesmo. É preciso perdoar-se dentro, disse, enfatizando essa expressão com uma particular inflexão de voz, estranha ao caráter guerreiro e à linguagem inexorável do Dreamer.

Voltou os olhos para se certificar de que eu estava mesmo sendo fiel nas minhas anotações. Esperou que eu completasse e continuou: *Perdoar-se dentro não é o exame de consciência de um santo obtuso, mas o verdadeiro fazer de um homem de ação, o resultado de um longo processo de atenção... de auto-observação. Significa entrar nas sinuosidades, nas partes mais íntimas da própria existência, bem lá onde é ainda lacerada... Significa lavar e curar as feridas ainda abertas... liquidar todas as contas não pagas.* Assumindo uma postura teatralmente circunspecta e abaixando a voz como quem conta um segredo, confidenciou: *Perdoar-se dentro tem o poder de transformar o passado com toda a sua carga.* Infinitas vezes remexi no meu íntimo esse conhecimento de significado incompreensível.

Tudo é aqui, agora! Passado e futuro estão agindo juntos neste instante na vida de cada ser humano.

Isso me encheu de uma inexplicável, incompreensível felicidade. Encontrava-me diante de uma visão sem limites. Passado e futuro não eram mundos separados, mas conectados e indivisíveis. Uma só realidade. PERDOAR-SE DENTRO era uma máquina do tempo... para poder ingressar em um tempo passado que, na visão comum, não existia mais, e em um tempo futuro, que ainda estava por vir...

"Até entendo que o passado pode agir sobre nossa vida; mas o futuro...?", perguntei.

O futuro, como o passado, está sob seus olhos, mas você não pode ainda vê-lo.

Falou-me de um *tempo vertical*, de um *corpo-tempo* que comprime passado e futuro em um só instante. Um tempo sem tempo, cuja porta de entrada é o instante agora. O segredo é não se distrair, não afastar-se mais.

Penetrar nesse *corpo-tempo* significa poder mudar o passado e desenhar um novo destino.

Provei um irrefreável entusiasmo. Desejei que aquela aventura começasse imediatamente... queria aquilo com todas as minhas forças. Mas meu ímpeto nem teve tempo de se manifestar, contido que fui pela Sua severidade: *Para homens como você é impossível perdoar-se dentro.*

O tom era de um julgamento sem apelação. *Para entrar no próprio passado e curá-lo, é preciso uma longa preparação. Somente um trabalho de Escola pode tornar isso possível.*

Perdoar-se dentro é um retorno a si mesmo, é a verdadeira razão pela qual nascemos, afirmou o Dreamer em tom conclusivo. *Os seres humanos não deveriam jamais interromper esse processo de cura.*

O Dreamer preparou-me, advertindo que tudo isso exigiria de mim grandes esforços e, antes de qualquer coisa, um longo trabalho de auto-observação.

Auto-observação é autocorreção

Auto-observação é autocorreção. Um ser pode curar qualquer coisa do seu passado se tiver a capacidade de observar a si mesmo, afirmou o Dreamer, que prosseguiu ressaltando como as condições do ser humano não são outra coisa senão um efeito de sua incapacidade de se conhecer e, antes ainda, de se observar.

Auto-observação é olhar de cima a própria vida. É como submeter eventos, circunstâncias e relações do passado a um raio de luz.

Segundo o que pude entender, a condição *sine qua non* da auto-observação é a capacidade de conduzi-la com imparcialidade e sem falso moralismo. Auto-observação para o Dreamer significa deixar fluir a própria vida não diante de um tribunal de julgamento, mas sob o raio X de uma inteligência imperturbável, testemunha neutra que se limita a observar, abstendo-se rigorosamente de emitir qualquer juízo ou formular alguma crítica. Remotamente, isso me fez pensar em alguns experimentos de psicologia aplicados a empresas que conheci quando ainda estudava na London Business School. Grandes empresas tinham conquistado níveis excepcionais de produtividade por intermédio do sistema de administração móvel,[5] como batizaram os pesquisadores. O processo se fundamentava na atenção e propunha a função de administração ambulante. A tarefa de um administrador móvel consistia exatamente em circular, fazer sentir a sua presença em todos os cantos da empresa, mesmo os mais distantes.

Sua voz removeu-me bruscamente daquelas recordações e das minhas reflexões, tirando-me de súbito das salas de aula londrinas da LBS.

Auto-observação é autocorreção, repetiu. *Auto-observação é cura... uma consequência natural do distanciamento que se cria entre o observador e o observado.* A

---

5. Em inglês, no original, *Wandering Management.* (N. T.)

auto-observação permite a um ser ver tudo aquilo que o mantém grudado à esteira rolante do mundo: pensamentos obsoletos, sentimentos de culpa, preconceitos, emoções negativas, previsões de desgraças... É uma operação de distanciamento, de desipnotizar, de despertar...

A menor suspensão da ação hipnótica do mundo esfacelaria tudo aquilo em que sempre se acreditou, tiraria a sustentação do aparente equilíbrio e das certezas ilusórias reunidas no curso de uma vida. Por isso, a maior parte dos seres humanos nunca poderá aplicar a auto-observação. Distanciar-se da descrição do mundo, ainda que por um átimo, é uma ação que vai além dos limites comuns.

Fitou-me intensa e demoradamente. Estava movimentando a mira do discurso em minha direção. Um nó no estômago antecipou a dor daquilo que estava por vir:

Coloque em ação o observador que existe em você! A auto-observação é a morte daquela multidão de pensamentos e emoções negativas que sempre governaram sua vida. Se você se observa internamente, o que é certo começa a acontecer e aquilo que não é começa a se dissolver.

Um olhar bastou para perceber minha expressão perturbada. Adicionou:

Ninguém pode conseguir isso sozinho. Encontrar-se consigo mesmo, com sua mentira, aventurar-se nos labirintos do ser sem uma preparação impecável iria matá-lo num instante.

A conclusão soou como uma condenação. Receei que me abandonasse, tomasse meu caso como sem solução, e cada esforço empregado a meu favor como inútil. Surgiu em mim uma determinação intrépida, heróica. Minha presteza deixou-O reflexivo. Lentamente, assumiu uma de Suas posturas originais. Esticou o indicador e o dedo médio da mão direita e manteve-os unidos, espremidos contra a bochecha. Apoiou o queixo sobre a concavidade do polegar, mantendo a cabeça ligeiramente inclinada. Permaneceu assim, absorto, por um tempo interminável. Não me olhava, mas eu estava certo de que nenhum dos meus pensamentos Lhe escapava. Eu estava jogando o final de uma partida decisiva, talvez a última. Tudo dependia de mim. Esperei. Finalmente, o Dreamer saiu de Sua imobilidade:

Veja... é lua cheia, disse, apontando o astro com um leve sinal com o queixo. *Um ser humano pode olhar milhares de luas durante todos os seus anos, mas muito provavelmente, no final de sua vida, não terá encontrado tempo de observar nem ao menos uma... E isso está fora. Imagine o quão mais difícil é para um ser humano observar-se, inverter a posição da própria atenção. A auto-observação é só o início da arte de sonhar.*

Permanecemos em silêncio por um longo tempo. O terraço do Café de la France, solene na escuridão, era a proa de uma nave espacial pronta a sulcar o céu estrelado. A bordo, apenas nós... solitários argonautas do ser.

Prepare-se, avisou-me no tom decidido de um homem de ação. *Não será um passeio.*

Escutei atentamente as últimas recomendações. Ainda ao meu lado, Ele me expôs friamente o risco de eu me colocar enredado em uma espécie de limbo mental, no qual o passado não fora ainda compreendido, abandonado, e o novo, ainda não formado. Daquela faixa de espaço-tempo eu não teria nenhuma possibilidade de retornar ao mundo do Dreamer. Evidenciou que aquele poderia, portanto, ser o nosso último encontro.

O passado de uma pessoa comum... de quem ainda não deu nem os primeiros passos em direção à unidade do ser, é cheio de anzóis que o agarram à mínima tentativa de ali entrar e fazer mudanças...

Foram as advertências que pude ouvir. Como uma embarcação que se libera das correntes, tive a sensação de que o terraço oscilava e de que os objetos em torno começavam a se distanciar.

"Já estamos", pensei, impondo-me coragem.

Sentia com dificuldade aquilo que o Dreamer me dizia, como se Sua voz fosse, em alguns momentos, encoberta pelo ruído de motores invisíveis. O terraço transformou-se em uma máquina do tempo. O Universo parou, a fita do tempo retornou, nada no mundo pareceu mais importante do que aquela nossa viagem em sentido reverso na minha consciência e no meu passado.

Tive a impressão de deslizar na escuridão impenetrável de um túnel, como se nossa máquina estivesse atravessando uma geologia interna: camadas e mais camadas calcificadas de existência.

Da escuridão, um primeiro fragmento da minha vida aflorou como uma ilha. Acompanhei sua aproximação. Aumentava junto com minha sensação de estar entrando em um mundo familiar, mas ao mesmo tempo arcano, misterioso, nos limites do desconhecido.

Embora no tempo linear tenham se passado apenas poucos anos dos fatos que eu estava reexaminando junto ao Dreamer, aquela parte da minha vida pareceu-me incrivelmente remota.

A morte nunca é uma solução

Luisa morreu aos vinte e sete anos. Um melanoma havia aberto uma cavidade em uma de suas pernas, como um buraco na areia que uma criança faz brincando na praia. Os contornos do mundo fizeram-se ainda mais confusos, como se eu visse através dos olhos surrados de um pugilista. Por meses conheci apenas rancor: um ressentimento surdo entre a raiva e o medo.

Perturbação,
dor...
Escuridão!...
Criminosa cumplicidade de pensamentos e emoções...
Fragmento imprevisível e danoso do ser...
Uma lâmina de luz transpassa
o escuro da minha existência.
Dor,
perturbação...
Escuridão!...
Uma fresta...
Atrás: escuridão... e dor... outra vez!...
Voo ao seu encontro, aproxima-se, avulta,
o planeta opaco dos meus anos passados...
Pousar... mas onde?
Sem espaço, sem passagem...
nem um só milímetro quadrado de sinceridade...
no deserto rochoso dos meus pensamentos.
Um canal me engole...
Escuridão...
Dor...
Perturbação!...
O quarto de um hospital de província... cheiro de creolina...
odor de doença e de impotência.
Uma figura prostrada ajoelhada diante de um ser estendido, imóvel...
Aproximo-me...
aquele homem...
assustado...
sou eu!!!

Essa era a cena que eu observava com o Dreamer. A austeridade daquela marmórea presença, já estranha, lançava uma luz persistente sobre aquele pequeno homem debilitado e denunciava seu anacronismo. Escutei a multidão confusa que atordoava seu ser, a revoltada turba de pensamentos, desejos pequenos, emoções que se lhe agitavam o interior como resíduo de vida. Pelos olhos do Dreamer, como sob o efeito de um alucinógeno, eu via além das aparências o grumo de egoísmo e medo a que aquele homem se reduzira.

É um fantasma que chora a própria morte, comentou sem piedade o Dreamer, indicando-o com um movimento do queixo. *O medo, o sofrimento, a angústia não são o efeito, mas a verdadeira causa de todos os seus dissabores.*

O Dreamer estava me revelando o mal dos males, a fonte de cada adversidade, individual e social, local ou planetária!

O caos que cada ser humano carrega dentro de si, seu inferno, projeta-se no mundo materializando-se em vinganças, discriminação e guerras entre raças, ideologias, crenças e religiões.

A emoção daquela descoberta enredou-se ao horror, à piedade, à vergonha, quando notei naquele homem os sinais acentuados de um precoce envelhecimento.

Aquele homem sofre não porque está diante de um evento lutuoso, doloroso, mas está diante daquele evento porque escolheu o sofrimento como condição natural sua, denunciou lapidarmente o Dreamer.

Percebi que tudo aquilo que foi e que ainda aconteceria em minha vida já estava ali, compreendido naquele instante, como a secularidade de um carvalho contida em sua semente. Cada detalhe revelava o descuido, o abandono, o ranço da vida daquele ser. Queria fazer alguma coisa àquele homem que eu havia sido, advertindo-o de nossa presença. Queria entrar naquele ser para pôr ordem às coisas, infundir-lhe um pouco de dignidade, fazer que ele endireitasse as costas curvas, desmanchar aquele semblante de dor do seu rosto...

É impossível intervir! Você não pode fazer nada!, preveniu-me o Dreamer. Seu tom tornara-se imperceptivelmente mais doce. *Aquele homem ama sofrer! Ele juraria o contrário, mas, na realidade, não sairia do seu inferno por nada deste mundo.*

Eu estava atônito, incapaz de acreditar em tamanha monstruosidade. O Dreamer percebeu minha expressão de incredulidade e acrescentou:

Entregar-se àquele estado permite-lhe permanecer agarrado ao mundo e sentir-se seguro. Mesmo na dor de sua condição, é embalado pela ilusão de que uma ajuda pode chegar do exterior... Se pudesse se observar... se pudesse modificar um só átomo de sua atitude, de suas reações... se tivesse a capacidade de elevar em um só milímetro um pensamento seu, uma emoção sua, toda a sua vida se transformaria...

Aqui, teatralmente, modificou Sua voz em um enérgico murmúrio. Aquela repentina mudança de tom aguçou minha capacidade de ouvir:

Um ser humano não pode mudar os fatos de sua vida, somente a maneira como os interpreta.

"Você havia me dito que é possível mudar o passado...!", objetei em tom de acusação. Um doloroso sentimento de desilusão, uma onda de desespero embaçava meus olhos, como em um pranto.

Isso que você vê, esse fragmento de sua existência em que você gostaria de intervir, não é seu passado, rebateu secamente o Dreamer. *É o seu futuro!*

Tudo se repete na sua vida... Os fatos são recorrentes, sempre os mesmos, porque você não quer mudar... Ainda se lamenta, ainda acusa o mundo, certo de que alguém de fora possa prejudicá-lo ou ser a causa dos seus infortúnios... O ser humano comum, aprisionado na circularidade do tempo, não tem um futuro de verdade, mas somente um passado que se repete e repete...

Agora você está vendo por intermédio dos Meus olhos! Um dia, quando assumir a responsabilidade disso, saberá que seu vitimismo não é uma consequência, mas a origem de todas as suas desventuras... que você, e somente você, é a causa de tudo isso... Só aí você poderá trazer luz ao seu passado e curá-lo.

Estávamos na sala funerária. Ao lado do corpo de minha mulher, outros jaziam imóveis. Nenhum era jovem como Luisa. Naquele vazio, ecoaram palavras que jamais esquecerei:

A morte dessa mulher é a imagem especular dos seus estados de ser, das suas mortes interiores.

Por mais que o Dreamer houvesse me prenunciado as dificuldades que eu encontraria ao repercorrer passagens da minha história, revivendo-a com Ele ao meu lado, senti-me esmagado pelo peso da Sua visão. A responsabilidade que isso exigia era insustentável. Como poderia aceitar ser o idealizador, o diretor daquele filme de horror que eu chamava de minha vida?

A morte é imoral, anunciou com voz firme, *é não-natural...*

A morte física é apenas a materialização de milhões de mortes que a cada dia acontecem dentro de nós; é a cristalização da crença emprestada de uma humanidade que se acorrenta na dor e ama sofrer.

Os seres humanos fizeram da morte sua via de fuga, seguiu implacável, indiferente à minha agitação. *Sabem perfeitamente como se suprimir, conhecem todas as técnicas...*

O corpo é indestrutível!... Ainda assim querem tornar inevitável o impossível... Um ser humano não pode morrer; pode tão-somente matar-se! Para conseguir isso, deve dedicar-se intensamente e fazer da autocomiseração e da autossabotagem um trabalho em tempo integral.

Parou um pouco para procurar o modo com o qual pudesse superar minha resistência, a rudimentar capacidade do meu ouvir e o muro hipnótico que eu havia levantado em oposição àquelas ideias revolucionárias de poder desconhecido.

A morte é sempre um suicídio, atestou, imprimindo àquele aforismo a força de um grito de guerra. *Quando esse modo de pensar se tornar carne da sua carne, sua visão mudará radicalmente e, com ela, sua realidade.*

O Dreamer estava atacando convicções seculares, a crença indestrutível compartilhada pela totalidade dos seres unidos pela condição comunal de moribundos, pela generalizada convicção de que a morte é natural e inevitável. Vi-me violento, enraivecido, como se alguém estivesse arrancando de golpe o que eu tinha de mais valioso. Algo lacerou meu ser. Um grito mudo ecoou dentro de mim e permaneceu de fundo como um resmungo de rancor.

Neste exato minuto, milhares de seres humanos pensam e sentem negativamente, ludibriados como você pelo mesmo ressentimento. Sentindo-O penetrar nos recônditos do ser que eu acreditava os mais secretos e inacessíveis, vivi uma vergonha infinita, como se houvesse sido flagrado roubando. *É esse o estado do ser que impede à humanidade qualquer possibilidade de fuga dos círculos mais dolorosos da existência,* anunciou com uma inflexão de amargura. Depois, em tom conclusivo, disse:

Os seres humanos veneram a morte e não a suprimiriam jamais, nem mesmo se pudessem, porque a consideram solução para seus problemas, o fim do sofrimento e das inúmeras mortes psicológicas que se infligem... mas a morte não é nunca uma solução!

A névoa hipnótica dissipou-se, a visão se abriu. Enquanto as palavras do Dreamer tornavam-se reais, naquele quarto decorado para o luto, com outros leitos circundados por velas, a morte de Luisa parecia irreal, como a cena de uma missa macabra.

A cura vem de dentro

Prosseguindo na viagem de volta ao passado, alcançamos o período dos últimos meses de vida de Luisa. Revi-me no estúpido papel de marido sofredor, de jovem chefe de família, já curvado pelo peso de uma desgraça grande demais. Observei aquele pequeno homem sentir compaixão por si mesmo, acusar, recriminar, recordar com dor. Eu o vi despeitado, abandonado à inveja, ao rancor, perdido em imagens doentias, palpitante de ansiedade, o coração apertado entre as garras implacáveis de seu senso de culpa. Ouvi seu canto de dor, aquele incessante ato de acusação dirigido ao mundo e aos outros... Não pude suportar mais.

"Por que tudo isso? O que faço aqui?", gritei em descompostura para o Dreamer, sentindo-me destroçado pela vergonha daquela visão. Teria virado as costas e fugido, mas não consegui mover um músculo.

Com inesperada gentileza, o Dreamer repetiu o objetivo daquela viagem: levar luz ao passado, retornar dali com uma nova compreensão. Era uma oportunidade única.

Como em uma verdadeira cura, o processo deve vir de dentro, disse, tirando-me providencialmente daquela condição de vítima a que me submetia a todo instante. *É o nosso ser que cria o mundo, e não vice-versa!*

Como todas as pessoas, você sempre acreditou que fossem os eventos os geradores dos estados que você vive, e as circunstâncias externas, as responsáveis por fazê-lo infeliz e inseguro. Agora você sabe que essa é uma visão invertida da realidade.

Estava repreendendo-me. Esperei alguns segundos e depois fiz sinal ao Dreamer de que estava pronto para prosseguir.

A etapa seguinte foi a Via Bolognese, em Firenze, onde naquele tempo eu trabalhava com formação gerencial. Naqueles meses, com os colegas, eu havia estabelecido uma espécie de simbiose emocional, que combinava a minha atitude de autopiedade com a solidariedade barata deles. Nem percebiam, mas minha desgraça os fazia se sentirem bem; era um susto saudável que os colocava diante da precariedade da vida e que lhes permitia, momentaneamente, estimar a medíocre razão de existência que os movia. Tratavam-me com a gentileza ou solicitude que se dedica a um doente, a um ferido, a um derrotado. Vi todo o horror daquela barganha e senti um profundo desconforto. De qualquer parte que observasse, meu passado era tecido de sombras. Não havia o que salvar.

Eu me agitava como um desesperado no local de um desastre, tentando recuperar alguma coisa: uma pessoa querida, um relacionamento, qualquer coisa que tivesse utilidade ou valor. Inutilmente. Tinha a respiração tomada pelo horror. Sem a presença do Dreamer não teria encontrado forças para continuar.

Não culpe os acontecimentos, disse, vendo-me vacilar sob o peso daquelas emoções. *Ficar viúvo aos vinte e nove anos com duas crianças não é uma maldição. Um evento é nem belo nem feio. É apenas uma oportunidade. Se houvesse tido disciplina, poderia ter transformado aquela circunstância em um acontecimento luminoso, tê-la transferido a uma ordem superior... Se houvesse tido a coragem de se conhecer, não teria sido necessário que Luisa morresse.. não teria sido necessário caminhar por tanta dor.*

Nosso nível de ser atrai nossa vida... Tudo aquilo que você vê e toca é a imagem refletida do seu ser, daquela imperfeição, daquele hiato que você carrega. Na existência não há espaços vazios. Se você intencionalmente não os preenche, impondo a si mesmo um novo modo de pensar, de agir, o mundo interferirá com sua crueldade.

Se você não vê, ou não quer ver, a doença se agrava e a comédia da sua vida será sempre mais dolorosa. Tudo acontece para lhe revelar a causa daquela tragédia, para remetê-lo à fonte de tudo isso... e lhe permitir, um dia, transformar a visão mortal da existência.

Os donos da casa

Outros fragmentos da minha vida, imagens do passado, como uma sobreposição de fotogramas, aproximaram-se em prodigiosa velocidade. Reconheci pelas ruas e rostos das pessoas as muitas cidades em que vivi, as inúmeras casas que habitei. Até que vi... a sombra!... Aquela presença escura que sempre me seguiu na escolha de cada nova casa, em cada mudança. Senti a apreensão me destroçar o estômago em uma mordida de aço.

Em cada uma daquelas casas eu havia encontrado um Cérbero: donos intratáveis, litigiosos, que uma irônica e recorrente contingência, uma prodigiosa pedagogia, havia desejado que fossem meus vizinhos, que morassem ao meu lado.

Olhe-os atentamente... observe-os bem!, ordenou-me o Dreamer com doçura e firmeza, antecipando a dor daquilo que estava por me mostrar. *Aqueles chefes de família são, na realidade, uma só pessoa. Sempre a mesma. Não muda nunca... Você não quis jamais ver que atrás da máscara, camuflado de chefe de família, estava sempre você. Você é que encontrava a si mesmo!*

Alguma coisa dentro se quebrou. Uma porta atrás se fechou fortemente e senti o movimento metálico do giro da chave. Tive a certeza de que eu nunca mais seria como antes. Irrompi em um pranto desesperado, interior, sem lágrimas: minha vida havia sido a de um fantasma, um reflexo que agora eu via empalidecer no espelho do mundo e desaparecer sem deixar traço.

O Dreamer veio em meu socorro à beira daquele abismo:

Esses são os guardiães, os carcereiros que você mesmo recrutou para perpetuar sua dependência. Enquanto você não eliminar do seu ser aquele canto de dor que sempre governou sua vida, aqueles fantasmas retornarão.

O silêncio que se seguiu foi tão longo que receei se rompesse o fio de ouro que me ligava a Ele. Uma angústia mortal assaltou-me diante do pensamento de ser cortado, tirado do Seu sonho. Terrível aquela sensação. Pelo tempo infinito em que experimentei aquele vazio, aquela ausência, deixei de existir. Entendi, então, quanto o Dreamer era já parte integrante da minha existência. Um precioso cordão conectava-me a Ele como a um órgão do qual eu sugava vida, um terceiro pulmão do qual eu aspirava ar puro.

Novas imagens do meu passado começaram a se movimentar como em uma moviola. De algum modo aprendi a controlá-las. Agora podia pará-las, aumentá-las, aproximá-las ou ganhar perspectiva, inserir-me ou excluir-me da cena. Revi a casa da Via Fortini, muito grande e silenciosa, agora que Luisa estava no Instituto da Via Venezian, em Milão, e Luca e Giorgia estavam com os avós, em Piemonte.

Revi aqueles dias que se sucederam rápidos, acendendo-se e apagando-se em um piscar de olhos. Ao pôr do sol, as sombras dos pinheiros apoderavam-se da velha casa insinuando-se como presenças sutis nas partes mais profundas do ser.

Não sabia o motivo pelo qual o Dreamer havia me conduzido exatamente até ali, mas um tremor incontrolável apoderou-se do meu corpo.

Estamos para entrar no sótão da sua vida, animou-me, nos ângulos sombrios da sua existência. Há muito para eliminar.

Revesti-me de coragem e desci a rua inclinada até chegar ao imenso portão de entrada. Reconheci o vento que se precipitava colina abaixo, encontrando impulso exatamente naquele ponto. Como um curso de água, ele se deslocava no canal daquela ruela tortuosa e lambia a seco o áspero muro pincelado de verde e branco pelas alcaparras selvagens. Entrei pela pequena porta metálica. Vi ao fundo o Citroën de então.

A casa apareceu diante de mim de repente, tão curto era o caminho de acesso. Igualmente inesperado foi o encontro com a escadaria de pedra e terracota. Preparando-me para subir, voltei o olhar para o fundo do jardim, além da casa. Pus-me a observar as janelas iluminadas daquela pequena casa. Ali habitava nossa única vizinha.

As recordações fluíram e aglomeraram-se na minha mente. Senti a respiração acelerar enquanto começavam a passar os primeiros quadros da minha história com Judith.

Judith, "a moça"

Giorgia e Luca chamavam-na de "a moça". Apenas alguns anos mais velha que eu, alta, atraente, Judith era uma pessoa reservada. Morava sozinha na pequena casa atrás do nosso jardim. Nada a surpreendia verdadeiramente e ninguém parecia interessar-lhe além dos seus livros e da música. Sua expressão de imperturbável distanciamento era animada pelo bater intenso de seus cílios, como que agitados por um estupor contínuo. Certifiquei-me de que o Dreamer estivesse ainda ao meu lado e me aproximei de uma janela da pequena sala de visitas. Sentia o ser sobressaltado como quando, à noite, eu a procurava e sobre seu corpo descarregava meu medo, a incapacidade de suportar aquilo que estava me acontecendo.

Revi o pequeno ambiente, as paredes forradas de livros, o sofá central revestido de tecido floral, e Judith, que corria seus longos dedos sobre o teclado enquanto eu lhe falava da doença de Luisa e do agravamento da sua condição. Sua música invadiu a atmosfera fazendo vibrar cada átomo e cresceu até cobrir infames palavras permeadas de mentira. Podia agora sentir todo o horror dos pensamentos daquele homem, o odor nauseante de suas intenções. Pela primeira vez eu via com clareza qual luta me lacerava as vísceras: o embate entre a dor por aquela morte anunciada e a alegria secreta e selvagem por me libertar da minha mulher, do peso daquele matrimônio imaturo, desequilibrado.

A cortina da falsidade se levantou. Eu não podia mais me esconder. Não seria mais possível. Atrás do pranto e do desespero daquele pequeno homem, entre a pele e a máscara, vi o sorriso maligno da criminalidade. Suspendi a respiração, horrorizado. Uma força irresistível me impediu de fugir e me deteve imóvel diante da janela de Judith.

Revi a cena do nosso encontro. Luisa morria e eu me agarrava àquela mulher, suplicando sua companhia, sua compaixão, seu corpo.

Quando Judith entendeu minhas intenções, impassível, não mudou de atitude. Pegou-me pela mão e me acompanhou ao quarto, dando-me aquilo que eu estava mendigando: sexo... para esquecer, para fugir, para encontrar abrigo do medo que me atormentava a alma. A partir de então, encontrávamo-nos frequentemente. Entre nós não havia muitas palavras nem cerimônia. À noite eu a procurava para aplacar minha angústia. Nosso ato se consumava em orgasmos insignificantes como espirros.

O Dreamer não me poupou de nenhuma daquelas cenas e permaneci ali, consumindo aquele espetáculo e provando até o fim a amargura da sua torpeza.

Luisa estava em casa, a poucos metros de nós, separada só pelo jardim. Não era possível que fosse eu aquele homem... A repugnância era insuportável. Resisti a me reconhecer como capaz de qualquer baixeza, ainda que fosse para salvar a mim mesmo. Assim, cruelmente, estavam se cauterizando as feridas ainda abertas do meu passado.

Judith enfrentava o relacionamento sexual como uma tarefa a ser escrupulosamente cumprida, com empenho e até seriedade, mas não permitia que um só átomo da minha existência se enganchasse em sua vida. Nossa relação simplesmente passava por ela sem deixar traço ou, minimamente, influenciar sua vida. Era frustrante não conseguir tê-la de verdade; aquela sua independência deixava-me inseguro. Concluí que Judith não vivia por ninguém mais senão por ela mesma. Convenci-me de que seu amor pelos livros e pela música era somente um anteparo para seu egoísmo. E assim, lacrada dentro de um vidro e etiquetada com esse rótulo, eu a exilei entre as recordações do passado. Somente agora, pelos olhos do Dreamer, via o que de fato Judith tinha representado para mim. Somente agora reconhecia na sua índole, reservada e esquiva de qualquer hipocrisia, a atitude imperturbável de um sábio e o amor puro de uma mulher sincera.

Judith era melhor que eu. Abrigou-me como um desesperado no meio do naufrágio da minha vida. Não posso imaginar o que teria feito sem ela. Havia visto claramente quem eu era! Havia visto várias vezes minha vida insensata capotar horrivelmente. Havia me reconhecido como um portador da morte! Manter-me fora de sua vida fora a sua salvação. Como pude julgá-la tão duramente?!

Ora, Judith não ocupava mais um canto escuro no sótão da minha memória. Mas resplandecia. Sua música era a vida...

Alguma coisa, porém, não se encaixava. Como havia conseguido encontrá-la...? Como fez um ser como Judith para entrar em meu inferno exatamente quando eu tinha uma tão desesperada necessidade dela?

Dirigi-me ao Dreamer. As pernas me falhavam. Um pensamento absurdo, uma cunha de desvario estava se inserindo em uma fresta da minha racionalidade. Eu a sentia comprimir-me. Penetrava lentamente, inexoravelmente em um ponto recluso da consciência. Não era possível!!!... Judith... era um produto do Dreamer! Judith... era o Dreamer!... Quantas vezes havia já entrado em minha vida para me salvar? Como pude ser tão cego e desatento a tal perfeição?!

O pensamento voou em movimento turbilhonar sobre aquela voragem e nela se precipitou.

Cada um de nós é dotado de uma imensa margem de segurança, acudiu-me o Dreamer. O tom era surpreendentemente doce: *Mas nós a consumimos, a reduzimos rapidamente pela contínua desatenção, pela irresponsável desobediência aos sinais, às advertências, aos semáforos da existência... e acreditamos ser frágeis, expostos a todos os perigos, à mercê da casualidade...*

Retomou o tom anterior, resoluto e severo. *A vida é potentíssima e o corpo é indestrutível. Para poder morrer é necessário tornar possível o impossível.*

Referindo-se ao homem que eu era, como se falasse de qualquer outro, disse: Perdoe-o!... *Perdoando-o, ele perdoará o seu passado, e você poderá substituí-lo com a luz de hoje.*

Um lado duro do meu ser enterneceu e ruiu. Chorei como uma criança. Um magma de dor, de pensamentos e emoções desagradáveis, de sentimentos de culpa, lamentos, acusações e ressentimentos veio à superfície.

Os seres humanos são todos como você, fragmentos dispersos no Universo, governados pelas emoções negativas... Acusar, lamentar-se, depender é a história da vida deles... é o único sentido que sabem dar às coisas!... Destroçados pela angústia, tentam esquecer a morte com a morte.

Obrigado, Luisa!

Continuamos a viagem ao passado. O cenário lentamente mudou e o Dreamer conduziu-me ao período das minhas contínuas viagens, entre Firenze e Milão, de visita a Luisa, hospitalizada no Instituto da Via Venezian. Rapidamente fui aprisionado nas mesmas gaiolas mentais e entrei nos estados de ser de então. Experimentei aquele sofrimento que se fazia mais agudo cada vez que se aproximava uma partida. Afligia-me o conflito entre a obrigação moral de estar próximo a ela e a repugnância de entrar naquele cerco abarrotado de sofredores Atravessando as alas ou a enfermaria, encontrando-os pelos corredores, eu lia seus rostos, folheava-os como pálidas páginas de um livro. Penetrava penosamente nas linhas da história de cada um, nas palavras de suas expressões, nos matizes de seus sofrimentos. Era invadido pelo medo de um dia ter de me sujeitar ao mesmo destino. Então, senti uma vontade irresistível de fugir, de deixá-los para trás e esquecê-los para sempre. Fora havia aquilo que eu chamava vida: gente perdida na estupidez do dia a dia, o rumor intenso e confuso das ruas, o som e a brancura de risadas fúteis que infundem tranquilidade. E para lá corria, entre a multidão, para me refugiar. Apressadamente cumprido o ritual de cônjuge condoído, uma vez amortecidos meus sentimentos de culpa – achando alguém da equipe médica, pedindo notícias e mostrando-me preocupado – rapidamente tratava de encontrar um pretexto qualquer e escapava. Como um desesperado, rodava pelas ruas do centro introduzindo-me entre a multidão, mergulhando na confusão do tráfego. Envolvia-me nas cores e luzes da cidade, atordoava-me com os sorrisos das mulheres bem vestidas e com os ornamentos das vitrines, alimentava a ilusão de um mundo sem problemas, habitado por gente milagrosamente invulnerável e feliz. Naquela fantasia procurava refúgio. Naquela bolha psicológica encontrava ar, como uma enguia em seu muco. Somente o pensamento em Luisa, a cada tanto, irrompia sem prévio aviso e distraía minha embriaguez. Apreensão, medo, sentimento de culpa, como Erínias, divindades vingativas, vinham me encontrar num cinema, numa mostra ou num café. Então, o pensamento da fragilidade da vida, a impotência e o desconforto por sua precariedade inundavam-me o ser com um impassível terror.

Com o Dreamer aproximei-me do leito de Luisa. Tinha os olhos fechados. Estava só. O Dreamer escolheu um dia em que eu estava trabalhando ou vagando pela cidade, fugindo de mim mesmo. O respiro afanoso de Luisa alçava a delicada coberta em um ritmo impressionante, inumano. Reconheci aquele sintoma com um aperto no coração: seus dias estavam se apagando.

O ENCONTRO COM O DREAMER

Um sinal do Dreamer encorajou-me a me avizinhar.

Desloquei com cuidado uma cadeira ao lado do criado-mudo de metal e ali fiquei por muito tempo observando-a. Mechas de cabelo banhadas de suor caíam-lhe sobre a testa e na parte do rosto mantida fora do lençol. Os meses e os dias do nosso breve casamento passaram diante de mim, vividamente, com toda a carga dos fatos, das lembranças. Nosso primeiro apartamento. As histórias que eu lhe contava na volta do trabalho e o orgulho, que eu lia nos seus olhos, dos meus primeiros sucessos. O nascimento de Giorgia. Seus choros noturnos, intermináveis, que não conseguíamos acalmar. O nascimento de Luca. E depois a doença.

Nossa imaturidade transformou-se logo em incompreensão, ciúmes, brigas, queixas, acusações. Éramos dois fracos agarrados um ao outro, dois incompletos que tinham se iludido de poder fazer uma unidade. O resultado de nossa união foi uma incompletude ao quadrado. Esses e outros pensamentos afloraram nos meus lábios e transformaram-se em palavras que murmurei em seu ouvido. Falei-lhe da vida, da beleza, da felicidade. Não tinha importância se não me ouvisse. Uma dor amarga me batia no peito, um choro sem lágrimas me apertava a garganta. Ainda assim me regozijava. Sentia-me apaixonado, arrebatado, como nunca antes. Até aquele dia, hipnotizado por atos e ilusórias ocupações, eu tinha enfrentado com puro sofrimento o tempo transcorrido ao lado de Luisa. Aquela espera sem passado nem futuro, aquele tempo sem acontecimentos, a imobilidade, o silêncio e a calma que governavam aquele mundo me enchiam de assombro. Aquela visão era tão insustentável quanto a luz para um morcego. Sentia um único e incontrolável desejo: fugir e colocar-me a salvo da insidiosa invasão de uma realidade que me gelava o sangue nas veias.

Esta mulher é seu passado que está morrendo, disse o Dreamer às minhas costas. Forte e ao mesmo tempo delicada, Sua observação criou um contraste no meu ser. Comovi-me e liberei-me.

A sensação de morte, que durante meses sentia ao estar a seu lado, não estava fora de mim. Era a minha morte. A morte que eu sempre trouxe dentro. Luisa havia me permitido vê-la, senti-la e tocá-la. Naquele momento supremo, estava me dando a oportunidade de derrotá-la. Em troca, eu a havia maculado de malevolência e acusações.

Peça-lhe perdão, ordenou paternalmente o Dreamer. *Sua vida foi algo muito especial, serviu para fazê-lo reconhecer a morte em você: o vitimismo, os sentimentos de culpa, os impulsos destrutivos que guiaram sua existência.*

"Obrigado, Luisa!", sussurrei ajeitando seus cabelos e enxugando sua testa. "Quanta desatenção... Eu não sabia... Esta é a nossa ressurreição... Mudarei definitivamente, e os nossos filhos poderão mudar também!"

As horas se passavam, mas eu não sentia cansaço. Não queria estar em nenhum outro lugar do mundo senão ali, ao seu lado. Por quanto tempo, eu refletia, havia vindo encontrá-la naquele ou em outro hospital, sentindo-me separado, certo de ser eu o sadio entre os doentes. Semana após semana havia vivido com aqueles seres agarrados, como ela, a um fio de vida, sem compreender o que me davam.

Não fosse aquele mundo, como poderia entender que aqueles homens e aquelas mulheres não estavam fora de mim, mas eram a projeção de minha visão enferma da existência... imagens refletidas da minha doença, da minha separação, da minha irresponsabilidade! Conter aquele mundo – que revelava a morte que eu carregava em mim –, assumir a responsabilidade por ele faziam parte daquele processo, nem ao menos ainda iniciado, que o Dreamer chamava de *perdoar-se dentro*.

Auto-observação é autocura.

Observar tudo aquilo, entender que cada pedaço, por mínimo que fosse, fazia parte de mim, e sentir gratidão possibilitaram-me perceber os primeiros sintomas da minha cura.

Era noite. Alas e corredores silenciosos no hospital. Não sabia mais quanto tempo estava ao seu lado. Havia consumido tudo aquilo que me era disponível: palavras, lembranças, lágrimas. Havia uma coisa ainda a fazer! Puxei o lençol e a descobri. Sob a camisola o corpo mostrava tumefações enormes. O ventre em particular era grande e túrgido, como se pronta a dar à luz. Suavizei o calor passando-lhe sobre o peito e as pernas um pano úmido ligeiramente perfumado. Examinei a ferida escura e profunda como um ninho. Lucidez, destreza e uma frieza, que jamais imaginei ter, guiaram minhas mãos enquanto a medicava. Anos de incompreensão, as incrustações de tantas maldades e traições, tirei-as todas junto a células e tecidos mortos. Desinfetei, cobri com um tampão de gaze e fixei com esparadrapo. Repus-lhe a coberta e a beijei.

O passado deve ser abençoado, curado... Entre em cada sinuosidade! Leve luz a cada canto! Transforme-o por meio de uma nova compreensão...

Seu passado será curado quando você não mais se deixar levar pelas apreensões, dúvidas ou medos. Esse é o verdadeiro significado de perdoar-se dentro.

A voz do Dreamer ainda ecoava no ar quando senti faltar-me o chão sob os pés, como se uma escotilha houvesse sido aberta. Caí de costas e escorreguei por um corredor invisível a uma velocidade vertiginosa e um turbilhão de cores me engoliu.

Quando abri os olhos, estava no meu quarto de hotel em Marraquesh. Naquele mesmo dia organizei minha viagem de retorno a Nova York. Algo de miraculoso envolvia ainda a lembrança de cada instante vivido com Ele, do encontro no Café de la France à viagem ao meu atormentado passado, até a noite transcorrida com Luisa.

Minha bagagem já havia sido levada, o carro para o aeroporto estava à porta, e eu protelava minha partida. Não conseguia deixar aqueles lugares nos quais ainda podia respirar Sua presença. Dirigi ao Dreamer um pensamento de gratidão por haver me acompanhado ao meu passado e me ajudado a liberá-lo de tantos pesos. Somente um ou outro fragmento da minha vida continuava preso ao ser. Um em particular, um só eu ainda segurava com força. Por mais doloroso que fosse, mantinha-o fortemente agarrado, resistia em deixá-lo ir: aquele último olhar para Luisa, aquele beijo de amor trocado entre passado e futuro, nos confins da existência.

2
Lupelius

Encontrar a Escola

Final da manhã. Eu percorria uma rua elegante, rica em lojas de antiquário. Um sol quente nas minhas costas parecia me empurrar em direção a um largo que começava a se mostrar ao fundo. Percebi que caminhava até rápido, como se me dirigisse a um compromisso. Todavia, não sabia nem onde, nem com quem. A calçada por onde eu seguia desembocava na área externa de um café italiano, e o largo revelou-se uma grande praça, das mais belas que já vi. O Dreamer ocupava uma das mesinhas. Em torno Dele, um pequeno agrupamento de garçons, todos reverentemente atentos a escutar Suas recomendações. Cheguei quando eles aproximavam uma mesa e ajeitavam o espaço para depositar o conteúdo de duas grandes bandejas. Uma aura de prosperidade constantemente O circundava. Buscava o refinamento em cada detalhe e amava a fartura, embora cada atitude Sua fosse marcada pela sobriedade de um guerreiro macedônio. Sua dieta ia, portanto, bem além da frugalidade.

Parecia feliz em rever-me. Com um leve aceno de cabeça, cumpriu a dupla tarefa de me saudar e convidar-me a sentar.

A partir daquele momento, a atenção do Dreamer pareceu completamente absorta nos variados docinhos e agrados finamente dispostos sobre as mesas.

Era a primeira vez que O via depois do nosso encontro em Marraquesh. Havia esperado impacientemente por esse momento. Agora, na Sua presença, milhares de perguntas me assaltavam a mente, algumas delas ecoavam havia séculos, atravessando a história do mundo sem encontrar resposta. Religiões, escolas da sapiência e tradições proféticas, gerações de cientistas, pesquisadores, filósofos e ascetas também haviam tentado em vão respondê-las. Ponderei que o ser humano moderno, último elo dessa indagação milenar, encontra-se ainda nu diante do enigma da sua existência, como Édipo diante da Esfinge.

Serviram-nos o chá. O Dreamer acompanhou com escrupuloso cuidado cada detalhe daquela operação, e coordenou a atividade dos garçons seguindo um ritual conhecido somente por Ele. Quase nem tocou a comida. Parecia alimentar-se das impressões que colhia, da harmonia e do ritmo de cada pequeno movimento.

Depois do chá fez-se uma longa pausa. Esperei com impaciência que Ele começasse a falar. Enquanto isso, abri meu caderno e mantive a caneta à mão. Sua voz soou de novo, solene:

Ao Meu lado você poderá descarrilar dos trilhos de seu destino inflexível. Ao Meu lado você poderá destruir o círculo vicioso dos seus hábitos, dos seus sentimentos de culpa. Ao Meu lado você poderá renunciar à dúvida, ao medo, aos seus pensamentos destrutivos... Deverá abandonar a mentira que o liga à mortal descrição da existência.

Para mudar, você deverá combater sua programação!, seguiu sem trégua. *Deverá reverter, mudar completamente sua visão. Somente assim, e por meio de um longo trabalho, você poderá reescrever seu destino... Um ser humano sozinho não consegue fazê-lo. Precisa de uma Escola.*

A inflexão que usou na palavra Escola e o contexto em que a inseriu fez-me intuir a existência de um significado além da sua acepção comum. Parecia-me ouvi-la pela primeira vez. Descobri nela uma força jamais antes percebida e a doçura de uma promessa há tempos esquecida. Um pensamento percorreu meu ser como um arrepio e esboçou-se nos lábios como pergunta: "O que é a Escola?". A voz era trêmula, eu mesmo estava surpreso com a minha inexplicável emoção.

A Escola é a viagem de retorno. O brilho dos seus olhos escuros revelavam uma alegria secreta.

A Escola é o pulo quântico da multidão à integridade, do conflito à harmonia, da escravidão à liberdade.

Encontrar a Escola significa ligar-se ao sonho por um cabo de aço. Significa poder penetrar a zona mais alta da responsabilidade. Somente poucos dentre poucos podem suportar esse encontro.

Um mecanismo recluso foi acionado. Senti fisicamente o disparo mecânico de uma engrenagem começando a funcionar. Com a dor lancinante de um remorso, percebi a imoralidade de ter vivido anos e anos *fora de casa* e, ao mesmo tempo, deliciei-me com o prazer de viver o milagre de estar diante de algo, de alguém que eu tinha desesperadamente procurado.

"Como se faz para encontrar a Escola?", perguntei com um fio de voz, cheio de reverência, sentindo a natureza excepcional daquele evento.

Não se preocupe... a Escola encontrará você, respondeu o Dreamer. Em seguida, observando minha perturbação, aliviou a concisão da resposta dizendo: *Quando um ser humano está irremediavelmente desiludido com sua vida, quando percebe sua incompletude e sua impotência, quando a existência o aperta em uma morsa sem folga, só então... aparece... a Escola.*

O mundo é uma lenda

Sentado no café daquela cidade desconhecida, eu O ouvia e enchia páginas e páginas de apontamentos. A impressão era que meu aprendizado, iniciado naquela casa singular, e depois em Marraquesh, seguia uma pedagogia secreta, as linhas de um desenho jamais interrompido.

Encontrar a Escola é o fato mais extraordinário da vida de um ser humano... a única oportunidade para escapar da habitual hipnose e compreender que tudo aquilo que você vê e que o circunda não é o mundo... mas unicamente uma descrição.

"Mas eu O ouço, eu toco esta mesa... vejo as pessoas que passam... sei que cada um desses homens possui uma vida, um trabalho, uma família... Como pode tudo isso ser apenas uma descrição, uma visão particular minha?"

As imagens que chegam à nossa retina não são o mundo, mas sua descrição, respondeu laconicamente o Dreamer. O mundo lhe foi descrito.

A maravilha daquilo que eu ouvia só foi superada por outra ainda maior, quando disse: *O verdadeiro criador da realidade que o circunda é você!... Você apenas se esqueceu.*

"Esqueci o quê?", perguntei. Um traço de hostilidade na minha voz indicava a distância que se estava criando entre nós.

Você é a causa de tudo e de cada coisa. Um dia, quando curado, saberá que as raízes do mundo são... você. O mundo, para existir, precisa de você. Você se esqueceu de ser o artífice, o inventor, e tornou-se a sombra da sua própria criação. O tom que usou esvaziou qualquer divergência que pudesse surgir, e colocou-me novamente na linha, como um escolar.

O mundo é subjetivo, é pessoal!... É o reflexo especular do nosso ser... Visão e realidade são a mesma e idêntica coisa; o que as divide é somente o fator tempo...

Quis dizer sim, aceitar sua visão, mas alguma coisa se opunha dentro de mim. Minha racionalidade vacilava, mas não cedia. Como era possível encontrar-se diante de um mesmo objeto, panorama, fato ou pessoa, e ter visões diferentes?

"Mas evidentemente deve existir uma realidade objetiva!", afirmei, para dar um apoio às minhas convicções. "No fundo, uma coisa não pode ser nenhuma outra senão aquilo que é..."

Eu ainda tentava defender minhas crenças, mas sabia que, por mais radicais que fossem, não resistiriam. Estavam destinadas a ser subvertidas em contato com a visão do Dreamer. Também daquela vez, como em todas as outras, manifestar-se-ia o imprevisível prodígio: aquele salto na compreensão que ao Seu lado inevitavelmente acontecia, sem, porém, poder-se prever como e quando. Eu desejava e também, temia aquela transmutação. Quando finalmente essa se dava, os limites dentro de mim ampliavam-se enormemente e criavam espaço a uma visão muito mais clara, mas livre, mais inteligente do mundo.

Vendo-me ainda perplexo, desferiu um outro golpe de aríete à descrição do mundo: *Nós podemos ver somente aquilo que somos!* Depois, com Seu inimitável humor, quase próximo ao sarcasmo, declarou: *O ladrão, mesmo diante de um santo, olha apenas os bolsos.*

Tal argúcia abriu-me a mente e, por alguns instantes, entreguei-me àquela imagem divertida e esclarecedora. Mas o Dreamer já retomava Seu discurso com ar severo, como se aquela divagação, ainda que mínima, houesse desacelerado ou desviado muito do objetivo do nosso encontro.

Somente o encontro com a Escola pode nos permitir escapar à paralisia de uma vida comum.

Somente um trabalho de Escola poderá um dia nos permitir ver o mundo além da sua falsa descrição.

Somente um ser de Escola poderá um dia entrar em sintonia com uma visão harmoniosa, um estado de integridade. E somente uma visão harmoniosa e íntegra poderá curar o mundo.

A Escola da Reversão

O Dreamer revelou-me que Escolas de preparação para homens especiais sempre existiram, em todos os tempos e em todas as civilizações. Essas Escolas, bem além das diferenças filosóficas e culturais que parecem distingui-las, eram, na realidade, uma só Escola. Enquanto Seu pensamento atravessava todos os tempos e todas as civilizações, Sua voz permaneceu imutável. Essa Escola Ele a chamou "Escola do Ser": uma oficina universal de sonhadores, na qual homens visionários, utópicos iluminados, sempre aprimoraram seus intentos.

Uma Escola de Transformação, definiu-a posteriormente o Dreamer. Aspirou intensamente as volutas aromáticas que exalavam do chá e, em voz baixa, completou: *A Escola dos Deuses... na qual, antes de poder governr os outros, aprende-se a governar a si mesmo.* Sua voz deu-me arrepios. Havia se transformado no toque marcial de um guerreiro em ação. *Uma Escola da reversão, de transformações profundas, na qual convicções e ideias são mudadas radicalmente... começando pela ideia da inexorabilidade da morte. A morte é uma resistência à verdade, à harmonia, à beleza. A morte destrói qualquer coisa que não seja capaz de passar pela verdade. Se formos verdadeiros em cada célula do nosso copro, não morreremos jamais.*

Pensei na tradição clássica, anterior a Homero, que dividia a humanidade em duas espécies infinitamente distantes entre si: os heróis – amostra de uma humanidade que sonha, indivíduos capazes de materializar o impossível – e uma multidão indefinida de seres sem vontade, sem sonhos, sem rosto. Os primeiros, guiados pelo *Fato*,[6] eram destinados a uma grande aventura individual; os outros, condenados a uma existência insignificante, eram governados pelas leis do acaso e da acidentalidade.

Iluminou-me o pensamento que os grandes mitos, das épocas mais remotas, na realidade narravam as ações de homens que haviam encontrado a Escola. Suas façanhas, as lutas contra monstros e gigantes, cantadas por bardos errantes, eram etapas da *viagem de retorno*, uma viagem pelos próprios processos psíquicos, nos meandros mais escuros e secretos do ser. O Dreamer me explicou que, nas regiões mais escondidas da existência, lá onde espumam emoções negativas e escorre o rio do esquecimento dos pensamentos destrutivos e dos sentimentos de culpa, exatamente ali se encontra o minadouro de todos aqueles monstros, o nascedouro da rudeza, das mortes, de cada uma de nossas quedas.

É preciso, antes de tudo, descobrir o inimigo na nossa carne. E quando o houver desentocado, você o reencontrará à sua frente sempre mais perspicaz, mais potente... mais impiedoso. O antagonista cresce com você! Não existem milhares de inimigos; existe um só, bem como uma só é a vitória... aquela sobre você mesmo.

A viagem de retorno é, para o ser humano, a grande oportunidade de curar o próprio passado, disse, percorrendo lentamente com o olhar a praça, as igrejas gêmeas, os palácios, as estátuas em volta do antigo obelisco, as pessoas que chegavam.

O mundo é o passado, afirmou, cunhando um de Seus mais admiráveis aforismos. *Qualquer um, qualquer coisa que encontre é sempre o passado. Mesmo que apareça diante de você neste instante, o que você vê e toca é apenas a materialização dos seus estados... Passado é pó. O mundo que você vê e toca neste preciso momento é a*

---

6. Para os antigos, lei eterna e inelutável, sem contraste, que regula e domina a vida do Universo. (N. T.)

materialização de tudo aquilo que você foi... Não há nada que possa acontecer na sua vida que não tenha antes tido consenso nos seus pensamentos...
O mundo é pó. Assopre-o e disperse-o.

O Dreamer movimentou-se ligeiramente na cadeira, indicando a intenção de se levantar. Seu movimento tirou-me bruscamente do esforço de entrar em acordo com aquelas novas ideias. Eu tinha um nó no estômago. Queria despejar aquele vinho novo, exuberante e incapaz de ser contido nos odres velhos das minhas convicções. Queria restringir aquele oceano aos limites de uma racionalidade que estava se despedaçando e sucumbindo aos Seus golpes. Perdia-me em intelectualismos vazios para esconder de mim mesmo a evidência do Seu ensinamento, que penetrava sempre mais profundamente, como uma ameaça perigosa e fatal ao antigo equilíbrio.

Já de pé, com um sinal convidou-me a segui-Lo. Eu deixava com pesar aquela esquina tranquila em que o ar ainda vibrava com Seus ensinamentos. Parecia que eu abandonava um templo antigo, uma venerável arca do conhecimento. Cada detalhe daquele encontro ficaria para sempre gravado nas minhas células, inclusive as mesinhas finamente preparadas, o movimento dos garçons, e até mesmo os folheados de arroz recém-saídos do forno.

Atravessei com Ele a praça e O segui até uma igreja. Transpondo a nave principal e o altar, alcançamos a pequena capela. Na penumbra, consegui ver dois grandes quadros, um diante do outro. Olhei em volta. Da nossa posição, a igreja parecia deserta. O Dreamer pediu-me que inserisse uma moeda no dispositivo que ligava a iluminação do ambiente. Uma forte luz incidiu sobre as duas obras. Propus-me a observá-las do centro da capela, em um ponto equidistante entre elas. Segui Suas indicações e examinei atentamente aquelas duas obras-primas.

O quadro à esquerda representava Pedro crucificado de cabeça para baixo; o outro, a queda de Paulo na estrada de Damasco.

Aqueles dois quadros não estão um em frente ao outro por acaso, disse-me. Eles estão indissoluvelmente ligados por uma única mensagem.

Calou-se. Interpretei aquela pausa como um convite à reflexão e à tentativa de descobrir o segredo daquela simbologia. O tempo mediu a inutilidade de cada um dos meus esforços, até que Ele, liberando-me daquele embaraço, revelou que aquelas duas obras eram a representação iconográfica mais forte da ideia da reversão, da grande mudança.

Essas obras transmitem a emanação, a amplitude do pensamento de uma grande Escola de Responsabilidade. Somente uma Escola assim pode combater os preconceitos e crenças milenares, subverter os paradigmas mentais da velha humanidade e curá--la para sempre dos conflitos, libertá-la da dor... Visão e realidade são uma única e mesma coisa. O mundo é o seu reflexo. Reverta suas convicções e o mundo, como uma sombra, as seguirá. A realidade assumirá a forma de uma nova visão.

O tempo do dispositivo de iluminação expirou, as luzes se apagaram e os quadros fundiram-se à escuridão como lâminas de aço nas bainhas. Na penumbra dominada pelo cheiro de vela, escutei do Dreamer a extraordinária história da Escola, que permaneceu silente por mais de dez séculos. Fez uma longa pausa antes de, sibilino, anunciar que era tempo de voltar a escutar Sua voz.

Eu estava atônito. O pensamento de uma Escola de extensão e inspiração milenares que, no curso de séculos, reaparecia para dar seguimento à própria missão maravilhou-me. Foi então que o Dreamer falou de um lendário monge--guerreiro e de um valioso manuscrito perdido: *Para você e para aqueles que, como você, acreditam poder encontrar a verdade nos livros... será útil procurar as pegadas dessa antiga Escola.*

Seu tom tornou-se imperativo: *Procure aquele manuscrito.*

Embora em tom peremptório, e até áspero, senti que me confiava uma tarefa importante. Provei um gosto de reconhecimento. Um grande sim, solene como um juramento, irrompeu do meu peito. Dedicar-me-ia àquela pesquisa com todas as minhas forças. Quanto mais pensava, mais crescia meu entusiasmo por aquela missão que prometia me projetar em um mundo familiar, congênere. O Dreamer percebeu que eu estava perdendo o foco, querendo tomar velhos caminhos, recaindo no clichê melancólico de pesquisador improdutivo. Disse: *Um dia você compreenderá que não existe nada fora a ser trazido para dentro, que não há nada que você possa adicionar àquilo que sabe... que ensinamentos e experiências não levam ninguém à compreensão... O verdadeiro conhecimento pode ser apenas recordado...*

O conhecimento de alguém não pode ser nem menor nem maior que ele. Um ser humano sabe somente aquilo que é.

Conhecer significa, antes de tudo, ser. Quanto mais é, mais sabe!

Em seguida, o Dreamer falou de uma memória em ausência de tempo, uma *memória vertical,* feita de estados e de níveis, continente de um conhecimento sem limites, patrimônio de todo ser humano; todos o possuímos, mas perdemos suas chaves de acesso... Re-cordar.

O antigo mosaico do pavimento dilatou-se e a distância entre nós começou a aumentar, de início imperceptivelmente, depois a olhos vistos. Senti um terrível sentimento de abandono enquanto escutava Suas últimas palavras:

O conhecimento é propriedade inalienável de todo ser humano... é tão antigo quanto ele.

Um dia você compreenderá que não há nada a adicionar, mas muito, muito a eliminar... para poder saber.

Saboreei aquelas palavras como se há muito as esperasse. Reconheci-as. Uma vibração sutil, não evidenciada, acompanhou a sensação de conter todas as coisas. Era um sistema de medida universal, perfeito. A sensação era de totalidade, compreensão, conexão com tudo e com cada coisa. Senti a embriaguez da invulnerabilidade, da impecabilidade do Dreamer. Nada podia violar, corromper aquela integridade.

Encontre aquele manuscrito! recordou-me com austeridade. Os contornos do Seu rosto já se desfaziam. *Quando o encontrar, será o momento de nos revermos.*

Lupelius

Naquele mesmo dia, comecei a pesquisa sobre a antiga Escola e sobre o manuscrito do qual o Dreamer me havia falado. A obra que havia pedido que eu encontrasse, A Escola dos Deuses,[7] fora escrita no século IX pelo monge-filósofo Lupelius, um espírito livre medieval, nativo do refúgio de homens cultos que foi a Irlanda daqueles anos obscuros: uma terra de cruzamentos de culturas e de tradições, atormentada pela guerra e por todos os tipos de contrastes. Da vida de Lupelius não se sabe muito e, do pouco que se conhece, não há muitas certezas. Poucos foram os documentos que pude encontrar e, ainda assim, nem sempre confiáveis. Desde a adolescência, foi encaminhado pelo pai à arte da guerra, cercado pelos mestres mais notáveis e submetido à disciplina mais severa. Ainda muito jovem abraçou a vida monástica e retirou-se à vida ascética nas montanhas de Bet Huzaye, atual Kuzestão, então alvo de anacoretas provenientes de todas as regiões da cristandade. Da sua formação religiosa e espiritual sabe-se que, em seguida, entrou no vizinho monastério de Shaban Rabbur. Encerrado por anos na extinta biblioteca do mosteiro, estudou com afinco as Sagradas Escrituras, os Padres Gregos e os grandes místicos de todos os tempos, de Orígenes e João de Apamea[8] aos Padres do Deserto.[9] Dos estudiosos de filosofia medieval que consegui interrogar nas semanas seguintes obtive a confirmação que do manuscrito original da sua única obra havia séculos já não existiam traços.

---

7. No original, *School for Gods* ou *La Scuola degli Dei*. (N. T.)
8. João, o Solitário, monge sírio. (N. T.)
9. Eremitas e cenobitas do século IV que se estabeleceram no deserto egípcio. (N. T.)

Investiguei nas bibliotecas das grandes universidades, contatei institutos de filosofia, estudiosos e pesquisadores. Estendi minha busca também à Europa, mas sem resultados. Perseguindo uma enésima pista, no Dublin Wrighter's Museum, na Irlanda, pude, enfim, apurar que eles haviam guardado uma cópia, a única de que se tinha conhecimento. Porém, havia anos que também esta tinha desaparecido, engolida pela areia do tempo.

Os obstáculos e as dificuldades que eu enfrentava estimularam meu empenho e minha determinação. No encalço daquele ensinamento perdido, cada indício, cada novo encontro colocava ordem na minha existência.

Como se seguissem os contornos de um precioso desenho, os fragmentos da minha vida, peças esparsas de um mosaico desconhecido, estavam se compondo, indo ocupar um a um seu lugar. Reencontrar aquele manuscrito e retornar ao Dreamer eram uma só coisa para mim. Eu não tinha, na verdade, outro modo para revê-Lo. Este pensamento renovava minhas energias para prosseguir na pesquisa que Ele me confiara.

Dos conhecimentos que pouco a pouco eu acumulava e dos elementos da filosofia de Lupelius que duramente eu conseguia recolher emergiam o pensamento e o caráter de uma grande Escola de princípios tão possantes quanto os muros de uma cidade imortal. Depois de mais de mil anos, os fragmentos daquele ensinamento ainda geravam uma luz que contrastava fortemente com o mar de dissolução social e moral do mesmo período.

A figura de Lupelius, servidor do mundo, apaixonou-me subitamente. Desde o início da minha pesquisa, experimentei pelo desconhecido filósofo uma crescente admiração. Quanto mais eu me aproximava dele e de sua missão, mais eu via aquela figura de pensador elevar-se solitária acima dos homens e acontecimentos. Sua Escola destacava-se como rocha sobre um mar de ignorância e superstição. Seu pensamento atravessava como um fio de ouro as tramas de uma história de crimes e infortúnios. De sua vida não consegui saber muito mais, com exceção do período em que foi à Corte de Carlos, o Calvo, na França. Lupelius foi uma figura singular, um filósofo de ação sem par. Não tinha hábitos nem rotinas. Dizia-se que podia resistir ao sono indefinidamente. De qualquer modo, ninguém jamais o viu dormir. *O sono nos enfraquece, mente e corpo*, dizia aos seus discípulos, e com seu senso de humor irlandês completava: *O sono é tão-somente um mau hábito*.

Uma de suas atitudes mais peculiares era andar pelos mercados, pelos lugares mais perigosos e mal-afamados das cidades da Europa. Ali, nas condições mais adversas, iniciava seus discípulos em uma nova maneira de pensar e de sentir, subvertendo seus esquemas mentais e a mesquinha descrição do mundo que ainda conservassem. Ali, sua loucura luminosa transformava aquele mundo feito de trapaceiros e criminosos, de armadilhas e emboscadas, em uma Escola de impecabilidade. Usava os estratagemas mais astutos para erradicar arraigadas convicções e eliminar de seus processos psíquicos o lodo emocional.

Na sua Escola forjaram-se homens extraordinários, guerreiros invencíveis. Lupelius valia-se de engenhosas técnicas de ensinamento e purificação que ele mesmo criava. Vestia-se de escravo, vagabundo, político, banqueiro, rico comerciante, e usava estrategicamente esses papéis. Fosse a coroa de um rei ou a túnica de um monge, Lupelius vestia-as ou fazia seus discípulos vestirem-nas, ensinando-lhes como *tornar-se* aquele papel, a fim de explorar e conhecer dele cada ângulo, cada segredo, mas sem esquecerem do *jogo*, sem nunca se tornarem prisioneiros dele. Levava-os aos *souks* e os envolvia em negociações terríveis com bandidos e criminosos; fazia-os se embrenharem nas zonas de maior sofrimento da humanidade; incitava-os às viagens mais desafiadoras e aflitivas, sem quase possibilidade de retorno. Os lupelianos alistavam-se como mercenários em guerras absurdas, em revoluções e retaliações entre países distantes, cujas regiões nem ao menos conheciam. Saíam em campo não para defender os fracos e oprimidos, não para afirmar princípios ou ideologias, não para vencer em combate inimigos estrangeiros ou punir o ofensor, mas para se tornar donos de si mesmos, artífices do próprio destino.

Reais guerreiros não lutam pela supremacia ou pela hegemonia sobre os outros; não lutam pela glória, nem pelas posses ou recompensas, mas para ganhar a única coisa que realmente importa: a própria liberdade interior.

O ensinamento de Lupelius era uma disciplina da invulnerabilidade com base no desenvolvimento da vontade. Seu objetivo era que seus discípulos obtivessem a liberdade em cada limite. *Livres, sempre, de todas as condições humanas e limitações naturais*, os lupelianos exercitavam-se na arte do domínio de si.

A vitória suprema é vencer a si mesmo, não permitir que nenhum fato ou circunstância machuque ou arranhe internamente o ser. Lupelius treinava-os a manterem a serenidade e a calma sob as condições mais extremas. Estimulava-os a irem ao encontro da ofensa e do ataque para provar a própria integridade. Mesmo atravessando as cidades e as zonas mais castigadas por epidemias e pragas, saíam incólumes. *A incorruptibilidade e a pureza tornam um guerreiro invulnerável, inatacável até pelos males mais temíveis*, dizia.

Tratei de entrar na questão da diferença entre a impassibilidade – *apatheia* – pregada pelos estóicos, e a indiferença da alma em relação às paixões e aos pensamentos externos da mística lupeliana. Para Lupelius, a impassibilidade é conferida pela recuperação da integridade, aquela unidade do ser que é uma condição natural e da qual o ser humano se esqueceu. Do vazio que a alma cria, ao se liberar dos pesos das coisas exteriores e carnais – sem mais a ilusão de que existe algo fora de nós –, nasce um estado de ser que é um contínuo, um natural movimento em direção à eternidade, à imortalidade, ao ilimitado.

Tudo aquilo que sinteticamente chamamos de mundo, os eventos e as circunstâncias da nossa vida, são projeções nossas. Se somos sabedores disso, podemos projetar somente a vida, a prosperidade, a beleza, a vitória. Se somos vigilantes, atentos, podemos projetar liberdade, um mundo sem obstáculos, sem limites, sem velhice, sem doença nem morte.

A Escola de Lupelius tinha me enfeitiçado. Apaixonadamente, eu a estudava e a amava. Parecia que eu respirava seu ar. Sonhava com ela de olhos abertos. Aquelas mulheres e aqueles homens visionários, estudantes-guerreiros, solitários heróis de uma batalha espiritual inefável, eram aos meus olhos seres admiráveis, exemplos inigualáveis de coragem e determinação. Eu espiava com admiração aquela loucura luminosa, a busca febril e inflexível direcionada à conquista de si. Continuando a procurar sem descanso, encontrei fortes indícios de que muitos dos *heróis-mercenários* daquele tempo, nos turbulentos anos que, após Carlos Magno, acompanharam a lenta desagregação do Sacro Império Romano, eram seus discípulos sob falsas vestes. Sem jamais aparecerem abertamente, aqueles monges-guerreiros foram os lendários protagonistas de epopeias extraordinárias, capazes de reverter batalhas já perdidas em vitórias grandiosas.

Minhas pesquisas chegaram a um ponto crítico. Por semanas não me foi possível adicionar mais nada àquele pouco que, com muito esforço, já havia reunido. Estava perdendo as esperanças quanto a conseguir encontrar o mítico documento e, com isso, o modo de retornar ao Dreamer.

Até que, um dia, no encalço dos vestígios daquele ensinamento perdido, soube de um padre dominicano de grande cultura que poderia ajudar em minha pesquisa. Entre outras obras, era autor de um trabalho gigantesco sobre a história medieval da Igreja.

O encontro com padre S.

Cheguei alguns minutos antes ao encontro com quem, depois de tanto procurar, havia-me sido indicado como um dos padres ainda vivos da doutrina cristã.

Padre S. vivia em um antigo convento de carmelitas. Um grupo muito numeroso de pequenas freiras, severas e protetoras, assistia o seu recolhimento de estudioso e a sua velhice contemplativa. Duas delas introduziram-me à pequena sala de espera, e ali, em pé, aguardei.

Da janela entreaberta eu podia ver um ângulo do pátio do encantador claustro. O verde concentrado entre a geometria dos pórticos e a qualidade do silêncio que dominava aquele local renovaram, com maior intensidade, a sensação que havia experimentado ao atravessar o antigo portal: mais que uma simples entrada de convento, eu havia transposto o limiar de uma outra era. Num instante, minha memória voou ao pátio do Colégio Bianchi, no coração de Nápoles. No ar prevaleceram piruetas e solavancos, confusão de vozes, perseguição entre os pórticos... perfume de pasto e das inúmeras recordações da minha infância com os barnabitas.

A ordem para eu entrar chegou naquele momento. Com pesar, abandonei aquela ilha encantada e a pequena multidão de companheiros que havia vindo me saudar. Seus rostos, sorridentes, foram se desbotando e retornaram aos seus lugares na misteriosa floresta da memória.

"Padre S. está concluindo um novo volume de sua imensa obra sobre o cristianismo medieval", informou uma de suas pequeninas freiras-guardiãs que me escoltavam. Da austeridade do tom colhi uma sutil recomendação para que eu fosse parcimonioso com o tempo e a paciência do meu anfitrião.

Entrei por uma estreita escada em caracol, que parecia ainda menor pelas paredes de livros que a apertavam de todos os lados. Mais que subir os degraus, tive a impressão de escalar uma metáfora que me elevava a um plano superior. Cada detalhe daquela preparação simbólica parecia estar ali para me colocar em estado de alerta. Eu estava para encontrar um dos mestres do pensamento da cristandade. Essa ideia encheu-me de um temor reverencial, misturado à dor sutil que se sente por uma recordação doída ou uma repentina melancolia. Era aquela a vida que eu havia desejado para mim, dedicada à pesquisa e ao estudo. Regurgitei a antiga e cega confiança nos professores e nos livros.

As palavras do Dreamer irromperam entre estes pensamentos, severas e providenciais: *Não existe nada que você possa acrescentar àquilo que já sabe... O verdadeiro conhecimento não se pode adquirir; pode-se somente recordar.*

Reconheci meu mal: a propensão a depender do mundo e, especialmente, a idolatrar o conhecimento livresco. Do externo ainda fazia o meu deus. Bastou me ver diante de um fetiche para já eleger aquele homem o meu chefe, antes mesmo de conhecê-lo.

Imaginei padre S. o epítome de uma humanidade ludibriada pelo intelectualismo, uma humanidade que parou de sonhar. A amostra de uma cristandade que se esqueceu... que colocou no seu vértice homens livrescos e orgulho intelectual. *Todos os livros do mundo estão contidos no átomo do ser*, havia me dito o Dreamer.

Não podem acrescentar nada à sua consciência... dos livros não pode chegar vida. O saber depende do ser... Quanto mais é, mais sabe!

Uma voz com uma inflexão salmódica, potente, veio do alto, como uma brecha escavada entre os livros: "Acomode-se!". A entonação era de um trecho litúrgico. O convite ecoou muito perto de mim, indicando-me as pequenas dimensões do ambiente em que eu estava para entrar.

Enquanto eu subia os últimos degraus, senti meu ser recolher-se em estado de alerta, como um guerreiro na iminência de um perigo calculado. As ideias do Dreamer intervieram mais uma vez: *Cada um ocupa um nível da inteligência humana e é um guardião dos níveis superiores...*

Se você permanece intacto, cada encontro será uma oportunidade, um degrau sobre o qual apoiar o pé e ir além. Se você se esquece disso, ver-se-á envolvido em um jogo virtual, externo, que o relançará na desordem infernal da sua própria vida.

Padre S. era uma porta da existência. Eis o que eu estava realmente encontrando: um guardião-examinador, um Minos que, infalivelmente, indicaria o lugar que eu merecia na escala do ser.

Uma cabeça de velho, grande, calva e lisa, emergiu do mar de livros que cobria a mesa. Perscrutou-me longamente.

Seus olhos escuros mostravam-se extraordinariamente jovens, a ponto de nem parecerem seus, como órgãos emprestados e colocados naquele rosto de ancião. É como se, por uma razão extraordinária, aqueles olhos tivessem encontrado um modo de não envelhecer, deixando todo o resto entregue ao seu destino biológico. Com lentidão abaixou as pálpebras e recolheu-os, como teria feito a tartaruga com as suas extremidades. Quando os reabriu, o olhar era senil. A expressão cerimoniosa de quem recebe uma visita mais o cenho severo de um rígido professor reforçaram o contraste. Essa ambivalência era o pano de fundo do nosso encontro, como para me lembrar a distância que nos separava.

O tom de voz, o hábito e os gestos fixavam as regras da nossa interação. Padre S. evidentemente desejava definir o quanto antes o objetivo daquele encontro e os limites nos quais podia se desenvolver.

Apertei sua mão. Notei a mesma energia já percebida naquele seu primeiro olhar. Padre S. me estudava. Ocultada em seu sorriso, uma sonda rastreava sinais e elementos de juízo para me classificar. Seu visitante não era um animal acadêmico, parecia mais um jovem homem de negócios, o tipo de homem que certamente padre S. não encontrava frequentemente.

"Do senhor apenas sei que se interessa por filosofia moral e que vem indicado por uma universidade americana... de Nova York, se não me engano...", disse, pronunciando aquele *apenas* quase em tom de reprovação, deixando destilar sua natureza e o tom professoral.

"Ocupo-me de Ética dos Negócios", corrigi-o cortesmente, enquanto lhe entregava a carta de apresentação redigida especialmente para ele e expedida havia poucos dias pela Fordham University. Aquele documento apresentava minhas credenciais: pesquisador e estudioso de Ética dos Negócios. Eu me sentia perfeitamente bem naquele papel. Calei-me. Preferi não lhe dar outras informações sobre mim naquele momento, deixando-o nos limites daquele leve desconforto, entre a curiosidade e a estranheza, sem lhe simplificar muito a tarefa.

Enquanto ele lia, observei sua expressão de crescente interesse, até que estremeceu claramente ao ler sobre os estudos que eu estava conduzindo sobre Lupelius e a esperança de que nosso encontro desse um impulso às minhas pesquisas. Com esforço conseguiu conter a emoção por aquela descoberta, limitando-se a exprimir uma cautelosa surpresa pela escolha de uma Escola do pensamento tão extraordinária fora da comunidade científica conhecida.

Sem naturalmente citar-lhe o Dreamer, fundamentei meu interesse em Lupelius e no impacto renovador que seu pensamento poderia ter sobre as teorias organizacionais e sobre a preparação de uma nova geração de líderes. Falei-lhe dos grandes resultados que eu esperava daquela linha de estudos que propugnava a aplicação, no mundo dos negócios, de valores, métodos educativos e princípios filosóficos das antigas escolas preparatórias. Disse-lhe que via como particularmente interessantes os ensinamentos de Lupelius e suas pesquisas sobre invulnerabilidade e invencibilidade, dada a evidente relevância que ainda hoje tais qualidades podem ter nos modernos desafios econômicos, não menos duros e fatais que os militares; enfim, que suas pesquisas e seus experimentos sobre a imortalidade, realizados na sua Escola, poderiam ser estendidos às empresas modernas.

E continuei, dizendo-lhe que há tempos os estudiosos de Economia se encontram inertes diante de um fenômeno alarmante, mundial: empresas morrem jovens. As empresas de todo o mundo têm um tempo de vida muito breve, de poucos anos, disse-lhe. Até os gigantes das finanças e da economia, as maiores multinacionais do planeta, dificilmente superam o quadragésimo ano de vida. Usando os ensinamentos do Dreamer, expus, como minha, a convicção de que uma empresa longeva nasce de um fundador longevo, e que uma empresa imortal pode somente nascer do sonho de um ser imortal.

Uma vez, falando da polaridade amor-medo, o Dreamer revelou-me que o verdadeiro significado de amor era encontrado na etimologiada palavra latina "a--mors",ausência de morte. O nome de Roma, a Cidade Eterna, não por acaso é o anagrama de amor. Em suas raízes, desde sua fundação, selado no nome que o fundador lhe deu estava já codificado seu destino de imortalidade.

Citei-lhe Roma, que havia recentemente celebrado dois mil e oitocentos anos de ininterrupta atividade, como exemplo de uma empresa longeva, que não pode ser explicado senão remontando ao seu fundador e às suas qualidades de ser imortal (Rômulo foi considerado de natureza divina e venerado como o deus Quirino). Dei ao padre S. outros exemplos de empresas extremamente antigas, desde a dos Windsor, que tem mil anos, à própria Igreja Católica, a maior multinacional do planeta. Continuando a usar os ensinamentos do Dreamer, sustentei que uma economia rica é sempre a expressão de um pensamento imortal.

Visão e realidade são um.

Basta uma fração da eternidade para dilatar a visão de um país, para expandir as fronteiras da sua economia. Basta o conceito de imortalidade para se ver elevar o destino financeiro de indivíduos, de organizações, de inteiras nações. Nessa direção estavam caminhando as minhas pesquisas.

Afirmei que tais descobertas em pouco tempo mudariam a visão dos negócios e revolucionariam o ensino e a pesquisa científica de todas as universidades de Economia.

O interesse do padre S. crescia a olhos vistos à medida que lhe falava de teorias econômicas ligadas à imortalidade e do pouco que eu sabia da filosofia de Lupelius. Acrescentei que a economia global se desenhava sobre o fundo de um imenso campo de batalha em que, hoje em dia, nações inteiras – grupos empresariais tão grandes quanto um exército numeroso – se enfrentam para fixar, em benefício próprio, as novas fronteiras de sua economia. Do confronto, ergue-se um vencedor. Os outros, derrotados, são acorrentados ao seu tanque de guerra e arrastados em escravidão. Para viver, deverão adotar os usos do novo patrão e aprender sua língua. Deverão servi-lo.

Encorajado por um gesto do meu anfitrião para continuar, contei-lhe o que havia descoberto sobre o misterioso monge-filósofo. Não escondi o fascínio que Lupelius e seu magnífico ensinamento exercem sobre mim. Cheguei rapidamente ao ponto em que minhas pesquisas estacionaram. Citei-lhe minhas investigações, ainda sem resultado, o manuscrito da *Escola dos Deuses* e o misterioso desaparecimento de suas cópias. Não escondi minha estupefação por aquilo que me parecia uma deliberada tentativa de apagar cada pista do trabalho de Lupelius e de sua Escola para imortais.

A doutrina de Lupelius

Padre S. escutou-me absorto, a cabeça inclinada sobre o peito. Quando levantou o rosto, seu olhar brilhava. Revi aqueles olhos extraordinariamente jovens que tanto me haviam impressionado ao encontrá-lo. Desta vez não os escondeu, continuou a me fitar. Seu rosto assumiu a expressão de quem espera ser reconhecido.

Não me esquivei do jogo e concentrei-me sobre aquele seu primeiro movimento. A solução do enigma chegou de repente, ofuscante como um raio que rasga um céu negro. Senti uma leve vertigem. Aquele ser se camuflava de velho... mas, sim... usava a velhice como uma máscara... uma máscara estratégica. Padre S. era um falso velho. Meu coração pulou no peito. Padre S. era... um lupeliano! Eu estava certo disso. Consegui com dificuldade conter a emoção que a descoberta gerou em mim... Experimentei o prazer sutil da cumplicidade que se estava estabelecendo entre nós. Um cordão de ligação de dez séculos unia-nos àquela estirpe de guerreiros que sabia viver habilmente e conhecia a arte do travestimento. Suas capacidades camaleônicas haviam-lhes permitido viver na intimidade da sua ordem, escondidos no seio do cristianismo. Um túnel abriu-se no tempo e mais de mil anos foram comprimidos num instante para me conduzir e colocar-me diante das portas daquela Escola. Eu estava defronte talvez do último de seus imortais guardiães. Uma pergunta martelava em minha cabeça, pulsando com minhas artérias: "Padre S. conhecia o Dreamer?...". Fiquei tentado a lhe confidenciar meu encontro com o sonho e a extraordinária aventura que eu estava vivendo naqueles dias.

"Lupelius é o profeta da imortalidade física, direito de nascimento de todo ser humano", revelou padre S., interrompendo meu pensamento febril e amenizando suas reservas iniciais. "Um direito do qual abdicamos e devemos nos apropriar novamente." Depois, como que sorvendo de um livro invisível, mais que citar, leu com os olhos fechados: *O corpo é o espírito feito carne. Se o espírito é imortal, também o é o corpo.*

Era evidente a alegria que ele sentia ao recordar a Escola e ouvir outra vez as palavras que ele mesmo parecia não ter mais escutado. Contou-me que, pelas ideias que defendia, Lupelius fora banido do cristianismo, e somente por um milagre pôde escapar da fogueira. A maior ameaça representada por Lupelius era sua fé nas imensas possibilidades do indivíduo e na vitória final da vida sobre a morte. Para a Igreja Cristã e para todas as religiões institucionais dedicadas às massas, não podia haver uma filosofia mais perigo*sa: a revolução do ser,* a rebelião à qual cada ser humano é chamado para transformar sua fragilidade, seu destino mortal. Uma luta contra demônios, dragões e quimeras interiores, contra monstros e gigantes psicológicos que o ser humano chamou de dúvida, medo, dor, e que, para Lupelius, eram a verdadeira causa de todos os males, de todos os infortúnios.

Não era de surpreender que ideias de tal subversão tivessem provocado perseguições e atentados contra ele. De fato, cada traço de Lupelius e sua obra desapareceram. Isso me parecia mais o efeito de uma deliberada e hábil estratégia de Lupelius do que o resultado de uma implacável hostilidade.

Ser aceito em sua Escola significava ser submetido a duras provas; viver ao seu lado queria dizer ter capacidade de suportar grandes esforços por longo tempo. Para Lupelius, mortalidade física e invulnerabilidade deveriam ser vivências pelas quais o discípulo deveria necessariamente passar, experimentando de todas as formas sair ileso dos maiores perigos. E, com efeito, não se verificou jamais que algum deles, tendo partido com sua bênção, retornasse comprometido ou minimamente arranhado.

Perguntei ao que ele atribuía esse fato notável.

"O escudo de um ser humano é sua pureza, seu amor pela vida e pelo seu mestre", recitou padre S., mantendo os olhos ligeiramente semicerrados. Mais que refletir sobre o que responder, pareceu estar recordando. "Para Lupelius, a pureza é a qualidade fundamental de um ser humano e a via de acesso para a imortalidade física, tangente suprema da parábola humana." Parou para uma pausa que me pareceu especialmente longa. Notei que, ao se referir a Lupelius, padre S. falava sempre no presente, como se se tratasse de alguém deste tempo... ou de alguém que não tivesse jamais morrido. No discurso que se seguiu, conduziu-me pela mão ao mundo extraordinário daqueles poucos homens e mulheres dispostos a tudo, até mesmo a se lançar além dos invioláveis confins, as colunas de Hércules da comum descrição do mundo.

"Na escola de Lupelius, cada esforço é dirigido para liberar a mente da convicção de que a morte é inevitável e invencível", disse padre S. "Tudo faz parte de uma estratégia de purificação para conseguir vencer dentro de si aquela secreta volúpia por morrer que, no ser humano comum, assume inúmeros aspectos, impregna a sua psicologia, até se tornar uma segunda natureza, parte ineliminável da sua vida.

Acreditar que a morte é invencível é insalubre às pessoas. Sua longevidade é determinada por seu estado mental, por seu desejo de viver.

Sua longevidade é determinada por sua mente", atestou padre S., sintetizando, para meu prazer, o pensamento de Lupelius: "Isso significa que, se você morre, é você o único responsável!".

Uma pequena freira entrou silenciosamente trazendo o necessário para nos servir um chá. Pelo olhar de estupefação que me lançou enquanto transferia xícaras e bule para a mesa e servia a infusão, percebi o quanto devia ser raro padre S. estar com alguém tão longamente. Meu anfitrião calou-se enquanto durou aquela operação. Somente quando a freira saiu ele retomou aquele ponto e contou como os lupelianos sabiam que colocar em discussão a inevitabilidade da morte – ainda que somente por ironia – debilitava o seu poder.

"Pela afirmação do direito de cada ser humano à imortalidade, por sua luta dedicada a denunciar a morte como o mais horrível e injusto dos preconceitos humanos", anunciou padre S. em tom epigráfico, "Lupelius será recordado como o mais importante místico da imortalidade física".

Continuou dizendo que Lupelius uniu-se àquela religião física, corporal, que foi o cristianismo nas suas origens, e tornou-se o seu continuador, arauto do materialismo espiritual e da sua mensagem de indestrutibilidade do corpo.

"Mentir, esconder-se, lamentar-se e tentar escapar das próprias responsabilidades são os estigmas do ser humano caído na imoralidade, na divisão; do ser humano que esqueceu a razão do seu existir", disse padre S. em tom conclusivo. "Uma humanidade que abdicou do seu direito de nascimento, que esqueceu a própria integridade, inventa a morte para pôr fim à sua miséria. O ser humano prefere morrer a assumir a imensa tarefa de vencer a si mesmo, a sua incompletude... Todavia, a morte não é uma solução: o ser humano sempre retorna ao ponto que deixou." Lupelius cria, então, *The School for Gods*, uma Escola de responsabilidade, para indicar ao ser humano fragmentado, o ser humano esparso, a via de retorno à simplicidade, à integridade, à vontade hoje sepulta.

Ofereça um galo a Asclépio

Pelos fragmentos que pude recolher da obra perdida de Lupelius, por trás das citações do padre S., eu reconhecia sempre mais claramente a presença do Dreamer. Sentia Sua voz, mais alta, mais antiga que a de Lupelius. Dirigi-Lhe um pensamento de gratidão.

Padre S. estava agora lendo para mim algumas frases de um livreto que ele tratava com reverência e que, evidentemente, trazia sempre consigo. A emoção fazia-lhe tremer a voz. Seu tom, apaixonado, tornava-se cada vez mais intenso à medida que, daquela antologia, surgiam algumas das mais escandalosas crenças de Lupelius, verdades inaceitáveis por qualquer mente racional ou por qualquer fé canônica. Enquanto ouvia e anotava aqueles preceitos no meu caderno, escutava o atrito e a gritante contradição entre sua insustentável diversidade e as convicções mais radicais, universalmente aceitas.

"Velhice, doença e morte são insultos à dignidade humana, pilastras milenares de uma descrição ilusória do mundo.
O mal está a serviço do bem. Sempre!... Tudo chega para nos curar... Até a morte física é, na realidade, uma cura. A última possível!"
Essa afirmação, o indefensável paradoxo de Lupelius, disparou um mecanismo secreto. Minha mente foi até as palavras pronunciadas por Sócrates enquanto a cicuta chegava-lhe ao coração e diminuía seus batimentos. A compreensão explodiu em mim com um insustentável fulgor. Sua luz durou um piscar de olhos, mas foi suficiente para poder capturá-la. Por mais de dois mil e quinhentos anos, o significado da última vontade expressa por Sócrates tinha sido um mistério insondável. Cercado por seus discípulos mais queridos, tão logo ingerida a cicuta, o efeito paralisante do veneno rapidamente subia-lhe das pernas ao coração. Faltavam poucos minutos para o fim. Naquele momento supremo, Sócrates disse: "Devemos um galo a Asclépio. Não se esqueça de saldar essa dívida!".
Como podia Sócrates pedir ao amigo Críton que oferecesse um galo ao deus da cura, quando a vida lhe escorregava pelos dedos e a morte já era inevitável?
Por vinte e cinco séculos a frase do grande filósofo representou um quebra-cabeça para gerações de sábios, doutores e exegetas.
As afirmações filosóficas de Lupelius haviam escancarado uma cortina impenetrável e, agora, das profundezas do tempo, o significado daquela mensagem vinha à tona com toda a sua vastidão. Como um náufrago que deposita em uma garrafa seu pedido de socorro, Sócrates havia confiado a compreensão de sua mensagem ao oceano do tempo, para fazê-la chegar até nós. Selado em suas últimas palavras encontra-se o fruto extremo de sua busca incansável: também a morte é uma cura... é o último dos remédios! Chega quando nenhum outro é oferecido.
Para efeito das extraordinárias circunstâncias de sua execução, Sócrates conquista um grau de unidade interior jamais antes alcançado, um vértice de integridade que lhe permite penetrar o segredo dos segredos: por que a humanidade é ainda sujeita a morrer e, como isso, um dia, não será mais necessário. Atrás de cada palavra de Sócrates surge grandioso o sonho da futura humanidade, sadia, íntegra, que não precisará mais daquele ato extremo de purificação.
A morte é a modalidade extrema à qual a existência recorre quando qualquer outra tentativa de nos curar, de nos integrar, tenha sido vã, um dia me diria o Dreamer. Sócrates usa a morte para entender! No momento supremo, descobre que ela não é outra coisa senão um passo na via da cura, um outro grau da escala da integridade. É esse o último ensinamento de Sócrates, o maior...

Sócrates é o epítome de uma humanidade ainda instável entre duas visões; um pesquisador, um explorador. Não conseguiu superar a morte, mas a usou para entender. Indicou a estrada.

Proibido matar-se dentro

"A integridade do ser é somente o início de uma humanidade que escolheu viver para sempre", completou padre S. "Semelhante atrai semelhante. Morte atrai morte e não pode abater quem é conectado à vida."

Providos de integridade, os lupelianos retornavam incólumes das missões mais temerárias. Nenhum instrumento de guerra parecia feri-los, como se qualquer ligação com a morte houvesse sido extirpada para sempre. Sem proselitismo e sem ir contra qualquer filosofia, os monges-guerreiros de Lupelius sabiam elevar-se, e elevavam homens, mulheres e eventos em torno deles a uma faixa superior do ser. Eram vitoriosos já antes de combater. A vitória significava vencer a si mesmo, as próprias dúvidas, os medos, a ignorância. A vitória externa era somente uma comprovação da vitória interna. Assim, curando o próprio ser, alimentando a própria impecabilidade, tornando-se inacessíveis ao mal, venceram desafios considerados impossíveis e realizaram façanhas lendárias.

"A primeira causa da morte é exatamente nossa separação de Deus, é haver transferido o divino para fora de nós", disse padre S., pegando de uma gaveta uma folha e anotando nela alguma coisa. Depois continuou. "Lupelius diz: 'Você pode odiar Deus porque está doente, porque sofre ou é pobre, mas eu lhe asseguro: a razão pela qual você está doente, em sofrimento ou em estado de pobreza é sua divisão de Deus'.

Os seres humanos esqueceram-se disso e transformaram o planeta em um mundo de morte. Fizeram da morte a razão da vida. À morte dedicam cada pensamento, a ela dirigem cada ação.

'Ame e Sirva' é o mote. Para estar a serviço da humanidade é preciso amar... e antes de tudo, a si mesmo, a própria vida."

Neste ponto, padre S. baixou a voz. Intuí que estava para me confidenciar o ensinamento mais secreto, a mais incrível das verdades recebidas da Escola.

"Lupelius recordava aos seus discípulos...", parou por instantes intermináveis. Seus lábios tremeram antes de pronunciar as palavras de seu mestre: "Vocês são deuses que esqueceram... vocês são deuses em estado de amnésia. Também ordens seculares esquecem". Os olhos do velho umedeceram-se ao pensar naquele espírito guerreiro que havia inspirado sua escolha monástica. "O esquecimento enfraquece o guerreiro que existe em cada ser... Antes, nós, dominicanos, éramos vegetarianos, comíamos uma vez por dia, cultivávamos o corpo e o espírito como uma única entidade... Era-nos muito clara a mensagem de Cristo e Seu Objetivo: a vitória da vida sobre a morte."

Somente um trabalho incessante sobre si mesmo pode permitir ao ser humano superar a morte.

Havia em sua voz a nostalgia da antiga disciplina, a lembrança do esplendor sepulto da Escola. Eu estava admirado, feliz. Não acreditava que o cristianismo ainda guardasse em seu seio homens como padre S., soldados dedicados à mais santa das guerras: fazer a morte morrer.

"Escolas e igrejas, universidades, ordens religiosas e instituições governamentais há tempos deixaram de preparar seres responsáveis. Hoje produzem somente corpos e mentes poluídos", afirmou padre S.

Terminou de preencher com uma densa caligrafia a folha que tinha diante de si. Dobrou-a algumas vezes e entregou-a a mim sem dizer mais nada. Aquele gesto pareceu-me, simbolicamente, a passagem do testemunho de um estafeta que, através dos séculos, nunca parou. Ele me confiava um trecho da corrida milenar da humanidade em busca de uma via de fuga de suas prisões.

Ao deixá-lo já à saída do seu minúsculo escritório, sorriu para mim piscando os olhos e contagiando-me com aquela cumplicidade alegre e inviolável que eu havia encontrado somente entre os pequenos e valentes garotos radiantes do meu bairro. Pedi-lhe que me indicasse o mandamento de Lupelius que mais representasse a síntese de seus estudos, a fórmula secreta para vencer a morte física.

Proibido matar-se dentro!, citou padre S. sem hesitação. "Aquilo que nos faz morrer fisicamente são as inúmeras mortes psicológicas que todos os dias nos assediam... Acreditar que a morte seja invencível mata-nos. A fé na sua inevitabilidade é o verdadeiro assassino."

A Escola dos Deuses

Eu havia escalado os íngremes penhascos do planalto até alcançar o cume de seus majestosos vulcões. Pelo ar seco e límpido, o olhar fluía ao longo da extensa vegetação de estepe, uma paisagem sem árvores. Chegando a Everan, deixei às minhas costas a estátua do monge Mashtots e atravessei a praça em direção a uma espécie de depósito ou abrigo contra bombardeio, de basalto rígido, que ocupava o alto de uma árida colina. Eu estava no coração da Armênia. Havia chegado ali seguindo fielmente as indicações de padre S., e agora me aproximava do sisudo edifício, sede da antiga biblioteca. Materializada em milhares de volumes, preservava a memória de um povo que, por longos séculos, tinha vivido à beira da extinção. Ali, onde copistas e tradutores foram venerados como santos, da metade do século V em diante foram conservadas ou copiadas milhares de obras clássicas da tradição cristã e também pagã. Religiosamente traduzidos para o armênio clássico, em fiel correspondência ao texto original, foram dessa maneira salvos importantíssimos textos e obras-primas considerados perdidos. Em Everan eu depositava minhas últimas esperanças de encontrar o manuscrito de Lupelius, ou ao menos uma cópia dele.

Passei dias interrogando os arquivistas e explorando minuciosamente seções inteiras da biblioteca. Percorria os infinitos corredores de paredes forradas de volumes e manuscritos empoeirados, como um arqueólogo entre os muros de uma cidade soterrada. Ajudavam-me na pesquisa duas jovens bibliotecárias. Haviam-me sido indicadas pelo curador, não sei se como auxiliares ou como vigias. Com elas penetrei no labirinto cartáceo, examinei rolos e rolos de pergaminhos amarelados pelo tempo, trazendo-os à luz pela primeira vez depois de séculos.

Quando eu encontrava um material que me parecia conter algum indício, selecionava os volumes ou os rolos, e as duas jovens estudiosas tratavam de retirá-los e abri-los. Tocavam aquelas raridades não com as mãos nuas, mas envoltas por um pedaço de tecido preciosamente bordado em um ritual quase sagrado.

Um dia, do catálogo do Instituto dos Manuscritos Antigos, com o número 7722, descobri um volume da história original que tinha sido conservado sem título. Resgatado a peso de ouro pelas mãos dos Seljukian[10] em 1204, havia sido guardado e preservado em algum monastério protegido entre montes inacessíveis e nevados que vigiavam o Mar Negro. No final do século XVIII fez parte da coleção de textos espirituais e ascético-místicos de Paisij Velichovskij, que imprimiu em Moscou uma versão eslava. Após muitos episódios, em 1915 mais uma vez foi salvo milagrosamente dos ataques dos turcos e levado a Everan.

Senti no peito as batidas tornarem-se golpes de martelo quando, do cofre blindado, surgiram os rolos de pergaminho cuidadosamente protegidos pelas mãos do autor. Senti na hora que se tratava de Lupelius. Bastou-me a leitura de umas poucas linhas para estar definitivamente seguro de sua autoria. Com dificuldade consegui controlar minha alegria enquanto explorava avidamente seu conteúdo.

A linguagem de Lupelius revelou-se um misto de latim e inglês vulgar, uma espécie de esperanto europeu de uma criatividade fascinante. Seu discurso tinha a força de anular o tempo e transmitir intacta, no intervalo de mais de um milênio, a valiosa energia que havia inspirado gerações de monges-guerreiros.

---

10. Dinastia turca (N. T.)

Durante minha permanência em Everan, fiz estreita amizade com um casal de estudiosos gauleses. Historiador ele, latinista ela. Naquela tarde, no pequeno lounge do hotel em que nos alojávamos, confidenciei-lhes minha descoberta. Eufóricos, discorremos sobre o assunto por boa parte da noite. A ajuda deles logo se revelaria providencial. Somente o Dreamer poderia ter criado uma prodigiosa coincidência como aquela.

A coisa, entre outras, que mais pareceu surpreendente àqueles pesquisadores não foi o modo como eu havia procurado aquela obra, mas o fato de eu conhecer o seu título original, um título perdido havia séculos, e que ninguém mais conhecia. Com a ajuda deles comecei imediatamente a transcrever alguns trechos e dei início ao trabalho de tradução. Juntos, estudamos o manuscrito por semanas. Quanto mais lia e me aproximava da filosofia de Lupelius, mais sentia aumentar a atração, a admiração e o grande entusiasmo por aquele ensinamento esquecido.

A interpretação de uma passagem ou de um símbolo fazia-me atravessar os sagrados limiares daquela Escola de homens e mulheres, pesquisadores incansáveis do segredo da imortalidade.

Encomendei a copistas especializados uma reprodução fiel de A Escola dos Deuses. Resultou uma verdadeira obra-prima: um volume finamente encadernado, com capa de couro e páginas de pergaminho vegetal e absolutamente idênticas aos originais escritos de próprio punho por Lupelius. Daquela cópia eu não me separava mais. De noite mantinha o volume sob meu travesseiro, como fazia Alexandre com a *Ilíada*. Era um presente para o Dreamer e eu não via a hora de oferecer-Lhe. Sabia que o menor avanço na compreensão de Seus princípios me aproximava Dele dia após dia. Frequentemente era tomado por um entusiasmo irrefreável que, às vezes, culminava em verdadeiros momentos de êxtase ao pensar no prodigioso êxito daquela iniciativa que desafiava os limites do impossível. Eu havia milagrosamente encontrado padre S., havia encontrado o manuscrito original de *A Escola dos Deuses* e o casal de estudiosos que, com dedicação zelosa e ilimitada, estava cuidando da sua tradução... Não tinha nenhuma dúvida de que logo reencontraria o Dreamer. Naquele momento não existia nada a fazer além de estar imerso naquele manuscrito, descer lentamente, cada dia um pouco mais, naquelas minas do rei Salomão, percorrer suas respeitosas galerias e escavar, escavar sem trégua, para extrair a *matéria preciosa*.

Para escolher vida temos de antes escolher o pensamento que a morte não é invencível. E, assim, temos de achar os princípios da vitalidade, longevidade e eternidade no nosso ser.

Esta e outras leis que aprendi no manuscrito de Lupelius seriam, depois, as pedras angulares de cada uma de minhas futuras atividades e os princípios estruturais de inúmeras empresas no mundo internacional dos negócios.

Uma empresa é tão vital, rica e longeva quanto as ideias e os princípios do seu fundador.

Para Lupelius, a real desigualdade entre os homens, a raiz pela qual qualquer diferença visível se produz, é o fato de cada um se atribuir diferentes graus de responsabilidade interior. A diferença na qualidade do pensamento posiciona verticalmente os homens em diferentes planos na escala do ser.

Existe uma hierarquia interior que nenhuma guerra ou revolução poderá jamais apagar, porque a verdadeira diferença entre os homens não é econômica, nem de credo ou de raça; é uma diferença de estados de ser. É uma diferença psicológica, vertical, evolutiva, de grau. Por isso, só poderá ser superada por meio de uma reversão, de uma mudança radical no modo de pensar e de sentir.

Uma real melhora indica a mudança do ser. Uma real melhora significa evolução ou crescimento para a unidade do ser, que é o resultado de um novo modo de pensar e o abandono da velha e mortal mentalidade... Somente uma mudança no ser pode elevar alguém a um grau mais elevado de liberdade, de compreensão, de felicidade.

Mea-culpa

Para Lupelius, a Terra é uma penitenciária cósmica, uma prisão tão vasta quanto o planeta, na qual os homens vivem reclusos nos braços da morte. Em vez de extrair dessa visão a conclusão de um insucesso final e irremediável, a loucura luminosa de Lupelius concebe o mais corajoso projeto. Lupelius sonha para o ser humano uma aventura que vai além das fronteiras do possível: a evasão das leis do planeta, a fuga do seu destino mortal aparentemente inexorável. O ser humano pode romper as barreiras que ele mesmo se impôs, pode desafiar a natureza, transgredir os limites que, como colunas de Hércules, ainda hoje não ousa superar nem mesmo com a imaginação. Lupelius reúne em torno de si alguns corajosos e fixa um detalhado plano de fuga.

Você se encontra sempre diante dos mesmos eventos porque nada muda em você! Semelhante atrai semelhante. A partícula de paraíso vai em direção ao paraíso, a partícula de inferno, em direção ao inferno.

Na filosofia de Lupelius, nossos estados de ser atraem os eventos que lhes correspondem e os eventos fazem-nos recair nos mesmos estados. Somente a verdade pode interromper esse eterno suceder-se, esse jogo mecânico sem fim, e desfazer o cerco hipnótico no qual é circunscrita a existência do ser humano. *Pensamento é criativo. Pensamento cria.* Os eventos são materializações do nosso pensamento, dos nossos estados de ser. Estados e eventos são, por isso, a mesma coisa. Os estados são produzidos no ser de cada pessoa, os eventos se manifestam na sua vida, no tempo, e ainda que pareçam produzir-se independentemente do seu querer, na realidade somos nós mesmos que intensamente os invocamos, inconscientemente os criamos.

Seja positivo, seja negativo, o pensamento do ser humano é sempre criativo e encontra a exata ocasião para se materializar.

Nossos pensamentos, como convites escritos pelas nossas mãos, expedidos e depois esquecidos, atraem os fatos correspondentes. No devido tempo, quando nem mais pensamos neles, circunstâncias, encontros, acontecimentos, problemas e incidentes, quedas ou fracassos batem à nossa porta, convidados indesejáveis, embora há muito inconscientemente evocados. Somente a desatenção aos nossos estados, que são a verdadeira origem daqueles eventos, faz com que os tomemos como imprevistos, inesperados.

O inesperado sempre precisa de uma longa preparação.

Nenhum evento pode acontecer externamente a um ser humano sem seu consenso, mesmo que inconsciente. Nada pode lhe acontecer sem antes atravessar sua psicologia.

O pensar é, portanto, poderosíssimo.

Aquilo que depois chamamos fatos – os eventos, as experiências e todos os possíveis acontecimentos da vida – são estados do ser já em marcha para ir ao encontro de quem se colocou em sintonia. Os estados são eventos à espera da ocasião propícia para serem verificados.

A qualidade das nossas emoções, a amplitude dos nossos pensamentos, os estados de espírito que vivemos neste instante estão decidindo o que se manifestará no visível, a natureza dos fatos que se materializarão na nossa vida.

Pensamento é Destino.
Quanto mais elevados nossos pensamentos, mais grandiosa é nossa vida.

O elemento central do pensamento filosófico de Lupelius são estados e acontecimentos como os dois perfis de uma única realidade. Isto elimina qualquer distinção entre o mundo externo e o mundo interno, abrindo, assim, a todo ser humano, a possibilidade de guiar seu destino pelo conhecimento dos próprios estados e pelo domínio de si mesmo.

*A existência é uma invenção nossa e, como tal,
depende unicamente de nós.*

Conduzido pela mão de Lupelius, eu estava descobrindo pela primeira vez o poder vertiginoso, a concretude do fazer que se escondia no mea-culpa cristão. Nessa palavra, como num cofre, é guardada há milênios a própria epítome da inteligência humana. *Mea-culpa, mea-culpa, mea maxima culpa.* Somente agora eu a reconhecia como a expressão mais sintética e poderosa da ideia de responsabilidade. *Mea-culpa.* Essa fórmula, capaz de controlar o universo – da hierarquia dos astros ao movimento dos átomos – encerra o segredo de uma energia sem limites.

Modificando os estados do ser, você pode transformar os eventos que lhe compete encontrar. Eis como o ser humano, por intermédio de um estudo de si mesmo, modificando o próprio modo de pensar e de sentir, pode transformar sua existência horizontal, temporal.

A existência sobre a Terra é a nossa grande Escola. Uma Escola de vida, que aos olhos da humanidade comum parece uma penitenciária.

É preciso aprender a reverter nossa visão. Tudo aquilo que os homens comumente percebem como dificuldade e infortúnio, tudo aquilo contra o que praguejam, tudo aquilo que tentam evitar a todo custo é, de fato, o mais valioso material para transformar a psicologia de morte em uma psicologia de vida.

Viver neste mundo é uma Escola para Deuses.

Confusão, dúvidas, caos, crise, raiva, desespero e dor são excelentes condições para o crescimento.

Estados e eventos (1)

O ser é feito de estados, e a vida, de eventos. Nossa existência, então, corre paralelamente sobre dois trilhos: o dos eventos, que são a sucessão de acontecimentos e circunstâncias que, durante nossa vida, chegam até nós sobre *esteiras rolantes de tempo-espaço*, e aquele dos estados, que são os movimentos interiores, os humores, os estados de ser que acontecem dentro de nós de um modo quase sempre inesperado. A história pessoal de um ser humano é, portanto, feita horizontalmente de eventos e, verticalmente, de estados. Porém, as pessoas normalmente pensam na própria vida e falam sobre ela como se fosse constituída somente de eventos externos. Na verdade, o tipo de evento que se manifesta e, por conseguinte, a qualidade da vida externa, depende da qualidade dos pensamentos e dos estados do ser. A vida, então, é feita de eventos, mas, ainda mais, de estados. Cada um de nós, por exemplo, quando vai assistir a uma conferência ou vai ao teatro, acredita escolher onde se sentar; cada um acredita ter, nesta manhã, escolhido a roupa que vestiu. Na realidade, não fomos *nós* que fizemos a escolha do lugar ou da roupa, mas sim nossos estados de ser.

É fácil observar que todos têm no guarda-roupa um terno, uma camisa ou algum outro item que, por qualquer razão, sentem até certa aversão e nunca têm vontade de usar. Porém, não se desfazem daquela roupa, porque sabem que, cedo ou tarde, encontrar-se-ão em um estado de ânimo, em um certo humor ou estado de ser que encontrará correspondência com aquele objeto. Quando nos *sentimos* daquele modo *escolhemos* aquele objeto.

A relação que liga estados e eventos, circunstâncias internas e eventos externos, o misterioso relacionamento que existe entre a psicologia de um ser humano e as coisas que lhe acontecem é o núcleo da questão do livre-arbítrio e do milenar enigma: o destino é sujeito ao acaso ou à necessidade? Em torno desse enigma, os homens acumularam, ao longo do tempo, os conhecimentos de uma grande ciência hoje desconhecida.

Para os antigos gregos existia uma relação de causa e efeito entre acontecimentos internos e eventos externos. Aquela civilização arcaica acreditou firmemente que o destino de um ser humano era uma projeção do seu mundo interior, do seu ser. Sobre essa convicção fundaram uma ciência e uma arte que assumiu entre eles o máximo valor. Para a Idade Pré-homérica, sábio não é o rico em experiência ou quem excele em conhecimento, mas quem manifesta o desconhecido, quem conhece o futuro. Jogar luz na escuridão e precisar o incerto era, para os gregos, além da verdadeira sabedoria, uma arte. Outros povos exaltaram a adivinhação, mas nenhum outro povo a elevou à condição de elemento central de vida. Em todo o território helênico floresceram os santuários dedicados ao culto a Apolo, a quem, mais que a Dionísio, atribui-se o domínio da sabedoria, entendida como o conhecimento do destino dos homens e a manifestação e comunicação desse conhecimento. Em Delfos, essa vocação, somada à arte de conhecer o futuro, encontrou a sua máxima expressão. Por isso o deus de Delfos é a imagem unificadora daquela civilização e um símbolo da própria Grécia.

O peregrino que frequentemente atravessava grandes distâncias e enfrentava graves perigos para consultar o deus, o oráculo, sobre seu futuro, lia gravado sobre o tímpano do templo a máxima délfica: *"Conhece-te a ti mesmo"*. Era como dizer: Você quer saber seu futuro? Conheça-se! Nesse paradoxo aparentemente zombeteiro os gregos depositaram a solução do mais antigo enigma do ser humano, o segredo dos segredos, a resposta à milenar questão sobre a existência do livre-arbítrio. Essa questão colocou todas as filosofias do mundo em posição inquietante entre o presságio fatalista de um futuro predeterminado e, portanto, inevitável, e a crença no *homo faber*, artífice do seu próprio destino. Esculpindo a máxima délfica exatamente sobre o templo dedicado à mais sagrada das artes, à maior dentre as ciências – a adivinhação –, os gregos revelaram a relação secreta entre mundo interno e mundo externo, entre estados e eventos. E essa descoberta eles confiaram – como uma mensagem depositada no interior de uma garrafa – ao oceano do tempo fazê-la chegar até nós. Aquele que conhece a si mesmo, o próprio ser, continente dos próprios pensamentos, ideias, atitudes, conhece também o próprio futuro, porque tudo o que pensamos é conectado ao mundo; nossa psicologia é o nosso destino. *Pensar é Destino.* Apolo é o símbolo do mundo, espelho da interioridade do ser humano. O mundo nos reflete.

A tradição clássica que transmite o mito de Homero como o profeta cego é ainda uma mensagem dos sábios daquele tempo, que se concluiu com a morte de Sócrates, o último dos sábios. A cegueira atribuída ao autor da *Ilíada* e da *Odisseia*, as duas grandes bíblias da Antiguidade, é um emblema da atenção que os gregos souberam dar ao mundo psicológico, ao conhecimento de si, dos próprios estados. Olhar dentro de si mesmo é a chave do conhecimento do mundo, a estrada para compreendê-lo e prever seus acontecimentos. Notando como alguns homens eram capazes de esforços excepcionais e de enfrentar desafios bem além das possibilidades comuns, observando como eles pareciam desfrutar de uma proteção especial, até mesmo nas circunstâncias mais perigosas, e como suas vidas pareciam estar no centro de eventos extraordinários, os antigos gregos reconheceram neles uma natureza especial, uma luminosidade do ser e uma qualidade interior quase divinas. Conceberam, portanto, a existência de duas espécies humanas: a dos heróis e semideuses, de um lado, e a dos homens comuns, do outro.

Na época de Homero, somente semideuses e heróis, por intermédio de façanhas sobre-humanas, conquistavam o direito a um destino individual. A vida deles, única, original, era resguardada na jurisdição de cada divindade, livre do capricho dos eventos e do acaso. Todos os outros homens eram condenados a uma existência repetitiva. Governados pelas leis da acidentalidade e sujeitos ao acaso, suas ações e suas vidas, longas ou curtas, eram dirigidas ao vazio e destinadas a não deixar traço.

Para Lupelius, o que diferencia essas duas espécies humanas, e os homens em geral, é o fato de eles ocuparem níveis diferentes na escala do ser.

Onde quer que se encontrem, por alguns instantes ou durante anos, as pessoas invariavelmente formam uma pirâmide, organizam-se em níveis diferentes de uma escala invisível, de acordo com uma ordem interior, matemática, como hierarquias planetárias organizadas de acordo com uma luminosidade, as órbitas, a massa e a distância do próprio Sol.

Podemos não saber disso, mas nosso destino, a qualidade de nossa vida, os eventos que nos afetam devem respeitar essa hierarquia.

Compreendendo como tudo emana do ser e que o destino individual de um ser humano, bem como o de uma sociedade inteira, nada mais é que uma projeção do ser, a Grécia clássica usou todos os meios possíveis – da Religião à Política, da Ciência à Filosofia, as Artes e também a Guerra – para elevar o espírito. Maravilhas arquitetônicas em cidades como Atenas, e obras de arte como as obras-primas de Fídias, expostas nas praças, eram instrumentos para transmitir ao ser mensagens de beleza, de orgulho e de harmonia. A palavra grega poiesis – poesia – encerra na sua etimologia o segredo do *fazer por meio da qualidade do ser*. E todo o teatro grego teve uma função terapêutica e catártica, produzindo no espírito do espectador uma purificação, uma liberação dos próprios fardos, causa final da tragédia grega: a purificação das paixões e, por isso, a elevação do ser.

Estados e eventos (2)

Ao repensar a riqueza dessas informações e tudo o que eu estava aprendendo sobre os estados e os eventos, muitas vezes refleti sobre o absurdo de passar um quarto da nossa vida na escola e na universidade, ou transcorrer toda a existência sem conhecimento sobre o ser ou sobre o poder que nossos estados têm na determinação dos eventos e das circunstâncias da vida.

Nossa primeira educação não nos proporciona nenhum senso de discernimento entre o que é externo e o que é interno, nem nos prepara para a gerência dos nossos pensamentos, à consciência das nossas emoções. Sem uma escolha intencional, a cultura comum relegou emoções, sensações e pensamentos à esfera efêmera e intangível dos mitos, das fábulas, do sonho, considerando-os fenômenos separados e, como nunca antes, distantes da *realidade*.

Seguindo as pegadas deixadas pela civilização clássica, descobrindo a Mitologia – que se revela mais útil e mais confiável que a História – e estudando o manuscrito de Lupelius, fiz a emocionante descoberta que, na realidade, entre estados e eventos não há nenhuma relação de causa e efeito, de *antes* e *depois*, mas de absoluta identidade. Estados e eventos são duas faces da mesma realidade colocadas sobre planos diferentes da existência: duas extremidades de um mesmo bastão colocado verticalmente. O que nos impede de ver os estados e os eventos como uma mesma e idêntica coisa é que ambos são separados pelo fator tempo, que age como uma espécie de amortecedor. Entre nossos estados internos e o produzir dos eventos externos que lhes correspondem, intercorre o tempo que, como uma cortina de fumaça, impede o reconhecimento de que os eventos não são outra coisa senão nossos estados materializados no tempo-espaço. Pensamentos, emoções, sensações e todos os nossos estados são como convites que a cada instante enviamos e, embora possamos nos esquecer de tê-los feito, inevitavelmente atraem os eventos correspondentes. Aqueles já são os eventos. A *aparição* deles é só uma questão de tempo. Poderá levar mais ou menos tempo antes que se manifestem, neste ou em outro lugar, mas infalivelmente eles nos atingirão.

Os estados emocionais de um ser humano são, na verdade, eventos em busca
de uma ocasião para se manifestarem e se tornarem visíveis.

O tempo distancia os estados dos eventos e oculta a identidade deles. O tempo sopra o seu negro sépia e, atrás dessa cortina, os eventos se escondem e nos espreitam, pegando-nos depois de surpresa, quando já nos esquecemos ou nem mesmo temos consciência de havê-los já criado.

Nada acontece inesperadamente.
O inesperado precisa sempre de uma longa preparação.

Não há nada que um ser humano possa encontrar, não há um evento que possa materializar-se e atingi-lo sem que, antes, consciente ou inconscientemente, tenha atravessado o seu ser, os seus processos psíquicos. O mundo é conectado às nossas emoções, às nossas paixões, aos nossos pensamentos. Eles são a correia de transmissão entre o mundo interno e o mundo externo. Por intermédio do controle das emoções, dos pensamentos e de tudo aquilo que sentimos e experimentamos – isto é, dominando nossos estados – temos nas mãos o timão da nossa existência e podemos imprimir a direção ao nosso destino. Eis onde encontra fundamento a concepção romana de sorte e do *homo faber*, contraposta à visão grega, médio-oriental, que representa a Fortuna como uma deusa vendada que dispensa os eventos de modo puramente casual e os envia segundo os próprios caprichos.

É ideia corrente que são os eventos externos os condicionantes das nossas atitudes e os determinantes dos nossos estados de ânimo. Diante de um fato, um encontro ou uma notícia, acreditamos que o estado psicológico que vivemos – irritação, ansiedade, surpresa – seja um efeito, uma consequência daquele acontecimento, daquele encontro, daquela notícia. Do mesmo modo que, antes da invenção da fotografia, era impossível determinar a exata sucessão das patas no galope do cavalo – movimentos tão rápidos que o olho humano não consegue acompanhar –, assim também pensamentos, emoções, percepções e sentimentos, como *flashes* eletrônicos, atravessam a misteriosa floresta dos nossos neurônios a uma velocidade próxima à da luz, tornando difícil estabelecer a exata sucessão temporal em relação aos eventos externos. Ao se verificar um evento, acreditamos que o estado psicológico que sentimos seja o efeito daquele acontecimento. Justificamos assim nosso estado de ser com o evento externo, enquanto o que acontece é exatamente o contrário. Na realidade, são nossos estados de ser que anunciam e determinam os eventos da nossa vida. Nossas emoções negativas, no tempo, transformam-se nas adversidades das quais depois nos lamentamos. Para encontrar um evento de certa natureza, no bem ou no mal, devemos antes criar internamente as condições para a sua manifestação.

A maior ilusão do ser humano é acreditar que pode mudar as condições externas, mudar o mundo. Nós podemos mudar somente a nós mesmos, intervir em nossas próprias atitudes, modificar nossas reações, não exprimir as emoções negativas que sentimos.

O universo é perfeito assim como é. O único que deve mudar é você!

Somos ainda convictos de que a energia e a boa vontade de um ser humano são insuficientes diante dos acontecimentos da vida, que se nos revelam quase sempre fortuitos e fatais. Aquela torrente de eventos que continuamente nos submerge apresenta-se extremamente variada e confusa para poder ser prevista, e muito superior às forças que ora dispomos a ponto de pensarmos que podemos até mesmo dirigi-la.

Para Lupelius, o trabalho que devemos fazer é o de *ver* que atrás dos eventos – e, depois, atrás dos estados – estamos sempre nós. Antes de qualquer solução, vem nossa mudança.

Quem sabe produzir intencionalmente em si a menor elevação do ser move montanhas e se projeta como um gigante no mundo externo.

Agindo em nossos estados, modos de sentir, emoções negativas, desnutrindo alguns e alimentando outros, não somente modificamos nossa atitude, nossas reações – e, portanto, o relacionamento com os eventos que nos chegam do mundo externo –, mas também modificamos a natureza dos próprios eventos que se sucedem dia após dia. O primeiro trabalho que somos chamados a fazer é o da auto-observação dos nossos pensamentos e dos nossos estados de ser. Um estudo atento de nós mesmos, dos nossos pensamentos e emoções, das posturas que assumimos e das reações que apresentamos, o modo como *consideramos* os acontecimentos nos permitiria descobrir que o ser humano pensa e sente negativamente.

Apenas aparentemente o ser humano deseja a si mesmo o bem, a prosperidade, a saúde. Se ele se observasse e se conhecesse interiormente, escutaria dentro de si a récita quase contínua de um canto de negatividade, como uma oração de desventura composta de preocupações, imagens doentias, expectativa de eventos terríveis, prováveis e improváveis.

Mas como fazer para interferir nos estados interiores, estados de ânimo, emoções e modos de pensar? Basta pensar quão difícil é sair de um estado de mau humor!

A energia física que pode mover uma montanha não pode modificar um pensamento e muito menos uma emoção. A força para dirigir um pensamento e controlar uma emoção é produzida por uma energia muito maior. Para acumular essa energia especial é necessário eliminar todas as falhas do espaço interno, os inúmeros fluxos por meio dos quais, como um coador, perdemos energia, e que consistem, sobretudo, na expressão de emoções negativas e atitudes interiores equivocadas. Se um fato acontece externamente e eu não o conecto aos estados do meu ser que o criaram, perco uma importante oportunidade.

Observando bem, muitos eventos em nossas vidas se repetem, e é possível tentar definir com mais clareza sua natureza olhando sua correspondência com alguns estados de ser. Por exemplo: um grupamento de pensamentos que se chama *estar atrasado*. *Estar atrasado* me provoca um estado de ansiedade. Inteligência é saber que aquelas condições externas correspondem a uma condição interior que não foi criada naquele momento. Existe uma parte do meu ser que me conecta àqueles eventos. Para eliminá-los da minha vida, não existe outra solução que não seja modificar aquela condição interior que eu chamo ansiedade, medo, preocupação, mas que, na verdade, não é outra coisa senão uma doença do ser, uma *pecabilidade*.

De um modo ou de outro, esse tipo de acontecimento irá se repetir na minha vida enquanto existirem internamente os estados psicológicos que o produziram. Aqueles eventos ou fatos são, na realidade, sintomas que anunciam uma cura, se tivermos o poder de conectá-los aos estados que lhes deram origem. *Vê-los*, dedicar atenção aos próprios estados psicológicos, significa virar a seta na direção de nós mesmos, inverter o processo e caminhar do evento ao estado. Ali está o acesso à compreensão, a concreta possibilidade de transformar a própria vida.

Desculpar-se, justificar-se, culpar um fato externo e não reconhecer sua causa numa pecabilidade do nosso ser, nos nossos estados, no nosso modo de pensar, sentir, de reagir, significa não ter entendido; e não ter entendido significa que aquele evento deverá, de algum modo, repetir-se... e repetir-se. Mudarão as circunstâncias, os eventos se apresentarão com diferentes máscaras, e nós continuaremos a culpá-los, perdendo a oportunidade de definitivamente nos liberarmos para sempre desse ciclo.

Atribua a si mesmo a culpa de tudo, assuma a responsabilidade de tudo aquilo que lhe acontece. O segredo dos segredos é o Mea-culpa.

Ponderei que também as nações vivem estados de ser que atraem eventos correspondentes. Nos Estados Unidos, o sentimento racial, por exemplo, o estado de aversão por homens diferenciados por raça, credo ou cultura exigiu não só dezenas, mas até centenas de anos, para que fosse reconhecido e se criassem condições para sua superação.

Mártires, líderes eliminados muito jovens, como Malcom X, M. Luther King, J. F. Kennedy, encurtam o tempo e aceleram as condições para as mudanças de estados psicológicos, modos de pensar e de sentir de toda uma nação ou até de uma civilização, capazes de atrair novos eventos e novas oportunidades.

Nossos estados na vida podem nos fazer perder ou vencer, podem nos tornar pobres ou ricos, podem nos deixar doentes ou curados. O estudo de nós mesmos, a auto-observação, é o instrumento para conhecê-los. O simples ato de observar a nós mesmos nos faz mais conscientes, mais inteligentes.

Auto-observação é autocorreção.

Faça Deus trabalhar

A leitura do manuscrito de Lupelius deixava-me extasiado. Explorando aquelas páginas que haviam atravessado os séculos, sentia-me nos bancos da *Escola dos Deuses*. Ouvia, estático, sua voz sem tempo. Cada dia era uma aventura da inteligência, enquanto minha pesquisa era premiada com os tesouros de um pensamento imortal.

A ESCOLA DOS DEUSES

O ser humano não precisa trazer para dentro nada do externo... nem comida, nem conhecimento, nem felicidade... É seu direito de nascimento não depender de nada de fora dele mesmo... O ser humano pode se alimentar do interno, nutrir-se da sua inteligência, da própria vontade, da própria luz.

Para Lupelius, essa ideia era o elemento central da imortalidade física, a pedra angular de toda filosofia e de toda religião. De uma zona escondida da memória afloraram as palavras mais antigas do mundo, as palavras que os lábios do homem, como os de uma criança, pronunciaram quatro mil anos atrás, antes ainda que soubesse escrever: *Não terás outro Deus além de Mim!...* Uma compreensão movimentou e ampliou os espaços internos, atemorizante de início, como uma luz que escava trevas antigas... Depois explodiu em chamas potentes, incendiando-me. *Não terás outro Deus...* queria dizer que o ser humano, desconhecendo ser o criador, faz do mundo externo a sua divindade e o elege senhor e patrão do seu ser... Aquela exortação milenar transmitia o primeiro e o maior dos mandamentos: não depender de nada!!! Recorda que foi você quem criou tudo isso!!! Crer em um mundo fora de nós, além de nós, significa depender dele, significa permanecer enredado nas leis da própria projeção. Minhas reflexões a esse respeito se sobrepuseram e se misturaram como vozes de meninos excitados com uma feliz descoberta... *Ama o Senhor teu Deus. Não terás outro Deus além de ti mesmo.* Você é senhor e patrão, artífice e criador de tudo e de cada coisa. Você projeta tudo isso... Você é tudo isso... Nunca antes eu havia sentido tão perto de mim o hálito de um deus mais concreto e real... Aqui o pensamento se interrompeu...

Dentre as traduções que a cada dia eu recebia da equipe de estudiosos e pesquisadores que eu havia reunido em Everan, apareceu um diálogo entre Lupelius e Amâncio, um de seus monges-guerreiros. A mensagem vibrava nas entrelinhas, viva, como se as perguntas daquele discípulo fossem pronunciadas naquele preciso momento. Percebi nos pés a inexprimível sensação de quem era suspenso no vácuo de um precipício. O tempo comprimiu-se e eu fui lançado entre os veneráveis muros da Escola:

Lupelius: *Se você acreditar no mundo externo como algo real, então você estará perdido e destinado a fracassar em tudo o que fizer. Qualquer coisa vinda de fora pode somente ajudá-lo a reconhecer, em você mesmo, a verdadeira raiz de todas as suas dificuldades, limitações e aflições. Então, deixe todos os incidentes exteriores – circunstâncias, eventos e relações com os outros – acomodarem-se em um lugar dentro de você, onde esse lixo poderá ser transformado em uma substância nova, em uma energia nova, em uma vida nova.*

Amâncio: E este castelo no qual nos encontramos agora? E estes cômodos com mais de trezentos anos?

Lupelius: *São uma criação sua... agora, neste exato instante!*

Amâncio: E meu pai e minha mãe...?

Lupelius: *São sempre uma criação sua... Não existe nada fora de você que exista antes de você! Você não pode mudar o passado se não entender que é este presente que dá forma ao passado. Tudo que você alcança neste instante é transmitido simultaneamente em todas as direções. Se o presente foi feito perfeito, tudo em seu passado será alinhado com essa perfeição. Cada evento do passado é apenas uma ressonância das vibrações que seu corpo está enviando exatamente agora.*

Amâncio: Mas... então... o ser humano é... Deus?

Lupelius: *Não!... É muito mais!... Tem Deus a seu serviço...*

Amâncio: O que significa isso?

Lupelius: *Que você poderia pedir-Lhe tudo o que desejasse... e Deus obedeceria a cada um dos seus pedidos... sem limites. Deus é um bom servidor, mas não um bom patrão. Deus ama servir, ama amar... Deus é a rendição total a seu serviço. Deus existe porque você existe. Se você não existisse, não haveria razão de existir... Deus é a sua vontade em ação.*

Amâncio: Não entendi.

Lupelius: *A mente não pode entender, pode só mentir. A mente... mente! A mente que não mente se anula e cria espaço à totalidade do ser. É Aqui que tudo acontece... É Aqui que cada coisa é tocada... É Aqui que tudo é movido... Aqui... onde Verdade, Inocência, Beleza e Poder habitam. Aqui... neste infinito, eterno e indestrutível Corpo.*

A arte de manter-se acordado

O campo de batalha é o Corpo, li no manuscrito. Esta síntese peremptória de Lupelius bradou dentro de mim como o grito de guerra de uma grande cruzada. O campo de batalha é o nosso corpo. A vitória chama-se integridade. No fim da vida de um ser humano, seu objetivo é a integridade, a unidade do ser. Nisto Lupelius resumiu o sentido da busca milenar do ser humano e identificou a própria razão da sua existência, o significado de toda a sua história. De acordo com Lupelius, essa conquista é física. O corpo é a parte mais visível do ser. A integridade do ser é uma vitória que acontece nas células.

Expanda sua visão até que todo o seu corpo, com cada órgão, músculo, fibra e célula, até o último átomo, seja dominado pela luz do seu sonho. Quando se aciona o sonhar, todas as coisas são possíveis. O seu sonhar contém todos os princípios e todo o poder para estabelecer o reino do céu na Terra.

Não existe guerra mais santa que vencer a si mesmo, não existe vitória maior que superar os próprios limites. A integridade é uma cura do ser. Exige uma reversão de convicções milenares, uma transformação de emoções negativas e pensamentos destrutivos, a obtenção de um domínio sobre si mesmo e o controle sobre a comida, o sono, a respiração...

Estudando esta e outras passagens de *The School for Gods*, descobri a natureza dos experimentos conduzidos por Lupelius naquele laboratório solar que foi, na Irlanda de mil anos atrás, sua Escola. Ali seus discípulos-guerreiros buscavam, por intermédio de exercícios, dominar o sono e a comida, reduzir a cada dia suas necessidades, como parte fundamental da preparação à invulnerabilidade e à imortalidade.

Para Lupelius, o sono era um mau substituto da respiração, um expediente que o corpo encontrou para nos libertar, mesmo por poucas horas, de uma respiração asfixiante, insuficiente. Avançando ainda mais no pensamento de Lupelius, dei-me conta de que não existe nada mais próximo, e ao mesmo tempo tão desconhecido e misterioso, que nossa respiração. Somos criaturas que vivem no fundo de um oceano de ar. E embora estejamos emersos nesse elemento, e cada centímetro quadrado do nosso corpo esteja sob a pressão de um universo etéreo, introduzimos nos pulmões uma quantidade insuficiente de oxigênio. Lupelius havia feito a descoberta extraordinária que todo ser humano respira uma quantidade de ar dezenas de vezes inferior àquela que lhe é necessária.

No seu manuscrito, ele examina e descreve cuidadosamente essa condição de quase apneia em que o ser humano vive, definindo-a de "*underbreathing*", ou seja, sub-respiração.

A consequência desse estranho fenômeno é que, segundo Lupelius, existem partes vitais do nosso organismo que não recebem a provisão adequada de oxigênio e são, portanto, subnutridas. Antecipando por centenas de anos a descoberta da preminência que a respiração tem nos processos de catabolismo e na regeneração de órgãos, Lupelius chegou à conclusão de que o gênero humano era gravemente poluído. Para ele, uma pessoa deveria dedicar várias horas do dia a uma respiração plena, profunda, completa, e preconizava que, no futuro, toda escola, comunidade ou organização humana adotaria uma educação da respiração, um treinamento para inserir as grandes quantidades de oxigênio que, na verdade, o nosso organismo exige.

Notei com pesar que, dez séculos depois, aquela profecia estava ainda longe de se realizar, e que a humanidade continuava imperturbável a *sub-respirar,* comportando-se como se o oxigênio fosse sujeito a pesados impostos e estivesse entre os bens mais raros e caros do Universo.

Segundo Lupelius, uma respiração profunda não pode ser feita mecanicamente, mas só intencionalmente. Com ele aprendi que o destino de um ser humano é ligado por um duplo fio à sua respiração.

Quanto mais ampla a respiração de um ser humano, mais rica sua realidade. Se você quiser mudar seu destino, trabalhe a sua respiração... dedique tempo à respiração.

Uma das pedras angulares da doutrina de Lupelius é que para merecer um destino individual, para ser o herói de uma grande aventura pessoal, um ser humano precisa de uma respiração consciente e profunda, ser frugal na alimentação, no sexo e diminuir o tempo do sono. Esforços devem ser dirigidos nessa direção. Sobre isso, encontrei nos manuscritos, em tom familiar, sem formalidade, uma carta de Lupelius a um aluno com algumas recomendações:

As pessoas dormem do mesmo modo que esperam morrer... de repente. Mas você, qualquer que seja a hora, não importa quanto tenha durado o seu dia de trabalho e quão dura tenha sido sua batalha, procure ir dormir acordado... Quem não sabe gerir a própria energia, ao final do dia desmaia na cama, mais morto que vivo... Mas você, se tiver de dormir, aproxime-se do sono acordado. Isso permitirá a você não cair nas profundezas infernais.

Parecia que as indicações de Lupelius eram dirigidas a mim e criticassem, a distância, meu hábito, então frequente, de adormecer abruptamente diante da TV ou lendo um livro. A força, o poder de sugestão foi tal que, lendo-a, decidi na hora redimir-me e, daquele momento em diante, adotei *o adormecer acordado* como uma regra de vida e uma palavra de ordem. Lupelius dizia que o modo como um ser humano adormece é um "teste de tornassol", um sistema que revela a qualidade da sua vida. Quando parece estarmos sucumbindo, e fechar os olhos e cair no sono for inevitável, este é, para Lupelius, o momento de exercitar a vontade, de se insurgir e usar todos os meios para vencer o sono. Ele sugeria praticar esgrima, banhar-se ou dançar; inventou toda espécie de truques e estratagemas que pudessem servir àquele propósito.

Para Lupelius, *dormir é morrer*! Com seu inimitável humor negro, brincalhão muitas vezes, hábil na arte dos disfarces e da transformação, afirmava que os homens, todas as noites, faziam o ensaio geral da própria saída final de cena. Perseverando no mau hábito de dormir, em turnos metade do planeta vai para a cama e seus habitantes desejam-se mutuamente boa-noite, sem ao menos suspeitar de estarem cumprindo um ritual tão macabro. Aquele monge-filósofo que ousou sonhar o impossível, o chefe daquela Escola de guerreiros invencíveis, concluía a carta ao seu discípulo com alguns fabulosos ensinamentos da arte da vigília:

Se você já sabe que o sono é a representação da morte, você não pode mais se aproximar dele como antes. Em todo caso, independentemente das precauções e dos meios que você use, não permita a ninguém, jamais, nem mesmo à sua mulher, vê-lo dormir. Exercite-se na arte da vigília!... Um guerreiro sabe que deixar ver-se dormir é mostrar a própria vulnerabilidade... é um consentimento dado ao mundo para nos atacar e nos golpear mortalmente.

Os maus hábitos

Lupelius havia descoberto no ser humano um mistério que a mente não consegue nem mesmo conceber: a existência de um buraco negro onde se aloja uma espécie de lodo emocional, uma *espuma psicológica* que polui as células.

Por intermédio de técnicas de jejum e de respiração, de uma nova visão, de novas ideias e esforços especiais, um ser humano pode transformar a si mesmo e a realidade que o circunda, pode passar da condição de um ser incompleto, em conflito, mortal, à de um indivíduo íntegro, harmonioso, imortal.

Cada privação, cada esforço dirigido à frugalidade, à moderação, é o preparo para a fuga dos infernos do comum, da mediocridade; libera-nos das incrustações emocionais acumuladas nos anos. De acordo com Lupelius, somente um ser humano da Escola, guiado por um mestre impecável, pode enfrentar tal processo de cura e superar as dificuldades e os obstáculos de uma tarefa como essa.

Há no ser humano uma generalizada incompreensão dos sinais que anunciam e acompanham uma atividade de purificação. A humanidade comum os lê inversamente, pois, em vez de interpretá-los como sintomas de cura, entende-os exatamente como doenças. A dor do esforço exigido é algo que ninguém quer enfrentar. Por isso, segundo Lupelius, cada prática de abstinência é suspensa justamente quando começa a funcionar.

Por intermédio de longas viagens, de intensos estudos e de procura incansável, Lupelius havia conhecido as antigas escolas de iniciação e encontrado homens extraordinários, representantes das grandes tradições ascéticas e místicas. Em todos os tempos e em todas as civilizações, o *otium*, a *arte do não fazer*, havia sido o ponto de sustentação – sobre o qual se apoiavam disciplina, constância, busca interior –, o fio de ouro que mantinha ligado à grande aventura todo ser humano que almejasse a conquista dos mais altos graus de responsabilidade.

Seguindo o mapa ideal traçado pelo manuscrito, a abstinência do asceta, a solidão do eremita e a frugalidade do monge revelaram-se expressões de uma só Escola, contornos diferentes de uma única e milenar busca que se uniu às disciplinas marciais e à vigília do guerreiro.

Quando aprofundei essa investigação, descobri que Arriano, um dos historiadores do séquito de Alexandre, o Grande, em *Anabasis Alexandrou*, transmitiu em uma só frase a regra alimentar e o segredo da energia do imperador: "... havia sido educado na moderação: no desjejum, uma marcha antes do amanhecer; no jantar, uma refeição leve". Mesmo os guerreiros macedônios, modelos insuperáveis de valor e de força para toda a Antiguidade, eram de uma frugalidade alimentar lendária. Dormiam sobre a terra nua e, ainda que suportando esforços extremos e enfrentando circunstâncias das mais temerárias, comiam não mais que um punhado de azeitonas. Ainda assim, eram incansáveis, os mais temidos, um verdadeiro pesadelo para os exércitos inimigos.

A eliminação intencional de um só grama de comida, a abstinência de um só minuto de sono eram, para Lupelius, fatores tão poderosos, a ponto de poder colocar em crise todo o sistema de convicções de um ser humano e transtornar os falsos equilíbrios.

Sua escola propunha a ausência de doença, velhice ou morte como direito de nascimento e condição natural do ser humano.

Um ser sem doença, sem idade e sem morte.

Sempre, ao longo dos séculos e em todas as tradições, a conquista do domínio de si mesmo tinha exigido práticas e disciplinas voltadas a trazer à tona o *lodo emocional*, como o chamava Lupelius, uma operação indispensável para descobrir as feridas internas e liberar do profundo do ser qualquer sombra incipiente.

Estudando o manuscrito, um dia descobri o incrível segredo a que havia chegado Lupelius. Seu anúncio é o manifesto de uma revolução do pensamento que não parece se dirigir aos seus contemporâneos, mas a uma assembleia científica do futuro: *... É hora de a humanidade sair de um sono ancestral, metafísico. É hora de sacudir o pó milenar de suas convicções*. O documento encerrava com esta insustentável afirmação: *A comida, o sono, o sexo, a doença, a velhice, a morte são hábitos mentais ruins. É preciso libertar-se deles*. Em outros pontos do seu manuscrito, são também chamados superstições, ilusões.

O campo é o corpo... O campo de batalha é o seu corpo, diz Lupelius. Cada vitória sobre o excesso de comida, cada minuto subtraído do sono você o reencontrará como triunfo sobre a morte... A morte física é imoral... não natural... inútil.

Para Lupelius, a ausência de frugalidade na comida, no sono, no sexo, bem como no trabalho, é a causa primeira de todas as perdas de vitalidade e de energia, e é esta que permite ao ser humano tornar possível o impossível, até torná-la inevitável: a morte física.

Em todos os tempos, homens de todas as civilizações e tradições religiosas, poucos dentre poucos, ao acordarem da hipnose denunciada por Lupelius, tentaram seguir uma disciplina e colocaram a ideia da imortalidade física no centro do sistema do pensamento como origem da prosperidade e da longevidade. Um dia, o Dreamer me diria que a ideia da imortalidade física é um elemento fundamental da psicologia de uma nova humanidade, e do líder em particular. Sem transpor essas colunas de Hércules, um ser humano é, mais cedo ou mais tarde, atacado pelo limite, e se curva. A ideia de que a morte pode ser derrotada erradica todos os limites da psicologia, eleva a responsabilidade e é condição necessária para fazer nascer uma empresa vital, longeva, rica. Segundo o Dreamer, a filosofia da imortalidade física deve ser ensinada em todas as escolas, de toda ordem e grau, nas universidades e em todas as instituições. A ideia de uma vida sem fim é o antídoto mais poderoso contra a pobreza, a criminalidade, a morte.

Deixando Everan e o Instituto de Manuscritos Antigos, voltei a Nova York levando comigo, como o bem mais precioso, a cópia de *The School for Gods* que eu havia providenciado para o Dreamer.

De toda a massa dos meus apontamentos, duas palavras em especial fizeram-me refletir muito durante a viagem: *Die less – Morra menos* – aforismo recorrente e, talvez, o lema dos lupelianos. Pareceu-me a abreviação extrema, a própria síntese da filosofia da Escola. *Die less and live forever*, no original.

Morra menos e viva para sempre

Pensei na devastadora descoberta escondida atrás da aparente simplicidade dessa fórmula. O ser humano morre internamente milhares de vezes por dia. No nosso ser, estados e pensamentos destrutivos emoções, negativas confundem-se e reproduzem-se continuamente, destilando o lento veneno que nos mata. Talvez não soubéssemos por onde começar para viver para sempre, mas, seguindo o milenar aforismo de Lupelius, certamente podemos *morrer menos*. Entoei mais vezes o canto de imortalidade dos lupelianos:
Coma menos e sonhe mais.
Durma menos e respire mais.
Morra menos e viva para sempre.

Você não vai conseguir!

Emergi como se viesse de um itinerário subterrâneo. Reconheci a sala e o grande quadro que ocupava a parede mais distante. A hora da manhã já avançava no mundo do Dreamer e, nessas condições de luz, pude observar com prazer a arquitetura daquela parte da casa. Ergui o olhar para o teto e percorri a linha até chegar ao ponto em que, bruscamente, abaixava e formava uma imponente arcada de tijolos à vista. Foi nesse momento que pressenti uma presença. Sobressaltei-me. Das duas extremidades daquela arcada, como guardiães imóveis, observavam-me dois seres nus, um homem e uma mulher. Um arrepio percorreu meu corpo antes que pudesse entender do que se tratava. Eram estátuas em tamanho natural, dispostas uma diante da outra. O material delas, refinado, fez-me pensar que fossem cópias de originais helênicos. O peito do guerreiro, alto e liso, forte como uma couraça, lançou-me uma irresistível mensagem de orgulho. Recompus-me e endireitei as costas, como em obediência a um comando marcial.

Instintivamente, desviei-me da severa escada de pedras cinza que levava ao aposento do Dreamer e, sem hesitação, tomei a direção oposta por uma grande porta de cristal e ferro de desenho peculiar. Ao lado, uma grande tela ocupava toda a parede. Parei para examiná-la. Reconheci uma rica versão do mito de Narciso retratado enquanto se olhava nas águas de uma fonte, um átimo antes de ser engolido. Admirei longamente aquela obra que figuraria muito bem entre as obras-primas do século XVII de uma grande pinacoteca. Depois, empurrei cuidadosamente a porta de cristal e parei fascinado à entrada de um ambiente fabuloso. Sem tirar os olhos daquela visão, inclinei-me para tirar os sapatos, deixei-os ali mesmo onde estava, do mesmo modo que havia feito quando da minha primeira visita. Descalço, avancei com precaução sobre as grandes lajotas de terracota do pavimento e entrei naquilo que me pareceu uma grande estufa. A riqueza das plantas, a maior parte tropical, e as longas filas de arcos envidraçados que formavam a parede reforçaram aquela impressão. Fora, o intenso verde do jardim isolava aquele ambiente e comprimia-o contra exuberantes castanheiras, como um mar vegetal abraçando as laterais de um barco. A elegância de cada detalhe, as obras de arte, os preciosos quadros e as modernas esculturas em mármore branco deixaram-me agradavelmente perplexo e hesitante quanto à verdadeira natureza daquele ambiente incomum. De duas amplas claraboias precipitava-se como chuva a primeira luz da manhã. Observei as imensas vigas que sustentavam o teto e minha imaginação foi raptada pelo pensamento de qual titã as teria transportado e fixado ali onde estavam. Mais vezes explorei com o olhar cada ângulo, mas do Dreamer não encontrei nenhum vestígio. Fazia quase um ano que não O via.

Continuando, vi que na parte central do chão daquele ambiente havia um espelho d'água. Mais que uma piscina, parecia uma lagoa azul escavada na terracota. Um movimento constante encrespava a superfície da água, como um calafrio. Percorri com o olhar a margem, até que, suave como uma leve onda, vi Sua imagem. Lentamente, ergui o olhar até Seu rosto. O Dreamer trazia nos lábios uma flauta de prata. Arqueou o corpo com graça e levantou o rosto junto àquele cintilante apêndice em direção à luz. O ar encheu-se de notas enfileiradas, uma após outra, como pérolas de um colar. Era uma música sem idade, sem tempo, como aquela casa, aquela sala, aquele momento. Imóvel, escutei. Revivi o entusiasmo da minha infância, perfumada de mar, sua felicidade esquecida. O desatino das corridas sobre os rochedos, o sabor dos vôngoles e dos caranguejos recém-mariscados, as batidas do coração antes dos mergulhos mais desvairados dos rochedos... a sombra fresca da casa de Ischia, os beijos suados de Carmela no retorno do mercado...

Uma nota ficou suspensa no ar mais que as outras, flutuou sobre o respiro que a havia criado, brincou ainda um pouco com as moléculas do ar, até se liberar da música e tornar-se um único e vibrante sopro sonoro. Parou de repente. Pela eternidade de alguns segundos, a flauta permaneceu transversa, colada ao lábio inferior, depois seguiu docemente a mão que a descansou sobre uma almofada ao lado. Estava mais jovem de como O recordava e me pareceu ainda mais magro. Levantou Seu olhar e me examinou longamente. Decerto sabia dos esforços que eu havia feito para retornar a Ele... das longas buscas do manuscrito e do sucesso da minha missão, da paixão com que eu havia estudado e me aproximado do pensamento da Escola. Depois do turbulento encontro que havia tido no início do meu aprendizado e a bem-sucedida viagem ao meu passado iniciada em Marraquesh, eu esperava alguma palavra de estímulo, senão de elogio. Aproximei-me alguns passos.

O Dreamer continuou a me fitar sem falar. Senti, de início, um leve desconforto, que rapidamente se transformou em dor. Sob Seu olhar, minha atenção estava invertendo seu sentido. Eu me observava dentro, pela primeira vez. A visão não era das mais agradáveis: uma sucessão de pensamentos contrastantes estava aflorando à consciência, junto a sentimentos de culpa e sensações emaranhadas como meadas emocionais jamais desenredadas. Seu olhar me escavava dentro e revolvia aquele limo emocional que eu jamais quis ver ou enfrentar. Parou um pouco, antes que a dor superasse o limite do suportável. Mas não facilitou. Aquilo que estava por vir foi bem mais doloroso. Terminado o Seu exame, como se houvesse chegado a um juízo conclusivo, definitivo, sentenciou: *Você não vai conseguir!*.

O silêncio que se seguiu àquele veredicto rapidamente tomou conta do espaço daquela estufa e conquistou cada canto. Melancolia, desilusão, desânimo, raiva emaranharam-se e fundiram-se em uma única dor, passiva. Sentia-me esvaziado de energia. Preferia ser apenas deixado em paz e largar tudo. Com a respiração suspensa, esperei como um condenado pelo fim daquele julgamento. Aquela pausa persistiu cruelmente. Finalmente, com o tom de um pesquisador que constata o fracasso do enésimo experimento, já previsto mas nem por isso menos frustrante, anunciou: *Ninguém consegue... É o humano que não consegue!*

Estava dirigindo-se a mim como se eu fosse o representante de uma raça derrotada, uma espécie em via de extinção.

Muitas são as leis que o fazem continuar a ser o que você é. Até a pesquisa que eu lhe confiei, você a transformou em alguma coisa que alimenta sua vaidade, seu egocentrismo.

Veio-me um forte ressentimento, aversão misturada a autocomiseração, aquela que se sente quando se sofre uma injustiça. Depois de meses de viagem e de pesquisas feitas nos Estados Unidos e na Europa, depois de ter encontrado o manuscrito de Lupelius que pesquisadores, estudiosos e arqueólogos do saber consideravam perdido para sempre, depois de ter enfrentado com coragem o encontro com meu atormentado passado, eu não merecia ser tratado daquele modo. Queria, de algum modo, rebater o que Ele me dizia, mas os músculos da dignidade estavam ainda muito fracos. Por outro lado, no meu íntimo, eu sabia que Ele tinha razão. Procurei esconder meu estado de ânimo atrás de uma falsa docilidade. "Não consigo mudar", limitei-me a dizer. Mas a voz traiu o rancor da impotência e minha inclinação em aprisionar-me e em depender.

Paaaaaare!, gritou o Dreamer, prolongando ao infinito e com voz apavorante aquela ordem. Como a contagem regressiva de uma situação angustiante, assim se passavam os segundos, no terror. Um espaço-silêncio se instaurou em mim, nascido daquele grito sobre-humano, terrível, um grito de guerra lançado entre o brado de armas e berrantes, no meio de um confronto mortal. Algo se liberou e aguçou minha capacidade de ouvir.

Recorda-se de quando você chorava por horas a fio, até ficar sem voz?, perguntou inesperadamente o Dreamer, com a voz baixa, mas mantendo no tom toda a Sua ferocidade. Imagens alternaram-se na minha mente: quadros de um passado distante sobrepuseram-se e misturaram-se como cartas de baralho entre os dedos de um ilusionista. Não se diferenciavam umas das outras. Tinham todas a mesma luz, a atmosfera mágica de minha infância napolitana, em que lares tinham nomes mais antigos - penates! -paridos pelas superstições milenares. Reconheci a velha casa, o quarto de Carmela, o armário com espelho nas portas. Um menino de talvez seis anos, sentado no chão, chorava desesperadamente... Era eu.

Você ainda está lá, nada mudou. Seus caprichos de menino tornaram-se uma inclinação permanente às lamentações e à autocomiseração. Calou-Se por um tempo que me pareceu interminável.

No mundo do comum e da mediocridade, é impossível mudar. Com sete anos, um menino já entra no triste exército dos adultos, como um pequeno espartano... já recebeu uma descrição invertida de mundo e um jogo completo com todas as convicções, preconceitos, superstições e ideias que o farão pertencer, por direito e para sempre, ao clube planetário dos infelizes.

Pensamento, emoção e corpo no ser humano são universos concêntricos... tudo está ligado. Mudar intencionalmente uma cadência ou uma inflexão de voz, endireitar um só milímetro as costas, modificar o hábito aparentemente mais corriqueiro, significa mudar inteiramente a própria vida. É quase impossível.

Examinou-me longa e severamente, e eu sustentei Seu exame. Sabia que nem mesmo a menor intenção que me passasse pela mente Lhe escapava e, naquele jogo, não havia possibilidade de trapacear. Eu estava colocando ali todas as minhas fichas... A possibilidade de, um dia, conquistar a mim mesmo, ser tocado pelo *sonho*, de transformar minha vida em uma grande aventura individual... ou então cair e me perder irremediavelmente para sempre eram possibilidades que estavam bem ali... coexistiam. Minha vida pendia por um fio sutil, suspenso na boca de um abismo. Uma palavra, uma entonação, a duração de uma pausa, qualquer coisa poderia fazê-la precipitar-se no desvario de um destino coletivo.

Com um movimento rápido e a elasticidade de quem tem um corpo exercitado, da posição reclinada pôs-se em pé; o azul da piscina recebeu Seu movimento como o reflexo de um voo e embalou-O sobre sua tremulante superfície. Lentamente, deu alguns passos em minha direção e, em tom firme, mas desta vez sem dureza, disse: *Somente se você se recordar de Mim poderá conseguir!*

Reverta suas convicções

Naquele momento, acomodou-se, arrumando com cuidado algumas almofadas em torno do Seu corpo. Sua atitude pareceu-me aquela de quem assume expressão decidida e enfrenta renovado um longo trabalho que acreditava fosse já concluído. *Reverta, mude completamente suas convicções!*, exortou-me energicamente. A ideia de me convidar a sentar nem Lhe passou pela cabeça; deixou-me em pé, no mesmo lugar onde me encontrava desde o início daquele nosso encontro. Interpretando Sua atitude como falta de consideração, tive certo ressentimento, senti-me um pouco ofendido. Naquele momento me era impossível conceber um ser que, como o Dreamer, vivesse cada instante estrategicamente. Nele não havia um piscar de olhos que não estivesse conscientemente a serviço do Seu objetivo. Ruminando meu mau humor, permaneci confinado no espaço de uma lajota do pavimento, ao lado das trépidas águas da Sua piscina.

O presente, o passado, o futuro de um ser humano... os eventos, as circunstâncias e as experiências que encontra no seu caminho são sombras projetadas daquilo que ele acredita. Sua existência e seu destino são a materialização das suas convicções e, sobretudo, das suas transigências...

Visibilia ex invisibilibus. Tudo aquilo que você percebe, vê e toca nasce de uma invisibilidade. A vida de um ser humano é a sombra do seu sonho, é a manifestação no visível dos seus princípios e de tudo aquilo em que ele acredita...

Todos veem se realizar, ponto por ponto, cada coisa em que acreditaram firmemente... O ser humano está sempre criando. Os obstáculos que encontra são a materialização dos próprios limites, do seu pensamento conflituoso, da sua impotência...

Existe aquele que acredita na pobreza, existe aquele que acredita na doença... existe aquele que acredita firmemente no limite e na carência... existe aquele que se concentra na criminalidade... O ser humano está sempre criando, mesmo nos estados mais turvos do ser.

Segundo o Dreamer, não existe alguém com mais fé do que outro. Qualquer um tem sua parcela de fé para administrar, para investir... a todos é dada a mesma quantidade de fé. *O que faz a diferença entre as pessoas, aquilo que as faz construir um destino diferente, é a direção das suas crenças, a diferente qualidade do objetivo que, ainda que inconscientemente, cada uma se propõe a alcançar.*

Essas afirmações me desconcertaram. Sempre acreditei que a fé fosse um bem raro e que, ao contrário, exatamente nas diferentes capacidades de ter fé consistisse a substancial diferença entre os seres humanos. Entre os pilares ideológicos em que eu apoiava minha descrição de mundo, existia, sem dúvida, a ideia de que Maomé ou Alexandre, Sócrates ou Lao Tsé, Churchill ou Napoleão fossem diferentes dos outros exatamente pela força de suas convicções.

"Mas se todos têm fé... aliás, a mesma quantidade de fé", perguntei, evocando as escrituras e apoiando-me nelas, "qual é, então, o significado de se tiverem fé como um grão de mostarda...?"

O discurso que se seguiu incidiu para sempre no ser. Não tanto pelas memoráveis palavras que pronunciou, mas pela autoridade que senti pulsar atrás de cada uma delas. O Dreamer não estava me dando uma interpretação daquela passagem do Evangelho, estava criando-a. A fantástica substância daquela mensagem milenar, própria de um *sonho*, a inteligência compreendida nos seus átomos, estava se desprendendo ali, exatamente naquele momento. Eu ouvia um pensamento novo, jamais ouvido antes.

Se um ser humano tivesse a capacidade de deslocar a direção da sua fé em um milímetro, se pudesse pelo menos dirigir a força das suas convicções para a vida e não para a morte... poderia remover montanhas no mundo dos eventos.

Como um raio que rasga a escuridão e ilumina aquilo que um instante antes estava sepultado na sombra, vividamente atravessou minha mente a evidência da imensa energia contida em um átomo de fé. Entendi que a eliminação do menor grão do inferno teria desintegrado aqueles cem por cento de fé na morte, a mais arraigada das convicções humanas. Percebi também a exigência de uma força prodigiosa e de um gênio laborioso para tal conquista. Só de concebê-la, o pensamento já exigia os esforços de um titã que assumisse sobre os próprios ombros o peso da Terra e, às vezes, do Céu.

Pela primeira vez perguntei a mim mesmo em que eu tinha tido fé... ao que eu dava valor, até encontrar o Dreamer... Sua voz me surpreendeu em meio a esses pensamentos e socorreu-me daquele irremediável mergulho que eu fazia, abatido, em direção ao fundo escuro do meu passado. Ainda que já o soubesse, fiquei embaraçado ao ter a confirmação que eu, para Ele, era como um livro aberto.

Até hoje, sua razão de vida, a meta da sua existência, como a de todos os seres humanos, foi a de se matar dentro. Doença, Velhice, Morte são as divindades que há milhares de anos a humanidade idolatra... Assim o ser humano renuncia dolorosamente à vida... ao seu sonho infinito.

Se tiverem fé como um grão de mostarda... significava que a menor elevação da visão, a mínima transformação, poderia nos ter desviado do nosso destino mortal.

O sonho é a coisa mais real que existe.

Ver os próprios limites, circunscrevê-los, significa libertar-se deles! A vida do ser humano é governada pelas emoções negativas. A angústia que ele carrega dentro de si é a verdadeira causa de todos os seus problemas e de sua infelicidade. O Dreamer levantou-se e, dando-me as costas, dirigiu-se com passos firmes ao canto oposto daquela extraordinária estufa, além da grande piscina. De lá, sempre de costas, Sua voz chegava forte e clara, como se próxima aos meus ouvidos.

É só uma questão de tempo..., anotei fielmente no meu caderno. *No tempo certo, atingiremos todos os objetivos a que nos propusemos... No final, venceremos todos... todos viremos a ser aquilo em que acreditamos... e todos obteremos aquilo pelo que nos tornaremos incorruptíveis... Vocês, a miséria, a imoralidade, a morte... e Eu, a impecabilidade, o infinito, a imortalidade.*

A síndrome de Narciso

Sua fé mais irremovível... sua convicção mais nociva é acreditar que existe um mundo externo a você, alguém ou alguma coisa de quem depender, alguém ou alguma coisa que possa lhe dar algo... ou tirar-lhe algo, escolhê-lo ou condená-lo.

Se um guerreiro acreditasse, só por um minuto, em uma ajuda externa, perderia no mesmo instante a sua invulnerabilidade. Calou-se em seguida e fechou os olhos. Aproveitei para registrar o que me dizia. Mas aquela pausa se prolongava... Procurei superar o embaraço do meu desconforto e da minha repentina superficialidade, relendo algumas partes das minhas anotações. Finalmente, o Dreamer saiu do Seu silêncio e, ainda com os olhos fechados, recitou:

Não existe nada lá fora...
Não existe ajuda que lhe possa chegar de parte alguma.

A doença mais grave do ser humano é a dependência, anunciou em tom severo. Imediatamente, entrou em um estado de vigilância. No corpo senti, sem possibilidade de erro, a importância da afirmação e o ponto principal a ser marcado em meu novo sistema de convicções. *Não há dano maior do que depender dos outros, dos seus julgamentos... Para se libertar disso tudo, é preciso uma longa preparação...*

Como notaria em seguida, observando minha atitude na ocasião e em outras semelhantes, aquilo que eu aceitava sem muita resistência, ou que até mesmo entendia rapidamente, era quando o Dreamer se referia à humanidade em geral. Porém, quando se dirigia a mim e me enfrentava de modo duro e preciso, minha resistência era inexpugnável.

Gente como você sente-se viva somente no meio dos outros... prefere as reuniões abarrotadas... acha trabalho nas administrações estatais ou se emprega nas grandes empresas... em qualquer lugar onde possa estar no meio do confortável barulho da multidão... Celebra todos os rituais da dependência e aglomera-se nos templos: cinemas, teatros, hospitais, estádios, tribunais, igrejas, mesmo estando com os outros, mesmo fugindo de si mesmo, diante do peso insustentável da própria solidão, pressionou-me o Dreamer.

Fiz um movimento animalesco de defesa. Uma hostilidade insuportável me obscureceu o ser, como se a acusação ameaçasse algo de vital em mim, ou jogasse pelos ares um plano há tanto tempo já estabelecido. Mentalmente alinhei, como os projéteis de um morteiro, todos os desaforos que gostaria de Lhe dizer. Algo dentro de mim tentou remover aquele vergonhoso turbilhão mental, mas somente consegui desenhar em meu rosto uma careta de dor. O Dreamer testou os limites da minha resistência. Sabia como abrir espaços. Esboçou um sorriso de ferocidade, como se estivesse prestes a desferir-me um golpe, e, em voz baixa, disse:

Um homem como você adoece e fica pronto para se deixar retalhar por um cirurgião... pelos xamãs de uma ciência ainda primitiva, só para atrair a atenção, para se agarrar ao mundo. Arfei. Era um soco no estômago. O Dreamer deixou passar alguns segundos, como se fizesse uma contagem, árbitro e adversário ao mesmo tempo.

Lembra-se do quadro?, perguntou-me à queima-roupa, mudando totalmente a atitude e o tom. Ele me desconcertava todas as vezes. Não me acostumaria jamais a essas mudanças radicais que fazia com uma rapidez e mestria que nunca vi em mais ninguém. Surpreendia-me Sua capacidade de se transformar em um ser novo, de passar ao instante seguinte sem levar consigo nenhum átomo do estado anterior. Entendi rapidamente que Sua pergunta referia-se ao quadro que eu havia apreciado antes de entrar naquela estufa onde nos encontrávamos. Repassei mentalmente a imagem de Narciso espelhando-se nas águas daquela fonte alguns instantes antes de ser engolido.

É a história emblemática do ser humano enredado no reflexo de si mesmo, expôs o Dreamer, não escondendo a hilaridade que Lhe suscitavam as minhas tentativas, ainda infrutíferas, de adequar os músculos do meu rosto à Sua repentina mudança de assunto e de humor.

Enquanto você acreditar no mundo externo, enquanto acreditar que os políticos têm poder de governar sua vida externa e as religiões, de arrumar sua vida interior, você se decepcionará profundamente... Veja o mundo como é - uma criação simultânea do seu ser interno. Seguindo seus estados internos e suas condições, o mundo aparece e desaparece à vontade, e pode se tornar algo estranho e violento se você esquecer que você mesmo é a própria fonte de sua existência.

A fábula de Narciso é a metáfora do ser humano que se torna vítima do mundo. Continuou revelando-me que, contrariamente à convenção comum, Narciso não se enamora de si mesmo, mas da imagem refletida na água, sem se dar conta que aquela era somente uma imagem. Acreditando ver um ser externo a si, uma outra criatura, apaixona-se por ela, cai na água e, desgraçadamente, se afoga.

A partir do momento em que você percebe que o mundo é a projeção de você mesmo, você está livre dele.

Em estado de choque, pensei como tinha sido possível equivocar-se na interpretação, por milênios, de um dos mitos determinantes da nossa civilização! Como tinha sido possível não ter sido vista antes uma explicação assim tão simples?!

O Dreamer fazia-me sentir claramente a voz daquela época de gigantes que finalizou com Sócrates e com a ideação consoladora da Filosofia. O eco daquela sabedoria ainda supera o oceano do tempo para chegar até nós, enquanto continuamos a compreender mal suas fábulas eternas, reveladoras da verdadeira condição humana. Ainda fazemos Narciso passar pelo arquétipo da vaidade, quando seu mito, ao contrário, é um aviso, um grito de alarme contra a estupidez, o perigo da visão ordinária do mundo.

Aquilo que tantas vezes o Dreamer havia tentado me mostrar estava, finalmente, encontrando um modo de ser acolhido por mim. A história de Narciso era a mensagem de uma escola de reversão, a mesma que havia inspirado Caravaggio a pintar os quadros da crucificação de Pedro e da queda de Paulo.

Apaixonar-se por qualquer coisa fora de si, esquecendo-se de si mesmo, significa perder-se nos meandros de um mundo que depende... significa esquecer-se de ser o único artífice da própria realidade pessoal.

Um mundo fora de nós não existe, reafirmou. *Tudo aquilo que encontramos, que vemos, tudo aquilo que tocamos, é reflexo de nós mesmos. Os outros, os eventos, os fatos, as circunstâncias da vida de um ser humano revelam sua condição.* Acusar o mundo, lamentar-se, justificar-se, esconder-se são manifestações de uma humanidade em desgraça, os sintomas reveladores da dependência, da ausência de uma verdadeira vontade.

Como Adão, também Narciso morde a maçã!, afirmou, pegando-me de surpresa. Era difícil para mim acompanhá-Lo enquanto saltava, com um só passo, abismos do tempo e distâncias entre mundos remotos, aproximando a história do Gênesis, de quatro mil anos, a um dos mitos mais antigos da Grécia clássica. *Também ele, como Adão, acreditou na existência de um mundo externo.*

Em ambas as tradições, por mais distantes culturalmente, a mensagem é a mesma: crer que o mundo está fora de nós significa tornarmo-nos sua vítima, sermos devorados por ele.

O mundo, você o cria a cada instante! O riacho no qual Narciso se espelha é o mundo externo. Tomá-lo como real, apoiar-se nele, significa depender da própria sombra... De criador você se torna criado, de sonhador você se torna sonhado, de patrão você se torna escravo, até que você seja sufocado pela sua própria criatura. Ponderei que a mensagem desses mitos, como o Dreamer me fazia descobrir, encontrava-se intacta tanto nas fábulas antigas quanto nas novas, de Frankestein a Blade Runner, de Alice no País das Maravilhas ao Novo Testamento.

A queda de Adão e Eva do Éden acontece a todo instante. A cada instante somos banidos do paraíso quando nos deixamos levar pela descrição do mundo... quando o mundo nos possui... quando nos esquecemos de ser os seus artífices. A criatura, então, rebela-se e luta contra... É esse o pecado original, o pecado imperdoável, mortal: trocar a causa pelo efeito.

Um ser humano íntegro, real... assim o é porque governa a si mesmo. E não obstante o aparente dinamismo dos eventos e a variedade das situações, ele sabe que o mundo é o seu espelho...

Bem ou mal, belo ou feio, certo ou errado, tudo aquilo que um ser humano encontra é somente seu reflexo e não a realidade, disse o Dreamer, e pelo tom percebi que nosso encontro chegava ao fim. Estava a ponto de me deixar. *Cada um recolhe sempre e somente a si mesmo. Você é a semente e a colheita.*

É por isso que todas as revoluções da história faliram... tentaram mudar o mundo pelo externo... acreditaram que fosse real a imagem no riacho...

Não conte com a ajuda do mundo. Somente aqueles que foram além do mundo podem melhorar o mundo.

Parou por alguns segundos para, em seguida, ordenar, repetidamente: *Transcenda, vá além do mundo!* O que isso poderia significar?

Por séculos o ser humano vem arranhando a tela do mundo, acreditando poder modificar as imagens do filme que ele mesmo projeta.

A explicação do insucesso de inúmeras gerações de homens voltados a modificar o curso da História vinha a mim oferecida em uma bandeja de prata. Aquela visão amarga e mordaz resumia a história de infinitas atrocidades, luto e heroísmo sob um único juízo: uma colossal, inútil loucura.

Você, saia dessa loucura!, ordenou com extrema docilidade. *Esqueça guerras, revoluções, reformas econômicas, sociais ou políticas... e ocupe-se da verdadeira responsabilidade por todos os acontecimentos... Não cuide do sonhado, cuide do sonhador que existe em você. A maior revolução, a mais difícil tarefa, embora a única que faz sentido, é mudar a si mesmo.*

Um ser humano não pode se esconder

Quem depende do mundo permanece enredado nas zonas mais grosseiras da existência, declarou com firmeza o Dreamer. *Por toda a vida você buscou segurança e satisfações efêmeras fora de você... sempre suspenso entre o medo e a esperança, que são as bases da dependência.*

O Dreamer, enquanto falava, olhava-me nos olhos com uma severidade que não permitia um piscar de olhos ou até mesmo uma respiração, como fazia quando queria superar minhas barreiras e atingir-me profundamente. *Sua vida, como a de todos que dependem, é horrível. É a vida de um escravo... Anos e anos em um escritório perpetuando a mediocridade, a carência, sem nem ao menos ter o mais distante desejo de escapar daquela prisão.* Eu anotava tudo o que me dizia, como um repórter de guerra sob uma saraivada de tiros. *Não existe nada lá fora... Não existe ajuda que lhe possa chegar de parte alguma*, repetiu o Dreamer, para gravar esta declaração entre as minhas convicções mais profundas. *Não deixarei jamais de repetir: nada está fora de você... O que você chama mundo é somente um efeito... O que você chama realidade é a materialização, o reflexo especular dos seus sonhos ou dos seus pesadelos...*

Essa visão revelar-se-ia o pano de fundo de todo o Seu ensinamento e, em ocasiões futuras, o Dreamer viria a ampliá-la, à medida que aumentava minha capacidade de compreender e de sustentar sua força transformadora. Recordo-me que aquela primeira vez foi para mim um choque, uma reversão em tudo aquilo que eu tinha acreditado até aquele momento.

Perceba que o mundo está em você, e não vice-versa! Aquilo que está no mundo, o que pertence ao mundo, não pode nem ajudar nem salvar... você.

Seu discurso, em seguida, tornou-se uma exortação, um chamado que senti dirigido não mais a mim, mas a todos os seres humanos. Era marcado pelo desprazer de quem sabe que está oferecendo uma grande riqueza a quem não pode ainda apreciá-la ou usá-la. *Aspire à liberdade, saia do meio dessa multidão de desesperados... Imponha-se um novo modo de sentir. Conquiste a imensidão, o profundo e ilimitado dentro de você, e as galáxias tornar-se-ão grãozinhos de areia...*

Alargue sua visão e verá o mundo tornar-se minúsculo... Visão e realidade são uma mesma coisa. Busque a integridade e aquilo que para os outros são montanhas insuperáveis, para você serão apenas pequenas saliências.

Interpretei a pausa que fez como um convite a um comentário e, ingenuamente, aventurei-me em algumas considerações. Disse algo sobre a dificuldade de aceitar a ideia de que somos nós a causa de qualquer evento ou circunstância da nossa vida. Busquei com cuidado não imprimir nenhum acento polêmico e assumi aquele tom de imparcialidade, como de quem trata de imprimir uma sábia neutralidade em uma conversa ocasional com um desconhecido. Como um cego, não podia perceber a distância abissal que, na escala da responsabilidade, separava as palavras do Dreamer das minhas.

"Parece impossível acreditar que tudo o que pode acontecer a um ser humano, de um resfriado a um acidente aéreo, seja a materialização dos seus processos psíquicos, dos seus estados de ser", concluí. Sentia-me fascinado e ameaçado pela visão do Dreamer. Seguindo as pistas das minhas reflexões, eu fazia um exame desde as raízes da nossa civilização até aquelas duas visões contrapostas que dividiram o mundo até nossos dias. A Grécia clássica acreditava em uma deusa da fortuna que dispensava cegamente os seus favores.

Representavam-na vendada. Os romanos antigos já acreditavam no *homo faber*: a deusa da Fortuna romana era uma deusa que possuía a máxima visão e respeitava a virtude do indivíduo. Classifiquei mentalmente o Dreamer entre os defensores da concepção romana de mundo. Não tive nem tempo de formular esse juízo, quando senti Sua voz transformar-se num rugido que me congelou o sangue, como nos momentos mais terríveis com Ele:

Você acredita que está aqui em uma conversa de salão com um empregado qualquer como você!... Escute bem, disse, e reforçou a ordem tocando ligeiramente e algumas vezes o Seu ouvido direito com os dedos indicador e médio unidos, com premeditada lentidão, *o mundo é um reflexo dos seus estados de ser. Significa, portanto, que Luisa não morreu de câncer. Sua morte é a representação cênica do drama que você carrega, da sua angústia letal... Aquele evento, como todos os outros, é somente um evento revelador dos seus estados de ser... Ainda que tente escondê-lo, acusando e lamentando-se continuamente, na realidade, seu canto de dor, como um rito propiciatório ao contrário, convidou todas as desgraças e dificuldades do seu existir.*

Abruptamente, fez silêncio. Senti uma ansiedade inexplicável comprimir-me contra uma barreira escura. Uma parte dura e imóvel de mim cedeu e, internamente, uma voragem se alargou até me devorar. Senti o coração bater descontroladamente contra as paredes do meu peito e a respiração bloquear-se numa expiração sem retorno. Experimentei a nauseante vertigem de uma queda sem fim, e um grito mudo de susto, de ajuda, de desespero, de vergonha ecoou nas fibras mais remotas do ser, como se toda a dor da existência se concentrasse num só ponto. *Um ser humano não pode se esconder*, sussurrou o Dreamer, como que me transmitindo um ensinamento secreto. Minha postura tornou-se aquela de uma criança, sem mais divisões, sem oposição. *Nossa menor ação, cada percepção, cada pensamento nosso, um gesto, uma expressão do rosto são registrados na eternidade.* Disse-me que o modo como vivemos cada instante, tal qual um fotograma do filme da nossa vida, indica uma elevação ou um declínio no ser, e nos coloca em sintonia com tudo aquilo que nos acontecerá.

Um ser humano não pode se esconder!... Aqui Comigo você está só diante da existência... Aqui não existem partidos ou sindicatos. Ao entrar neste lugar, você não pode trazer consigo nada do passado, nem a mentira do nome ou do papel que interpreta.

Aqui não existem cercas em que se prender... aqui é somente você diante de si mesmo. Ele percebeu quanto eu estava tremendo... eu começava a bater os dentes como se tomado por uma febre. *Pare de sentir medo e de se esconder! Há uma parte sua que deve morrer, porque é absurda. Essa morte é a sua grande oportunidade... Somente você pode fazê-lo.*

Senti fisicamente a dor que o Dreamer provocava ao perfurar camadas e mais camadas de ignorância, de sujeira psicológica acumulada no tempo, já duras como rocha.

Se você trabalhar sem descanso e empenhar-se por tantos anos quantos aqueles que você usou fazendo o mal a si mesmo, disse com a voz doce como uma promessa, *um dia o tempo se firmará, abrir-se-á um túnel que o guiará até sua parte mais real, mais verdadeira... a parte que todo ser humano deverá alcançar: o seu sonho.* Ele desviou o olhar e concedeu-me um momento para respirar.

Vi Sua figura ondular-se como um reflexo sobre a água. Estava para me deixar. Senti, de súbito, um cansaço irresistível, como se tivesse feito uma longuíssima corrida sem interrupção. Minhas pernas já não me sustentavam mais. Ajoelhei-me sobre o tapete florido, disputado pela sombra das luzes crescentes do dia, e caí como morto.

3
O corpo

O mundo é você

Transcorreram alguns meses desde o último encontro com o Dreamer. As palavras na atmosfera encantada da estufa ao lado da piscina ainda importunavam minha memória. Sobretudo, tornava a ecoar dentro de mim, inesquecível, aquele Seu grito desumano: *Paaaaaare!...* e a sensação de me tirar tudo de dentro e deixar-me vazio. Durante um tempo, não pude pensar em outra coisa. Frequentemente relia aquelas anotações e renovava em mim, vívida e forte, a química de Seus ensinamentos. Depois, gradativamente, e sempre mais, Nova York me absorvia. A vida retomou os trilhos de sempre, entre o trabalho junto à ACO, e a rotina com as crianças e em casa com Jennifer. A *substância preciosa*, a duras penas reunida nos meus encontros com o Dreamer, dissipou-se, e os estados de ser, pensamentos, atitudes, linguagem retornaram à condição de antes. Uma noite estava com alguns do meu time de trabalho bebendo qualquer coisa na típica penumbra de um bar da Madison, cumprindo o inevitável ritual nova-iorquino de fim de dia. Festejávamos o aniversário de um deles. De repente, como se o mundo tivesse perdido os sons, o bar, cheio de seus clientes habituais, entrou em absoluto silêncio. O tempo desacelerou. Observei as expressões inchadas de álcool dos meus companheiros, *vi* as expressões de dor escondidas atrás de risadas sufocadas. Tive a paciência e a irônica lucidez para refletir sobre quão grotesco era chamar aquele triste ritual de *happy hour*. Em seguida, lancinante, brusca, bateu a dor de uma saudade, a sensação inesperada de haver descuidado de algo vital, insubstituível. O desejo dolorosamente comovente de revê-Lo se alternou com a náusea daquele vazio, até tomar conta de cada volteio do meu ser. Dirigi-Lhe um mudo e desesperado chamado. Jamais um SOS foi assim literalmente lançado para a salvação de uma alma.

Poucos dias depois, Valery, minha assistente, entrou na minha sala com o costumeiro café com leite em uma mão e um envelope na outra. Dele tirou uma passagem de avião e, sem dizer nada, estendeu-a a mim com certa contrariedade ou até mesmo raiva, como teria feito uma esposa diante do inequívoco indício de infidelidade do marido.

"É assim...?", disse com rancor e despeito. "Vai a Barcelona sem nem ao menos me dizer..." Senti, concentrada naquelas palavras, impressas no tom e na atitude daquela mulher, a história dos inúmeros comprometimentos que conspurcavam minha vida.

Atravessei muitas salas antes de encontrá-Lo. De costas, estava aparentemente ocupado em reavivar o fogo da lareira de pedra. Sobre o frontão ressaltava um brasão elegantemente esculpido. Um quadro imponente com matizes do preto ao cinza retratava peões, trabalhadores caminhando indolentes. Pareceu-me a mão de Ortega.

Do rosto do Dreamer eu podia ver somente o perfil, destacado pelo fogo. Tive a impressão de que não era o reflexo do fogo a dar-Lhe luminosidade, mas Sua pele morena a espalhar aquele fulgor. Vestia um *robe du chambre* de seda leve. Parecia um aristocrático senhor voltado ao nobre ócio que o obrigava a privilégios de nascimento e de posses. O fio secreto dos meus estados de ânimo reportou-me ao nosso primeiro encontro. Também agora me dava as costas. Acolhi essa similitude com nervosismo. Ainda sentia queimando sobre a pele as palavras de então. Não seria nada agradável viver de novo uma sessão como aquela. O silêncio se prolongava e o Dreamer não dava sinal de consideração por minha presença. Tentei enganar a insistente inquietação pela espera observando o ambiente, a fuga de quartos e salões que alojavam a imponente biblioteca de Mas Anglada. Como uma tapeçaria, uma compacta massa de livros cobria as paredes do chão ao teto. O pavimento revestido com pequenos losangos de terracota esmaltados era, por todo o seu comprimento, atravessado por uma pintura de Chagal. Tentei espiar alguns títulos dos livros mais próximos a mim, quando Sua voz rompeu o silêncio: *Longe de Mim você se degrada e retorna ao seu programa de morte*, disse, e em seguida virou o corpo na minha direção. Senti Seus olhos de aço examinarem-me parte por parte, como espada. *Quando não se lembra de Mim, você reincide nas mesmas coisas... Continua percorrendo sua vida, aborrecendo-se e esquecendo-se de que você já a viveu.*

Havia naquelas palavras ameaçadoras, além de uma insuportável e dolorida denúncia, um perfume de eternidade... a esquecida fragrância de uma liberdade sem limites. O Dreamer retornava ao discurso de meses atrás, como se o tempo tivesse se detido e, somente agora, com Ele, voltasse a fluir. Peguei meu caderno e tomei nota de tudo.

Nada é externo!... Mas você ainda procura a segurança nos olhos dos outros... ainda procura a felicidade, as soluções em um mundo que, ele mesmo, sofre da mesma doença sua... O mundo é sua pele... o mundo é você!...Você, que encontra sempre e tão-somente você mesmo.

"E os outros?", perguntei.

Os outros são você fora de você!... São fragmentos de você dispersos no tempo... reflexos de uma psique desintegrada...

Preenchi páginas e páginas de apontamentos daquele encontro, especialmente sobre a ilusão factual que nos faz crer em uma alteridade, na existência de um mundo fora de nós, dotado de vontade própria e do qual depende o nosso destino...

É este o pecado dos pecados, resumiu.

Os anões psicológicos

Para o Dreamer a descrição do mundo, a *primeira educação*,[11] ensina-nos a perceber a realidade como uma entidade externa capaz de decidir e agir, capaz de nos impor sua vontade. Por isso, o ser humano se depara com um mundo que continuamente o ameaça, um mundo que o faz irremediavelmente sua vítima...

É assim que os seres tornam-se anões psicológicos... menores que um inseto... Transitam pelo mundo com o rabo entre as pernas... alimentam sentimentos de culpa... sustentam medos...

Nesse nível de degradação, um ser humano pode somente trair, acusar, lamentar-se, lamuriar-se... e mentir... mentir a si mesmo, iludindo-se que o seu problema está sob controle... que sua vida é perfeita exceto por um pequeno aspecto qualquer, um problema isolado ou uma contrariedade do momento.

Na sua cegueira, não quer reconhecer que atrás de um aspecto desagradável da sua vida ou de um ponto aparentemente irrelevante há uma doença em todo o ser. Para mudar um só átomo da própria vida é preciso mudar tudo! É preciso mudar completamente o modo de pensar, as próprias ideias... a visão ordinária de mundo!

---

11. *Primeira educação*, segundo o autor e transmitido em suas conferências, é todo o conhecimento que nos é transmitido desde o nascimento pela família, pelo ambiente e pelas escolas de todos os graus. É a educação que reúne e transmite todas as ideias, convicções e os princípios de uma sociedade comum. "Somente poucos dentre poucos" – diz – "têm a oportunidade de encontrar as ideias e os princípios da *segunda educação*, que utiliza a primeira como o carburante a ser transformado para a grande viagem em direção à completude e à integridade". (N. T.)

O Dreamer revelou-me que as cinco chagas de Jesus Cristo são, na realidade, a representação dos cinco sentidos do homem horizontal, que o *fixam* na parte mais baixa da existência.

Quando você perceber que o externo foi criado por você, que é você quem contém o mundo e não vice-versa... quando você se recordar de que tudo aquilo que você vê, escuta, toca é fruto da sua criação, você não poderá mais sentir medo de nada...

O mundo é uma goma de mascar: assume a forma dos seus dentes. Amei de súbito essa frase, tão insólita e desbragadamente expressiva, e imediatamente a listei entre Seus aforismos mais memoráveis.

Não se esqueça de que o mundo, os outros, é a expressão mais honesta, mais sincera daquilo que realmente somos... O mundo é assim porque você é assim!

A um gesto Seu, abriu-se a pesada cortina descobrindo uma longa parede envidraçada. Percorri com o olhar as distantes colinas, o verde denso dos vinhedos e as ranhuras escuras dos sulcos na terra recém-arada. A propriedade em torno de Mas Anglada parecia não ter fim. A voz do Dreamer tinha o doce tom de uma promessa: *... Recorde-se de Mim! Recorde-se do sonho! Então você se encontrará com um mundo perfeito, um mundo curado... O paraíso terrestre é a projeção de um estado de ser, de um paraíso portátil... Para manter intacto este paraíso, para manter juntos os átomos, é preciso estar constantemente vigilante, é preciso continuamente intervir...*

Sob minhas mãos adensavam-se as páginas com as anotações; com muito custo conseguia acompanhá-Lo. Busquei muitas vezes o sentido daquele verbo, torná-lo mais claro, e na primeira oportunidade perguntei-Lhe o que Ele entendia por *intervir*.

Significa saber entrar nas partes mais escuras do próprio ser e levar luz, respondeu Ele com uma intensidade especial, como se me transmitisse um segredo vital.

Fez uma longa pausa e mais de uma vez parecia hesitar quanto a me dizer algo que pudesse ser muito forte ou que excedesse minha capacidade de compreensão... Prendi a respiração e ansiei fortemente que pudesse confiar em mim.

Se permitisse a um só grão do inferno entrar no Meu paraíso... tudo isto desapareceria, e com um gesto amplo, mostrou em sucessão a lareira acesa, os livros e as obras de arte que nos circundavam, a piscina – grande como um lago que se evidenciava entre o verde intenso do parque – e a vasta extensão da propriedade. *Um dia, para merecer o paraíso, e para poder mantê-lo, você deverá saber protegê-lo de toda mediocridade, de qualquer desatenção... das suas mortes internas. Um homem solar projeta a própria luminosidade, um mundo feliz, íntegro, e não permite que nada o ofusque.*

Foi então que comecei a entender com clareza o que o Dreamer queria dizer por *ser vigilante*. *Se permitisse a um só grão do inferno...* A ideia penetrou em mim tão fortemente que, quando atingiu minha natureza mais profunda, explodiu em compreensão. Entendi imediatamente o que significa a incorruptibilidade, o que é a impecabilidade de um líder e sua enorme tarefa de não se permitir a menor desatenção. Compreendi Seu rigor, e porque era suficiente qualquer trejeito estranho, comportamento ou sinal de negatividade para desencadear Nele a mais impiedosa intervenção.

Disse-me que os pensamentos e as emoções dos seres humanos têm uma corporeidade feita de cores e odores que revelam, à distância, os estados de ser, os níveis de responsabilidade. Enrubesci até a raiz dos cabelos ao lembrar quantas vezes, ao mundo do Dreamer, levei os miasmas da dúvida, os acres odores do meu medo.

Pensei na nossa condição de seres incompletos, que conduzem a própria existência sem ao menos imaginar que alguém pode sentir o fedor das nossas sujeiras psicológicas, o odor fétido dos nossos pensamentos e emoções negativas que, como o cheiro indicativo de vazamento de gás, denunciam nossos estados e a iminência de eventos desastrosos.

O mundo é a representação perfeita dos seus estados de ser. O mundo é assim porque você é assim, e não vice-versa.

O canto de dor

Não estávamos mais no interior de Mas Anglada nem circundados pela piscina, pelo extenso parque e pela beleza agreste da sua paisagem. Caminhávamos agora pelas ruas de uma cidade desconhecida. Do porto chegava o cheiro intenso de mar trazido pelas vielas como por leitos de rios invisíveis. Entramos naquela cidadezinha de água que o Dreamer parecia conhecer perfeitamente e, à medida que penetrávamos no seu corpo líquido, entre reflexos e ecos, senti crescer em mim uma sensação de leveza. Um bonde despontou arquejante. Deu-nos boas-vindas em um terraço suspenso entre a rocha e o mar, um canto antigo do mundo embalado no líquido amniótico de fábulas e ternos mitos da infância da humanidade.

Só aparentemente um ser humano se deseja o bem, a prosperidade, a saúde, disse o Dreamer hieraticamente, Sua voz marcada pela solenidade de um discurso dirigido à parte mais verdadeira de cada ser. *Se pudesse se observar, conhecer-se interiormente, escutaria dentro de si um canto de dor, a representação constante de uma oração de infortúnios, na expectativa de acontecimentos terríveis, prováveis e improváveis...*

Um pouco distante, um homem de camiseta preta e óculos escuros parecia absorto na visão daquele panorama intacto de céu e mar. Tinha o ventre excessivamente pronunciado, os braços pendentes em arco, como acontece aos obesos pelo efeito do aumento do volume da parte superior do tronco. Continuamente metia sua mão dentro de uma embalagem gigante de batatinhas fritas e dali retirava e comia generosas porções. Mastigava e admirava.

Veja, disse apontando-o com um ligeiro movimento de queixo, *aquele homem está se suicidando... Um cavalheiro de outros tempos, ou de outra índole, teria escolhido uma pistola. Nós o teríamos visto dignamente apontá-la sobre uma de suas têmporas e dar adeus ao mundo, dirigindo um último olhar a este extraordinário panorama.*

Perturbou-me o comentário sobre aquele desconhecido. Tentava entender o que fazia me sentir tão mal, quando O ouvi acrescentar: *A única diferença entre a pistola e a comida é a rapidez do método escolhido para se matar!* Vindo de qualquer outro, eu teria criticado aquele escárnio como uma caçoada infeliz, um exagero de mau gosto. Mas o Dreamer não era homem de brincar. Por outro lado, eu não conseguia entender por que Sua observação tinha me perturbado tanto e continuava insistente mexendo dentro de mim com tamanho incômodo. Eu acreditava que o meu humor, entre o estupor e a indignação, mais aquela dor fossem causados pelo cinismo do Dreamer. Eu estava longe de suspeitar a verdadeira origem do meu mal-estar.

O único modo que encontrei para sair daquela animosidade e parar, ou pelo menos esconder, a inexplicável hostilidade que sentia crescer descontroladamente, foi recorrer a um comentário irônico.

"Em ambos os casos, deveríamos pedir a rápida intervenção da polícia para desarmá-lo e tentar salvar-lhe a vida", eu disse com um sorriso que, quando começou a surgir nos meus lábios, era já morto. Eu deveria ter parado, mas continuei, irônico: "No nosso caso, poderíamos alertar a polícia que um homem está atentando contra a própria vida... com um pacote de batatinhas".

Seu olhar, já severo, tornou-se duro e contundente. Era aterrorizante. *Também você é um suicida*, anunciou friamente. E com a voz baixa, completou: *Aquele homem é você!*

Esperou alguns segundos até que eu me recompusesse do golpe, como se faz com o pugilista na lona. Considerando-me já nocauteado, parou de fazer a contagem e disse: *A vida do ser humano comum tem mão única... conhece somente a direção do limite... Sua única fé, sua única lealdade, dirige-o à morte... A escolha de como se matar é sua única liberdade.*

Este corpo é indestrutível. Somos nós que permitimos que ele seja destruído. Os próprios pensamentos e sentimentos que impomos ao corpo são os criadores de enve-

lhecimento, doença, fracasso e morte. *Tudo o que acontece em seu corpo acontece no mundo. O mundo é como você é, e você é esse eterno, imortal corpo.*

Você, como milhões de seres humanos, escolheu se matar por intermédio de seus medos, de seus pensamentos destrutivos.

"O que se pode fazer?", consegui murmurar com dificuldade. Desejaria ter perguntado em nome de toda a humanidade suicida. Queria ter dito: "O que podemos fazer?...", mas isso exigiria energia e a minha havia sido toda consumida sabe-se lá por qual falha no ser. Com dificuldade conseguia me manter em pé.

Tentar pará-los, colocar obstáculos em seus projetos de morte não nos faria parecer a seus olhos como salvadores ou benfeitores. Ao contrário, nossa tentativa transformá-los-ia em inimigos mortais e, no final, serviria apenas para adiar a autossabotagem que se impõem.

Perscrutou-me, como para descobrir quanto eu estava preparado para sustentar a responsabilidade do que estava por me dizer: *Existe um lado escuro que o ser humano herda da primeira educação, um pensamento destrutivo, um impulso de prejudicar primeiro a si mesmo e depois os outros.*

Falou-me da autossabotagem e da lealdade à morte como características dominantes da psicologia da velha humanidade, quase uma segunda natureza que, no ser humano comum, se manifesta como um irresistível impulso de se suprimir. Uma vez esquecido de ser o criador, artífice e senhor absoluto de tudo e de cada coisa, o ser humano cai prisioneiro de uma descrição miserável do mundo. Vive como um mendigo afligido por sensações de culpa e por um constante sentimento de fracasso, vítima do canto de dor que incessantemente projeta-lhe dentro imagens e pensamentos destrutivos.

Observem-se! Entrem nos cantos mais escuros do ser. Contenham dentro de vocês todo tipo de dúvida e de medo ao primeiro sinal de insurgência. Combatam... Imponham-se a felicidade, o bem-estar, a certeza. Não são as condições do mundo que os tornam infelizes, mas é o canto de dor que entoam que cria todas as misérias do mundo.

O corpo não pode mentir

Olhe para você!, retomou o Dreamer. *Você tem pouco mais de trinta anos e seu corpo já é o de um velho.* O sangue subiu-me ao rosto com violência e senti-me morrer de embaraço, como se tivesse me exposto, nu, na frente de toda aquela gente que lotava o belvedere.

Continuou impiedosamente: *O corpo é um revelador do ser. Deveria continuamente vibrar de prazer, de alegria, como uma criança... mas você se esqueceu... O corpo não pode mentir!*

Em Sua voz não havia acusação, mas somente uma fria constatação de um dano grave. Senti a dor de uma chicotada, uma dor verdadeira, limpa até, porque sem ressentimentos. Recompus-me, endireitei as costas e somente naquele momento dei-me conta de quanto já estava habituado a viver encurvado e de quanto era culpado pelo descuido e desamor pelo meu corpo. Naquele ponto, minha inclinação natural teria me impelido à velha atitude de autocomiseração. Mas o Dreamer não permitiu. A oportunidade que me estava oferecendo era muito grande. Deveria pegá-la sem pensar... porém ainda não estava preparado. Recorri, então, a um comportamento de defesa, reflexo de uma inconsciente rejeição à mudança. Rapidamente, amontoei todas as boas razões que me haviam impedido de cuidar do meu corpo: o trabalho, as viagens contínuas, a vida de cidade, as necessidades da família, a doença de Luisa e, não última, os problemas de cálculo renal que me afligiam desde muito jovem. Sua voz interrompeu minha estudada apologia e jogou pelos ares toda a minha argumentação. Num segundo, senti-me arremessado fora da minha condição e comecei a me ver pelos olhos do Dreamer. Tive a visão, humilhante, de um pequeno homem preocupado unicamente em se defender, em procurar boas razões para se desculpar e afastar de si qualquer responsabilidade, para continuar como sempre foi. Quis segurar aquela visão que, embora dolorosa, tinha em si a pureza do distanciamento, a clareza restauradora da integridade. Mas essa liberdade durou apenas poucos instantes.

O corpo, a palidez do rosto, o inchaço dos olhos, a flacidez denunciam que você já renunciou a viver, desistiu do jogo. Seu plano inconsciente de apressar o encontro com a morte física todos já conhecem, menos você!...

Alguém, para reduzir o corpo a esse estado, deve primeiro profanar a si mesmo...

É como um animal ferido que sangra e deixa atrás de si o rastro para ser pego e eliminado por seu predador.

As leis da existência, fora da selva, não são diferentes.

O ser, o corpo e o mundo são uma única coisa!

Esta última afirmação deixou-me aturdido. Enquanto eu conseguia aceitar, pelo menos como possibilidade, que o ser e o corpo fossem uma única realidade, a ideia de que o corpo e o mundo pudessem encontrar-se em relação de causa e efeito excedia minha capacidade de aceitação.

Tudo aquilo que você vê e toca é luz solidificada; tudo aquilo que você percebe não é outra coisa senão uma projeção dos seus órgãos. Estes não são somente a sua parte mais próxima do mundo... estes são os verdadeiros construtores, artífices, criadores do seu universo.

Em seguida, com os olhos fechados, como às vezes fazia, o Dreamer recitou alguns versos que transcrevi com exatidão:

O Corpo é o verdadeiro Sonhador...
O Corpo sonha, bem como suas células e seus órgãos sonham.
O Corpo é o verdadeiro construtor do seu mundo pessoal.

Explicou-me que o ser humano chama corpo aquilo que vê de si mesmo com os olhos físicos, e aquilo que não vê, porque vibra em frequências mais altas, chama-o ser. *Na realidade, o corpo é o ser... é o ser tornado visível.* Seu olhar voltou a me perscrutar, como que avaliando as minhas condições, e em seguida reassumiu o rigor.

A fé em uma divindade fora de nós, a ideia de que existe uma entidade além do nosso corpo é a superstição mais difundida no mundo e é um dentre os maiores assassinos da humanidade. Em muitas tradições religiosas, esse deus externo foi substituído pela crença num espírito-guia, numa alma, em uma invisibilidade interior ao ser humano. Segundo o Dreamer, também essa crença é uma facínora. De um jeito ou de outro, fomos levados a renegar nosso corpo e a reduzir a vida a uma série de contínuos atentados para exterminá-lo.

Foi assim que o ser humano caiu na iniquidade, na imoralidade da morte.

Meus pensamentos se agitavam em torno daqueles conceitos revolucionários que estava aprendendo com Ele.

O corpo não pode mentir, repetiu alçando a voz e convocando-me com sua severidade a ouvi-Lo. *O corpo é a parte mais sincera, mais honesta do nosso ser. O corpo revela-nos... no estado em que estamos, revela a nossa incompletude, os nossos conflitos.* Esfreguei levemente o pescoço e limpei a garganta. O Dreamer lentamente diminuiu o espaço entre nós em alguns milímetros; nos Seus olhos li uma inocente ferocidade e a impiedade de um ser selvagem. O ar pesou. Senti como se, de repente, me encontrasse frente a frente com um inimigo mortal... Precipitei-me numa angústia incontrolável.

Tossir é o seu modo de dizer não... de bater o pé e resistir a Mim, disse com uma voz impiedosa. *Eu sou o obstáculo ao seu envelhecimento, ao seu projeto de adoecer e morrer. Eu sou o obstáculo ao seu retorno à vulgaridade do passado... à reiteração dos atos... à acidentalidade... Ao Meu lado você não pode se degradar... Por isso você Me vê como seu pior inimigo...*

É mais simples seguir hipnoticamente a velha estrada em direção à degradação e ao sofrimento do que tratar de subir... ir contra a corrente... e rebelar-se contra a pobreza, contra a tirania da velhice e da doença, contra a imoralidade da morte...

Concedeu-me uma breve pausa, que aceitei com a avidez de um náufrago que retoma o fôlego. Já me havia lançado no desespero e me esvaziado as energias. Ninguém jamais havia me falado assim nem me havia feito sentir assim. Quem era aquele ser? O que era aquele Seu amor lancinante, impiedoso como um bisturi que me lancetava a carne?

Ao Meu lado você não poderá envelhecer... não poderá adoecer... nem morrer, disse, enquanto, atônito, eu ouvia aquelas palavras sem tempo.

Se você aprender como elevar as vibrações de seu corpo, você desaparecerá da visão de um mundo danoso, ameaçador e mortal. O campo de batalha é o corpo.

Mas a vocês, que escolheram a morte como guia, a vida e a luz apresentam-se como o horror... Por isso essa luta declarada entre Mim e vocês...

O uso do *vocês* ampliou enormemente a mensagem extraordinária e, com mestria, estendeu-a a uma massa humana de dimensão planetária. Naquele belvedere de uma cidade desconhecida, circundados por um panorama indescritível, em pé diante do Dreamer não apenas eu, mas toda a humanidade o ouvia.

Seja frugal!

Essa luta entre nós somente acabará quando você tiver mudado para sempre, ameaçou o Dreamer com fria calma. *Se lhe parecer duro... impiedoso... se sentir dor... se Me vir como um monstro com olhos injetados de sangue, serei apenas o reflexo da sua incompreensão, da sua resistência à mudança... Ao Meu lado, se quiser, poderá mudar seu destino inevitável e o de milhares de homens e mulheres...*

Como uma mão que lentamente se fecha num gesto de coragem, uma nova determinação, uma certeza estava florescendo no ser: eu não queria mais depender do mundo, dos outros, como abominavelmente havia acontecido até aquele momento. Eu não queria mais ser uma sombra, um fantoche bioquímico movimentado pelos terríveis fios do esquecimento e da acidentalidade. Prometi a mim mesmo que faria qualquer coisa para, sem desvios, aplicar à minha vida os princípios que o Dreamer, com tanto esforço, estava tentando me transmitir.

Use melhor toda a sua força enquanto há tempo para se opor a essa programação que concebe a ruína, para combater essa programação de toda uma vida dirigida ao fracasso e à dependência. Mude completamente sua visão e liberte-se da descrição do mundo que você recebeu de adultos adulterados e de todos os mestres em amargura que você encontrou na sua vida... Renuncie à sua fé na doença e na velhice... Pare de mentir!... Rebele-se contra tudo isso e suprima os lastros das suas costas... Endireite seu corpo, levante o peito e mantenha a cabeça erguida... Liberte-se do peso do supérfluo, da gordura e da mentira.

Falava comigo como se eu fosse um obeso. Parecia um insulto. Aquilo me doeu como um ressentimento que nasce de uma insuportável iniquidade. Eu não estava com mais de oitenta e cinco quilos nem julgava o meu peso excessivo para alguém da minha altura. Essa distância aparentemente pequena entre mim e o Dreamer transformou-se em uma dor física indizível. As divergências de opinião, as diferenças no modo de pensar que comumente até existem entre as pessoas e que são aceitáveis, aliás consideradas muitas vezes um sinal de independência intelectual, de força de caráter, ao Seu lado eram intoleráveis, fora de propósito. Percebi que já estava conectado a Ele por fibras invisíveis. Num instante, vi nossos seres completarem distâncias estelares e lentamente entrelaçarem-se. Gerado do invisível, um ser mítico emergiu e assumiu a forma de um centauro que atravessou galopando a minha imaginação. Por um átimo, a criatura recortou um horizonte ancestral, vívida como uma lembrança do futuro, e reconheci o novo ser, o arquétipo da nova espécie, metade homem, metade sonho. Não sei por que, mas imediatamente senti que deveria apagar aquela imagem da minha mente; uma espécie de pudor, um inexplicável sentimento de culpa faziam-se sentir, como se a tivesse roubado ou olhado às escondidas, como Ateneu que havia fitado algo que a um humano não era permitido olhar. Receei ser pego em flagrante. Mas o Dreamer conferiu liberdade à minha imaginação. A pausa que se seguiu deu tempo para aprumar meus pensamentos e restabelecer pelo menos um mínimo das velhas certezas.

Tendo se certificado com um longo olhar que eu estava tomando nota de cada conceito com precisão, pronunciou uma frase que me transpassou como um golpe de estilete:

A comida é morte. E, antes ainda que eu pudesse recompor-me da surpresa, adicionou: *Seu corpo denuncia que você é chantageado pela comida. Seu envelhecimento precoce revela ausência de temperança, ausência de inteligência, ausência de amor.* Enquanto falava, Seus olhos examinavam-me parte por parte.

Inesperadamente, vi-O sorrir da minha expressão desconcertada, comicamente patética.

A fidelidade que a humanidade tem à comida só é comparável à lealdade que dedica à morte, disse com sarcasmo. *Abandona essas superstições!*

Jamais, até aquele momento, eu ouvira falar da comida, e muito menos da morte, como superstição. No manuscrito de Lupelius, a ignorância de si mesmo, as emoções negativas e a comida eram indicadas entre as principais causas de morte, mas ouvir isso do Dreamer era um desafio a tudo aquilo em que a humanidade sempre acreditou, um atentado às suas convicções mais arraigadas. Tive aquele sentimento de vertigem, de quem está em via de saltar no abismo. Qualquer que fosse o grupo humano ao qual eu estivesse convicto de pertencer, já estava perdendo as chaves de acesso. Senti o desespero inconsolável de alguém expulso do rebanho, retirado de seu meio. O Dreamer continuava abertamente a se divertir com minha confusão. Evidentemente, considerava-a um bom sinal e, em todo caso, um estado já mais avançado e produtivo da minha estéril *normalidade*. Sua expressão fez-se intensa.

Coma uma só vez ao dia. Seja frugal. Essa indicação pareceu-me tão absurda, senão contra a ordem natural, que até receei estar diante de um ser diabólico, ou do próprio diabo em pessoa. Meu pai Giuseppe muitas vezes me contou que, durante os anos de guerra, havia assumido por longos períodos o regime de uma refeição por dia, mas sempre se referiu a essa experiência como um período de privação. Eu conhecia práticas e períodos de jejum ritualísticos, ascéticos, religiosos, ligados principalmente a culturas e tradições quase sempre arcaicas. Não havia, nem de perto, imaginado que tal disciplina pudesse ser praticada por um ser humano ativo, imerso nos afazeres e ritmo intenso dos negócios modernos. E para que fim, afinal? O próprio Ramadan islâmico, mesmo na sua mais rigorosa aplicação, é limitado a um só mês, o nono, daquele calendário. Pareceu-me inadequado, cruel e até mesmo danoso à saúde a recomendação de tal esforço. Esse conselho do Dreamer teve de mim, portanto, uma radical e imediata rejeição.

Um dia, quando você estiver mais preparado, saberá que até mesmo uma refeição é demais. Os órgãos de um ser humano não foram criados para processar comida.

"E para quê, então?", perguntei, mal conseguindo controlar a voz comprometida pela emoção.

Os órgãos de um ser humano... todos os seus órgãos foram feitos para sonhar! Essa é a natural função deles, disse com doçura. *Quando o corpo está em jejum, o rosto se sutiliza... a mente fica lúcida, pronta... veloz... as células agradecem, regeneram-se; começa, assim, um processo de cura, um renascimento do ser que se materializa antes no corpo e depois no mundo dos eventos.*

Fascinado, ouvi a mesma história que já havia visto nos ensinamentos de Lupelius, das antigas escolas de invulnerabilidade que conheciam o segredo de uma alimentação mais sutil. Os soldados macedônios, séculos antes das conquistas de Alexandre, eram, desde então, considerados os guerreiros de hábitos mais moderados. Ao mesmo tempo, eram os mais temidos pela coragem e insuperável valor. O próprio Alexandre, mesmo suportando ao lado de seus homens todos os esforços, até os mais árduos, não comia quase nada, e apenas uma vez por dia. Sua invulnerabilidade era lendária: incólume atravessava nuvens de flechas, enquanto, às centenas, os companheiros caíam feridos ao seu lado.

O segredo é que os órgãos, em ausência de comida, voltam a desenvolver sua verdadeira e natural função: sonhar!... e, através do poder do sonhar, materializam no dia a dia tudo aquilo que um ser humano pode desejar.

A sombra ameaçadora que, no início de Seu discurso sobre comida, cobrira de névoa cada pedaço de mim, começou a se dissipar. *Esteja atento!*, disse-me, notando que finalmente era aberta uma fresta para a minha compreensão. *Abster-se de comida não significa jejuar. Aquilo de que estou lhe falando é uma substituição...*

Um mundo sem fome

Quando você deixar de acreditar em um mundo externo como fonte da sua subsistência, não poderá mais se alimentar do reles, do grosseiro... Por meio da elevação da qualidade do ser, por intermédio de um novo modo de pensar, sentir, respirar, agir, uma humanidade mais responsável descobrirá uma fonte alternativa de alimentação. Essa comida, que é a nossa verdadeira nutrição, nasce de nós mesmos, e tornará a ser acessível quando for a vontade a governante da nossa vida, e não a descrição do mundo.

De repente, antes mesmo que aquela explicação se tornasse clara, senti o diálogo interno aquietar-se. Apenas uma espécie de pranto prolongou-se um pouco mais, como o último compasso de um capricho infantil; depois, até mesmo este cessou.

Recordei as recomendações dos mitos do Classicismo e a crença dos gregos antigos para que na mesa dos deuses não estivessem os mesmos alimentos dos mortais, mas néctar e ambrosia. Recordei que os hebreus do Êxodo, homens em fuga em direção à liberdade, foram providos por um alimento oferecido do alto.

Imaginei o inimaginável: uma civilização sem comida. Um mundo sem fome. Então, dei-me conta da enormidade do espaço, do tempo, que a comida ocupa na nossa vida, dos recursos que absorve. Convictos de que sem recorrermos a alimentos do externo não podemos sobreviver, perseguidos constantemente pelo espectro da fome, sem perceber fazemos toda a nossa vida girar em torno da comida, transformando-a em um pensamento obsessivo, uma molesta atividade de dimensão mundial. Senti-me esmagado pela visão de milhões de seres obstinados no trabalho para cultivá-la, produzi-la, cuidá-la, comprá-la... e exauri-la. Imaginei como seriam as cidades sem lojas de alimentação, sem restaurantes e supermercados, e tive uma visão do dia seguinte, ao pensar na nossa vida com as despensas desocupadas, as geladeiras vazias, as mesas nunca preparadas, os negócios sem almoços, os namoros sem jantares à luz de vela, as famílias sem a figura paterna à cabeceira da mesa, e aquele cadenciado ritmo das refeições. O que preencheria o vazio de espaço e tempo deixado por essa ausência?

Reverta sua visão. Pense em quantos recursos poderão, em contrapartida, ser dedicados à beleza, à arte, à música, ao entretenimento, à busca da verdade, ao conhecimento de si... Uma sociedade livre da comida seria uma sociedade livre da doença, da velhice, da morte... Em um mundo sem matadouros ou criadouros, que não precisa produzir alimentos nem cultivar campos, não haveria criminalidade nem pobreza, não existiriam guetos, guerras ou conflitos... nem assistentes sociais. Um mundo sem comida seria um mundo sem divisão ideológica, sem superstição nem religião. Seria um mundo sem crianças com fome, sem asilos, sem tribunais, hospitais ou cemitérios. Um mundo em que os recursos poderiam ser todos dedicados a realizar o maior sonho da humanidade...

Uma vez derrotada a indústria da morte e a economia do fiasco, que são materializações do próprio medo, o ser humano pode reconquistar seu direito de nascença e alcançar o fim supremo do seu existir: a imortalidade física.

Agora eu podia levantar os olhos. Olhei para o Dreamer. Percebi que, durante todo o tempo em que me opus à Sua visão, mantive meu corpo tenso e a cabeça baixa, como se estivesse fisicamente rejeitando alguma coisa com todas as minhas forças.

Uma sociedade que deixar de acreditar na comida, livre da necessidade de comer, deixará para trás a obsessão ancestral da fome e todos os seus terrificantes corolários, para se encontrar diante de um inimigo ainda mais implacável... o tédio de não comer.

A humanidade assim como é, mesmo que se convencesse a abandonar a comida, porque é hábito dos mais nocivos, deveria enfrentar o vazio de tempo que aquela eliminação geraria nas nossas vidas.

Considerei que essa era a chave para compreender por que, entre todos os aspectos de disciplina e de austeridade, a comida sempre foi o mais difícil e o mais evitado. Tanto que, em toda a nossa história, apenas santos e ascetas souberam obter uma vitória sobre a comida, e, muitas vezes, somente parcial e provisoriamente.

Será necessária uma longa preparação e uma nova educação. Uma humanidade zoológica, ainda assustada pelo espectro do tempo e convicta da inevitabilidade da morte, não pode se alimentar de outra coisa salvo de um alimento grosseiro, externo, mortal.

Alimentar-se do interno será a consequência natural de um diferente modo de pensar e de respirar, a passagem evolutiva do ser humano conflitado, governado pelas emoções negativas, ao ser humano vertical.

"E o que acontecerá com a Economia?", perguntei. "Como compensaremos a perda de tantos aspectos da nossa atividade?"

Aquilo que você chama Economia é, na realidade, pouco mais que uma atividade de sobrevivência, nos países mais ricos inclusive. Mantém-se em pé a um preço inaceitável... Uma sociedade que reconheça a potência criativa do pensamento, sua capacidade nutritiva, produzirá bens e serviços mais elevados tanto para o individual quanto para toda a humanidade, anunciou profeticamente. *Uma sociedade que sonhar, leve, flexível, dedicar-se-á à educação de cada indivíduo, ao aperfeiçoamento de cada uma de suas células.*

Projetei a imagem de um exército de homens e mulheres dedicados à atividade de reeducação da humanidade que esqueceu sua origem, sua finalidade. *Uma revolução assim não pode ser feita pela massa. É preciso educar a humanidade indivíduo a indivíduo, célula a célula, abri-la a uma nova visão... torná-la capaz de se rebelar contra seu destino e de combater dentro de si a verdadeira raiz de cada mal: a convicção de que o que está fora pode nos alimentar, de que qualquer coisa de fora de nós pode nos curar.*

Essas superstições encontram suas expressões mais disparatadas nas indústrias alimentícia e farmacêutica. Esquecido o jogo, o ser humano torna-se o elo final de um infernal ciclo produtivo. Como em uma fábula macabra, ou em um filme de terror, atingidos por um mal ainda sem exorcismo, os seres humanos são condenados a passar metade da vida a se alimentar e, a outra, a se curar e a tomar remédios. A tarefa suprema da humanidade é transcender a si mesma pela arte do sonhar. Por isso, deve reduzir ao mínimo a necessidade de se alimentar. É um processo de dentro para fora. Somente uma nova educação poderá remediar uma incompreensão de tal proporção.

Na visão do Dreamer, com o gradual desaparecimento da comida, desaparecerão também doenças, velhice e morte.

Não tenha receio de anunciar isso!, exortou-me, notando minha hesitação apenas ao anotar no meu caderno as Suas chocantes revelações. *A passagem será gradual e já está em curso nas nações mais ricas. A humanidade comerá cada vez menos!... Até que descobrirá que ela vive em um plâncton infinito, circundada por um alimento inesgotável que é somente seu, e pelo qual não deve nem se desgastar, nem lutar.*

"Será mesmo possível ao ser humano viver sem comida?"

Não estou falando de viver sem comida, mas em substituí-la.

Quando houver uma reversão da visão, quando, como uma luva, virar pelo avesso tudo aquilo em que acreditou até hoje, uma humanidade mais evoluída poderá substituir a comida por um alimento mais inteligente; uma vez livre da necessidade hipnótica, da dependência da comida, o ser humano poderá escolher entre comer ou não comer; será uma opção.

Isso fez-me pensar nos deuses homéricos que, a cada tanto, querendo provar das alegrias e das dores dos seres humanos, deviam se degradar, descendo do Olimpo e transformando-se em animais.

Recordei que quando me enamorei de Luisa, quando o perfume da sua juventude dominou cada pedaço da minha existência, eu passava dias inteiros sem sentir necessidade alguma de comer. Contei ao Dreamer a preocupação de *mamma* Carmela e de seu cômico desespero ao me ver renunciar aos meus pratos prediletos, até mesmo *struffoli*[12] e *pastiera*.[13]

É a substituição de uma comida grosseira por um alimento sutil, interior. Será algo possível a todos os seres humanos quando eles não mais forem governados pela descrição do mundo que prepondera, mas por si mesmos, pela própria vontade... pelo sonho.

"E os doentes de anorexia?"

Os anoréxicos não são propriamente doentes, mas precursores de uma humanidade mais avançada, mais longeva. São os verdadeiros rebeldes da indústria da morte.

"E aqueles que morrem por anorexia?"

Não existem mortos por anorexia, são apenas vítimas de uma medicina primitiva e de um ambiente familiar não preparado para reconhecer neles os precursores do novo ser humano.

Na ocasião, como já havia feito outras vezes, o Dreamer falou-me muito dos jovens, dos seus sinais de pedido de socorro, das suas desesperadas e inúteis tentativas de anunciar à humanidade adulta-adulterada, obsoleta, a nova direção, o novo êxodo.

Você! Abandone os maus hábitos. Seja frugal!...

Mas lembre-se: enquanto você não estiver pronto para tal ação, não ouse jamais fazer um jejum ou passar uma noite sem dormir. Serei Eu a lhe dizer quando você poderá reduzir um bocado da sua comida ou um minuto do seu sono... Serão necessários anos e anos de trabalho.

Na realidade, durante todo o tempo passado ao Seu lado, nunca fiz jejum ou qualquer abstinência, nem Ele mesmo me falou de privações. Aliás, via-O sempre cercado de prosperidade e abundância. A frugalidade foi para mim um processo lento e uma natural consequência da proximidade a Ele. Mesmo estando em

---

12. Bolinhas fritas de massa doce e mel, típicas de Nápoles. (N. T.)
13. Torta napolitana típica da Páscoa, com recheio de ricota aromatizada com flor de laranjeira. (N. T.)

contato estreito com Sua filosofia, precisei de anos e tive de fazer grandes esforços para entender que, na visão do Dreamer, a comida era apenas o símbolo, a expressão mais visível da dependência do ser humano em relação ao mundo.

Não é a comida que envenena o ser humano, mas a sua convicção de ter uma imprescindível necessidade dela.

Até ascetas e santos falharam no objetivo de adquirir domínio e disciplina para a frugalidade, o que não significa a eliminação da comida, mas a libertação da sua necessidade, a superação da dependência.

Objetei que, de qualquer modo, também o alimentar-se do interno é uma dependência.

Depender do interno, depender de si mesmo, não é depender! Significa governar!

Para o Dreamer, quem não coloca em discussão a ideia da inevitabilidade da morte é capaz de esconder a própria autossabotagem atrás de práticas de aperfeiçoamento, dietas, jejuns e exercícios exagerados de todo tipo. Atrás da névoa de disciplinas religiosas e espirituais ligadas à alimentação e ao sono, o ser humano esconde, muitas vezes, sua tendência à autodestruição, seu desejo de se anular.

Você descobrirá que templos científicos e organizações humanitárias, laboratórios farmacêuticos e indústria da alimentação, seitas ascéticas, spas de beleza, escolas de faquirismo e de austeridade, também eles, por desconhecimento, estão a serviço da morte; também eles alimentam e são alimentados pela economia do desastre. Sob a mensagem de bem-estar, felicidade e longa vida, inconscientemente persiste, empedernida, uma lealdade à morte a toda prova, e a mais intensa e devota das atividades a seu serviço.

"É possível mesmo que não existam instituições que estejam sinceramente a serviço da humanidade? Pessoas que saibam provocar e guiar uma revolta contra qualquer forma de dependência?", perguntei angustiado. Eu era uma criatura lançada fora do Seu universo, exposta repentinamente à frieza de um mundo desconhecido, inóspito. "Onde estão os salvadores de todos os tempos, os heróis, os santos?..."

Heróis, santos e benfeitores, e as instituições inspiradas neles estão, de fato, a serviço dessa humanidade, uma humanidade autodestrutiva. Eles mesmos são vítimas da própria incompreensão; não sabem que nenhuma ajuda real ou cura verdadeira pode vir de fora, e que somente o próprio indivíduo pode trazer solução curando a própria visão, reconhecendo em si mesmo a verdadeira causa de qualquer calamidade. Em uma sociedade mais evoluída, filantropos e benfeitores desaparecerão, porque os seres humanos serão conscientes e terão feito esse reconhecimento. E, se existirem, serão então movidos por um falso altruísmo e por uma filantropia sem razão de ser, pois tentarão continuar dando existência à pobreza e à doença.

Curar o mundo significa curar a si mesmo... Sua visão do mundo cria o mundo... Pode parecer paradoxal a você, fora da lógica; todavia, o mundo é como você o sonha. É você que o faz adoecer, é somente você o responsável pelos conflitos que o devastam, pelas calamidades, pela fome, pela criminalidade.

Seu retorno à integridade curará o mundo para sempre.

O mundo é como você o sonha

Desse ponto em diante, o Dreamer me fez cuidadosamente tomar nota de princípios e práticas, de atividades e técnicas, aparentemente heterogêneas e díspares, mas amoldando, em seu conjunto, uma disciplina completa, um sistema. Como a silhueta de um continente desconhecido, do invisível, eu via surgir os contornos de uma cosmogonia única e fascinante. Passei alguns dias de intenso estudo dentro da imponente biblioteca de Mas Anglada, onde encontrei e consultei importantes obras que me auxiliaram na melhor compreensão da *Escola dos Deuses*. Em especial, pedi-Lhe explicação sobre os desenhos e fórmulas que havia encontrado no manuscrito. Lupelius considerava corpo e espírito uma só e indivisível realidade, e reconhecia o corpo como o criador de todo o mundo fenomênico, do micróbio a Deus. Devo tornar claro que o uso dos termos espírito, ou às vezes *alma*, é uma intromissão minha feita com o objetivo de simplificar a compreensão do leitor.

Quanto mais das teorias de Lupelius eu aprendia sobre comida e sobre o corpo, mais eu sentia o pensamento em estado de choque e retrocedia diante das implicações últimas de seus postulados. Algumas proposições dentre as mais indefensáveis do monge-guerreiro, como estilhaços de irracionalidade, tinham se fincado na minha mente e inquietavam-na. Eu precisava muito falar sobre isso com o Dreamer.

A ocasião apresentou-se na terceira noite, quando Ele me convidou a visitar a adega de Sua extraordinária casa. A ordem em que estavam organizados os vinhos, por país, qualidade e ano, era absoluta. Não tinha jamais antes nem mesmo imaginado a existência de uma coleção tão grande e completa. Ao lado da lareira, saboreando um de Seus vinhos mais preciosos, o Dreamer perguntou-me sobre o andamento dos meus estudos e se eu havia descoberto algo de relevante. Contei-Lhe dos pontos mais impraticáveis e difíceis da teoria de Lupelius sobre o corpo e, sobretudo, aquele diálogo entre Lupelius e um de seus discípulos, cujo argumento – a capacidade do corpo e dos seus órgãos de criar o mundo – havia se tornado uma verdadeira obsessão para mim.

Tão logo propus aquele tema, percebi não estar preparado para ouvir aquilo que Ele estava para me dizer. Quis fugir! Quando entendi que já era tarde e não poderia mais evitar, o coração se empinou, acelerou os batimentos como na iminência de um grave perigo, e um cerco de ferro começou a apertar minhas têmporas. Como a cobaia de Pavlov, eu era incapaz tanto de aceitar uma visão tão fantástica quanto de rejeitá-la ou de evitar aquilo que o Dreamer estava me revelando com tanta autoridade. Senti o pensamento oscilar como se prestes a uma vertigem.

Entre sonho e realidade não existe nem distância nem divisão. Assim como não existe distância entre ser e ter, entre crer e ver. Aquilo que um ser humano sonha é já realidade. Precisa somente de um pouco de tempo para que se torne visível...

Sonho + Tempo = Realidade

O sonho manifesta-se por meio do tempo. É a limitação da nossa percepção que precisa de tempo para ver.

O tempo é para o ser humano um verniz mágico que revela aquilo que, de outro modo, permaneceria invisível a seus olhos.

Atrás de tudo aquilo que vemos e tocamos, para existir, deve haver o sonho... um mundo maravilhoso ou um mundo de dor deve ser sonhado para que se realize.

O sonho é a coisa mais real que existe... e atrás do sonho existe o corpo... As nossas células, os nossos órgãos... sonham!

"Mas se o corpo possui essa capacidade de sonhar e de criar o mundo, por que não consigo mudar um átomo na direção que gostaria?", perguntei, desabafando minha frustração.

Seu olhar voou longe, além das chamas dos grandes candelabros de prata, além das centenárias paredes de Mas Anglada. Por um longo instante permaneceu absorto, o queixo apoiado sobre a palma da mão esquerda. Depois disse:
Não existe um modo objetivo, fixo, igual para todos... O mundo é assim como você o sonha... Também aquilo que lhe parece negativo, destrutivo, é somente o reflexo de um sonho conflituoso.

"E para mudar as coisas que... não vão?"

Mude o sonho! É impossível deixar os trilhos da repetitividade, da recorrência, se não se muda o sonho.

Você deve abandonar seu destrutivo modo de sonhar. Sonhe um sonho novo, aprenda um jeito novo de sonhar, um sonho em que o poder da vontade comanda, o poder do amor cria e o poder da certeza vence.

Seja mais sincero, mais honesto com você mesmo, e perceberá que atrás da sua falsa convicção de querer mudar sua vida, existe um secreto projeto de perpetuá-la assim como é.

O mundo é assim porque você é assim.

O pensamento cria

O mundo é o sonho que se materializa. Seus pensamentos criam sua própria realidade pessoal.

O Dreamer conversava comigo enquanto fazia uma série de exercícios físicos, acionando a cada tanto um daqueles sofisticados aparelhos da Sua academia de ginástica. O local ocupava uma antiga torre que dominava o imenso campo de Mas Anglada. Pelas paredes envidraçadas, a imobilidade secular de colinas e vinhedos entrava no tempo e disputava o domínio daquele espaço com o aço dos aparelhos, poderosos e silenciosos, e com o reflexo metálico dos pesos. A ampla abóbada capturava todo o poder do céu salpicado de cirros sedosos.

"Então... todos sonham e todos criam o mundo."

Sim! O próprio mundo.

"E a poluição do planeta? Os conflitos, a criminalidade?"

São, também eles, parte da sua realidade pessoal... O mundo é tão sadio, ou tão doente, quanto o é você mesmo! Somente você pode corrompê-lo... entupindo seus órgãos, enfraquecendo-os!

Também aquele que infecta o próprio corpo cria!... Inventa um mundo degradado que, com seus eventos e suas circunstâncias, é a imagem especular da sua corporeidade enferma, e ainda antes, de seus estados de ser, de seus pensamentos.

Os pensamentos são sempre criativos, em qualquer nível. O pensamento deriva do seu modo de sonhar e é a forma na qual você molda seu destino.

"E a pobreza, a guerra?", perguntei, agitado com a ideia de uma responsabilidade assim tão grande!

O sofrimento, a pobreza e todos os conflitos do mundo, as perseguições e as chacinas são estados sonhados, obscuramente desejados por uma humanidade que corrompeu gravemente o próprio ser e que não conhece o poder do pensamento.

"Enquanto conversamos, centenas de fábricas pelo mundo todo estão produzindo e estocando armas para alimentar conflitos e destruir a humanidade. Como podemos nos proteger desse poder tão destrutivo?"

Remova de si qualquer forma de hipnotismo, dependência, superstição. Não se apoie no conhecimento, fantasia ou profecia de ninguém. Saiba que não há poder lá fora que pode destruí-lo. Lá fora nada pode acontecer sem o seu consentimento.

O mundo dos eventos e circunstâncias depende totalmente de você. Se você se integra, se você se torna unidade, o mundo estará seguro.

Portanto, não se preocupe com o mundo, preocupe-se apenas consigo mesmo. É a única forma que você pode ajudar. Sem guerra dentro, sem guerra fora. Esta é a lei.

Da pilha de toalhas rigorosamente ordenada, retirou uma para enxugar o rosto; depois, com elegância, colocou-a em torno do pescoço como uma mantilha valiosa, cruzando as pontas sobre o peito.

Aprendendo a governar o próprio corpo, um ser humano pode governar o Universo, disse. Foi nesse ponto que ergueu os olhos e fixou-me intensa e longamente, sem piscar. Os pensamentos dispersaram-se um a um, cada vez mais velozmente, até que minha mente foi completamente desocupada.

Lembra-se daquela época na Califórnia... aquele seu amigo de São Francisco?, perguntou, continuando a me fixar.

Eu não precisava de muito, sabia perfeitamente de quem estava falando. Sem um pingo de hesitação, veio-me surpreendentemente à mente Corrado.

Tínhamos sido grandes amigos no tempo em que vivi em São Francisco. Excelente músico, muito jovem apaixonou-se perdidamente por uma bela dançarina e desposou-a. Fora isso, por mais que buscasse na memória, não me lembrava de mais nada que justificasse uma conexão assim imediata à ideia que o Dreamer estava me transmitindo: cada ser humano é o inventor do próprio mundo, o criador absoluto de cada evento da própria vida.

Em seguida, os contornos de um distante episódio começaram a se tornar mais nítidos, e uma curiosa história despontou entre as lembranças daquele tempo. Corrado sempre teve uma predileção pelos negros da América. Imitava suas gírias, seus trejeitos, o meneio indolente dos modos, o balanço do andar. Amava aquela cultura e idolatrava sua música, por considerá-la muito superior a qualquer outra. Frequentava seus bares e até suas igrejas. Quando encontrava um negro pela rua, não deixava de mostrar – por uma expressão do rosto, por uma saudação ou com uma simpática troca de palavras – o quanto se identificava com aquela raça. Envolveu até a mulher nessa sua singular mania: tinham amigos negros, casais com quem frequentemente saíam e encontravam-se nos restaurantes e nos clubes da sociedade negra de São Francisco.

Uma noite, voltando para casa com a mulher, um bando de negros assaltou-os e espancou-os de modo selvagem, sem motivo algum, nem mesmo o de roubo. Foi uma surra impiedosa que os colocou num leito de hospital por muitos dias. Lembro-me de Corrado chorar de raiva enquanto descrevia essa sua desgraça.

O Dreamer estava claramente examinando a existência de qualquer indício que revelasse minha compreensão, mas os segundos transcorriam velozes sem que eu vislumbrasse ou fizesse uma mínima conexão. Eu já sabia que Ele considerava baixo o grau de responsabilidade de muitos músicos e artistas em geral, sendo o mundo boêmio um mundo frágil, irresponsável. Até artistas bem famosos, consagrados pelas pessoas e reconhecidos como gênios, revelavam-se dependentes da própria arte, pequenos seres humanos assustados com a descoberta *insustentável* de que o indivíduo é o criador da própria realidade pessoal, o Artista supremo, a origem de tudo aquilo que vemos e tocamos. Muitos estetas e artistas não reconheceram ainda a razão pela qual existem e entregam-se a algo que é somente uma fagulha do sonho que dá origem àquela razão. Em vez de usarem a arte como uma ponte entre o ser humano e o sonho, uma via para tocar a parte mais profunda de si mesmos, agarraram-se a ela como uma divindade, agravando aquele estado de dependência do mundo que tem governado suas vidas.

Um ser humano em direção à totalidade do ser, que atingiu um grau de liberdade superior, não pode mais ser simplesmente um artista. Quando você percebe que é o artífice, o criador do mundo, você não simplesmente pinta ou compõe; então você abandona a arte como *trâmite*, do mesmo modo que um aleijado curado joga fora as muletas. Para o Dreamer, a libertação de toda dependência ou escravidão é o próprio significado da vida. Os papéis, todos os papéis, são prisões e devem ser transcendidos e abandonados.

Também essas reflexões não me estavam levando a parte alguma. Corrado era um músico de profissão. Para viver, certamente dependia da sua música. Eu não encontrava, ainda, a ligação que havia motivado o Dreamer a evocar sua lembrança.

Aquele incidente é a vida que chega com violência e, ao mesmo tempo, com compaixão, para fazê-lo ver aquilo que você não quer ver, para fazê-lo tocar aquilo que você não quer tocar... no seu ser. Não existe nenhuma criminalidade fora de nós, exceto aquela que nós mesmos projetamos, interveio naquele momento, indicando-me considerar inútil esperar pelos improváveis frutos da minha reflexão. *Aquele incidente permitiu ao seu amigo reconhecer sua mentira, o latente racismo, e superar o conflito, a violência, que sempre a humanidade carregou dentro de si... e finalmente torná-lo livre.*

O Dreamer fez outras importantes considerações sobre a vida de Corrado, expondo vários episódios como facetas de uma única doença: a hipocrisia, o mentir para si mesmo. Dentre elas, sobre seu matrimônio apressado, que tinha sido mais uma motivação pelo projeto de permanecer nos Estados Unidos e adquirir sua cidadania do que um verdadeiro afeto pela mulher.

Parou de falar. Trocou os pesos de uma das máquinas e regulou o sistema computadorizado para a programação de alguns exercícios. Eu estava atônito. E seguro de não Lhe haver nunca antes falado dele. Perguntei a mim mesmo como ele poderia conhecer, nesse nível de detalhe, a vida de um amigo com quem eu não falava nem via por tantos anos. Nesse momento, o Dreamer parou os exercícios. *Veja só!*, disse, amarrando o cinto do quimono com a graça e o orgulho próprios de um guerreiro. *Essa coisa escondida em uma sinuosidade do ser, essa mentira que cobre e esconde o egoísmo, o preconceito, a vaidade, o ódio racial, constrói aquele evento e é a verdadeira causa de todas as atrocidades do mundo.* O tom era de um cientista que anuncia a descoberta de um vírus investigado e procurado até os confins da existência. *O sofrimento, a pobreza e todas as calamidades... foram sonhadas, sombriamente desejadas e inconscientemente projetadas... Elas são a materialização, ampliada no pantógrafo, de sombras e monstros que o ser humano aloja na escuridão do próprio ser.*

Hoje, se você entendeu a lição, seguramente já é um homem mais sincero, mais livre. Com o tempo poderá reconhecer sua mentira... e um dia você também poderá curá-la.

Reconsiderei o canto de dor que a humanidade constantemente entoa, aquela oração de desventura que o Dreamer me havia feito ouvir e reconhecer em mim mesmo. Finalmente entendi a importância primordial que Ele dava ao estudo de si, a uma vigilante, rigorosa e até impiedosa atenção aos próprios estados, à auto-observação que, como um raio de luz, impede qualquer monstruosidade de se enfurnar no ser. *Auto-observação é autocorreção.* Recordei seus aforismos: *Os estados e os eventos são uma mesma e única coisa... Visão e realidade são um... Pensamento é Destino... O mundo é assim porque você é assim...* e, ainda, entre os mais surpreendentes, *A vida é uma goma de mascar: assume a forma de seus dentes*; reconheci o fio de ouro que os conectava como expressões diferentes de uma única mensagem, uma mensagem que era o resumo essencial de todo Seu ensinamento e, ao mesmo tempo, os últimos confins até os quais a inteligência do ser humano tinha ousado avançar.

Ainda tive um traço de lucidez para, em uma fração de segundo, identificar uma verdade que se me apresentava forte e luminosa como um deus *pantocrátor*,[14] um núncio onipotente: O mundo é um espelho do ser! Um raio laser fulminou as camadas sedimentadas do que restava da descrição do mundo... Vi que cada molécula é admiravelmente ligada ao Todo. E que o Todo é uma entidade pessoal, subjetiva.

Você é o único obstáculo para a transformação do mundo. Mude e você verá o mundo mudar sob seus olhos! Cada átomo de clareza, de liberdade, de ausência de

---

14. Aquele que tudo rege. (N. T.)

morte tomará forma no mundo e o liberará de todo o mal. Entendi cientificamente, sem películas morais ou metafísicas, a importância de se conhecer a si mesmo, de trabalhar sem parar para a elevação do próprio ser.

Qualquer viagem que o ser humano tenha iniciado, histórica ou mística, e qualquer êxodo, real ou lendário, sempre visou um único fim: conhecer a si mesmo! Conhecer a si mesmo o faz senhor de si mesmo e senhor do mundo.

Pensamento é Destino

Se o ser humano pudesse reconhecer o poder criativo do próprio pensamento, e se perseguisse a beleza e a harmonia com a mesma determinação e por tantos anos quantos dedicou à pobreza e ao sofrimento, poderia transformar o passado e o seu destino. O mundo seria um paraíso terrestre.

Senti a eternidade palpitar atrás dessa possibilidade. Subtraído o tempo da equação entre visão e realidade, estados e eventos, ser e ter, desvelava-se a natureza indivisível dos opostos, a única escondida atrás de toda aparente conflituosidade.

"Se os pensamentos de um ser humano criam seu universo, sua realidade pessoal, como o ser humano pode modificá-los?", perguntei.

Você pode melhorar ou controlar a qualidade dos seus pensamentos somente se souber elevar a qualidade do ser. Para fazer isso, você deve estudar e trabalhar em uma Escola especial e aplicar seus ensinamentos e suas ideias em você mesmo.

O ser humano não pode fazer, a menos que ele entenda que todos os fenômenos externos não são nada além de dramáticos resultados de seus próprios estados internos e de suas atitudes.

Enquanto se deixar governar pelas circunstâncias externas, ele nunca será capaz de ver de onde vem toda a violência do mundo.

Qualquer coisa vinda do exterior do mundo é, por si só, inexistente, pois tudo respira com sua respiração, tudo é tão vivo quanto você.

Não há nada no Universo que não seja você.

Pensamento é Destino.

O som de cada palavra vibrou selvagem e repentino dentro de mim como um vagido, mais exaltador que qualquer peã, mais forte que a canção de cem revoluções. Nenhum evento me seria jamais revelado de modo tão devastador, tão transgressivo, quanto a superação daquela linha sutil: a hominização. Com os olhos arregalados, eu estava assistindo ao êxodo de uma espécie ainda zoológica, à sua passagem evolutiva de hominídeos a uma humanidade dotada da consciência dos seus processos psíquicos, livre dos conflitos, da dúvida e do medo.

Existe uma fábula que todos conhecem como 'A Bela Adormecida no Bosque'.

A brusca mudança de assunto surpreendeu-me. Agucei a minha atenção ao extremo. Num sussurro, disse: *Mas seu verdadeiro título é 'A Bela no Bosque Adormecido'.*

A missão que um dia me confiou estava contida nessa aparente minúcia. O *bosque adormecido* é o mundo como nos foi descrito, flagelado por pobreza e conflitos, cerrado em um sono hipnótico; e a *bela* é o despertar da vontade, o amanhecer do ser, o sonho.

A escola, que logo eu fundaria, permitiria a uma nova geração de jovens modificar os velhos paradigmas e aderir a uma nova visão da realidade.

A única ajuda que você pode dar aos outros é despertar a si mesmo daquele sono, disse naquela noite o Dreamer. Seu tom era estranhamente pacato, e o que me dizia, tão suave como tâmaras ao sol. Todo o meu ser saboreou a doçura amadeirada daqueles frutos. O período com Ele, inesperadamente longo, estava chegando ao fim. A luz dos últimos candelabros vacilava. A esplêndida sala de Mas Anglada, com sua refinada decoração, obras de arte e metais cintilantes, retornava lentamente à sombra. Ao lado do Dreamer, por dias havia me sentido o único e frágil elo entre o mundo da impecabilidade e o ser humano. Agora, em silêncio, observava-O. Estava imóvel, havia muito. Estava com os olhos entreabertos, o corpo estendido para o alto.

Quando recomeçou a falar, fui irradiado pelo encanto de visões pressagiosas.

... Lentamente, a humanidade está trocando de pele... Um dia deixará de tatear as sombras do mundo, deixará de venerar a comida, a medicina, o sexo, o sono, o trabalho... Crescerá na sua consciência o valor da frugalidade até alcançar a integridade do ser, condição que assinalará o fim de qualquer mesquinhez, de qualquer catástrofe, de qualquer conflito. Será necessário tempo... porque humanidade é tempo.

Por ora estude, observe-se e conheça-se! E um dia você estará presente ao maior espetáculo do mundo: a integridade de você mesmo!

Com a licença do Dreamer para partir, nada mais me segurava em Barcelona. Naquela mesma noite, peguei o primeiro voo para retornar a Nova York. Durante toda a viagem, recapitulei tudo quanto escutei naqueles extraordinários dias vividos ao Seu lado. O corpo continuava a vibrar por uma sensação jamais experimentada antes: um estado de completude, perfeição, ordem, celebração. O Universo inteiro respirava a minha respiração. Tudo era conectado ao todo, nada era separado.

4
A lei do antagonista

A corrida

O corpo não pode mentir... Seu corpo já é o de um velho... Essas expressões do Dreamer ainda ecoavam na minha mente, renovando a dor do seu primeiro impacto. *Ao Meu lado não há lugar para aposentados!* Desumanas, tinham perfurado a espessa crosta de minhas defesas e agora escavavam os tecidos vivos. Sentia Sua força despedaçar-me e transformar-me, desestruturando hábitos, derrubando convicções e atitudes. Feriam-me especialmente, doídas como espora, as coisas que me revelou ao final do nosso encontro: *Os órgãos servem para sonhar... O corpo cria o mundo... Até mesmo quem contamina o próprio corpo, cria... cria um mundo contaminado. O mundo é doente como você... Tudo é conectado, nada é separado.*

Por intermédio do Dreamer aprendi que o destino de uma pessoa, e tudo aquilo que ela possui, é ligado por um fio duplo à saúde do seu corpo. No futuro, guiado por essas revelações, eu faria pesquisas no campo da Economia e dos Negócios, descobrindo que também o destino financeiro de uma pessoa depende de sua integridade física, da impecabilidade corpórea. Grandes empresas, fortunas financeiras, impérios industriais, assim como nações e inteiras civilizações formam-se e prosperam, ou adoecem e morrem, com seu líder, com seu fundador-idealizador. Uma pirâmide organizativa é ligada à inspiração de seu líder. Um fio de ouro liga sua imagem e seu destino pessoal ao de sua organização e de seus homens. Seu ser corpóreo coincide com a Economia de sua organização, como o foi para os antigos soberanos. <u>O rei é a terra e a terra é o rei.</u>

A essa altura não podia mais me furtar a uma mensagem tão direta e crucial. Decidi, assim, dar os primeiros passos na direção indicada por Ele, combatendo a minha decadência física.

Propus-me a enfrentar um trabalho completo com o corpo, da dieta à respiração, do sexo ao sono, seguindo as linhas mestras que havia recebido no encontro em Mas Anglada. Passei em revista as opções que eu tinha à disposição, e fiz um plano de ação para dar um golpe de timão na minha existência, mas as dificuldades mostravam-se insuperáveis. O simples pensamento de uma mudança de hábitos, de um esforço físico ou de qualquer outro sacrifício era suficiente para que eu sentisse se erguerem dentro de mim resistências de várias forças e naturezas, escoradas nas mais potentes e absurdas justificativas, até uma verdadeira repulsão. Bastava pensar naquela austeridade, para que os mais contrastantes estados de humor se alternassem e uma tremenda briga interna enchesse de nuvens escuras o céu do ser.

A atenção a essas minhas reações fez aflorar, como sobre a tela de um radar, o traçado de minha aspereza, um mapa interior: as montanhas da rigidez, a inclinação íngreme das dúvidas, os abismos sem fundo do medo, até os desertos da incompreensão e da solidão. Foi deste modo, estudando-me e observando-me, que cheguei a identificar a parte de mim que se opunha, com dor, à ideia de mudar. Lá, onde senti o nó, afundei a lâmina da vontade. Naquele dia teve início a luta... um desafio mortal, uma guerra santa entre mim e eu mesmo que duraria anos.

Aquele inverno foi um dos mais severos de toda a história meteorológica de Nova York. Coberta por uma espessa manta de neve espalhada por ventos polares, a metrópole parecia ter sido por encanto transportada a um país ártico, com os arranha-céus transformados em escorregadores de gelo para crianças gigantes. De manhã bem cedo, antes de encontrar coragem para sair e fazer minha corrida, eu abria uma fresta entre as lâminas da veneziana e espiava o tempo. Eu era um privilegiado. Do 17º. andar, com uma vista para o East River e sobre a cidade, podia ter as informações do tempo sem intermediários. A maior parte dos nova-iorquinos, para espiar fora e decidir o que vestir, não tinha outra escolha senão ligar a televisão e usá-la como uma janela eletrônica.

Havia semanas, Manhattan, com a sua silhueta de pináculos e campanários nevados, era um branco universo gótico encerrado em uma bola de cristal. Diante daquela vista, o intento vacilava. Toda manhã, havia uma árdua batalha a vencer. O som do despertador mais a ideia da corrida naquele frio polar desencadeavam uma luta épica entre mim e um físico degradado, preguiçoso, que não queria saber de mudar. Combalido por anos de abuso e negligência, o meu corpo dizia não a qualquer tentativa de interromper ou frear a sua degradação. Ameaçado pela corrida, revelava a sua verdadeira condição. Somente hoje, muito tempo depois, vejo quão difícil era aquela ação, tão similar à tentativa do barão de Munchhausen de se liberar do pântano puxando a si mesmo para fora pelos cabelos.[15] Somente a voz do Dreamer, a lembrança de Suas palavras, apoiavam o meu objetivo e me davam forças.

Para poder avançar ainda que um só milímetro em direção à integridade, é preciso virar de ponta-cabeça a nossa visão do mundo. Exige um esforço gigantesco. Por outro lado, não existe bênção maior. A conquista daquele milímetro de eternidade engole oceanos no mundo dos eventos.

O programa de corrida que eu me havia imposto previa um percurso em torno da ilha e o retorno a tempo de me preparar, tomar o café da manhã e conversar um pouco com Giorgia e Luca antes que fossem para a escola; mas a tentação de ficar na cama e deixar que Giuseppona se ocupasse das crianças estava sempre de campana.

Quantas vezes me perguntei de onde vinha aquela voz que, todas as manhãs, tentava me persuadir a não sair para correr. No fundo, dizia, "com um tempo desses, quem poderia condená-lo por querer voltar para a cama? Você já não fez mais do que o devido? O que pode acontecer se apenas um dia você deixar de ir?" e assim por diante. Outras vezes, ter ido para a cama muito tarde ou ter de pegar um voo pela manhã tornava-se o pretexto do dia para tentar escapar daquele compromisso. Desse modo, cada circunstância tentava infiltrar-se entre as fendas da minha determinação, tentava impor-se como uma boa desculpa para que eu interrompesse ou abandonasse a disciplina que me havia imposto. Qualquer que fosse a sua origem, aquela voz interna me exasperava. Quis acabar com aquelas armadilhas sempre prontas a sabotar os meus propósitos. Mas era somente a ponta de um iceberg. Por intermédio da disciplina da corrida, lutando contra as minhas resistências, combatendo os meus hábitos, começava a aflorar a parte mais desconhecida, mais obscura do ser.

Lembre-se: nada é externo! Você é o único obstáculo à sua evolução!, havia me dito tantas vezes o Dreamer. *Não existe dificuldade ou limite que não encontre a sua origem em você mesmo*; mas, para compreender isto, fazê-lo tornar-se linfa vital do meu corpo, seriam necessários anos. Degradei-me, caí e ressurgi mil vezes... Tive de morrer e renascer antes de aprender a bendizer cada dificuldade que encontrava no meu caminho e reconhecer que o antagonista é sempre interno.

---

15. De *As Aventuras do Barão de Munchhausen*, de Rudolph Erich Raspe, Londres, 1785, clássico infanto-juvenil de histórias fantásticas e bem exageradas. (N. E.)

Para justificar o seu destino mortal, a sua vida infestada de eventos desastrosos, o ser humano se convence de que existem forças fora dele que lhe interpõem obstáculos, que são a causa de seus males. Lamenta-se, justifica e acusa os eventos, as circunstâncias externas, os outros, sem ao menos suspeitar que o mundo é a sua imagem reflexa; que, assim como num espelho, não é possível modificá-la, senão modificando você mesmo.

Não existe ajuda que possa chegar de parte alguma. Você tem de fazer sua própria revolução individual, baseada em você.

Caso os ensinamentos do Dreamer tolerassem ser confinados num método ou se tornassem uma doutrina ou um novo sistema filosófico, aquilo que o Dreamer chama *rasteira na mecanicidade* ocuparia um capítulo especial. Para o Dreamer, uma rasteira em tudo o que é mecânico e automático é uma emboscada preparada por nós mesmos para a nossa própria e contínua repetitividade, uma burla, um truque para se esquivar das férreas defesas atrás das quais protegemos hábitos calcificados e velhos esquemas mentais.

Somente com o tempo, com o progresso do meu aprendizado, entenderia que o benefício da corrida consistia tanto no exercício físico, ou na capacidade de suportar o cansaço, como também na sua natureza de *rasteira*, de estratagema para romper uma ordem mecânica feita de repetitividade e indolência. Correr ajudava-me a suspender, mesmo por poucos minutos, o fluxo obscuro dos meus pensamentos; colidia, rompendo com a descrição mesquinha e funesta do mundo que o ser humano chama realidade; correr criava uma interrupção naquela ordem carcerária. Por meio do esforço físico, um hálito de liberdade penetrava na prisão do tempo e afrouxava os meus grilhões de escravo. Como um oceano pronto a preencher cada cavidade de seu seio, e decidido a não permitir nenhum vazio, o mundo insurgia e enfileirava um exército de eventos para sufocar aquele pequeno espaço que era um inimigo mortal seu, uma espécie de intolerável transgressor das leis naturais do planeta. Somente a lembrança do Dreamer, a prática da Sua presença, sustentava-me, provendo uma energia prodigiosa.

Naquele tempo me ajudou, senão a vontade, uma forte dose de obstinação. Obriguei-me a acreditar na absoluta necessidade daquele esforço e, sem nenhuma explicação racional, coloquei a corrida pela manhã acima de qualquer prioridade, como se minha vida dependesse daquilo.

Comece pelo início, assim anunciava o Dreamer a atitude de saber classificar as prioridades e saber manter a direção, tendo em mente o que deve vir em primeiro lugar. Agora sei que aquela hora da manhã, subtraída intencionalmente da rotina, significava uma oportunidade de poder, uma alavanca para mudar o mundo.

Um ser humano apontado para o alto, impecavelmente atento ao seu aperfeiçoamento, pode mover montanhas, encontrar soluções para situações aparentemente desenleáveis, transformar as adversidades em eventos de ordem superior.

Os guardas da Main Street

Quando penso naquele tempo, vejo a mim mesmo passando pela portaria central do edifício onde eu morava, em Roosevelt Island, encapuzado, recheado de lá como o boneco da Michelin. O sorriso de meia boca dos guardas, iluminados pela claridade lívida do monitor, e um leve balanço de cabeça em sinal de irônica divergência de opinião eram a primeira reação do mundo à minha temerária ação matutina. Somente agora posso ver que o comportamento deles não era nada mais que o reflexo especular de minhas resistências e incompreensão de então. Dentre os ensinamentos recebidos do Dreamer, um em particular havia sitiado minhas convicções e, sob os seus golpes de aríete, desagregado as bases das minhas certezas.

O mundo é assim porque você é assim.

O mundo é a imagem fiel dos nossos estados. Aqueles vigias eram o reflexo de mim mesmo! Debaixo de seus sorrisos irônicos, atrás do ceticismo de Jennifer, dos comentários dos colegas e as reações de todos quantos soubessem dos meus esforços de todas as manhãs, estava a minha fragilidade. Atrás daquelas atitudes apresentava-se, furtiva, minha falta de determinação, as dúvidas e a falta de sinceridade que pontualmente *os outros* me dirigiam como caramunhas que eu fazia a mim mesmo no espelho do mundo.

Lembre-se sempre! Nada é fora de você... O mundo que você vê e toca é somente um efeito. Tem o seu sopro... vive se você é vivo e morre com seu morrer.

Sem o ensinamento do Dreamer teria continuado a pensar que fossem seguranças, pobres diabos que estavam ganhando para viver. Em meu entra-e-sai todas as manhãs, permaneceria retribuindo-lhes o cumprimento e, todos os dias, refletindo-me naquela ironia, naquele ceticismo, sem nem de perto imaginar que eles não eram porteiros... e nem mesmo homens. Eram sensores terminais, aparatos de percepção sempre em alerta, órgãos sensórios do mundo.

Um ser humano não pode se esconder... O mundo sabe! Revela-o! Foram ideias como estas que permiti entrassem em mim e me transformassem ao longo dos anos.

A cada instante você pode evoluir ou degradar-se. Depende de você! Cada pensamento seu, cada atitude, a menor contração de seu rosto comunica ao Universo inteiro seu grau de responsabilidade, seu grau de liberdade. É isto que admiravelmente o coloca aí onde você está, é isto que determina seu destino, sua economia, seu papel no teatro da existência...

Imaginei um Universo que sabia tudo sobre mim, um aparato feito de inúmeros sensores, atualizado em tempo real sobre o mínimo movimento do ser, sobre a qualidade dos nossos pensamentos, dos nossos estados. Se fôssemos atentos a esses indícios, como vaticínios de antigos auspícios, poderíamos conhecer quem somos, o que nos é permitido saber, o que podemos ou não fazer, o que podemos possuir e o que devemos abandonar.

Dia após dia, não faltando jamais ao compromisso com a corrida e comigo mesmo, recordando e reforçando meu intento, eu me liberava das escórias de toda uma vida. O *tam-tam* da existência estava transmitindo ao universo novas mensagens. Suas batidas propagavam a notícia de que outro homem estava tendo a ousadia da fuga. Sua temerária tentativa de se evadir do horror da mediocridade estava em curso.

Os muros

As primeiras experiências de correr uma volta completa em torno da ilha exigiram um esforço heróico. E mesmo depois, já mais treinado, a superação do cansaço era algo que continuamente tive de avaliar, especialmente em alguns momentos da corrida. Notei que a dificuldade e o incômodo pelo esforço não cresciam de acordo com uma progressão linear, geométrica, como eu esperava, mas seguiam um andamento oscilante, um movimento irregular. Durante cada corrida, sentia alternarem-se momentos de leveza, quase sem nenhum esforço, e momentos de um insuportável sacrifício. Nessas fases críticas, era como se verdadeiros *muros*, barreiras, se formassem e, para serem superados, exigiam um esforço descomunal.

Uma parte importante do meu aprendizado com o Dreamer já tinha me exercitado em um minucioso trabalho de auto-observação, uma constante atenção aos próprios estados, pensamentos, sensações, emoções, e a tudo que me atraísse ou suscitasse repulsão. Observando-me exatamente nos estados de falta de energia, notava que os momentos críticos eram sempre precedidos pelo *muro* psicológico que se erguia, pela sombra que obscurecia o ser: o pessimismo e a desconfiança predominavam, e a voz do antagonista interno fazia-se sentir com mais força, sempre com novas razões para o abandono daquela atividade.

Foi a corrida que me ensinou a cerrar os dentes e a perceber como naqueles momentos era importante resistir um átimo a mais até reencontrar um estado de fluidez. Uma vez superada a tentação de desistir, de abandonar, abriam-se novos reservatórios de energia. Teria sido impossível penetrá-los, ou até mesmo reconhecer a existência deles, não houvesse antes buscado vencer a mim mesmo e derrubado aqueles *muros* aparentemente intransponíveis. Quanto mais eu estudava os mecanismos que os geravam, mais a corrida se me revelava um modelo conceitual, um instrumento valioso para a explicação do mundo. No seu moto alternado, eu reconheci o elemento constitutivo, o fundamento dinâmico de cada realidade física. Do núcleo do átomo aos confins do Universo, tudo se move e se propaga segundo aquele movimento ondulatório que eu estava descobrindo no meu corpo. A própria vida é um moto de ondas sem início nem fim. Os *muros* que, em certos momentos, a corrida me apresentava, e o esforço extraordinário que sua superação exigia permitiam-me conhecer um paradigma recorrente não somente na corrida, mas na vida. Quantas vezes teria bastado que me esforçasse um pouco mais para superar aqueles obstáculos, vencê-los definitivamente, e ir além! Mas alguma coisa sempre me fazia dar por vencido e entregar os pontos. O fracasso, que sempre acreditei fosse efeito de causas externas, revelava-se um processo de dentro para fora, um mecanismo obediente a um comando interno, um ato de autossabotagem. Uma sombra nasce e se propaga no ser, depois encontra ocasião para se materializar sob forma de encontros, circunstâncias e eventos adversos. A consciência desse mecanismo, a atenção à formação dessa sombra no ser, prelúdio de cada uma de nossas derrotas, era a grande oportunidade para aprender a circunscrevê-lo e eliminá-lo, não apenas da corrida, mas da minha existência.

Minha corrida era, na maior parte das vezes, solitária. Meus companheiros eram os voos das gaivotas ou qualquer barcaça que, subindo o East River, apoiava-me por um trecho, deixando-me em seu rastro com um assovio de saudação.

Correndo, muitas vezes eu fantasiava; gostava de acreditar que a qualquer momento encontraria companheiros de fuga, seres audazes que, como eu, haviam decidido escapar de uma existência medíocre. Uma vez se formou um pequeno grupo de cinco homens e duas mulheres. Começamos a correr dando o máximo de nós mesmos. A manhã era luminosa e a silhueta de Manhattan sobressaía nítida contra o céu. Lado a lado, fizemos uma volta completa na ilha. Não os conhecia; porém, encontrei naqueles companheiros de corrida uma cumplicidade imediata. Tive a impressão de ser um grupo já familiarizado entre si. Um homem com um macacão cintilante como seda e tênis de corrida negro e cinza dava o ritmo. De repente, acelerou. Incapazes de manter aquele ritmo, um a um de nós foi ficando para trás. Nossos corpos pesados, abatidos, mostraram seus limites. Rapidamente o perdemos de vista. Aquele confronto tornou penosamente evidente o quanto cada um de nós tinha ainda a fazer. Continuamos a correr em grupo até o parque infantil e nos sentamos em banquinhos para recobrar o fôlego.

Não distante, estava estacionado um glorioso carro de bombeiros, naquele momento inativo e reduzido a atração para as raras crianças da ilha. O destino daquele veículo, símbolo de antigos heroísmos, pareceu-me o embaraçoso monumento do alquebramento e da degradação física de toda uma sociedade. Fiz a tácita promessa de aumentar meus esforços para me adequar e sair das condições às quais havia reduzido o meu corpo. Ninguém falou; não havia nenhuma necessidade. Em silêncio, inocentados pelo esforço, repartimos o pálido sol como um pão ázimo, e desfrutamos a especial cumplicidade do nosso improvisado sodalício. Depois, no espaço de segundos, um a um se despediu com um aceno e, em passo de corrida, todos distanciaram-se em direção a uma ducha quente e aos afazeres da sua jornada nova-iorquina. Era cedo ainda. Brinquei com um raio de sol entre as órbitas dos meus olhos entreabertos; detive-me alguns segundos espiando as cabines vermelhas do teleférico que se cruzavam no incansável vaivém entre Manhattan e Queens.

A lei do antagonista

Não tema o antagonista! Sob sua máscara feroz esconde-se nosso maior aliado, nosso mais fiel servidor.

Sobressaltei-me. Com os olhos ainda fechados, permaneci por longos instantes em suspense, entre a incredulidade e a esperança. É impossível!, pensei. Não podia acreditar. No entanto, a voz era inconfundível... Lentamente virei o rosto em Sua direção e abri os olhos. O Dreamer estava sentado ao meu lado. Um arrepio pelo irreal percorreu sinuoso a pele das minhas costas até a raiz dos cabelos e ali se alojou, como uma insistente e leve vibração. Vestia um macacão com reflexos de seda e aquele tênis de corrida que parecia vir do futuro. Eu tinha percorrido quase que a volta completa da ilha com Ele e nem havia suspeitado que fosse o Dreamer! Imaginei que os homens e as mulheres daquele grupo fossem Seus alunos. Superada a surpresa, confidenciei-Lhe meus propósitos: falei-Lhe da nova atenção que estava dedicando ao corpo, dos resultados que estava obtendo das primeiras experiências com a comida, sobre sono, respiração... Contei-Lhe da corrida, da descoberta dos *muros*, do mistério daquela voz interna que continuamente me instigava a abandonar, a ceder, a fracassar no meu intento.

A voz que você ouviu é o antagonista que você carrega dentro, afirmou o Dreamer, iniciando um dos temas mais difíceis do meu aprendizado com um sorriso que O fez parecer ainda mais jovem. Essa expressão benévola era Nele coisa rara. Porém, em vez de me dar coragem, surtiu um efeito contrário. Comecei a entrar em estado de apreensão. Sabia estar diante de uma passagem crucial. Endireitei as costas e inspirei profundamente: qualquer que fosse a barreira a ser superada, usaria toda a minha capacidade.

A LEI DO ANTAGONISTA

O Dreamer repassou os fatos mais marcantes da nossa história, as catástrofes que durante os séculos afligiram o ser humano e a sociedade criada por ele. Indagando essas razões, penetrando nas raízes, falou-me detalhadamente de uma força planetária, equivalente psicológico ao atrito físico. Como acontece com um corpo em movimento, cada impulso que um ser humano imprime à sua vida recebe o contraste de uma força igual e contrária. Foi então que Ele introduziu um sistema de proposições, uma compaginação de princípios que denominou *a lei do antagonista*.

Todas as coisas, da mais simples à mais complexa, da vida de um ser humano à vida de toda uma sociedade, todos os elementos em evolução encontram um poder aparentemente adverso, um antagonista que tem a força e a capacidade equivalente à amplitude de seu projeto.

No tempo, com os aprofundamentos que se seguiriam, o conjunto daquelas ideias revelaria as características de uma verdadeira e exata t*eoria geral do atrito*, capaz de embridar séculos de história e dar sentido à infinita série de dificuldades e infortúnios que flagelaram a humanidade. A visão do alto sobre a condição humana, aquele olhar de trezentos e sessenta graus sobre a dor da vida do ser humano, fazia-me manter a respiração suspensa, como se à beira de um abismo sem fim. Entre minhas mãos encontrei prodigiosamente meu caderno. Agarrei-o como uma âncora de salvação. Minuciosamente fui capturando cada detalhe daquela irreproduzível aula a céu aberto. O banquinho do parque de diversões em que estávamos foi envolto em uma bolha de ar puro, sem tempo, e pareceu-me que toda a Roosevelt Island tinha se transformado numa astronave pronta a voar na velocidade do pensamento. Manhattan e sua vida afanosa não poderiam estar mais distantes! O Dreamer explicou-me que todo homem é um sonhador. Todo homem, porque sonhador, tanto no bem quanto no mal, é artífice, criador da própria realidade pessoal, do próprio destino; no tempo vê materializado qualquer sonho, qualquer pensamento, tudo aquilo que nasce do seu ser.

O mundo é um efeito... uma projeção do seu sonho, mas também dos seus pesadelos. Pode ser paradisíaco ou infernal. Onde e como viver... você decide.

Ame o seu inimigo

Sob a máscara do antagonista, além das aparências, esconde-se, na realidade, o caráter do nosso melhor aliado, explicou-me. *Contrariamente àquilo que a humanidade crê, não é possível ser adversário de nada maior que nós... O antagonista nunca é superior às nossas forças!*

"E David e Golias?", perguntei, chamando em causa a história mais famosa e das mais emblemáticas de um luta desigual. Minha imaginação exumou as centenas de ícones que ao longo dos milênios transmitiram o desafio entre o gigante filisteu armado até os dentes e um jovem pastor com apenas uma funda na mão.

Uma funda... e o sonho de se tornar rei!, corrigiu, imiscuindo-se na afluência daquelas imagens. *Além das aparências, a luta é sempre equivalente!...*

Ninguém pode encontrar um antagonista maior que ele mesmo, nem superior à própria capacidade de compreendê-lo e harmonizá-lo... Até o confronto entre David e Golias, além da aparente disparidade de forças, respeita as leis universais do duelo, rematou com o tom que conclui uma demonstração matemática. *O único e exclusivo objetivo do antagonista, escondido em sua impiedade, é a vitória daquele a quem ele se manifesta... O antagonista tem todos os instrumentos e métodos à disposição para permitir a você realizar seu sonho... É ele quem indica o caminho mais curto para o sucesso.*

Por quanto paradoxal essas afirmações pudessem parecer, ponderei que, na realidade, nenhuma estratégia, ou aliado, poderia ter conduzido mais rapidamente David a coroar seu sonho. O Dreamer concordou em silêncio, encorajando, com leves sinais de assentimento da cabeça, esses primeiros sintomas de compreensão. Depois concluiu: *Ninguém no mundo pode amá-lo mais que o antagonista.*

Eu nem tinha o que dizer... Senti as têmporas pulsarem diante da excitação em que me encontrava. Aquele requinte de inteligência humana vindo do pensamento cristão do Ame o seu inimigo depois de dois mil anos tinha outras nuances reveladas pela afirmativa Dele, simples e inovadora: *É o inimigo que ama você!*

O homem não mais precisava se impor amar o seu inimigo, coisa já demonstrada impraticável, senão impossível, depois de dois mil anos de vinganças e retaliações. Para uma nova humanidade, seria suficiente reconhecer que é o inimigo, o antagonista, que ama você.

Quanto mais pensava nisso, mais aquele movimento em espiral em direção ao alto produzido pela mensagem do Dreamer me parecia grandioso.

Distanciado por aquele golpe de asa, o anúncio milenar *Ame o seu inimigo*, pedra angular do ensinamento cristão, mostrava agora a sua rigidez. Como todas as religiões do mundo, também o cristianismo, esmaecido pelas perdas ao longo dos séculos e pela divisão das suas igrejas, tinha esquecido que a verdade não é estática, não pode permanecer imóvel. *A verdade de ontem não transcendida se degrada e se torna a mentira de hoje.*

Nesse meio-tempo já tínhamos abandonado o banquinho do parque de diversões, deixando para trás a velha carcaça do carro de bombeiros, e percorríamos a estrada que costeia o rio em direção norte. Caminhava ao lado do Dreamer e ouvia-O enquanto Ele colocava no quadro geral as últimas peças da Sua espantosa teoria.

Perdoar o inimigo fora de nós é a manifestação de uma vaidade e de uma incompreensão milenar.
O único inimigo está dentro de você. Fora não existe nenhum inimigo para perdoar e nenhum mal que possa prejudicá-lo... O antagonista é o seu mais precioso aliado, um instrumento para melhorá-lo, aperfeiçoá-lo, integrá-lo... a única chave de acesso à zona mais alta do ser.

Passamos diante da Chapel of the Good Shepherd,[16] a antiga igreja de estilo gótico então completamente destruída. O busto de pedra de um Jesus na cruz ainda se erguia no silêncio daquelas ruínas.

Também aquela escola milenar não conseguiu, admitiu. Na Sua voz se revelava um traço de dor pelo enésimo epílogo de um drama sem tempo. *Também essa não atingiu o alvo...*

O Antagonista

O Antagonista, o inimigo, é um propelente especial.
Quanto maior o nosso grau de responsabilidade
mais impiedoso é o ataque do Antagonista.
O Antagonista mede-nos, revela-nos, compreende-nos...
Quanto maior o nosso grau de liberdade, mais sutil é a sua ação.

Não tenhas medo do Antagonista!
Atrás da sua aparente impiedade, esconde-se
o teu maior aliado, o teu mais fiel servidor.

O único objetivo do Antagonista
é a tua vitória...
Todos os artifícios e estratégias usados pelo Antagonista
visam apenas a um fim: a tua integridade.

Ninguém no mundo pode amar-te mais que o Antagonista
Tu és a única razão da sua existência.
Não tenhas medo do Antagonista!

Tua perfeição crescerá com sua impiedade.
Tua imortalidade, com sua aparente imoralidade.

---

16. Capela do Bom Pastor. (N. T.)

Tua inteligência crescerá com seu poder.
Teu poder, com sua inteligência.

Porque o Antagonista és tu!

Aprenda a sorrir dentro

Pensei na grandeza dessa revelação. Se tal verdade fosse reconhecida pela humanidade, revolucionaria, transformaria para sempre nosso modo de pensar e de sentir. Um dia, aos meus estudantes de Economia, transferiria a força dessa visão: mais feroz é o ataque do antagonista, mais grave é seu insulto, maior é a oportunidade para ultrapassar limites. *Aprenda a sorrir internamente enquanto é atacado, enquanto a ofensa se manifesta em toda a sua crueldade... O antagonista deve ser combatido fora e, simultaneamente, perdoado dentro!*

O perdão só nasce dentro de você. Fora, você até simula, interpreta impecavelmente o combate mais obstinado... mas sem acreditar nele!

Finalmente uma nova fresta se abria e lançava luz sobre o secular e impenetrável paradoxo: Se você o ama, não é mais um inimigo, e se é um inimigo, como fazer para amá-lo?

Ame o seu inimigo é uma ideia superior que pode ser compreendida e aplicada somente por um ser humano íntegro.

Somente aquele que extirpou de si conflitos e divisões pode prescindir do antagonista. Para quem tem uma lógica dual, para quem ainda vê e pensa através dos opostos, a cura só pode se apresentar com a máscara feroz do antagonista.

A atitude de um líder diante das dificuldades deve ser esta, disse e exprimiu mimicamente o conceito esfregando as mãos como quem finalmente tem diante de si algo que esperou e desejou por muito tempo. *Um líder sabe que, por mais terrível que o antagonista possa parecer, a luta é sempre em igualdade de condições e as dificuldades são somente aparentes. Atrás da máscara do antagonista, atrás da sua aparente brutalidade, esconde-se a entrada aos mais altos níveis de responsabilidade.*

Mais claro que isso ninguém jamais explicou a vocês!, anunciou o Dreamer dirigindo-se a uma invisível audiência, tão vasta quanto o planeta. Disse ainda que sem essa compreensão, sem uma Escola, a maior parte dos seres humanos pára no limiar dessa passagem, negando-se a pagar seu preço. Seguidamente encontramos obstáculos e vozes internas que nos dissuadem de prosseguir, antagonismos físicos e psíquicos que testam a força da nossa aspiração, a clareza do nosso propósito, nosso preparo, nossa determinação.

A LEI DO ANTAGONISTA

Uma impossibilidade sempre abre as portas à possibilidade seguinte.
 Avançando sempre mais na visão do Dreamer, eu sentia o poder de um treinamento especial. Estava recebendo Dele o ensinamento de uma arte marcial capaz de transformar em força propulsora qualquer ataque ou qualquer coisa que, na vida, parece contrapor-se a nós. Inimigos e obstáculos apresentavam-se agora sob uma nova luz.

Homem ou evento, o antagonista tem a ingrata missão de revelar cada vazio, cada falta, fraqueza ou medo que você carrega dentro de si; de denunciar sem nenhum compromisso a sua falta de preparo, as imperfeições, as culpas, os limites que você mesmo erigiu.

O Dreamer enfatizou ironicamente qual o troco que damos ao antagonista pelos seus preciosos serviços: maledicência e rancor.

A figura do padre Nuzzo apareceu em minha memória e prevaleceu sobre a pequena multidão de antagonistas encontrados nos anos da minha infância no Colégio Bianchi. Senti uma pungente melancolia e um pequeno remorso ao me recordar de todas as maldades que nós fazíamos para ele. Somente agora, ao lado do Dreamer, eu podia ver, atrás da dureza do padre Nuzzo, dos seus ataques mais severos, o sorriso e o amor de quem compreende o *jogo*.

Os mestres que mais odiamos são aqueles que nos deram mais, afirmou com um ar de quem recita uma epigrama. Sua intervenção dispersou meus pensamentos e removeu o campo das sombras e dos fantasmas gerados por aqueles sentimentos inúteis.

Da Sua exposição estava observando o surgimento de um sistema, um modelo cósmico recorrente capaz de ser aplicado a todas as ações humanas, individuais e sociais; uma espécie de lei universal observável em qualquer escala.

Particularmente, havia me chamado a atenção Sua referência à possibilidade de não se submeter à lei do antagonista. Sobre esse ponto manifestei-Lhe minha incapacidade de imaginar um mundo sem atrito, em que fosse possível propor e atingir qualquer objetivo sem se valer da ajuda preciosa e impiedosa do antagonista.

"Como se faz?", perguntei fascinado pela perspectiva de transformar a vida em um paraíso terrestre, onde finalmente o antagonista não teria possibilidade de acesso.

É como pedir para viver neste planeta evitando a lei da gravidade, respondeu o Dreamer em um tom seco de quem liquida uma questão. Depois, em voz baixa, como para manter secreta a informação, acrescentou: *O ser humano poderia escolher as influências sob as quais viver, e confiar no poder de qualquer coisa que se encontre mais acima, mas ele vive na dor e por isso não sabe nada da Arte de Sonhar! Sofre porque não sonha. Por intermédio da Arte de Sonhar, um ser humano pára de sofrer... pára de morrer*, disse enigmático. *Somente quem parou de se matar dentro tem direito às revelações inefáveis do antagonista.*

Deixou transcorrer uma longa pausa na qual pareceu interessar-se pelo panorama da Roosevelt Island e pelas gaivotas que grafitavam seu céu, e então disse: *Por enquanto, aprenda a considerar o antagonista o seu melhor aliado... e deseje que ele seja cada vez mais feroz e aguerrido. Quanto mais alto o nosso grau de responsabilidade, mais feroz será o ataque do antagonista. Essa visão, com o tempo, mudará completamente a sua vida e criará o mundo que você sempre desejou.*

O Dreamer percebeu que eu ainda esperava uma resposta sobre como fazer desaparecer cada ameaça, cada ataque da nossa existência.

Isso, que aparentemente se contrasta com você, opõe-se a você, é somente um revelador, uma flecha luminosa apontada para a verdadeira causa de todos os seus problemas e de todas as suas dificuldades. O antagonista é você! Se pudesse aproximá-lo dessa compreensão, o jogo seria revelado e desapareceria; o antagonista perderia seus contornos, sua aparente maldade, seu poder.

O antagonista é, na realidade, um sinal apontado para tudo aquilo que você deveria mudar em você, tudo aquilo que você não quer ver, tocar, sentir em você...

Diante da minha evidente dificuldade em segui-Lo, decidiu que eu ainda não estava pronto para enfrentar esse tema. Disse-me que, no momento, deveria considerar a lei do antagonista como uma lei universal e inelutável. *O ser humano assim como é não pode escapar da lei que governa o mundo dos opostos, para o qual tudo acontece e se cria por intermédio do conflito, do jogo dos contrastes,* afirmou em tom conclusivo. Vi-me refletindo sobre a inexorabilidade do nosso destino e de como a salvação de um só ser humano pudesse se estender a toda a humanidade.

O que tem a ver você com a salvação do mundo, contrapôs o Dreamer com uma voz terrível irrompendo-se entre os meus pensamentos, *quando tudo aquilo que o mundo precisa é salvar-se de você!*

Por enquanto encontre sua dor, seu sofrimento, ordenou, *e permaneça ali. Não fuja. Observe-se e coloque a nu as suas raízes. Somente quando você estiver livre da descrição do mundo poderá livrar-se do mundo.*

O mundo inteiro, seu modo de pensar e fazer, suas precárias condições e o perigo estão refletindo a sua própria divisão interior do Sim e do Não. Somente você, vivendo permanentemente no Aqui e Agora, pode liberar o mundo de todos os opostos. Somente você, abandonando seus conflitos internos, libertará todas as contradições, violências e guerras, disse fechando definitivamente aquela parte do nosso encontro. Tive de esperar alguns meses para que Ele retomasse o tema: foi uma noite em Londres quando, por ocasião de um jantar com algumas figuras inesquecíveis, introduziu-me no segredo da proatividade.

Ao término daquela lição peripatética, ouvindo-O e caminhando juntos, vi-me novamente no parque, ao lado do banco de onde tínhamos partido. O Dreamer sentou-se e eu me coloquei ao Seu lado em uma respeitosa distância. O Sol apareceu furtivo de trás de uma nuvem, e um raio fez-me semicerrar os olhos. Era prazeroso e assim permaneci, desfrutando aquele momento. As palavras do Dreamer, brandas, pareciam chegar de um mundo distante.

O ser humano esqueceu de ser o criador da própria realidade e é isto que torna indispensável, simbiótica, a ação do antagonista na sua vida.

Reverta a sua visão! Imponha-se a liberdade. O tom era paternal, mas tinha a força áspera e severa de uma ordem. Por um instante me sobressaltou; depois, o torpor em que estava mergulhando se reavivou, apossando-se gradualmente de cada uma de minhas faculdades. Ainda tive tempo de ouvi-Lo dizer: *Transforme-se no homem que sonha, que cria, que ama!... O antagonista encontra apenas quem decidiu vencer a si mesmo. A queda não tem antagonismos, é livre e indolor.*

A suíte no St. James

Depositei minha bagagem sobre o espesso tapete e olhei em volta. O luxo daquela suíte, a riqueza austera dos brocados e dos ornamentos molestaram-me. Perguntei-me o que o Dreamer tinha em mente ao pedir que eu me transferisse àquele hotel tão exclusivo. Com Ele nada acontecia por acaso e, ao mesmo tempo, nada podia ser programado. Para o Dreamer, até o menor movimento fazia parte de uma estratégia. No curso dos anos do meu aprendizado, eu O havia encontrado nos países mais distantes e nas principais capitais do mundo. Todas as vezes sem prévio aviso, sem nenhuma necessidade de hora marcada ou planejamento. Cada encontro foi uma experiência única, o degrau luminoso de uma subida que estava transformando minha vida em uma aventura extraordinária.

Eu havia recebido uma mensagem Sua no pequeno hotel em que me hospedava em Londres. Ver-nos-íamos no Veronica's. Ao marcar o encontro para aquela noite, o Dreamer pediu-me que deixasse o Eaton Place e me transferisse para uma suíte do St. James, em Mayfair. Era ali que me encontrava, tentando enganar os minutos intermináveis que me separavam do nosso encontro. Flores, um ornamento de frutas no centro da mesa, champanhe, dois banheiros... um escritório com escrivaninha de época, um suntuoso sofá... O pensamento de quanto custaria tudo aquilo se tornou tão inquietante a ponto de me causar mal-estar. Sabia que qualquer coisa que o Dreamer tivesse em mente, ou qualquer coisa que me pedisse para fazer, até mesmo me transferir a um dos hotéis mais luxuosos de

Londres, era, sem dúvida alguma parte de um plano estratégico. Ainda assim não conseguia acabar com aquela náusea. Imaginei a cara que faria o senhor Lyford, da administração, quando visse a conta de uma suíte de luxo entre as minhas despesas de viagem. Haveria de pagar do meu próprio bolso. Era, de fato, fora de questão que pudesse fazer a ACO me reembolsar aquela despesa. Poucas noites no St. James devorariam todo o meu salário nova-iorquino. Esse pensamento, de dor psicológica, transformou-se rapidamente em dor física. Naquele tempo era muito arraigada em mim a convicção de que circunstâncias e eventos controlavam todos os aspectos da minha vida e, assim, eu acusava os outros, o mundo externo, pelo meu mal-estar ou pela minha infelicidade.

Você teria sentido o mesmo ressentimento e rancor se, em vez de uma suíte real, eu tivesse pedido que você se transferisse a uma ratoeira do quarteirão mais pobre de Londres, diria depois o Dreamer. *Aquilo com que você estava comparando não tem relação alguma com o externo, nem com os eventos ou as circunstâncias. É algo que o acompanha sempre, que você carrega dentro de você, e é a verdadeira causa das suas dificuldades, de uma existência infernal.* Revi, envergonhado, os pensamentos daquele dia balançarem na mente como enforcados. Uma inextinguível náusea inundou o ser e invadiu cada célula. Para recuperar um alento de vida tive de me sentar. Procurei por todos os lados a lista de preços, mas não encontrei. Peguei o telefone para perguntar o preço daquela suíte. Talvez tivesse ainda tempo de desistir. Teria dado qualquer coisa para sair daquela situação, daquele tormento. Flashes de uma vida frágil, sem sentido, sem poder atravessaram-me a mente como imagens nos olhos de um moribundo. Por alguns segundos permaneci parado, paralisado. Depois, lentamente, repus o telefone no gancho. Uma lucidez nova assumiu o comando e retirou-me da areia movediça daquela angústia.

Recordei algo fabuloso que uma vez Ele me havia apenas sussurrado e que, por sorte, tinha conseguido captar e transcrever. *Estilo é consciência... Invista tudo aquilo que tem, e também aquilo que não tem, em si mesmo... sempre!, e verá sua vida se enriquecer e se ampliar em todos os sentidos. Se você aposta em si mesmo, a vida apostará em você.*

Não se preocupe com o dinheiro, mas com você mesmo, com a sua integridade. Quando o dinheiro for necessário, estará bem aí, na sua frente. Confie em você, confie no seu sonho, e você terá todo o dinheiro necessário que corresponderá a uma bela vida. A obra-prima do seu verdadeiro sonho é... você.

O mundo exterior é só uma sombra esmaecida da sua criatividade interior, uma manifestação muito pálida da sua unicidade.

Antes que o galo cante

Senti minha química mudar. Provei a euforia de um presidiário a quem, de repente, são escancaradas as portas da prisão. Refleti sobre quão pouco bastava para que eu me amedrontasse, me obscurecesse, me curvasse. Aquela era a exata medida do ser e a verdadeira razão de todas as dificuldades da minha vida. No entanto, bastava conectar-me a Ele, voltar-Lhe o olhar, um só pensamento em Sua direção, para me sentir transformado e ver a solução aparecer. A suíte no St. James, como em outras ocasiões criadas por Sua inesgotável pedagogia, revelava-se uma sala da Escola em que eu estudava e assimilava os fundamento da Arte de Sonhar que o Dreamer muitas vezes chamava *ciência do fazer*.

Ele estava preparando-me para uma ação extraordinária, ainda que eu mesmo não tivesse ideia do que fosse. Eu estava certo de que a missão que um dia teria me confiado exigiria uma mudança total, uma tal responsabilidade que, assim como eu era, não poderia resvalar nem mesmo com um dedo.

Senti a gratidão exaltar-se e sua química intensificar-se. Semicerrei os olhos e bebi em grandes goles aquele luxo, absorvi cada detalhe daquele ambiente, sua riqueza, sua beleza. Entendi que *nada é fora de nós*. A presença do Dreamer revelava aspectos completamente desconhecidos. Naquela suíte do St. James aconteceu algo fabuloso. Éons de tempo comprimiram-se e átomos de prosperidade enriqueceram o ser de eternidade. Mesmo por poucos segundos, deixei de ser um homem medroso, hesitante, um homem fracassado, uma vítima, e tornei-me o arquiteto, o artista que havia idealizado aquele hotel. Compreendi a eterna distância entre sonhador e sonhado, entre um homem livre e aquele que depende.

O mundo é uma projeção do ser. Eis a fonte!

Procurei a *Bíblia*. Encontrei-a em uma das gavetas do criado-mudo. Abri-a ao acaso e li o trecho no qual por três vezes Jesus pergunta a Pedro: "Tu me amas?". E por três vezes, a princípio embaraçado, depois até um pouco triste, Pedro responde: "Sim, Te amo!".

Não, deveria ter respondido, não ainda!

Se tivesse sido um pouco mais sincero, mais honesto, se conhecesse a si mesmo um pouco mais, teria dito: Estou tratando de amar-Te!

Com a pergunta repetida três vezes, Jesus na realidade estava perguntando: Você se conhece? Sabe quem você é?... Ama a si mesmo mais que qualquer coisa? Deixou de se matar dentro? Estava lhe pedindo para transferir Seu ensinamento para seu íntimo, mudar sua visão, transformar seu modo de pensar, atenuar sua rigidez. Talvez tenha sido por essa rigidez que o chamou *pedro*. Pedro é o homem que se nega a mudar, que acredita poder mentir, esconder-se. Aquele homem era eu.

Eu lia e chorava. Por três vezes tinha sido dada a Pedro a oportunidade de evitar sua traição, para não ter de se ver um dia renegando por três vezes a parte mais elevada de si mesmo. Aquela traição era já no ser, esperava somente a circunstância favorável para se manifestar. Pobre Pedro! Se ao menos tivesse podido observar-se... teria compreendido que a pergunta não era externa, mas chegava-lhe do próprio ser: Tu, Pedro, amas a ti mesmo? Eliminaste qualquer divisão, cada morte interna? Ele teria descoberto em si a mentira, o medo, a dúvida... teria podido afugentá-los, como se faz com um ladrão. *Amar-se dentro é um ato de vontade, significa conhecer-se. Amar-se dentro significa celebrar incessantemente a vida na sua totalidade.* Recordei os preceitos do Dreamer e entendi que se Pedro tivesse admitido a indicação de se olhar dentro, de se conhecer, de se amar, teria modificado seu destino mortal. Se tivesse podido mudar suas convicções, não teria sido crucificado de cabeça para baixo... como ele mesmo pediu aos seus verdugos, oferecendo-se como símbolo de uma compreensão tardia, mas autêntica, da alteração da ordem proveniente do ensinamento de Cristo.

Daquela passagem, da mensagem transmitida por aquela grande escola que foi o cristianismo primitivo, eu remontava à grandeza do ensinamento do Dreamer. O ser é a fonte de tudo aquilo que depois encontramos no mundo dos eventos. *Olhe-se dentro e conhecerá seu destino!*

Os três "sins" são a mentira que Pedro não quis ver e que se materializou no evento do seu martírio.

Se quisermos mudar alguma coisa, só poderemos fazê-lo elevando o ser. O destino de um homem – de uma organização, de uma nação ou de toda uma civilização – e sua Economia são a projeção do seu ser, da sua visão.

Quanto mais ampla é a visão de um homem, mais rica é sua realidade.

Em nenhuma escola de Economia teria aprendido uma lei tão relevante.

Aquela foi, para mim, a grande lição da *verdadeira* Economia, de Administração, de altas finanças e de Pedagogia. Naqueles ensinamentos reconheço hoje a pedra fundamental de uma nova educação, baseada no ser, de uma revolução psicológica capaz de transformar os paradigmas mentais da velha humanidade, de mudar completamente seu modo de ver, e libertá-la para sempre da sua conflituosidade, da dúvida, do medo, da dor, que são a verdadeira causa da pobreza e de toda a criminalidade no mundo.

O jantar com o Dreamer

Tive de controlar minha impaciência para não chegar muito cedo ao Veronica's. O salão do restaurante estava cheio. Sentado a uma mesa ricamente preparada, o Dreamer estava rodeado pelas gentilezas da proprietária e pela febril precisão de um grupo de garçons. Às vezes, como um pelotão militar, enfileiravam-se para, religiosamente, escutar Suas ordens e minuciosas recomendações; depois, todos juntos, retomavam sua dança operosa. O Dreamer vestia um terno preto, de um estilo sem tempo, com os longos cabelos presos na nuca. Sob a echarpe de seda distinguia-se a camisa valorizada por uma fita de veludo preto. Surpreendeu-me que não estivesse sozinho. Estavam com Ele quatro homens e três mulheres: Bruno e Rebecca W., proprietários de uma importante agência de publicidade de Zurique; Klaus E., de Frankfurt, fundador da Robotronic e presidente de uma fundação internacional ativa no campo da pesquisa biológica; Ben F., decano acadêmico de uma universidade britânica, aparentemente o mais estranho do grupo: o talhe oriental de seu traje ressaltava um imponente físico de atleta, surpreendentemente distante do perfil, da linguagem corporal de um intelectual. Ao seu lado, Linda, atraente e de aspecto determinado, especialista em recursos humanos, fundadora e proprietária de duas agências de *headhunter* com sede em Londres e Nova York. E finalmente, um jovem casal de origem irlandesa, Peter C. e sua mulher Susan, de ar tímido e reservado. Senti por eles uma instintiva simpatia. Católico ele, filha de um pastor protestante ela, trabalhavam os dois num projeto europeu junto a um histórico colégio de Regent's Park. A atitude do grupo em relação ao Dreamer indicava deferência e familiaridade ao mesmo tempo. A presença inesperada daquelas pessoas fez explodir sentimentos que havia muito não mais sentia, emoções que eu acreditava já ter superado há tempos: ressentimento por aquela intrusão, mas também ciúmes e inveja pelo aspecto opulento que ostentavam, e pela aura de resplendente sucesso que os envolvia. Aquela luminosidade me obscurecia. Certo, eu tinha sempre pensado que o Dreamer tivesse outros *estudantes*, e muitas vezes fantasiei que os conhecia; mas encontrá-los, assim, sem nenhum aviso, pegava-me despreparado. Tive vergonha da minha reação, das emoções que eu estava vivendo, e isso aumentou a dor daquela divisão. O espaço infinito de poucos passos do Dreamer me impôs a mudança. Inverti a direção da minha atenção, dirigindo-a do externo para o interno. No momento seguinte ao que observei aquelas emoções, elas empalideceram e se dissiparam. Restou, enfim, o fascínio por aquela descoberta; reconheci a riqueza da oportunidade de finalmente conhecer homens e mulheres que, como eu, haviam encontrado a Escola.

Tive a sensação de viver uma experiência virtual, de estar imerso em um espaço teatral em que a linha limítrofe entre ator e espectador era continuamente transgredida, ficando todo o tempo intrigantemente incerta. Um teatro do absurdo estava levantando sua cortina e revelando os contornos de uma realidade separada. Éramos páginas viventes de um roteiro desconhecido, pinceladas de uma pintura que ninguém de nós podia compreender. E agora, diante do Artista-autor-criador esperávamos conhecer o nosso destino.

Concentrei-me nos convidados, observando-os com a maior atenção. Cada um daqueles homens e mulheres era uma autoridade reconhecida no próprio meio. Bruno W. era um homem de meia-idade, grande e imponente, mas afável, aparentemente simples nos modos e na linguagem, mas decidido e positivo. A barba grisalha de alguns dias deixada elegantemente por fazer dava-lhe um ar relaxado e refletia um outro aspecto do seu caráter de homem simples, um pouco infantil. Sua mulher, Rebecca, era esguia, de uma magreza quase doentia, mas com a energia concentrada de uma mulher de negócios internacional. Passava parte do ano na Toscana administrando uma área da família no campo e uma fazenda vinícola. Klaus E. tinha o aspecto de um aventureiro *gentleman*, de modos elegantes, cosmopolita, luminoso. Sob a aparência frívola e a superficialidade da sua conversa, escondia, como uma lâmina na bainha, uma inteligência afiada a serviço de uma forte ambição. Peter C. revelou-se um vibrante Chénier,[17] de linguagem refinada e ideias visionárias. Sua jovem mulher, Susan, olhava-o estática e com muita admiração.

Diante do Dreamer, estávamos nus. De cada um conhecia as capacidades, os limites e o lugar que ocupava na economia de uma obra perfeita. Juntos formávamos uma espécie de teclado sobre o qual estava criando, compondo a obra-prima que Sua inspiração havia concebido. Somente Ele conhecia o Projeto, a exatidão daquela parte, única e insubstituível, que cada um de nós representava no grande mosaico que tinha em mente.

Ninguém pareceu notar a minha chegada. Não houve cumprimentos nem apresentações. Uni-me a eles em silêncio, ocupando o lugar que tinha sido deixado livre, e concentrei minha atenção sobre aquilo que o Dreamer estava dizendo. Sentando-me à mesa, peguei este pedaço do tema já iniciado: *O ser humano real não pertence a nenhuma filosofia, ideologia ou religião. Um verdadeiro sonhador não tem etiqueta. Não pode pertencer, não pode ser compreendido... Ele sabe que o antagonista chega apenas para nos permitir superar os nossos limites. Por isso, bendiz cada aparente obstáculo, cada aparente adversidade.*

---

17. Andrea Chénier, protagonista da ópera com o mesmo nome, de Umberto Giordano (1867-1948). (N. T.)

Se um dia, passeando num jardim, você pisar em um espinho, finalizou, *nunca se esqueça de agradecer.*

O administrador desonesto

Essa epigrama mais a associação com o antagonista serviram de introdução à narração e ao comentário de uma impenetrável parábola dado seu obscuro significado: a história do administrador desonesto. O Dreamer apresentou-a com todo seu secular mistério. Um homem rico descobriu que seu capataz dilapidava seus bens. Chamou-o e, verificados os fatos, tirou-lhe a administração. "O que farei?", disse a si mesmo o desesperado capataz. "Roçar eu não sei, mendigar envergonha-me." Então chamou todos os que tinham dívidas com seu patrão e falsificou os documentos, reduzindo-lhes o débito. Cem batos de óleo tornaram-se cinquenta, cem coros de grão tornaram-se oitenta, e assim por diante. Desse modo, ele acreditava ganhar a benevolência e ser acolhido por eles, tão logo distanciado das suas funções. O patrão veio a saber também dessa prática desonesta e, como resposta... *exaltou-o*.

Ao longo dos séculos, o comportamento desse patrão desconcertou os estudiosos mais doutos da Bíblia, e desafiou gerações de sábios, teólogos e exegetas, concluiu Ele, e calou-se. Alguns de nós aceitamos o desafio e tentamos dar as nossas explicações, mas todas se revelaram improváveis e foram uma a uma rejeitadas por todos os outros. Era um enigma dentro de uma charada. Ao final, voltamo-nos ao Dreamer em sinal de capitulação. Sabíamos que até os nós górdios se desatavam dóceis entre Seus dedos. A explicação que deu daquele quebra-cabeça bíblico foi, pela sua simplicidade, exemplar, lançando luz na escuridão de milênios.

Explicou-nos que a reação aparentemente difícil de entender do *patrão* tem, para a espécie humana, a solenidade e a importância de um evento cósmico: o cruzamento do limiar para a hominização. Esta está para a evolução psicológica do homem como a assunção da posição ereta ou o abandono do seu rabo ancestral está para sua evolução física. Aquela reação é o nascimento do *sapiens sapiens*, do Homem depois do homem; significa o início do êxodo que levará a espécie para fora da sua condição zoológica.

O ser humano descobre a proatividade, a gestão do instante e a transformação de cada ofensa como um benefício próprio, de cada insulto como propelente para sua viagem... E oculta o mapa desse tesouro em uma pequena história de profundidade insondável.

Sintam-na nas vísceras, a ofensa! Essa ordem inesperada, lançada em voz alta, quase gritando, fez-me sobressaltar. Agucei os meus ouvidos. *É ali o campo de batalha... É ali que se decide a vitória... O segredo é vencer antes de combater.*

Peguei o caderno e escrevi: *Elogiar o administrador desonesto é o vagido de uma humanidade curada de qualquer ferida interna, de uma humanidade que se perdoou dentro, que venceu sem precisar combater... porque não há mais necessidade da benéfica e terrível intervenção do antagonista.*

Disse-nos que um ser humano maduro, sob os refletores do proscênio da vida, no final do seu grande espetáculo, mais do que agradecer àqueles que lhe deram amizade, afeto, deveria pronunciar um agradecimento solene a todos aqueles que o perturbaram, tiranizaram, ofenderam.

Nesse ponto o Dreamer parou Seu discurso e, com um sinal, ordenou que começassem a servir os primeiros pratos. Com simplicidade, e com a mesma autoridade, da exegese daquela obscura parábola passou a comentar os pratos que vinham um a um elegantemente apresentados pelos garçons. Seguindo uma excursão gastronômica e histórica, chegavam uma após outra as iguarias de uma cozinha regional inglesa que eu não conhecia: desde pratos à base de mostarda criados em mil e seiscentos, até receitas mais modernas, mas rigorosamente não posteriores ao último pós-guerra. O Dreamer, como era Seu costume, não tocou na comida. Seu prato retornava à cozinha quase intacto. Mesmo sendo um comensal refinado, um anfitrião generoso e rico em gentilezas, com conhecimento de um grande *gourmet*, Ele era a personificação da frugalidade. Respeitava todos os rituais ligados à comida, passando aos outros as iguarias que vinham apresentadas em ricas baixelas, servindo-se, oferecendo e exprimindo juízos, mas sem ingerir quase nada. Às vezes, mastigava alguma coisa, e só. Parecia alimentar-se de uma atenção incessante a cada detalhe, a cada particular do cerimonial. O gesto de um garçom, a apresentação de um prato e a sua decoração, as cores dos alimentos, seu aroma, os adornos do restaurante e cada elemento do ambiente pareciam transformar-se para Ele em um rico plâncton de emoções, percepções, sensações, em um alimento sutil que era só Seu e que os nossos órgãos não sabiam mais reconhecer nem assimilar.

A vítima é sempre culpada

Aparentemente, neste planeta tudo é mantido equilibrado pela lei dos opostos: para tudo há um oposto pelo qual existe e é contrário, recitou o Dreamer. *A vida dos indivíduos, como a das nações e de inteiras civilizações, parece ser inflexivelmente governada pela lei dos opostos.*

Em torno desse assunto a conversa se acendeu como por magia. Cada um, estimulado pelo Dreamer, indicou quem ou que coisa naquele momento sentia como seu antagonista. Escutou todos com atenção. Também dessa vez não pude deixar de me perguntar o que Ele queria dizer usando, no início de sua frase, o advérbio *aparentemente* e, em seguida, a expressão parece ser. Nesse meio-tempo, retomou. Coloquei as minhas reflexões de lado para ouvi-Lo. O segredo da proatividade, somente mencionado quando do nosso encontro em Nova York, estava finalmente para ser aprofundado. *Todos sabem da existência de uma força que se interpõe entre os próprios desejos e sua realização... a presença de uma espécie de atrito universal,* e acrescentou que, pelo menos sob o ponto de vista da história e das infinitas adversidades que o homem teve de superar, o antagonista poderia ser reconhecido como o próprio motor da evolução humana. *Se você quiser fazer alguma coisa na vida, você tem de conhecer a força adversária que os seres humanos chamam de o antagonista.* Fez uma pausa, como para recolher no ar as palavras mais justas: *Existem, porém, alguns segredos que dizem respeito ao antagonista que somente poucos conhecem.* Todos nós nos dispusemos a escutá-Lo com uma atenção ainda maior depois do Seu misterioso preâmbulo.

O antagonista mede-nos. Mede o nosso 'AIM',[18] *o nosso objetivo, a amplitude do nosso sonho. 'AIM' é o anagrama de 'I AM' = Eu sou.*

$$AIM = I\ AM$$

Ninguém pode ter um propósito maior que seu poder de sonhar. Um ser humano comum pode sonhar um apartamentozinho, um outro sonha uma casa na praia, mas somente um rei pode sonhar Versalhes.

Fiquei completamente fascinado com a magia dessa equação do que um ser humano pede e do que ele é. Pensei em como o anunciado contrariava a convicção predominante de que não existem limites ao desejar, e que cada um poderia se propor qualquer objetivo, caso não o freassem a ideia de escassez – dos recursos disponíveis para alcançar seu objetivo – e seu *bom senso.* Qualquer um, sem tais restrições, poderia acalentar os maiores sonhos ou sustentar as maiores aspirações. O Dreamer passou a demonstrar a falta de fundamento na convicção generalizada na humanidade: *A amplitude do próprio ser determina para cada um o limite máximo do que pode pedir à existência e o ápice de cada um de seus desejos. Ao mesmo tempo, é também o limite de tudo que ele pode receber e possuir.*

---

18. Objetivo, em inglês. (N. T.)

Pareceu-me uma descoberta fantástica. Partes do Seu ensinamento, até aquele momento dispersas, começavam a se juntar. Senti, num vislumbre, a grandiosidade das revelações que havia recebido. Quando deixei esses pensamentos, percebi que havia perdido o fio da conversa. Apressei em retomar o tema reunindo-me aos outros, como fazia quando pequeno nos corredores do colégio, tratando de apressadamente juntar-me à fila dos companheiros depois de devanear sobre um animal empalhado ou sobre mitos enquadrados em austeras molduras.

... O antagonista é a medida mais precisa da amplitude do nosso pensamento, do nosso sentir, afirmou o Dreamer, deixando alguns segundos para que cada um tirasse as suas conclusões. Adicionou em seguida: *Por isso, nunca é superior às nossas forças. Por quanto possa parecer terrível, ameaçador, imbatível, o confronto com o antagonista é sempre um duelo e as forças em jogo são sempre equivalentes.*

Abaixou a voz até transformá-la em um silvo marcial que nos fez fremir e reuniu-nos todos em torno de Si como um só ser.

Aparentemente o ser humano se confronta com obstáculos externos, com inimigos e adversidades fora dele mesmo. Na realidade, o antagonista é sempre a materialização de uma sombra, de uma nossa parte obscura que não conhecemos, que não queremos conhecer. Quando se manifesta sob forma de ataque, adversidade ou problema, ficamos surpresos. Na verdade, inconscientemente, durante muito tempo, o mantivemos escondido dentro de nós. Nossa desatenção permitiu que o que antes era apenas um pequeníssimo sintoma tivesse tempo de se tornar agudo e, pela nossa incapacidade de reconhecê-lo e intervir, resultasse em uma ameaça concreta. Por isso uma humanidade mais atenta que cancelar do próprio ser o vitimismo e a autocomiseração escreverá em letras garrafais nas salas de seus tribunais: a vítima é sempre culpada!

"Mas uma perseguição que provocou milhões de vítimas, como aquela contra os judeus, como podemos considerar?", interveio Bruno W. calorosamente. "Eu não vejo propriamente como, no caso do Holocausto, a vítima tenha materializado seu executor... Que responsabilidade podem ter milhões de inocentes quanto ao extremismo de um povo, como o alemão, e suas aberrantes teorias, como a da pureza da raça?"[19]

O *sommelier* aproximou-se com discrição e, deslocando-se por toda a mesa, serviu um vinho jovem de excelente densidade. O Dreamer parou e esperou que o homem completasse a operação. Foi então que Klaus E., como se estivesse refletindo em voz alta, explodiu: "É fato que, ao longo dos séculos, sempre foi difícil

---

19. O cuidado para que gerações sejam preparadas para assumir ser o "povo escolhido" (que congrega todos em torno do Deus único) trouxe equívocos como "não se misturar com os demais". Por outro lado, a resistência dos judeus diante da banalização imposta pelo Império Romano resultou no incrível castigo da diáspora. (N. E.)

ser judeu... Já Nabucodonosor, seiscentos anos antes de Cristo, pôs no chão o templo de Jerusalém e deportou para a Babilônia toda a nação israelita... Depois, foi a vez dos egípcios... dos romanos... Se se chamam *fuhrer*, César, faraós ou sátrapas, certamente aos hebreus não faltaram antagonistas...".

O Dreamer imprimiu um movimento rotatório com o pulso ao Seu copo e observou o vinho se oxigenar e percorrer as paredes internas do cálice. Aspirou seu aroma e, dispensando com o olhar o sommelier, disse: *O oposto é um fragmento, uma parte que se dividiu, que se distanciou da totalidade... O aparente antagonista é a moeda de prata que a mulher perdeu... é aquela ovelha que se extraviou do pastor... Quem não consegue reencontrar a sua integridade, quem não consegue reintegrar aquele átomo do ser deverá encontrá-lo fora de si, monstruosamente agigantado, como limite, obstáculo ou adversidade.*

Linda se iluminou e interveio com entusiasmo: "Mas é claro! Asilos, escolas, hospitais... separados. Açougues, lojas de alimentação, restaurantes... separados. Festividades, tradições e rituais... sempre separados. Pode-se dizer que a religião judaica, a filosofia, o estilo de vida e de trabalho desse povo são substancialmente baseados em uma visão discriminatória do mundo... Existem os judeus e os outros...".

"No templo de Jerusalém, um muro separava as áreas dos hebreus e dos gentios", contribuiu Peter, "e era prevista a pena de morte para o pagão que atravessasse aquela demarcação.

O gueto nasce e o arame farpado se desemaranha na psicologia", e depois comentou em voz baixa como se falando consigo mesmo: "não sem antes encontrar as condições favoráveis para se transformar em uma terrível realidade...".

Bruno juntou-se às reflexões de Linda e de Peter. Como se fizesse, também ele, uma descoberta inesperada, disse: "Eu nunca pensei nisso: na raiz hebraica, a palavra *sacro* etimologicamente significa *separado*... Na visão sagrada que têm, os hebreus dividiram o mundo naquilo que é sacro, e que portanto merece o respeito, e todo o resto, que é profano... impuro". Prostrou-se na cadeira, como se sob os efeitos de um golpe que não poderia suportar.

"Mas então...?", atrapalhou-se, sem conseguir continuar.

Então..., retomou o Dreamer recuperando aquele elemento de compreensão e preparando-se para dar forma àquilo que Bruno não ousara pronunciar, ... *a nossa incompletude produz monstros no mundo externo. Nossa divisão cria a violência que depois encontramos. Somos nós o antagonista... Sentir-se separado dos outros é o efeito de uma psicologia desintegrada que alimenta uma criminalidade interna. Um dia esta se manifestará no mundo dos eventos com violência, atentados, conflitos e perseguições.*

Estávamos atônitos. Atravessávamos um abismo sobre o qual, sem fôlego, nosso pensamento se detivera...

A Shoah[20] não foi um incidente da história, nem o efeito da impiedade de um regime, de uma nação, ou, ainda pior, de um homem, de um tirano. Foi a materialização da visão de um povo que ainda não se perdoou dentro, a imagem especular de um pensamento dividido, conflitado, que é a verdadeira causa dos campos de concentração, das deportações, dos extermínios e de cada desumana crueldade.

O único inimigo está dentro de nós!... Fora não existe nenhum inimigo para odiar ou perdoar, e nenhum mal que nos possa prejudicar.

"Agora me recordo", interveio Rebecca, "as lamentações de Jeremias, o canto trágico dos hebreus traduzidos em escravidão na Babilônia iniciam com uma expressão de uma dolorosa surpresa. A primeira palavra é *'eckah'*, que significa *por quê?*".

O inesperado sempre precisa de uma longa preparação... de um longo período de incubação no ser, nos nossos estados. Por isso... reconheçam o antagonista dentro de vocês... harmonizem-no... restaurem a integridade... Reintegrar-se significa perdoar-se dentro... é a parte que se conecta à totalidade... é o retorno do filho pródigo... é o ame o seu inimigo... A vida, então, dirá a vocês sempre sim... Terá por vocês uma constante generosidade que os outros chamarão sorte.

Naquela noite, o Dreamer contou-nos que, num certo estágio da sua evolução, a espécie humana viu-se diante de uma bifurcação que deu origem a duas raças distintas, duas espécies psicológicas profundamente diferentes entre si.

Os seres humanos que dependem, que acusam as condições externas, lamentam-se, reclamam, o Dreamer chamou-os *reativos*. Estes vêem por intermédio de contraposições, têm uma consciência bipolar.

Se você acredita no mundo externo como algo real, então você está perdido e destinado a fracassar em tudo o que fizer.

Os seres humanos conscientes de que não existe um mundo adverso fora de nós ou um antagonista externo colocado ali para nos atrapalhar, o Dreamer chamou-os *proativos*. São aqueles que vêem a unidade por trás da polaridade, a harmonia por trás dos aparentes antagonismos.

Os homens proativos entram nas partes mais obscuras do próprio ser e combatem as sombras, os fantasmas, os medos internos antes que possam se materializar e, um dia, apresentarem-se como adversários.

Qualquer coisa que chegue do externo deve ser transformada. Remeta eventos, fatos, incidentes, circunstâncias e relações a um lugar dentro de você em que sucata e lixo possam ser transformados em uma nova substância, em uma nova energia, em uma nova vida.

---

20. Extermínio dos judeus, em iídiche. (N. T.)

Essas vitórias sobre si mesmo o Dreamer definiu-as vitórias criativas. *Essas são as vias para tornar concreto o próprio sonho.* O sacrifício de Efigênia ou de Isaac, a viagem de Ulisses, a batalha de Arjuna, as tentações de Cristo continuam transmitindo o segredo de vitórias criativas obtidas por seres capazes de superar o antagonista interno, o único verdadeiro obstáculo à concretização de cada uma de nossas aspirações.

Depois, com o tom amargo de quem denuncia uma situação sem saída: *A verdadeira doença do ser humano reativo é estar sempre fora de casa... fora de si. Para ele, o mundo interno não existe e do externo fez um ídolo a propiciar, um fetiche a ser adorado e do qual depende.*

Nunca espere nada de ninguém.

Ao final do jantar, no momento das despedidas, o Dreamer falou sobre os sinais de envelhecimento e de degradação inaceitáveis a quem faz parte de uma Escola do Ser e ressaltou a pobreza dos progressos e a lentidão com que se desenvolvia o *trabalho* de cada um. De modo duro, inesquecível, manifestou Sua insatisfação. A energia, a Sua força, que havia levado aqueles indivíduos a realizar em poucos anos projetos notáveis e a alcançar posições de destaque no próprio mundo, estava agora somente alimentando a vaidade e a presunção de cada um. Esquecida a promessa, a verdadeira razão para estar ao Seu lado, precursores, soldados de linha de frente de uma nova humanidade, tinham se reduzido a clones do decrépito conceito de liderança, matrizes sem vida de uma espécie em extinção.

Ouvimos o fim da lição já na porta, em pé, em pequena roda à frente do Veronica's. Suas palavras chicoteavam-nos, mas Sua conclusão foi ainda pior: *Eu os fiz ganharem fama, dinheiro, poder. Vocês realizaram tudo aquilo que sonharam. Agora há uma nova aventura, um novo voo... É hora de sonhar um novo sonho, de sonhar um novo mundo... Abandonem tudo aquilo que acreditam ter, coloquem alguém em seus lugares, e dediquem-se em tempo integral ao Projeto.*

Não descrevo o Seu discurso, inteligível e aceitável por poucos somente, mas registrei tudo que Ele disse a cada um e zelosamente guardei. *Atrás da máscara do envelhecimento esconde-se a mentira de vocês,* bramou. *Deleguem suas funções aos seus administradores. Abandonem esses papéis! Façam-no intencional e voluntariamente, antes que seja a vida a impor-lhes isso.*

Vi nos olhos daqueles homens e mulheres perplexidade, desorientação, susto, e recordei a parábola do jovem rico.

Um dia escreverei sobre quem ouviu o Dreamer, quem naquela noite abandonou tudo e qual foi o destino de cada uma daquelas pessoas que tive a chance de conhecer individualmente e a fundo. A conclusão Dele caiu tão forte quanto um martelo sobre aqueles rostos preocupados, deformados pela dor.

Eu não interferirei mais. A verdadeira liberdade não se pode doar. Um ser humano deve conquistá-la, desejá-la fortemente, e a qualquer preço. Só então poderá obtê-la.

No meu mundo não há espaço nem para um átomo do horror, da indolência de vocês. Tudo aquilo que se é, tudo aquilo que se tem deve ser abandonado e transcendido... para ser e ter mais.

Uma advertência, lapidária e solene, registrou e selou o fim do discurso: *Aquilo que vocês não entendem pelas Minhas palavras explicar-lhes-á a vida com suas leis e seus instrumentos de cura.*

Restituo a cada um, portanto, a sua liberdade, esta de sofrer, degradar, adoecer, envelhecer e morrer...

Tomei a frase como um presságio que me pesou na alma. Estava ouvindo, com anos de antecipação, algo que marcaria, a fogo, uma das circunstâncias mais difíceis de minha existência.

Esperei que todos os outros fossem embora e protelei um pouco mais para ficar a sós com Ele. Desejava perguntar-Lhe o significado do que havia dito e, mais que tudo, queria entender por que me havia atingido tão fortemente. No íntimo, sabia que isso dizia respeito a mim e que um dia me caberia escolher entre o *sonho* e o sonhado, entre a vida e o apego àquilo que o sonho havia produzido. Perguntei a mim mesmo o que eu teria feito no lugar daqueles homens e mulheres.

Naquela noite eu queria somente um pouco de Sua atenção. Assim, limitei-me a perguntar-Lhe se podia vê-Lo ainda uma vez antes do meu retorno a Nova York. Marcou um encontro comigo para a tarde do dia seguinte. Encontrar-nos-íamos no Savoy. Depois, como se Lhe viesse à mente *en passant*, pediu-me que providenciasse dois bilhetes para o espetáculo *Os Miseráveis*. Fiquei surpreso com aquele pedido, mas não fiz nenhum comentário. Disse-Lhe que me ocuparia disso logo pela manhã.

Os ingressos

Cheguei pontual àquilo que se revelaria um dos nossos encontros mais marcantes. O Thames Foyer do Savoy estava cheio àquela hora. Diante de um chá fumegante, em via de degustá-lo, lá estava o Dreamer. A mesinha estava coberta de doces de toda espécie. A disposição daquelas delícias e da prataria era perfeita. Parecia não ter ainda tocado em nada. Saudei-O com a costumeira deferência e ocupei em silêncio o lugar ao Seu lado. Eu tratava de usar uma entonação e demonstrar contentamento, mas dentro de mim sentia queimar a descompostura da noite anterior. Tentei deixar-me envolver pela atmosfera *déco* e pela discreta música do piano, mas um pensamento recorrente, desagradável mais que qualquer outro, confundia-me. As centenas de justificativas que ao longo da minha caminhada até ali haviam se apoderado da minha mente tinham agora se tornado um torvelinho. Estava desesperado. Sabia que o Dreamer não era homem de aceitar um não como resposta e a indecisão quanto a como Lhe dizer havia se transformado em uma ansiedade insuportável. Sua voz, fria e calma, embrenhou-se entre os meus pensamentos e fez-me sobressaltar.

Você não tinha como conseguir aqueles ingressos!, sentenciou sem preâmbulos. O tom grave confirmou aquilo que eu temia: o Dreamer considerava a tarefa que me havia confiado uma questão vital. Em um segundo, o temor, a humilhação e a impotência transformaram-se em raiva, em uma careta de arrogância incontrolável. Se sabia que eu não conseguiria, porque me havia dado aquela tarefa? Eu tinha dado o máximo de mim para encontrá-los. Por todo o dia não tinha feito outra coisa que não ir atrás daqueles dois lugares. *Os Miseráveis* era o espetáculo de maior sucesso da história recente do West End. Contei-Lhe como a minha busca se iniciou naquela manhã bem cedo com uma sonora risada do *concierge* do St. James, quando ingenuamente lhe pedi que reservasse duas poltronas para aquela noite. "Mas como, o senhor não sabe?", papagueou rindo. "Para duas poltronas não sei se nem mesmo três meses de antecedência bastariam para consegui-las!"

Minha procura ficou cada vez mais trabalhosa. Como confessei ao Dreamer, por várias vezes suspeitei que Ele me tivesse intencionalmente dado uma missão impossível.

O Dreamer estava calado, com o queixo ligeiramente inclinado sobre o peito. Estava aparentemente absorto em ouvir as minhas *peripécias*, e eu acreditava estar recebendo o sinal verde para a narração completa das minhas falidas tentativas. Havia inutilmente procurado todas as bilheterias e cambistas. Todos diziam a mesma coisa que me havia já antecipado o *concierge*: das cadeiras mais distantes até os camarotes, havia meses os ingressos estavam esgotados. Encontrar aqueles lugares parecia ser a coisa mais difícil sob o céu de Londres. Ainda meio confuso, alguma coisa dentro de mim dizia que o ponto em questão estava bem além da aparente futilidade daquela tarefa e estimulava-me a renovar os esforços para não deixar nenhuma tentativa de lado. Enquanto a hora do chá se aproximava, e com ela a temida prestação de contas ao Dreamer, tinha recorrido a amigos influentes, do *show business* inclusive. Contei-Lhe até da minha visita a Lady Ellis numa pausa das votações em Westminster,[21] e como também por aquele caminho não

---

21. Área do centro de Londres onde se encontra o Parlamento do Reino Unido. (N. T.)

consegui nada. Estava enumerando outros episódios da odisséia, numa tentativa de preencher cada espaço, mas já esperando que de um momento para o outro explodisse a Sua ira, ou pior, o Seu escárnio, quando Ele me interrompeu repetindo o Seu exórdio.

Você não tinha como conseguir aqueles ingressos!, disse no mesmo tom, desta vez acentuando o você com a irritação que se tem diante de alguém duro de entender. Aproximou imperceptivelmente Seu rosto e disse: *Para encontrá-los, você teria de sair da rota do seu destino... encontrá-los teria modificado você para sempre!*. Revelou-me que, contrariamente ao que eu pudesse pensar, no mesmo momento em que me havia feito o pedido de procurar aqueles ingressos, a coisa já estava feita. Essa afirmação do Dreamer me aborreceu. Quem me poderia convencer de que as dificuldades que eu havia encontrado não eram objetivas? E quem melhor do que eu poderia saber quanto eu me havia esforçado para encontrá-los? Era fácil falar, ali, sentado a uma mesa do Savoy... Quem mais saberia fazer melhor?...

Você ainda é um homem hipnotizado pela descrição do mundo... Para você o mundo é a verdade!, murmurou enquanto um traço de irritação na Sua voz se fazia sentir com mais força. *Quando aquele homem lhe disse que seriam necessários três meses, você já estava liquidado. Depois disso você não mais procurou os ingressos.*

Tentei dizer algo para assegurar que... Um gesto do Dreamer freou-me antes que eu pudesse abrir a boca. A partir daquele momento, você não mais procurou os ingressos, mas, sim, todas as maneiras possíveis para confirmar a descrição do mundo... para reforçar sua convicção de que as coisas estavam realmente dispostas assim, que era impossível conseguir... Cada uma das suas tentativas foi precedida da sua resignação... os nãos dos quais você estava convencido estavam ali esperando você, antes mesmo que você batesse à porta... para dar razão à sua profecia de insucesso, para lhe permitir honrar a promessa feita a si mesmo.

"Que promessa?", gaguejei. Um pouco de luz já começava a brilhar entre as minhas horríveis certezas; um raio de humildade, e, portanto, de compreensão, fez-me sentir a mesquinhez das minhas inúmeras desculpas.

A promessa de chegar diante de Mim derrotado, mas com a presunção de ter feito todo o possível para conseguir ser bem-sucedido no intento. Deixou que uma pequena pausa transcorresse, antes de me dizer algo de que eu nunca mais me esqueceria: *Acreditar naquele homem faz parte da sua obediência cega à voz do mundo... A partir daquele momento em que você aceitou a descrição que ele lhe fez, você trabalhou não mais para vencer, mas para justificar o seu insucesso. É a história da sua vida... um insucesso anunciado.*

Todo aquele dia passou diante de mim como as imagens de uma vida nos olhos de um moribundo. Não a sequência temporal dos acontecimentos, mas a disposição de espírito, os pensamentos e tudo aquilo que eu tinha sentido durante a busca pelos ingressos. Revi a falta de confiança na minha capacidade, aquela sensação de inadequação, o medo de ser passado para trás, a insistência em acusar o mundo, inexplicavelmente hostil, os outros – que pareciam esconder de mim os ingressos de propósito – e, finalmente, os sentimentos de culpa. Percebi, como se fosse uma sucessão de imagens frenéticas de um documentário, as emoções desagradáveis que haviam me dominado durante todo o dia e que ainda perambulavam no ser ao seu bel-prazer. As palavras do Dreamer colocavam-se diante das minhas atitudes de sempre. A incumbência, aparentemente banal, tinha mostrado as feridas mais internas e revelado limites que eu sentia cada vez mais dolorosos à medida que eu percebia sua mesquinhez. A mestria do Dreamer havia submetido o mundo, havia colocado o Universo trabalhando para me permitir ver e superar aqueles limites. Junto à percepção da grandeza da oportunidade, da sua unicidade, crescia a minha tristeza por não ter obtido sucesso. No cabo-de-guerra entre a realidade e sua projeção ilusória, entre a visão do Dreamer e o mundo como sempre me fora descrito, vencera uma vez mais a ilusão, o inexistente. O mundo era ainda a verdade. Seu poder hipnótico era forte demais e a presença do Dreamer... ainda muito sutil.

Isso não foi um insucesso, mas o resultado de um insucesso, o reflexo de uma falência interna, de uma condição do ser.

Não existem fracassos na vida, só efeitos.

Para encontrar os ingressos, você teria de mudar seu passado, retomou o Dreamer com um tom que refletia a minha nova atitude. Aquilo que antes me parecia um exagero insustentável, agora se revelava como a mais límpida das verdades. *Se você tivesse sido capaz de se manter fiel ao sonho, teria mudado seu destino,* explicou-me com uma impiedosa doçura, como que falando ao representante de uma humanidade permanentemente derrotada. Depois, num sopro, completou: *A bela no bosque adormecido é o sonhador dentro de você que sabe.* Senti que amava aquele ser mais que qualquer coisa no mundo... Amava aquela lucidez que eu agora provava com Ele... eu a teria segurado com unhas e dentes para não perdê-la... Enquanto o mundo da integridade, das soluções, tinha me dito: *Vá, já está feito!,* o mundo da divisão, da complexidade, insistira: *É impossível!.* Eu havia obedecido à descrição superficial do mundo, acreditando nele e identificando-me com a parte mais superficial e mais pobre.

O sonho é a coisa mais real que existe. Mas eu constantemente esquecia.

Para não se deixar corromper, você teria de ter vencido em si mesmo a consciência de escassez, a conflituosidade, o vitimismo, o sono hipnótico que faz de você um ser dependente, medroso, vacilante, infeliz...

A fé inabalável dos homens na descrição do mundo é a origem da fragilidade de cada um, a explicação última dos fatos de suas vidas e do papel que cada um deles assume no teatro da existência...

Também a doença é uma mentira que nos foi contada pelo mundo! Adoecemos porque a doença nos foi descrita e, assim, envelhecemos e morremos, por imitação, sem jamais colocar em discussão essa realidade, denunciou. A elevação do tom e a emoção especial que faziam vibrar Suas palavras indicaram que estas não eram mais dirigidas apenas a mim, mas a uma invisível, imensa platéia.

O ser humano comum não sonha; obedece cegamente a uma narração hipnótica da existência. Esqueceu sua unicidade, sua natureza de criador, porque não tem acesso a si mesmo, não se conhece!

Tudo o que você sonha acontece. Se você começar a se conhecer, você entenderá por que o mundo é como é.

Agora você sabe por que o mundo é assim..! Porque é assim que você o sonha!

Terminadas as páginas no caderno, continuei escrevendo num cardápio do Savoy e, por alguns minutos, fui fazendo anotações em todos os espaços disponíveis, quando O vi fazer um gesto para chamar a atenção do *maître*.

Vamos, ordenou, levantando-se sem dizer mais nada.

No teatro com o Dreamer

Já fora, começamos a andar. Imaginei que imediatamente pegaríamos um táxi, mas o Dreamer continuou a acelerar o passo e eu O segui. Era a primeira vez que eu O via apressar-se. Podia considerar-me em forma, porém muitas vezes tive de acelerar para permanecer ao Seu lado, e todas as vezes Ele se distanciava, forçando a marcha. Eu corria todos os dias em torno da minha ilha sobre East River. Tinha participado das mais duras maratonas, como aquela de Oackland, e de disputas finais, como a copa Pepsi no Central Park, em que eu tinha percorrido de bicicleta quinhentos quilômetros em vinte e quatro horas sem parar. E todavia ainda me era difícil seguir o passo do Dreamer que, aparentemente, não demonstrava fazer nenhum esforço. Onde estávamos indo? Quem, de tão importante, nos esperava, a ponto de fazer o Dreamer se apressar? Quis perguntar-Lhe, mas não ousei... nem tinha fôlego para isso. De repente, com a agilidade de um jovem, o Dreamer perseguiu e alcançou um velho ônibus de dois andares que estava partindo de um ponto bem diante de nós. Acelerei, mas não o alcançaria não tivesse Ele me estendido um braço e me puxado para dentro quase que num só impulso. Eu apertava ainda a Sua mão quando O olhei nos olhos. De repente, fui lançado à minha infância napolitana. Revi o meu grupo de moleques, as disputas de desesperada coragem em Mergellina, as corridas sobre os trilhos, e o salto sobre o estribo do vagão final do trem. Aos dez anos era necessário saber fazer isso à perfeição para poder ser admitido entre aqueles pequenos guerreiros e compartilhar a excitante, arriscada existência. Daquela vez, quase deu tudo errado. Correndo a não mais poder, eu tinha já agarrado aquele estribo, aquela espécie de amortecedor, ou pára-choque de ferro da traseira do trem, e estava pronto para pular para dentro, momento em que o trem, inesperadamente, aumentou a velocidade. Não me arriscava nem a me soltar, nem a pular para dentro. Senti o desespero crescer dentro de mim, enquanto as minhas pernas fraquejavam... Um braço fino, mas forte, estendeu-se da janelinha posterior e me pegou pelo pulso. Pulei e fui salvo. Os olhos daquele rapazinho que riam calmos eram os mesmos olhos... os Seus olhos! Quantas vezes, em quantas circunstâncias, eu já teria encontrado o Dreamer? Quantas vezes Ele já teria intervindo na minha vida?

Desta vez a surpresa superou a minha capacidade de escondê-la e, enquanto eu recuperava o fôlego, a minha expressão deve ter-Lhe parecido tão divertida que sentiu o dever de me esclarecer ao menos alguma coisa daquela misteriosa situação. *Estamos indo ao teatro*, disse, hilário como jamais eu vira antes, *e não gostaria de perder o início do espetáculo desta noite.* Imaginei que se tratasse de uma ópera de Samuel Beckett, de Brecht ou Tchekhov, os únicos espetáculos para os quais se justificaria o otimismo de encontrar duas poltronas àquela hora. A menos que... A explicação veio clara como um raio luminoso. Mas claro, não podia ser diferente... Já estava quase certo disso. Quando, em seguida, reconheci o teatro a distância, não tive mais dúvidas. Belo golpe! Tinha de admitir. O Dreamer havia me feito colocar Londres de cabeça para baixo, enquanto tinha já no bolso os ingressos. Quando Lhe manifestei a minha descoberta, não pôde deixar de rir.

Não tenho nenhum ingresso!, disse aproximando-se da porta do ônibus e preparando-se para descer. Fiquei mal. Era possível que não tivesse acreditado em mim? Ou que eu não tivesse conseguido transmitir-Lhe a impossibilidade de encontrar o mais distante lugar para aquela apresentação?

"É impossível", eu disse, apoiando-me numa alça e preparando-me para descer com Ele. "Não existe nenhuma possibilidade de encontrar lugar, muito menos a esta hora".

O Dreamer fez-me calar com um gesto de tédio.

Preocupar-se, duvidar, sofrer são a ocupação de quem não sonha, de quem não ama, a ocupação daqueles que são hipnotizados pelo mundo da racionalidade, pelo mundo da superstição. Proferiu retomando o tom severo. *São os sintomas de um processo psíquico fragmentado, manifestações de uma queda no ser que prenuncia os desastres, as falências e as derrotas já em marcha no mundo dos eventos.* Senti uma humilhação fulminante. No teatro da existência, eu tinha ficado prisioneiro do papel de desmancha-prazeres na gaiola de um homem *racional*, coerente, pelo qual eu mesmo havia tempos já tinha começado a sentir náuseas, mas que ainda não conseguia abandonar. Desci do ônibus e segui-O. A poucos passos vi cintilar a luz do *foyer*. Era perceptível a atmosfera mágica das grandes performances. Uma bela multidão ainda estava parada diante dos cartazes que, sobre o fundo heróico da insurreição parisiense de 1832, mostravam a desfraldada bandeira revolucionária e, em primeiro plano, maltrapilha e impávida, a figura da heroína, eco do mito do moleque Gavroche.

O espetáculo estava por começar. Vendo a multidão que se dispersava e quantos se distanciavam desiludidos, num lampejo, como um meteorito escuro que me atravessasse o ser, pude entender aquele covarde sentimento de satisfação que os profetas das desgraças sentem ao ver justificadas as suas dúvidas, aquele triunfo efêmero, aquela alegria mórbida de quem vê realizarem-se temores prenunciados. Junto a isso, também percebi aquele reforço na própria covardia que a plebe, a massa, sente ao ver heróis condenados à morte. Tive naquele momento a certeza de que aquele ângulo escuro do meu ser era responsável pelos séculos de crimes horrendos, que daquela sombra, aninhada em uma parte escondida da alma, haviam sido geradas guerras e matanças, destruição e sofrimento imensos. Por alguns instantes, oprimido pelo desgosto, pelo horror a mim mesmo, fiquei com a respiração suspensa olhando a trama do ser por aquele rasgo na consciência.

Tinha perdido de vista o Dreamer. Encontrei-O e pus-me ao Seu lado. Por alguns segundos observei com Ele a dispersão das pessoas, até que, diante do teatro, não restou mais ninguém, exceto uma senhora de meia-idade, de estatura baixa e de forte compleição, acompanhada de um jovem alto e forte. Elegantemente vestidos, tinham um aspecto aristocrático, um ar de prestígio e de segurança de quem governa a própria vida. O jovem, que parecia mais habituado aos espaços abertos que à cidade, suportava com estóica dignidade, mas com evidente aflição, o aperto da gravata-borboleta e a incômoda elegância do seu *smoking*.

Tinham em mãos dois bilhetes.

Os Miseráveis

Desaparecida a multidão, permanecemos no saguão apenas nós e aquelas duas pessoas. Os nossos olhares cruzaram-se. Distingui nos olhos deles, rápido como um relâmpago, um movimento de reverência ao Dreamer, uma inclinação da alma, como acontece entre homens e mulheres que, encontrando-se, reconhecem uma invisível hierarquia.

Refleti sobre todas as vezes em que eu havia visto o mundo reconhecer o Dreamer e em todas as ocasiões demonstrar-Lhe respeito e predileção com a inteligência vegetal de uma planta, que sente a presença e oferece a sua gratidão a quem cuida dela e alimenta suas raízes.

Esses pensamentos remeteram-me a um episódio acontecido em Nova York. Encontrava-me com o Dreamer num elevador que, à medida que parava nos andares, enchia-se de gente. Ao sair, Ele me fez notar como a verdadeira diferença entre aqueles homens e aquelas mulheres era o modo como tinham vivenciado, com mais ou menos embaraço, a pequena eternidade entre os andares. Explicou-me que, ainda que fosse por poucos segundos, e sem que tivessem consciência, no elevador havia se formado uma espécie de hierarquia, uma pirâmide da responsabilidade, sobre cujos degraus, da base ao vértice, cada um havia ocupado o lugar que correspondia ao seu nível de responsabilidade interior.

Onde quer que se encontrem, por poucos instantes ou por anos, os seres humanos dispõem-se sobre planos diferentes de uma pirâmide invisível, respeitando uma ordem interior, matemática, tal como hierarquias planetárias feitas de luminosidade, de órbitas, de massa e de distância do sol do sistema a que pertencem. Há graus e níveis de ser. É uma lei universal.

Teve início um breve diálogo com os americanos. Disseram-nos que, estranhamente, até o momento, os amigos não haviam aparecido. Enquanto a conversa continuava, dei-me conta que a expressão da senhora ia se modificando, e a vi tornar-se sempre mais leve, serena, num estado emotivo de invulnerabilidade e bem-estar. O início do espetáculo era iminente e não era o caso de esperar mais. Dirigindo ao Dreamer um sorriso aberto, que demonstrava não estar muito aborrecida com a mudança de programa, a senhora ofereceu-nos entrar com eles. Tinham as melhores poltronas, reservadas antes mesmo de deixar os Estados Unidos. Qualquer tentativa minha para que aceitassem o pagamento pelo ingresso foi rejeitada com cortês firmeza. Éramos seus convidados.

Não me acostumaria jamais à atmosfera miraculosa que constantemente esvoaçava em torno do Dreamer. Quis dizer-Lhe algo, desculpar-me pelo meu ceticismo, mas o Dreamer não me deu nem mesmo uma olhada, aparentemente ocupado na impenetrável conversação com a senhora que, então, entrava com Ele apoiada em Seu braço.

Como era possível que os ingressos estivessem ali, nos esperando? A mente cambaleava diante do pensamento que aqueles americanos, o impedimento de seus amigos, quem sabe até a viagem à Europa, tudo fosse criação do Dreamer, que a materializava ali, naquele momento, sob os meus olhos. Sua mestria estava colocando de cabeça para baixo minha visão do mundo.

Quando estávamos comodamente sentados na primeira fila, enquanto as luzes baixavam, ouvi-O sussurrar: *Crer e ver são uma só coisa, como o ser e o vir a ser. No tempo você verá tudo aquilo em que crê e perceberá tudo aquilo que sonha.* Na penumbra do teatro, aquelas palavras tão logo sussurradas evocaram a magia de um antigo coral. Senti o espírito elevar-se e experimentei o sentimento de pureza, de liberação que anuncia a solução, que é a cura; a alquimia da expiação que a antiga tragédia suscitava nos espectadores com o seu dissipar de acordo com as leis da justiça.

Para crer deve-se ser íntegro, impecável. A menor trinca no ser, a sombra de qualquer dúvida, faz você reentrar nas fileiras dos moribundos, dos derrotados, dos milhares de seres que abdicaram de seus direitos de autor, aprisionados no inferno do ver para crer...

O Dreamer havia me preparado por muito tempo e, todavia, admitir que o mundo o criamos nós mesmos... era algo que ainda me fazia balançar na borda de uma voragem.

Cada ser humano é um criador... O mundo é uma goma de mascar... Tudo o que você sonha, acontece...

Entendi que a humanidade sofre porque vê o mundo de pernas para o ar. Crer e ver são uma só coisa, mas os homens os percebem separados, divididos pelo tempo, e esperam ver para crer. O sofrimento e a dor existem porque são o único modo que a humanidade conhece para preencher essa diferença ilusória. Quando crer e ver se fundem no ser humano, ele está eliminando, então, todo sofrimento e qualquer dor da sua vida, banindo-os para sempre do seu universo pessoal.

Crer para ver é a lei do criador, do sonhador, é a lei que governa, é a irrefutável lei do rei, disse, enquanto a cortina se erguia. *Crer pertence à arte de sonhar e é a qualidade íntima do sonhador. Na raiz do crer há criar... o sonho é a coisa mais real que existe...*

A LEI DO ANTAGONISTA

Sua voz baixou ainda mais, até se tornar pouco mais que um murmúrio Esforcei-me para entendê-Lo, mas senti distintamente a severidade de Sua intimação. Referindo-se à história de *Os Miseráveis*, disse: *Atente! Além da sua oitocentista pateticidade, esta história contém uma grande lição sobre o antagonista. É uma parábola universal que tem a ver com toda a humanidade. É a narração de um homem que não sabe perdoar-se dentro... como você!*

Os Miseráveis era a redução em musical da história de um implacável antagonismo: a caça conduzida, durante anos, por um policial, adepto da de ontologia[22] de aço, o fanático Javert, para assegurar a uma justiça injusta o prisioneiro foragido Jean Valjean, condenado a vinte anos, e depois à prisão perpétua, por ter roubado um pão. Na história, aquele homem perseguido, Jean Valjean, eleva-se a símbolo da generosidade, da bondade do indivíduo humilhado, embrutecido pela iniquidade da sociedade humana e pela crueldade de suas leis. Em segundo plano, desenrola-se, apenas sugerida, a epopéia gloriosa e miserável de todo um povo, a vida dos cortiços parisienses, a insurreição de 1832, a batalha de Waterloo. Eu conhecia desde pequeno essa história que meu pai Giuseppe adorava me contar. Recordava ainda vividamente sua comoção cada vez que chegava ao ponto em que Jean Valjean, em vez de deixar morrer seu perseguidor e liberar-se finalmente do fanático Javert, salva-lhe a vida, contrariando qualquer sensatez. A generosidade dessa ação subverte tanto a descrição do mundo do inflexível policial que, já incapaz naquela altura de conviver com seus valores, uma vez subvertidas as suas convicções mais radicais sobre o bem e o mal, suicida-se.

Javert... Valjean, até os nomes são assonantes... Eles são a mesma pessoa, revelou-me o Dreamer. *Quando finalmente ele se perdoa dentro... quando salva a vida de Javert... quando harmoniza os opostos dentro de si, então fica pronto para um antagonista mais inteligente e potente. O velho antagonista, superado, compreendido, não tem mais razão de existir... desaparece... se mata. Na verdade, nunca existiu senão como a materialização de uma sombra, de uma incompletude do seu ser...*

Seu ensinamento sem tempo retumbou potente e encontrou ressonância em cada átomo do ser. *O único inimigo está dentro de você! Fora não há nenhum inimigo a quem acusar ou perdoar, e nenhum mal que possa prejudicá-lo... Não tenha medo do antagonista. É ele seu melhor aliado. É ele quem lhe indica o caminho mais curto para o sucesso. O único objetivo dele é sua vitória.*

---

22. Teoria moral criada pelo filósofo e jurisconsulto inglês Jeremy Bentham (1748-1832) que, rejeitando a importância de qualquer apelo ao dever e à consciência, compreende, na tendência humana de perseguir o prazer e fugir da dor, o fundamento da ação eticamente correta. (N. T.)

Quando as luzes se reacenderam, o Dreamer não estava mais e eu passei o resto da noite com os novos amigos americanos... mas com a mente voltada ao Dreamer e a Seu extraordinário ensinamento.

Da noite dos tempos, de quando a primeira centelha de reflexão atravessou a consciência do ser humano, existiram pesquisadores e Escolas do Ser, escolas de preparação interior. A Escola de Pitágoras, a Academia de Platão, o Liceu de Aristóteles, a de Plutarco, o primeiro cristianismo e todas as maiores escolas da Antiguidade, forjas do espírito, encontravam no Dreamer as suas sínteses, a própria razão de existências delas e a continuidade de suas missões.

5
Adeus, Nova York

Pelas ruas de Manhattan

Os escritórios centrais da ACO ocupavam um elegante edifício de nove andares, uma joia de mármore e alumínio encravada entre os arranha-céus da Park Avenue. Em quatro minutos, da Roosevelt Island eu chegava com o bonde aéreo à 60.ª, sobrevoando o East River a bordo de uma pequena nave balangante. Percorria, depois, a pé, um trecho de poucos quarteirões pelo coração pulsante de Manhattan. Ao longo do caminho, uma multidão sem fim cingia-me como um rio, arrastava-me por um canal de ruas e margens feitas de edifícios de mil olhos vidrados.

Havia transcorrido duas semanas do nosso último encontro, mas Suas palavras, como uma substância viva, preciosa, estavam ainda agindo com uma força desconhecida. Eu as sentia se tornarem glândulas, tecidos, órgãos capazes de destilar uma química de atenção, de vigilância. Cada coisa começava a ser mais clara. A massa humana, que até aquele momento parecia um ajuntamento indiferenciado, mostrava-se agora em cores, com energias e frequências variadas. Observando as pessoas ao redor por intermédio dos olhos do Dreamer, percebi que o menor detalhe denuncia a posição que cada um de nós ocupa na escala do ser e o nosso papel no mundo. *Tudo está conectado a tudo e nada é separado.* Caminhava e sentia a multidão respirar comigo, como um único imenso ser. Podia sentir seus medos e estados de espírito. Podia ouvir seus pensamentos. Notei quão fielmente se revelavam por seus trajes, nos movimentos, nas atitudes, no passo, no trabalho que os esperava e impunha-lhes a pressa. A visão, as aspirações eram limitadas aos papéis nos quais a existência os havia incrivelmente confinado.

Nosso nível de ser cria a nossa vida, e não vice-versa. Comprimia no peito o conceito, como um escudo, ou um talismã, enquanto eu passava por aquela sucessão de imagens humanas à qual jamais, antes, tive consciência de pertencer. Sentia o canto de dor que se erguia de cada uma daquelas células; pela primeira vez escutava o incessante monólogo interno de uma humanidade que não sabe. Sentia sua solidão dolorosa, escutava seu zumbido, similar ao frêmito de milhões de asas de insetos. Antes de encontrar o Dreamer, dava-me prazer sentir-me parte daquela gente, amava aquela cidade. Eu vivia todos os seus rituais. Mergulhava nas suas mais aglomeradas feiras de rua, entrava em filas para comprar um ingresso para os espetáculos mais concorridos. Roçar os cotovelos de milhares de desconhecidos, viver com milhões de outros em uma metrópole, trabalhar para uma grande corporação deram-me sempre uma sensação de segurança, de fazer parte do meio. Agora, uma nova compreensão estava eliminando qualquer compromisso. Via-os e, por meio deles, como diante de um espelho deformante, via a mim mesmo. Reconhecia a comum condição de seres aprisionados em papéis, máscaras tragicômicas marcadas por uma perpétua fisionomia de dor que não se desmontava nunca, nem mesmo enquanto riam; máquinas acionadas no sono por fantasias mesquinhas e desejos fúteis.

Aqueles homens e aquelas mulheres eram eu mesmo, eram minhas projeções. Eu estava cercado por uma miríade de espelhos! Neles a minha imagem se refletia ao infinito, rompendo-se em mil imagens que eram sempre, dolorosamente, eu mesmo. Caminhando, observava o rastro de emoção, o traço dos pensamentos que o ser humano deixa atrás de si, como um muco viscoso de um grande caracol.

Era eu também um daqueles seres absortos nos próprios pensamentos que eu via passar ao lado, encerrados em uma bola de preocupação e de egoísmo. Eu era uma gota daquele rio estígio que escorria inconsciente entre os arranha-céus, invadia ruas e as percorria em agonia em direção ao seu destino mortal. Uma só coisa me distinguia: havia encontrado o Dreamer. Sabia, já, que havia uma revolução a ser feita. Naquela direção, com Sua ajuda, eu estava começando a caminhar.

Entre milhares de rostos, nenhum se dirigia ao céu. Teria procurado em vão uma fisionomia livre, um olhar atento, um sinal de algum ser humano vivo que provasse um mínimo de gratidão pela oportunidade de estar no mundo, de ter participação neste maravilhoso Universo. Inutilmente o espelho da minha atenção esperava um hálito com o qual se embaçasse, uma boca que emanasse um sinal de vida.

Em intervalos, voltava a visão encantada: reencontrava em mim a criança que, agarrada a Giuseppona, olhava extasiada o grande circo multicolorido do mundo.

ADEUS, NOVA YORK

Então eu olhava ao redor buscando companheiros daquele jogo. Mas em Manhattan havia tantas crianças quanto no reino de Herodes.

Em uma manhã de neve, percebi um jovem negro, esbelto e bem vestido, com um ar europeu, que se distinguia na multidão por um brilho especial. Sobre a auréola de cabelos crespos que lhe emolduravam o rosto, flocos de neve tinham se depositado levemente, como sobre as cercas vivas do Central Park. Tivemos apenas o tempo de trocar um sorriso enquanto passamos um pelo outro. Tive a impressão de que também ele soubesse, me reconhecesse. Foi uma sensação fugaz, mas, por um instante, alimentei a esperança de que eu não estivesse só naquela imensa cidade, que entre aqueles seres agonizantes, no torpor daquela humanidade inerte, existissem corpúsculos pulsantes, células vivas.

Desde quando o Dreamer me havia aberto os olhos sobre a condição empregatícia, revelando-a como uma moderna transposição da escravidão, aquele exército de homens e mulheres que se encaminhava ao trabalho parecia um enxame de insetos movido por uma necessidade cega. Todas as manhãs via-os invadirem andares inteiros de grandes edifícios, ocuparem milhões de celas, pequenas como alvéolos, e dominá-las com o seu zumbido. Nas suas glândulas transportavam uma espécie de vida em estado limoso: uma carga de pensamentos escuros e o xarope denso das suas emoções. Enquanto eu mesmo dirigia-me à minha cela, pensava na infinita população planetária destinada, como eu, a despender nas organizações a maior parte da própria vida em troca de uma retribuição. Perguntava-me qual era o significado evolutivo de todo aquele esforço e para onde era dirigido o afã de tantos homens engaiolados no espaço hipnótico dos seus papéis e funções. Dentro e fora das organizações, via-os atormentados pelo medo; reconhecia neles as minhas angústias, a minha infelicidade. Sob a sutil película de aparente racionalidade, eu via escondida a lógica conflituosa, o pensamento destrutivo, aquele impulso de morte que nos estimula incessantemente a prejudicar primeiramente a nós mesmos e, depois, aos outros. Sob camadas emocionais sedimentadas há séculos, reconhecia a degradação do ser, resultado de ansiedade, dúvidas, inseguranças e de um enorme medo, seja de viver, seja de morrer. Deslizava num verdadeiro terror diante do pensamento que sem o Dreamer teria retornado a fazer parte dessa malta de mortos-vivos. Uma vez perguntei-Lhe o que entendia por "homens comuns" ou "horizontais", como geralmente os nomeava. *São os homens e as mulheres que estudam, ensinam, trabalham... fazem filhos, educam-nos... projetam e constroem estradas e arranha-céus, escrevem livros, fundam igrejas, ocupam funções privadas e públicas, mesmo nos mais altos níveis...* foi a sua inesquecível resposta. *Todos sob hipnose*, completou depois de algum instante de estudado suspense. *Caminham às cegas no sono, permanentemente lacrados em uma bolha de esquecimento e infelicidade.*

Quando recordava Sua resposta e sentia a iminência daquele destino sempre pronto a me absorver, o ser agarrava-se a um único e imenso desejo de evadir, serrar as barras daquela prisão e fugir.

Depois de ter visto o jogo, você não pode mais fazer parte, revelara-me o Dreamer. Eu sentia que, por mais doloroso que pudesse ser o *trabalho* para reverter a visão ordinária do mundo, a minha vida estava mudando e seria impossível voltar atrás. Agora eu pensava que possuir o próprio destino era realmente possível. Sentia finalmente poder controlar, governar a minha existência. O mundo das organizações e dos negócios, que sempre me fascinara pela sua cruel objetividade, e tudo aquilo pelo que estava trabalhando havia anos – a carreira, o sucesso, a família, o dinheiro – começaram a assumir um novo significado. Até Nova York, que tanto amara e desejara, parecia uma espécie de universo falso, barulhento e fútil como um circo, com o mesmo intenso odor de pobreza poeirenta, sem rumo determinado.

Para o Dreamer, o universo físico, dos insetos às galáxias, e tudo aquilo que está fora de nós – o mundo visível – mas também aquele que não vemos e não tocamos são o microcosmo, e o mundo do ser, o macrocosmo.

No microcosmo tudo é lento. Há obstáculos, limites, prioridades a respeitar... É o domínio do tempo... os homens prosseguem em fila indiana como sobre uma linha... a ultrapassagem é impossível.

Dedique-se ao ser... Somente dentro de você, com os olhos fechados, você poderá voar, sonhar... transcender o plano do comum e ir além. O verdadeiro agir é o não fazer...

Se perder um milímetro de ignorância, você sentirá tremer os alicerces da pirâmide dos negócios e os templos das finanças com seus exércitos de escravos e sacerdotes.

Instável às margens daquele mundo, com olhos arregalados, olhava o futuro e a minha posição naquele contexto. Queria reter aquela visão, fazer minha a condição de distanciamento, maravilhosa e terrível, que me permitia ver. Receava perdê-la de um momento para o outro e ser engolido pela máquina do mundo, sugado pela força da sua rotação.

Estava certo que se tivesse podido manter distanciamento, nem que fosse por um pouco, teria me transformado em um estranho àquele mundo, como um cupim subtraído por dois dias da influência magnética do cupinzeiro.

Para mudar a natureza dos eventos é preciso mudar nossa visão. Um dia, o universo material se tornará nossa obra-prima, a imagem especular da vontade exumada, perfeita materialização da Arte do Sonhar.

A recordação constante dos ensinamentos do Dreamer, o trabalho de auto-observação, de estudo, os experimentos que eu fazia sobre comida, sono e respiração, a corrida todas as manhãs, e os outros exercícios físicos mais o silêncio estavam quebrando o casulo em que eu estava aprisionado. Por aquela abertura, conseguia já filtrar a luz de uma nova existência.

Os instrumentos do sonho

Jennifer fingiu por dias não se aperceber de nada. Ao som do despertador que me chamava para a corrida da manhã, por um tempo limitou-se a virar para o outro lado. Para ela não existia nada mais a fazer senão esperar que a preguiça e os velhos hábitos viessem apoderar-se de mim, como caça na boca de um *flatcoat retriever*. Tentei conversar com ela. Sem lhe citar o Dreamer, tratei de fazê-la entender algo da revolução que havia explodido dentro de mim e daquele mundo invisível em direção ao qual eu dava os primeiros e pesados passos. Foi tudo inútil.

Acelerei. Mais acelerava, mais o tempo se comprimia. Era incrível o quanto conseguia numa hora e quanto ainda podia conseguir. Quanto mais veloz, mais sentia aumentar a energia para me superar e aprofundar a busca que se tornara o único interesse da minha vida. Acelerando cada movimento, subtraía tempo ao tempo. Prodigiosamente, aquela hora da manhã se dilatou e assim também o trabalho em mim mesmo. Enfim, a reflexão sobre qualquer pensamento Seu que eu escolhesse do meu caderno absorvia os últimos minutos e me conectava ao Dreamer, dando uma direção à minha jornada.

Para Ele, viver no instante é a coisa mais preciosa na vida de um homem. Esforcei-me por potencializar o "aqui e agora" como uma disciplina a ser praticada constantemente.

Pise fora da dimensão do tempo no seu cotidiano o mais que possa. A auto-observação é a cura...

No momento em que perceber que você não está presente, você estará presente...

Todas as manhãs eu me propunha a não me desviar do instante, manter pelo menos em algum intervalo do dia essa química especial de atenção. Porém, bastava entrar na rotina do trabalho para esquecer e tornar-me presa de inúmeros pensamentos.

Com a falta de vigilância, como a queda de uma barreira, preocupações, ansiedades, imagens negativas atacavam-me e reduziam-me a proporções de um anão monstruosamente pequeno. Somente vez ou outra, como que acordando de um pesadelo, percebia estar reduzido a uma escumadeira: mil feridas no ser desperdiçavam a vida.

Pela auto-observação, uma pessoa entra nos meandros mais escuros do seu ser. Somente aí poderá realizar uma verdadeira transformação, encontrar um real significado para sua existência.

Por intermédio da auto-observação e da corrida, descobri a conexão que existe entre corpo, emoções e pensamento. É impossível alimentar uma preocupação ou manter um mau humor se a parte física do sistema é estimulada a uma mais alta velocidade; os estados mais baixos do ser podem sobreviver somente com a permanência nas faixas mais densas e lentas da existência.

Por sua vez, o modo de pensar e a qualidade das emoções produzem, inevitavelmente, uma ação sobre o físico. O esforço intencional de aliviar um pensamento ou de transformar uma emoção pode modificar, em velocidade eletrônica, condições físicas e, até mesmo, características somáticas. O pensamento, a emoção e o físico revelavam-se um único universo feito de mundos concêntricos e interativos, em que os mesmos eventos propagam seus efeitos em velocidades e tempos extremamente diferentes. Percebi quão complexo teria sido um trabalho de conhecimento e de mudança se, em vez de interferir no físico, tivesse começado das partes mais sutis e imediatas do ser.

Se você eleva a vibração do seu corpo, todo o mundo será elevado a uma frequência em que qualquer discussão, divisão e guerra desaparecerão para dar lugar à harmonia, à verdade e ao belo.

Reduza internamente as limitações. Assuma que você é a verdadeira causa de tudo e de todas as coisas, e inunde o Universo inteiro com a sua luz interior de vida e poder.

A corrida trouxe, além disso, mais atenção à respiração. Embora seja a função que nos é mais próxima e vital, raramente temos consciência dela.

A respiração acompanha cada função da nossa vida, seguindo o ritmo dos nossos pensamentos, modulando-se com a intensidade das emoções, com o esforço físico, conectando cada fibra do ser, nossos centros vitais. Vivemos a vida toda com uma respiração curta e superficial. Raramente sentimos gratidão pela respiração e reconhecemos o débito que contraímos com a nossa primeira respiração no mundo.

Um dia você saberá como se faz para transformar o mundo, para elevar o seu nível de responsabilidade por meio dos instrumentos do sonho: pensamento e respiração, dissera o Dreamer. Não por acaso *responso* – resposta solene ou de um oráculo – e responsabilidade têm a mesma raiz latina, a mesma emanação.

O mundo se modela com o seu grau de responsabilidade, disse-me aquela vez, entrando no redemoinho dos meus pensamentos, enquanto a magia da descoberta me fazia voar. *A amplitude da respiração de um homem corresponde ao seu grau de responsabilidade e determina tudo aquilo que pode possuir e fazer...*

Você pode possuir somente aquilo pelo que você é responsável.

Para o Dreamer, o equilíbrio fundamental entre Ser e Ter me revelava uma lei capaz de explicar o mundo. Ter feito tal descoberta me deixava com a respiração suspensa a cada comprovação da sua universalidade. A equação traçada entre responsabilidade e riqueza, entre ser e poder financeiro, assinalava ainda o limite daquilo que pode ser dado, confiado a alguém, e a medida de quanto ele pode possuir, compreender, conter. Um dia transferiria aos meus alunos, demonstrando como a sua aplicação se estende a organizações, nações e inteiras civilizações.

Também no mundo zoológico uma espécie de Etologia do Ter destina fauces e garras mortais a animais dotados de melhor sistema nervoso, e armas sempre menos potentes àqueles mais retraídos na escala do controle da agressividade intra--específica. A uma pomba-rola, que depena o seu adversário até a morte, jamais a natureza daria as garras e a força de um leão, que tem o código moral do mais leal dos caçadores e vive em simbiose, em mutualismo com suas presas. Nenhum animal, como nenhuma organização, pode ter armas e, em geral, um poder ofensivo superior à sua capacidade de controle.

A mentira

Dia após dia eu ganhava fôlego e velocidade e, com eles, um pouco de leveza no ser. Cheguei quase a amar aquele esforço e, intimamente, a bendizê-lo. Continuei o trabalho também nos outros pontos que o Dreamer me havia indicado, procurando aplicar Seus princípios à minha vida no máximo das minhas possibilidades. Não raramente os compreendi mal, e muitas vezes não os observei. Por um período de tempo, exercitei-me em alguns esportes extremos, convicto de assim poder reforçar a coragem, a confiança em mim mesmo.

Não busque certezas fora ou nos olhos dos outros. Não se faça de corajoso, alertou--me um dia. *A verdadeira coragem é a vitória sobre sua própria mentira. Deixe esses esportes e as ações temerárias a quem ama os próprios medos e deles depende. São atividades que só fazem por reforçá-los. Alguém como você agora é uma mentira em um pulmão de aço.*

Se quiser ampliar sua vida, você não precisa se expor a situações radicais... Amplie sua visão, suas ideias e seus pensamentos pelo poder da seriedade e da sinceridade e, assim, não haverá nenhuma batalha da qual não sairá vencedor.

A razão pela qual tantas pessoas praticam esportes radicais e aventuram-se nas experiências mais arriscadas é que, em condições de perigo, são obrigadas a experimentar estados de intensa vitalidade, livres do tempo, dos problemas, do peso do mundo. Quando a distração de um só instante pode significar risco para a vida, o afastamento do momento não é mais possível. Mas aquela condição é artificial, cria um estado de dependência. Tira o ser de um hipnotismo por fazê-lo escravo de um outro.

Um dia, para vencer os seus medos, você não mais precisará enfrentar oceanos nem praticar vôos acrobáticos. Desaparecida a mentira, você entrará no poder do agora com a máxima simplicidade... porque viver no aqui e agora é o único estado natural, heróico, imortal do homem.

Para o Dreamer, entregar-se à memória do passado ou à imaginação do futuro é a verdadeira causa de todos os nossos problemas.

Cedo comecei a ver os resultados dos meus esforços. Uma maior lucidez e a argúcia de um espírito vigilante revelavam mundos até então invisíveis, permitiam descobertas das mais simples às mais inovadoras. Observando o número crescente de pessoas obesas e a expansão do fenômeno não somente em Nova York ou nos Estados Unidos em geral, mas em boa parte do mundo ocidental, pedi ao Dreamer uma explicação.

A mentira esconde-se debaixo de inúmeras máscaras. A obesidade é uma delas. Atrás da récita macabra do humorismo e da generosidade tão frequentes nos obesos, esconde-se a renúncia pela vida, a tentativa de suicídio. A transformação muitas vezes monstruosa de seus corpos é apenas o reflexo mais grosseiro, o sintoma mais agudo de uma má nutrição psicológica. O fartar-se de junk food, a ingestão de alimentos corrompidos ou de montanhas de calorias alimentares são apenas o efeito de uma doença do ser.

Quando comentei com o Dreamer que nos Estados Unidos os obesos tinham superado percentualmente a metade da população, Ele disse: *É o sinal de enfraquecimento da vontade de todo um povo... Uma civilização dependente da comida está eliminando-se. Até na própria Economia, como sombra do ser, refletir-se-á essa dependência, esse ofuscamento da vontade. Em pouco tempo se enfraquecerá e será engolida por predadores mais velozes, por sociedades mais íntegras.*

Seu destino físico está intimamente relacionado ao seu destino mental, emocional, financeiro.

Junto com minha vitalidade senti crescer um senso de vizinhança ao próximo, uma disposição para fazer alguma coisa pelos outros, já que os via presos numa existência sem saída. Era algo que não havia experimentado antes, uma espécie de compaixão por aquelas criaturas que via permanentemente imersas na angústia.

Não se deixe levar!, gritou, investindo sobre mim palavras incandescentes. *Você está pegando emprestada a autopiedade da humanidade que a usa para se esconder e se perpetuar. Sua vaidade o faz acreditar estar curado e já poder fazer algo pelos outros... Deixe que ajude o mundo quem já se separou dele.*

Somente muito tempo depois eu entenderia o significado do que me disse e abriria os olhos para a falsidade que se esconde atrás do altruísmo, atrás de cada forma de assistencialismo promovido por instituições que vivem sob o senso de culpa das pessoas. *São instituições que têm o fim de se perpetuar. São especializadas em obter fundos e recursos que, depois, dispersam e desperdiçam, mal conseguindo sustentar a si mesmas.*

Se você levantar a cortina de fumaça da filantropia, poderá descobrir que atrás de sufragistas e exércitos da salvação, de ajudas médicas, farmacêuticas e de assistência alimentar há o crime mais feroz e a mais intensa das atividades contra o homem...

Não se perca em lamentações ou beatices. Ninguém pode fazer algo no lugar do outro. Cabe a ele, apenas a ele, aproveitar a oportunidade. Tudo acontece por uma razão e um propósito, e está a seu serviço... ao seu!

Quem, em si, ainda não superou a mentira, quem não é consciente da autossabotagem que continuamente acontece dentro dele não pode fazer nada por ninguém.

O ser humano morre porque mente foi o enunciado com o qual o Dreamer encerrou o Seu discurso sobre o drama humano que é a mentira. O ser humano morre porque mente... e antes de qualquer coisa, para si mesmo.

Adeus, Nova York

Um dia me aconteceu de cantar no chuveiro. Reconheço que foi uma imprudência. O Dreamer me havia advertido da existência de sentinelas carcerários que espreitam a nossa prisão e que são exatamente as pessoas mais próximas, nossos "entes queridos", os carcereiros mais atentos, os sentinelas mais implacáveis. Aquele sinal por mim lançado imprudentemente, aquela manifestação de despreocupação, forneceu a Jennifer a evidência de que uma tentativa de evasão estava já em curso havia semanas. Associou-a aos meus novos hábitos alimentares, ao fato de eu ter recuperado o meu peso, ter melhorado a tonicidade dos meus músculos e da minha pele, o meu visual, os trajes, as leituras... e passou à ação. Tentou todos os meios para me reconduzir aos velhos compartimentos, mas a fuga já tinha ido muito além. Outras gaiolas, emboscadas mais insidiosas esperavam-me, por certo. Mas não mais aquelas.

Havia semanas já não discutíamos mais. Acusar-nos, gritar, fazer bico e depois fingir que estava tudo bem, ou de sermos ainda apaixonados, tinham sido os expedientes para preencher o vazio do nosso relacionamento e da nossa vida; modos para nos manter agarrados um ao outro, apoiados em um inferno de falsidade e de aborrecimento. A tentativa de reconstruir a família com Jennifer depois da morte de Luisa apoiava-se na areia movediça da nossa imaturidade e exigia contínuos compromissos para se manter em pé. Também aquele falso equilíbrio agora se tinha rompido para sempre. Nada mais funcionava. A fumaça mentolada do seu cigarro Saint Moritz e o batom vermelho de seus lábios não pertenciam mais ao mundo que eu sonhava e que começava a tomar forma. Foi assim que no *Columbus Day*[23] empacotou todas as suas coisas (seria mais correto dizer que, no melhor estilo de uma separação à *la americana,* tirou praticamente tudo do apartamento) e retornou à casa de seus pais em Nova Jersey, do outro lado da Washington Bridge. Adeus, Jennifer! Não a veria nunca mais. Finalmente eu virava aquela página.

Quando Giuseppona retornou com as crianças e encontrou o apartamento vazio, teve uma única preocupação: com uma mão aberta sobre o coração e um suspiro de alívio, em um canto secreto da cozinha encontrou sua velha cafeteira. Beijou-a com ostensiva veneração. Era o único bem que não queria ter perdido e que havia prudentemente escondido. Encheu-a de água e levou-a ao fogo. Depois, com a solenidade de uma antiga protetora, disse: *"Ma 'chella' non era per te!".* A escolha daquela frase, memorável epílogo das minhas histórias de adolescente, naquele seu tom de voz, transformou a circunstância em um cômico epitáfio que uniu a família em uma alegre e longa gargalhada. A leveza e a fragrância daquele momento se fundiram ao aroma do café. Não teria conseguido imaginar, ou desejar, um começo mais favorável, nem um prenúncio melhor.

A separação de Jennifer foi para mim uma morte e um renascimento que aconteceram no mesmo instante. Foi o efeito da eliminação de um átomo de medo do ser. Acreditava amar aquela mulher, mas aquilo que realmente eu amava era o meu sofrimento e o medo que, àquela altura, tinham se tornado familiares e indolores. Sozinho não teria conseguido jamais.

Ninguém consegue sozinho.

Para abandonar velhos modos de pensar, ideias obsoletas, preconceitos, superstições e compromissos, como aqueles que tiranicamente tinham governado a minha existência, é necessária uma Escola, um método, um plano de fuga. É necessário encontrar quem, antes de nós, tenha realizado a própria prisão e, depois, conseguido escapar da narração hipnótica do mundo, das suas leis. A Ele ofereço toda a minha gratidão e a todo ser humano faço votos que encontre o Dreamer. Somente quem se viu diante do próprio horror, quem percebeu a própria impotência, a própria incompletude pode conseguir. Escrevo para lhes dizer que o Dreamer existe e é o ser mais real que já encontrei. Seu mundo de impecabilidade, sem tempo, é mais vivo e concreto que o nosso, e pode ser alcançado. Há um trajeto árduo, mas praticável; há uma passagem em direção à verdade, à beleza, à felicidade, uma nova rota para as Índias, veloz e ainda mais rica.

Algo de invisível e potente, a que todo homem tem acesso, aciona as engrenagens do maravilhoso. A menor mudança no ser move montanhas no *mundo dos*

---

23. Dia de Colombo nos Estados Unidos: a segunda segunda-feira de outubro (N. T.)

eventos. No esforço de zarpar, senti o cabrestante gemer e a âncora chacoalhar-se depois da sua longa prisão no fundo lamacento. Na outra ponta daquela viagem não havia um pequeno arquipélago, mas um continente psicológico imenso e inexplorado. Minha respiração estava suspensa entre o temor e a alegria, como um menino na descida da montanha-russa. Dirigi ainda uma vez mais um pensamento de gratidão ao Dreamer e esperei de coração encontrá-Lo logo.

Naquele dia, com Giuseppona e as crianças, fizemos as compras mais urgentes e, à noite, saímos para jantar no Mamma Leone's, alegres e próximos como não estávamos há tempos.

Tendo Jennifer partido, também Nova York estava nos deixando. Diante de tantos sinais, pareceu-me que as mudanças na minha vida estivessem somente no início e que muito mais estivesse já em marcha e vindo ao meu encontro.

Por depender de um emprego, você por anos precisou recitar um canto de dor, precisou abdicar da sua liberdade mandando sinais de decadência e impotência; acreditando estar se protegendo, você reforçou o esquecimento e o limite. Agora você deve fazer um percurso ao contrário, um retorno em direção à liberdade. É um processo longo de eliminação, simplificação e alívio do ser. Dance, dance, dance sem parar!... Celebre a existência, ame-se dentro!... Observe-se! Dedique atenção ao ser!... Verá que tudo aquilo que na sua vida é real permanecerá, e tudo aquilo que é ilusório irá embora para sempre.

O Dreamer havia chamado tudo isso de Arte do Sonhar.

Eu estava dedicando todos os meus esforços para seguir Seu ensinamento. Eu estava em perfeita forma física. A frugalidade na comida, a batalha contra o sono, os exercícios de respiração e, sobretudo, a vigilância e a auto-observação produziam resultados extraordinários. Bastava dirigir o pensamento ao Dreamer para ter acesso a uma nova inteligência. À saída do trabalho, se conseguisse chegar a tempo, tomava o trem para City Island para poder atravessar à vela a Eastchester Bay. Ouvir a voz do oceano e a respiração do vento palpitar entre as asas verticais do *Flying Dutchman* fazia-me sentir mais próximo Dele. A auto-observação, um olhar sincero em meus estados de ser, um maior senso de dignidade, uma nova confiança nas minhas possibilidades começaram a produzir mudanças na minha vida que, somente poucas semanas antes, teria considerado impossíveis.

Em uma manhã, o senhor Keenan, chefe de pessoal da ACO, apareceu de repente no meu escritório. Sentado na cadeira em frente a mim, examinava-me atentamente com um ar refratário, sem dizer nada. Deu-me a ideia de alguém que tivesse feito uma aposta no jogo e estivesse naquele momento verificando a exatidão do seu palpite. O resultado do seu exame pareceu ser favorável, quando um sorriso substituiu a sua inquisitiva carranca inicial. Havia uma rede comercial a ser criada no Oriente Médio. A operação iria requerer dois anos, talvez três, de trabalho intenso. A base operacional seria a diretoria de Comércio Exterior da subsidiária na Itália numa pequena cidade do noroeste.

O senhor Keenan preveniu-me imediatamente quanto a qualquer ilusão de radicar-me ali. "Você passará mais tempo dentro de aviões e em hotéis que em casa com seus filhos", sentenciou com um tom ironicamente profético. Anunciou, finalmente, que eu deveria partir em poucos dias. Sem esperar qualquer comentário nem consenso, colocou diante de mim alguns documentos já prontos para eu assinar. "Quando você finalizar a missão, eu o reintegro ao nosso time daqui", disse, "entre os *determinados*".

Naquele período, para me conectar ao ensinamento do Dreamer, retomei a leitura de muitas obras-primas do pensamento clássico e moderno e de todos os livros de filosofia que pude encontrar. Amava-os... antes, e agora só faziam por me aborrecer mortalmente. Frequentemente abandonava-os depois de apenas poucas páginas. Apesar de toda a pesquisa que eu fizesse, de nenhuma filosofia, doutrina moral ou credo religioso produzia-se uma única centelha da Sua inteligência, da Sua solidez. Em nenhuma tradição sapiencial ou teoria ética consegui encontrar o mais longínquo eco daquilo que eu havia ouvido e experimentado ao Seu lado. Procurei inutilmente nos livros reunidos durante toda a vida uma ideia, alguma coisa que se aproximasse daquela substância preciosa, daquela alquimia que, com o Dreamer, era constantemente presente. Quantos anos eu havia passado na inutilidade! As obras que eu mais venerara agora se revelavam obras-primas da estupidez, da superficialidade, escritos de quem se tinha envolvido nas mesmas incertezas e medos de seus leitores. Em nenhuma página encontrei o mais distante reflexo do poder, da força que havia sentido nas Suas palavras.

O conhecimento é um bem inalienável que sempre lhe pertenceu... sempre esteve dentro de você. Como a felicidade, a prosperidade, a vontade, a unidade do ser, e qualquer coisa que você procure – Deus ou dinheiro –, assim o conhecimento não pode vir de fora, do externo. Ninguém pode dá-lo a você... pode somente ser recordado.

Lembrei a história do homem que encontra um tesouro e vende tudo para comprar o terreno em que é enterrado... É a história de quem recorda o bem real e troca a descrição do mundo – com todos os seus limites, dor e ignorância – pela verdadeira riqueza, aquela que não teme ferrugem nem pó, que não pode ser roubada nem alienada... pode somente ser sepultada e esquecida.

ADEUS, NOVA YORK

Quem ama não pode depender

Aluguei um apartamento em Talponia, o condomínio residencial subterrâneo concebido nas vísceras de uma pequena colina a dois passos da sede central da ACO, o gigante-anão dentre os gigantes da robótica. Até aquele momento eu havia trabalhado sozinho ou em pequenas equipes, e quase sempre no exterior. Pela primeira vez me encontrava inserido em um complexo de escritórios, uma zona industrial com laboratórios e fábricas, povoado por milhares de encarregados. O edifício central era o corpo vivo de um animal. Eu podia sentir a respiração e o pulsar de suas gigantescas artérias. Aquele ser, por sua vez, havia percebido a minha intrusão e, dia após dia, supervisionava a minha assimilação. Eu escorria nas suas veias junto a milhares de outras células, filtrado pelos seus imensos órgãos, passado pela avaliação dos seus processos metabólicos.

Meu novo trabalho, como me havia alertado o senhor Keenan, mantinha-me por grande parte do tempo longe de casa e dos meus filhos, exigindo frequentes viagens e longas permanências nos países do Oriente Médio. Entre uma missão e outra, havia feito várias tentativas para me integrar, e tinha muitas vezes experimentado participar dos ritos daquela comunidade empregatícia que vivia entre as colunas daquela organização. Tinha procurado integrar-me aos hábitos, adotar a linguagem, interpretar seus símbolos, mas minhas tentativas não foram jamais coroadas de muito sucesso.

Tudo que recebera do Dreamer mais a visão que Ele me transmitira sobre a real condição empregatícia – favorecidos pela minha intermitente presença na Itália – permitiram-me ficar suficientemente estranho àquele ambiente e observar quase com o distanciamento de um entomologista aquela pululante forma coletiva de vida. Minhas observações levaram-me a verificar a existência, nas organizações humanas, de uma *poluição psicológica*, da qual havia ouvido falar pela primeira vez pelo Dreamer e que, até aquele momento, parecia ter escapado de qualquer investigação científica. Essa poluição é o produto de um fluxo incessante de emoções desagradáveis, medo, inveja, ciúmes, pensamentos pequenos, discursos fúteis que envenenam o ar das organizações, produzindo moléstias e incalculáveis danos à mente e ao físico de milhões de homens e mulheres. Anos depois, ainda na ACO, viria a estudar a fundo esse fenômeno. Enquanto isso, as descobertas que eu estava fazendo sobre *poluição psicológica* permitiram-me aprofundar algumas reflexões sobre organizações e trabalho dependente iniciadas com o Dreamer em Nova York.

O emprego não é a afiliação a uma categoria social ou contratual, mas a um baixo grau na escala do ser.

Este tinha sido o primeiro ensinamento, entre os mais desconcertantes, que eu havia recebido Dele. *Um homem depende porque é baixo o seu nível de responsabilidade interior... Empregar-se é somente o reflexo de uma condição infernal do ser.* A revelação de que o trabalho dependente era uma moderna transposição da escravidão havia golpeado para sempre minha descrição do mundo. Suas palavras haviam encontrado na minha consciência um lugar quase físico e ali tinham sido depositadas como um material difícil de assimilar, mas também impossível de expelir.

Quem ama não pode depender... Amar e ser livre são uma coisa só.

Um dia você compreenderá que você é o artífice e não o manufaturado, o sonhador e não o sonhado, o criador e não o criado... que tudo está a seu serviço. Então não poderá mais depender! O mundo é assim porque você é assim, e não vice-versa.

Ainda queimava, como sal em carne viva, a descoberta de pertencer a uma raça, a um *espécime empregatício*, e que toda a educação – desde a escola dos padres barnabitas até os estudos de especialização em Londres e Nova York – não tinha sido outra coisa senão um longo treino para a prisão, uma escola de faquirismo para tornar suportável a extrema dor da dependência.

De repente, o mundo das organizações e dos negócios, ao qual sonhara pertencer desde garoto, se me revelava um imenso acampamento, uma rede de penitenciárias tão extensa quanto o planeta. Evadir! Era essa a única coisa que teria sentido para um ser humano; uma lima e um bom plano de fuga, a sua única, verdadeira riqueza. Certamente essas reflexões não ajudavam a me adaptar ao novo ambiente. A visão recorrente de um abismo ao contrário pronto a me engolir era a forma que meus temores encaravam o futuro. Não decidi nada, mas pouco a pouco minhas corridas matutinas tornaram-se menos frequentes, bem como deixei de reler minhas anotações. Lentamente, encolhi-me no fundo do oceano dos costumes comuns, escorreguei no frenético abraço da multidão e no confortante resvalo com os *outros*.

Não se pode sonhar e depender

Interiormente eu descia esse declive, quando chegou do departamento pessoal um cartão retangular acompanhado do pedido de carimbá-lo à entrada e à saída e todas as vezes que eu tivesse de atravessar a portaria do edifício central. Era uma nova disposição, que então estendia o procedimento de controle, já em uso pelos empregados de outro escalão, também aos diretores e a quem, como eu, desenvolvia grande parte do trabalho no exterior e havia gozado, até aquele momento, de ampla liberdade de movimento. Tentei muitas vezes obedecer àquela ordem que violava mesquinhamente também o último traço de independência do meu papel profissional. Muitas vezes inseri-me em uma das tantas filas de homens e mulheres que se formavam no saguão diante do relógio de ponto. Notei que todos se submetiam àquele procedimento como se fosse a coisa mais natural. Falavam entre si, fumavam, riam, enquanto com o cartão em uma mão esperavam, passo após passo, a sua vez de carimbá-lo. Colunei-me com eles algumas vezes. Toda as vezes, diante do relógio de ponto, era tomado por uma vergonha repentina, irreprimível. Então fugia, sem timbrar o cartão. Restabelecido um certo nível de dignidade, os ensinamentos do Dreamer voltavam a me inspirar; senti-os palpitarem em mim, fortes e vivos. Por alguns minutos, o vivo desejo de uma vida livre e feliz e as imagens de uma existência rica de sucessos retornavam vívidas como uma lembrança do futuro.

Seja independente, livre. Seja um rebelde. Um rebelde não depende de ninguém... e respeite a sua unidade. Sua única razão de ser é concretizar o seu sonho. A isto dedique sua vida e cada átomo da própria energia.

Não se pode sonhar e depender. Pode-se sonhar e servir. Servir não é depender. Servir significa governar a própria vida e a dos outros. É a ação de quem ama. Somente quem ama pode servir. Quem não ama pode somente depender.

Mas durava pouco! A imaginação negativa assumia o comando. Pensamentos assustadores de um futuro sem aquele trabalho me faziam recuar, reduzindo-me a um ser microscópico. O medo assumia mil máscaras, as preocupações pelo futuro camuflavam-se de solicitude ou senso de responsabilidade pela família e filhos, e assim, poucos dias depois, via-me novamente na fila, diante de um relógio de ponto, sem outro desejo que não o de ser como os outros. O que eu não daria para sair daquele limbo e, finalmente, voltar a fazer parte daquela multidão, compartilhar com ela pensamentos, aceitar suas angústias e até dores... e esquecer!

Uma manhã, no interior de um dos andares mais altos da ACO, olhei para baixo e observei a espiral de mármore branco das escadas diminuir até chegar ao saguão central animado por um fluxo ininterrupto de homens e mulheres que, em fila, esperavam a sua vez para o carimbo à saída para o almoço. De repente, fui atravessado por um pensamento absurdo que me tirou a respiração. Tive a certeza de que cada um deles havia conhecido o Dreamer. Todos, ainda que por um instante, num certo ponto da vida, haviam tido acesso ao mundo do Dreamer. A todos havia sido dada a oportunidade. Cada célula daquela multidão havia encontrado a Escola e renunciado a ela. Via-os fervilhar naquele abismo. Reconheci, na uniformidade, na mediocridade de suas vidas, a minha vida distante do Dreamer.

Conformismo é mediocridade.

Provei o impulso irresistível de descer e interrogá-los, chacoalhá-los e perguntar-lhes o que havia restado do sonho, o que tinha restado do Dreamer... Teriam me tomado por louco! Haviam esquecido, haviam escolhido encurvar-se e depender, sofrer, envelhecer e morrer. E eu estava indo em direção ao mesmo despenhadeiro.

Não se pode sonhar e depender. Era um canto de salvação. Ainda me chegava um lânguido brilho daquela inteligência.

Um futuro de segunda mão

Os momentos de lucidez tornaram-se sempre mais raros. Afrouxados os fios luminosos que me ligavam ao Dreamer, aliás, grande parte deles rompidos, apressei-me em reconstruir o meu mundo de sempre, em cada pequeno detalhe. Entre um monte de casas em uma cidadezinha incrustada entre pequenos lagos aos pés de uma imensa ruga glacial, encontrei uma velha casa à venda e, com as minhas reservas em dólares, comprei-a. Dediquei-me com empenho em reformá-la e torná-la acolhedora para ocupá-la até que pude deixar Talponia e me transferir definitivamente com as crianças.

Logo se juntou a mim Gretchen, uma jovem divorciada que conheci nas últimas semanas em Nova York, e que veio estar conosco trazendo o filho Tony de cinco anos. Eu estava normalizando a família. Depois de Luisa e a conclusão da história com Jennifer, reconstruía uma família pela terceira vez. Mas sem me dar conta, estava de novo encerrando-me nas celas das velhas prisões. Gretchen era o oposto de Jennifer, a *"juish princesse"* nova-iorquina. Campeã de esqui, Gretchen havia herdado o espírito e a força física das mulheres que colonizaram o oeste americano. Praticava esportes, tinha os músculos de aço. Era concisa, rude e provinciana, enquanto Jennifer era sofisticada, vaidosa, cosmopolita. Assim mesmo, depois de poucas semanas, aquela relação já percorria velhos e conhecidos trilhos. Aparentemente eu havia trocado de trabalho, de parceira, de continente, mas, na realidade, minha vida retomava todas as vezes aquela forma rígida gravada na memória de suas fibras.

Nosso nível de Ser cria a nossa Vida. Dia após dia, um fragmento após outro, eu reconstruía minha velha vida, como um ser mecânico condenado pela sua memória genética a repetir cada gesto, recluso numa eternidade inconsciente. Velhos hábitos, pensamentos e emoções de sempre fabricavam, com meticulosa precisão, as mesmas circunstâncias e os mesmos eventos do passado. Sob a máscara de uma nova vida, atrás da grosseira tentativa de se disfarçar de futuro, o passado se reproduzia sempre e cruelmente igual a si mesmo.

Um ser humano não pode se esconder. Cada pensamento, emoção ou ação é registrado indelevelmente no seu ser, do qual este é, ele mesmo, o guardião iludibriável e justiceiro. É isto que determina o seu destino. Um ser humano pode iludir-se ao fugir, ao mudar sua vida modificando as condições externas, mas, além da aparente diferença das situações, estará sempre situado no mesmo ponto da escala, ali onde o coloca o seu grau de responsabilidade, de integridade, de amor. Memóravel lição do meu primeiro encontro com o Dreamer! Desde então a havia lido e relido não sei quantas vezes; ainda assim, a advertência da profecia não evitara a recorrência e a repetição de erros e dores na minha vida. Em relação a isso, recordo-me de um diálogo mantido com Ele que ainda considero uma das pedras angulares do meu aprendizado.

A maior ilusão da humanidade é a ideia de ter um futuro, revelou-me aquela vez. *Um ser humano comum na realidade não tem futuro. Além das aparências, ele encontra sempre e tão-somente o seu passado.* Eventos, encontros, circunstâncias repetem-se e reapresentam-se na sua vida; sempre os mesmos, apenas ligeiramente camuflados de novos.

É como dizer que os seres humanos vivem uma vida usada, de segunda mão, disse com um tanto de incredulidade na voz, a ponto de cobrir a sensação de inquietude que eu experimentava diante de Suas revelações. *E, todavia, cada um se ilude, acreditando que os eventos da sua vida são inéditos, novos, criados especialmente para ele, jamais acontecidos antes.*

"E, portanto, aquilo que o ser humano chama realidade é...?", indaguei-Lhe sem poder completar minha pergunta, já tomado pelo nauseabundo sentimento do absurdo.

O Dreamer olhou-me sem responder e anuiu lentamente, como que endossando minha dedução como a mais temerária das possíveis conclusões... a mais impensável e inaceitável de todas. Avancei com cautela na direção para a qual me impelia. Absurdamente esperava não ter compreendido bem o que dizia e que, de qualquer modo, devesse Ele me deter e reconduzir àquele nosso diálogo dentro dos limites de uma tranquilizadora racionalidade.

"Aquela que chamamos realidade... aquela que vemos e tocamos... seria... é... uma espécie de... realidade virtual?", perguntei, ainda relutante, mas somente estimulado pelos seus contínuos sinais de aprovação que me chegavam como empurrões. O Dreamer permaneceu pensativo por alguns momentos, como que escolhendo as palavras que poderiam encontrar uma brecha nas minhas resistências.

Aquilo que um ser humano vê à sua volta... a realidade externa a ele é o passado, respondeu-me lapidarmente. Rompendo o denso silêncio criado, completou: *Aquilo a que você chama presente na realidade não é uma transmissão ao vivo. O* mundo não seria mais o mesmo depois disso; extraordinariamente, tive a certeza de que tivesse sido modificado para sempre, não somente para mim, mas para todos os seres humanos.

Aquilo que você vê e toca, os eventos que você poderia jurar que estão acontecendo neste preciso momento são estados registrados tempos atrás. Para que pudessem acontecer, receberam o seu assentimento em uma outra dimensão, no mundo do ser, nos seus estados, disse com a máxima naturalidade. Explicou-me como os fatos estão já feitos, e que o que acontece é assim porque já aconteceu. *Os eventos são estados de ser solidificados, tornados visíveis pelo tempo. Enquanto você assiste a eles e é envolvido por eles, pode acreditar que se estão verificando sob os seus olhos, pode ter a ilusão de serem novos e de estarem acontecendo pela primeira vez; na realidade, são apenas a projeção do seu passado, que se repete com apenas algumas pequenas variações.*

Recordo-me que, em seguida, imaginei os eventos da vida de um ser humano comum como uma procissão alegórica de seres mascarados, de burladores dispostos a perpetrar uma brincadeira cruel. Sucediam-se e repetiam-se invariavelmente iguais entre si, enquanto, sob o narigão e o falso bigode, sufocavam as risadas e faziam zombarias da cegueira do ser humano, da sua incapacidade de reconhecê-los.

Isso que o ser humano chama futuro é o seu passado visto de costas. A única possibilidade de reger a própria vida é no aqui e agora... Somente governando o instante suspenso entre o nada e a eternidade um ser humano pode fazer, pode merecer um verdadeiro destino, modelá-lo e criar eventos de ordem superior.

Pude comprovar na pele quão verdadeira era essa visão e quão fácil era esquecer e recair no círculo hipnótico de uma falsa vida, de um destino repetitivo.

Quantos anos teria poupado e quanta dor evitado se então tivesse sabido ouvir a mensagem do Dreamer, abrir-me à Sua visão, que hoje me parece tão simples, tão natural, inevitável.

Esqueci, neguei o *sonho* e, por meses, não mais pensei. Abriram-se as portas das velhas prisões. Os dias da minha vida com Gretchen e com as nossas crianças percorriam sulcos já traçados. Entre as viagens de trabalho ao Oriente Médio e os empenhos familiares, via-me destinado a esquecer e a perder-me definitivamente.

O jantar com o xeique

Na recepção do Le Méridien da cidade do Kuwait encontrei um convite do xeique Yusuf. Convidava-me para o jantar daquela noite no palácio Behbehani. Um carro viria pegar-me em menos de uma hora.

Acabara de chegar de uma longa viagem. A ideia de enfrentar um jantar árabe e o seu longo cerimonial não me era das mais atraentes, mas não podia recusar.

A família Behbehani era um dos clãs mais poderosos, um dos grupos financeiros mais fortes do país. No Kuwait, como em todos os outros países do Oriente Médio, os negócios são rigorosamente distribuídos entre as grandes famílias. O mapa do poder financeiro reproduz, com milimétrica exatidão, o desenho da árvore genealógica e as distâncias dinásticas do Emir, refletindo direitos adquiridos geralmente em épocas medievais.

Nos meses anteriores eu havia mantido algum contato com outros membros da família e iniciado alguns negócios com alguma sociedade do grupo, mas o xeique Yusuf propriamente ainda não conhecia pessoalmente. Sabia que era o cabeça de um enorme império financeiro construído com a concessão e a representação de produtos das maiores multinacionais, com uma complexa rede de negócios e uma forte participação em empresas fora do Kuwait, sobretudo nos Estados Unidos. O palácio dos Behbehani, uma obra faustosa toda em mármore branco de Carrara, tinha a tradicional forma quadrada, o amplo pátio interno com acesso às áreas de recepção no térreo e os apartamentos dos vários núcleos familiares nos andares superiores. Um silencioso criado de *kaftan*[24] conduziu-me à sala de jantar. Em torno da longa mesa preparada no mais luxuoso e pomposo estilo árabe, encontrei reunida uma amostra variada de homens de negócios islâmicos em seus tradicionais e brancos *dish-dash*,[25] os braços morenos vistosamente adornados por joias, e alguns empresários ocidentais, representantes de conhecidas multinacionais. Era um jantar apenas para homens, naturalmente, e sem talheres. A cozinha árabe não prevê, de qualquer modo, o uso de facas; carnes e peixes são servidos já em pedaços. Antepastos de verduras frescas, queijos e creme de legumes foram apresentados em grandes travessas cheias de carneiro assado e arroz. Fomos servidos pessoalmente pelo filho mais velho do xeique, uma honra reservada aos hóspedes de alta estima. A conversa logo ficou animada e teve como centro o xeique Yusuf, que se revelou um homem de inteligência vivaz e um anfitrião primoroso, atento aos menores detalhes. Bebemos chá e suco de frutas. O Kuwait, entre os países do Oriente Médio, é um país abstêmio, respeitoso às leis do Alcorão, e qualquer bebida alcoólica é rigorosamente proibida, pelo menos oficialmente.

O jantar concluiu-se com doces libaneses à base de nozes e mel e café preparado sobre o braseiro, de acordo com o uso nômade, servido em xícaras pequenas e muito sutis. Era sempre fascinante o espetáculo do líquido negro e denso, com o gosto do pó, esguichado com mestria de brilhantes bules de latão pelos *farraj*.[26] O

---
24. Longa túnica masculina típica do Oriente Médio. (N. T.)
25. Também longa túnica masculina usada no Oriente Médio. (N. T.)
26. Empregados árabes com indumentária de cerimônia. (N. T.)

café continuou a ser servido e os longos jorros fumosos continuaram a encher as pequenas xícaras, até que cada um agitou a sua com um movimento rotativo do próprio pulso, o gesto de praxe que indica a saciedade do convidado.

Somente então o xeique Behbehani, que me reservara a cadeira à sua esquerda, expôs o seu projeto: criar no Kuwait um novo empreendimento comercial. Pediu que me transferisse à cidade do Kuwait para montá-lo e dirigi-lo. Eu teria uma participação no capital e a condição de *diretor associado*. O sonho estava se tornando realidade: criar uma organização internacional, reunir homens, juntá-los, escolher recursos, avaliar-me diante das dificuldades de uma imprensa em um ambiente tão difícil. Enfim, eu cortaria os sete mares dos negócios com uma embarcação toda minha. Era o que eu mais desejava. Ou pelo menos assim sempre acreditei. Pedi duas semanas para decidir e me despedi. Porém, enquanto retornava ao hotel, estava já em estado de apreensão. Apesar de todos os meus esforços, aquela proposta não me despertava alegria. Continuei a pensar intensamente nela por todo o trajeto de retorno, mas quanto mais eu refletia, mais sentia multiplicarem-se e agigantarem-se as resistências quanto a me transferir para o Kuwait. Depois dos poucos instantes de entusiasmo inicial, aquela perspectiva tinha acabado por se tornar uma presa da minha imaginação negativa e dos meus medos. Como na parábola, a semente da oportunidade tinha caído num terreno cheio de espinhos, onde lentamente sufocou e apagou-se, como o fogo dos farraj ao final daquele jantar.

A infinita extensão do deserto cinza, enrugado como imensas costas de elefante, deslizava agora sob a barriga do avião que me levava de volta à Itália, somente interrompido vez ou outra por um perfeito círculo de verde intenso nascido em torno do milagre de um poço de água de espantosa profundidade. Estava certo de que aquilo que me estava acontecendo era o resultado da promessa feita ao Dreamer e do trabalho sobre mim mesmo iniciado desde o nosso primeiro encontro. Minha aspiração por uma vida mais livre, mais responsável, mais rica, como uma dança da chuva, havia atraído aquela oportunidade. E agora?

Estava mais do que nunca convencido de que a menor elevação do ser move montanhas no mundo dos eventos, que nosso ser cria nossa vida, mas nunca teria imaginado que mudanças tão radicais pudessem ser produzidas com tanta rapidez. A casa que havia comprado em Chiá, na Itália, tinha a pintura ainda fresca; a grama do jardim estava começando a despontar e as cercas-vivas, a crescer. Aquela vida, sonolenta e provinciana que, pós Nova York, me parecia insuportável, de repente readquiriu valor aos meus olhos. Os passeios nos lagos com as crianças, o sorvete na estrada que costeia o rio, as corridas na neve com Gretchen, até mesmo aquele ar asfixiante de uma cidade movida por uma única indústria tornaram-se um costume que, sem me dar conta, em poucos meses já estava fortemente arraigado. Tijolo após tijolo, um hábito atrás do outro, eu havia construído uma outra casa sobre uma ponte, uma residência estável lá onde o *sonho* tinha previsto somente uma breve parada antes de retomar a *viagem* e seguir adiante.

Conhecia a cidade do Kuwait. Já tinha estado lá algumas vezes a trabalho, mas sempre por períodos curtos. As impressões que eu trazia de lá eram limitadas aos saguões dos seus modernos hotéis, às estradas empoeiradas, aos souks apinhados de gente, e àquilo que pude ver pelas janelas de uma limusine, lacrado em uma bolha de ar condicionado, como num veículo espacial que cruza um planeta inóspito. Nas poucas ocasiões em que me aventurei a sair, senti o rosto traspassado por mil agulhas, grãos de silício incandescentes transportados pelo vento do deserto. O deserto permanentemente assedia a cidade do Kuwait e paira como uma espada de areia suspensa, como um mar sempre pronto a engolir aquela ilha que, por conta própria, disputa com o seu império algumas milhas de semicivilidade. Atrás da opulência das torres, além da intensidade do comércio e da modernidade de suas construções, Kuwait se revela não uma cidade-estado, mas um braço de ferro incansável, uma partida mortal sempre em cena entre o ser humano e o deserto. A bola da sua história ricocheteia sem parar entre a Idade Moderna e um esquecido período medieval regido por usos arcaicos e uma justiça alcorânica. Um universo bizarro e poeirento estava se abrindo diante de mim. Um mundo rumoroso como um bazar, em que milagrosamente haviam encontrado um modo de conviver em equilíbrio cadillacs e camelos, tendas e arranha-céus, dramática miséria e poder financeiro.

Fuga na doença

As dúvidas mais angustiantes e molestas manifestaram-se sobretudo diante do pensamento de abandonar o trabalho na ACO. A ideia de me demitir e me transferir àquele país sem a certeza do emprego assustava-me, fazendo-me sentir à mercê da sorte. E todavia, não obstante as evidências, eu continuava a mentir para mim mesmo. Acreditava estar sendo sincero quando me enraivecia contra as aparentes dificuldades e quando eu acusava os mil obstáculos que continuamente apareciam e cresciam até parecerem montanhas intransponíveis. Ainda não estava nem mesmo no início daquele trabalho de observação, de atenção aos meus estados, de refinamento do ser, que o Dreamer me havia indicado; não tinha nem mesmo conquistado aquele mínimo de sinceridade que me permitisse reconhecer que minha vida era guiada, não somente naquela ocasião, mas sempre, pelo medo! Hoje sinto compaixão por aquele homem que fingia a si mesmo refletir e ponderar os prós e contras, que continuava a mentir a si mesmo dia após dia, iludindo-se de estar tomando uma decisão que os seus medos já haviam tomado por ele há muito. Negava-me a aceitar aquilo do que, muitas vezes, o Dreamer me havia acusado: *Você é o único e verdadeiro obstáculo, o maior inimigo da sua evolução e a única causa de todo e qualquer insucesso seu. Muitos anos de observação e muitos esforços lhe serão necessários antes de perceber que aquelas circunstâncias adversas que pareciam objetivas, externas, independentes da sua vontade são, na realidade, criações suas. Os obstáculos que você encontra são a materialização de um hino interno de dor que sempre se ergue das partes mais escuras do seu ser.*

Com efeito, eu estava buscando uma desculpa que me fornecesse a possibilidade de recusar, mas sem me responsabilizar, deixando aberta a possibilidade de um dia disso poder acusar o destino, as circunstâncias.

Agarrava-me a qualquer coisa que pudesse justificar a minha renúncia: as crianças, as exigências do estudo delas, os riscos naquele país. Levei em consideração até a firme oposição de Gretchen. Dentro de mim havia um não àquela mudança, àquele descarrilamento dos velhos trilhos. Revirava-me em busca de impedimentos para, depois, culpar o mundo.

No final encontrei aquilo que procurava. No passado, antes de encontrar o Dreamer, havia sofrido de cálculos renais no rim direito. Quem poderia com tranquilidade tomar uma decisão tão importante quanto aquela, de transferir a família para o Kuwait, sem um completo *check up* médico? Convenci-me de que era uma questão de responsabilidade, principalmente em relação aos filhos. Apesar do encontro com o Dreamer e de tudo aquilo que já tinha feito para mudar a linha do meu destino, lá estava eu de novo recaindo num outro terrível sulco do meu passado. Marquei o dia para fazer uma radiografia renal. Era o primeiro passo. Algo dentro de mim havia decidido mais uma vez pela doença. Voltava a refugiar-me no regaço escuro da existência, onde não se compete nem se combate, mas acusa-se, justifica-se e implora-se a piedade do mundo.

O coração pararia pelo horror se tivesse descoberto que era eu o idealizador, o produtor, o diretor e o ator do filme da minha vida e, em particular, o criador das imagens que, ainda uma vez, eu estava por projetar na tela do mundo. Como havia dito um dia o Dreamer, a ignorância é uma mãe que prudentemente nos libera, cada vez um pouco mais, até que estejamos prontos. Se alguma coisa não tivesse chegado a interromper aquele terrível enredo, os fotogramas seguintes da minha vida teriam mostrado, em primeiro plano, a fisionomia preocupada do médico a me anunciar e mostrar, na tela luminosa, as pequenas sombras no rim, sempre o direito, reveladas pela radiografia: pequenos sinais, como marcas digitais deixadas por dedos em leve pressão. Eu teria empalidecido e, depois, de volta à casa, me desesperaria e lamentaria por anos acusando o destino, a minha pouca saúde que *infelizmente* me impedira de acolher aquela oportunidade. Estava tudo pronto para a projeção na manhã seguinte. A coisa mais terrível era a completa inconsciência do quanto eu estava tramando. Com o meu último suspiro, defenderia minha boa-fé; estaria pronto a jurar, pelo que tinha de mais caro, que não havia nada que eu mais desejasse que não fosse receber uma boa notícia quanto aos exames, a confirmação da minha perfeita saúde, e partir para aquela nova aventura.

Por sorte um fio de ouro ainda me ligava ao Dreamer.

Naquela noite desejei mais do que nunca poder revê-Lo. Não aguentava mais. Não poderia resistir mais tempo sem Sua ajuda. Parecia haver transcorrido uma eternidade desde nosso último encontro. Não encontrando outro modo, decidi escrever-Lhe uma carta. Nela renovei solenemente a minha promessa: pedi para retomar a *viagem*.

... Há uma palavra que nestes dias me persegue
e apresenta-se insistente à consciência.
Diz respeito ao que me disse no nosso último encontro.
A palavra é dignidade.
É este o ponto mais doloroso da minha vida, aquilo que mais me faltou, em
cada situação, em cada evento.
Preciso dela. Devo produzi-la, senti-la, irradiá-la.
Sei que tem um custo. Estou pronto a pagar.
Pergunto-me somente se ainda tenho tempo,
e se não me faltam forças. Ajude-me!
"Ao Meu lado, no meu mundo, os seres vivem bem,
são ricos, saudáveis..." Quantas vezes Você nos convidou.
Mas ao Seu banquete faltam os comensais.
Em um mundo governado pela mentira, feito de homens
prontos a trair e a degradar, vejo que só
Você está de guarda, como o querubim da espada flamejante
colocado diante da árvore da vida...
Quero retomar a viagem e dedicar energia ao meu esforço.
Peço-Lhe que me ajude.

*Há meses que estou "fora de casa".
Sinto a necessidade de juntar
os pedaços dispersos da minha vida...*

Mais que escrever, eu estava me confessando, *lendo-me*. Aquele esforço de sinceridade me transformou. A carta não estava nem concluída e já tinha sido entregue. Era dirigida a mim, ao melhor de mim, àqueles poucos átomos de bem, de belo, de verdadeiro que ainda pulsavam no meu ser; era endereçada àquela parte de mim entre a multidão interior dos dissidentes e dos indisciplinados que havia dito sim à grande aventura. Estava acabando de escrevê-la quando irrompi em lágrimas, como por uma misteriosa, repentina felicidade.

A aranha e a presa

Encontrei-me diante Dele. Havia tanto desejado revê-Lo, e agora sentia apenas uma vergonha infinita e um insuportável sentimento de culpa. Vergonha e culpa me encerravam num mundo denso, em que a força da gravidade era muitas vezes superior à terrestre. Aquele era o meu mundo interior, aquelas eram as leis sob as quais, sem consciência, eu vivia todos os dias da minha vida. Somente ali, na presença do Dreamer, sentia o peso e o horror daquele mundo que então me prendia a respiração e mantinha o meu olhar derrotado sobre o pavimento do ambiente.

Cada movimento seu, pensamento ou palavra, denuncia a sua disposição em encurvar-se. Secretamente espera falir, adoecer e deixar de lutar contra o mundo hostil. Como milhões de seres humanos, você está dirigindo a luta para fora de si. Por isso você se abandona à derrota e aspira a envelhecer e morrer... Já o fez por várias vezes. É tempo de parar... para sempre!, e calou-se, como para me fazer sentir e beber até o fim o gosto amargo daquela verdade. Um suor frio percorreu minhas costas como um prenúncio de morte.

Alguém como você, na obscuridade da inconsciência, prepara os seus desastres, frequentemente arma a si mesmo emboscadas, reforça as próprias prisões, confecciona e embala cada dor, fatalidade, acidente ou doença com tanta habilidade e minuciosa atenção em cada particularidade que pode-se considerar a sua uma verdadeira arte, ironizou o Dreamer em tom de uma ameaça lançada ao adversário no meio de um duelo mortal, *uma arte lúgubre, inconsciente, como a de um monstruoso inseto que conspira nos abismos da Zoologia. Ali, onde o ser humano tragicamente é a aranha e a presa.*

As palavras agarraram minha alma. Estremeci e arfei, como sob um jato de água gelada depois de um longo sono. O Dreamer estava revelando-me que eu podia encomendar pedras no meu rim direito e fabricá-las à vontade, com a mesma simplicidade com a qual eu teria podido pedir harmonia, sucesso e obtê-los.

Era impossível aceitar que eu seria o único artífice do meu mundo. Era esse o obstáculo contra o qual se despedaçavam todas as minhas tentativas em compreender. Para o Dreamer, os obstáculos que encontramos são a materialização da nossa incompreensão. *O ser humano é aquilo que compreende.* A medida de um ser humano é o seu nível de compreensão e é isto que cria o mundo que ele merece. A compreensão é um acolhimento, um alargamento da visão, uma eliminação de pesos e camadas de imundície. É um ato da vontade. Não pode chegar nem ser imposta do externo.

Um ser humano não deve procurar o paraíso. Não deve fazer nada para merecê-lo. A única ordem para a qual você é convocado é a de eliminar o inferno, a sua incompreensão.

Se o Dreamer não me tivesse preparado por todo aquele tempo e, mesmo com dúvidas e desobediências, eu não tivesse percorrido um longo aprendizado, não teria nunca podido assumir a responsabilidade por tal revelação. Teria sido estraçalhado por ela. Pensei o que teria acontecido se a ciência oficial tivesse feito sua esta verdade: o ser humano, assim como é, é o único construtor dos seus fracassos, que nascem dentro e, só depois, apresentam-se fora. A consciência de quanto o corpo e o nosso mundo pessoal são obedientes e a descoberta de quão grande é, no bem e no mal, a capacidade criadora do nosso pensar seriam para a sociedade um choque tremendamente maior que a descoberta copérnicana. Assim como esta arremessava o ser humano às margens do Universo, fora de um mundo ilusório do qual ele se acreditava o centro, do mesmo modo a visão do Dreamer revolucionava o destino humano abatendo o seu preconceito mais arraigado: a convicção de que existe um mundo externo culpado, de que existe alguém ou algo para acusar como o responsável por aquela contínua derrota que é a sua vida.

O mundo é assim porque você é assim, abreviação máxima da filosofia do Dreamer e cume da Sua visão, continha uma ideia tão forte a ponto de inverter a própria direção da existência: não mais do exterior ao interior, mas ao contrário, do interior ao exterior, como todo processo de cura e restabelecimento. O mea-culpa cristão, a fé romana no homo faber, o conhece-te a ti mesmo da idade dos sábios e as vozes de todas as grandes escolas de responsabilidade sobre as quais se criaram impérios e civilizações milenares ecoaram em uníssono, possantes e solenes. E embora aquela visão já me tivesse sido muitas vezes anunciada, experimentei uma vertigem do pensamento quando senti a dor lancinante da racionalidade e da lógica ao serem arrancadas de seus fundamentos milenares, uma insurreição sem retorno.

Naquele momento, percebi que o encontro com o Dreamer estava acontecendo em uma parte da Sua residência que eu não conhecia. Não mais no cômodo de pavimento branco, nem na estufa de imensas vigas com a piscina central e as refinadas esculturas, mas num amplo sótão de teto revestido em madeira de lei, decorado em estilo colonial. Estava sentado ao centro de um divã branco de bambu finamente entrançado, tão grande que ocupava toda a parede. Um quadro branco e preto evocava um mundo à Steinbeck.

Fez outra pausa. Pareceu ponderar a minha capacidade de poder receber e sustentar aquilo que estava por me dizer. No ar uma vibração especial prenunciava a importância daquele momento grave. Eu tinha chegado a uma outra encruzilhada da existência, em que ou se avança ou se perde tudo. Estava novamente à margem de um abismo. Precipitar nele poderia significar não vê-Lo mais. Quando retomou, respirei profundamente para repor minhas forças.

Cada passagem é a superação de si mesmo! Vigiando alguns mundos superiores, algumas faixas mais elevadas da existência, há seres monstruosos, inimigos milenares, terríveis e ilusórios como os seus medos... Era fogo líquido que me escorria nas veias, devorando-me. *Um dia você deverá enfrentá-los.*

Não podia mexer um músculo. Permaneci assim por um longo tempo, imóvel. Sentia sobre cada centímetro do corpo a pressão de uma força desconhecida que impedia qualquer movimento. Finalmente, como se sob um comando invisível, senti-me liberado. Cautelosamente, fiz os primeiros movimentos para liberar-me daquela pele de impotência e abandoná-la como uma exúvia. Agora eu podia levantar a cabeça, e o fiz lentamente. Ainda não ousava dirigir livremente o olhar ao redor, mas notei que desta vez havia uma boa luz, e podia ver com clareza cada detalhe do ambiente. A fonte daquela luz, eu estava certo, não era o Sol. O novo dia ainda estava fora, pendurado nos vidros das janelas mais a leste, sem se decidir a entrar. De um modo misterioso, a luminosidade daquele ambiente dependia de mim! Podia aumentá-la ou reduzi-la, e o fiz várias vezes acionando mentalmente um *dimmer* invisível.

Experimentava esse curioso poder quando um pensamento me assaltou com a força de uma verdade devastadora. O Universo dependia de mim! Como aquele sótão, o mundo poderia mostrar-se pleno de luz, mas continuava confinado num crepúsculo pela minha incapacidade de fazê-lo brilhar. Aquela descoberta prendia-me a respiração. Só mais tarde, com a mente mais calma, pude refletir e sentir toda a potência do que já dissera: *O mundo é assim porque você é assim.* O ser humano é um ser infeliz que, cercado pela perfeição e por toda a abundância, dirige seu olhar para o mundo com os olhos de uma rã, e lamenta-se do que vê.

O cuco (esconde-esconde) da existência

Deparei-me com Seus olhos docemente severos. Pareceu-me ver passar uma sombra de apreensão misturada com piedade. Isso me assustou mais do que me dissera. Senti-me um doente que, no olhar de um amigo, lê a gravidade da sua condição.

Subitamente eu O ouvi dizer: *Quando criança você brincava de esconde-esconde...* Imediatamente o filme da vida desenrolou para trás os seus fotogramas. O Sol era ouro líquido que envernizava ladrilhos e rachaduras do antigo terraço, deixando sobre seu caminho lacerdinhas de boca aberta, pegas de surpresa e imobilizadas entre um vaso de manjericão e um outro de gerânios pendentes. A cada vez, um de nós ia para debaixo daquele terraço, apoiava no muro o seu fino bracinho, apertando-o contra os olhos, e punha-se a contar. Os outros corriam para se esconder. Cuco era o grito lançado a quem era surpreendido, descoberto, sobressaltado no seu esconderijo. *Assim faz a existência... 'Cuco'!*, retomou o Dreamer, imitando perfeitamente aquele som da minha infância e penetrando no meio das minhas recordações. Tentei não me afastar daquelas imagens, retê-las um pouco mais; experimentei dar nomes aos rostos daqueles moleques radiantes, mas esses estavam já se dissipando, levando com eles um perfume encantado de infância. *A existência vem encontrá-lo, onde quer que você esteja, e usa a máscara mais terrível para revelar o estado em que você se encontra. Do que você tem medo? De ficar pobre? De ser abandonado? De adoecer, perder uma propriedade ou o trabalho? Aquela é a máscara que a existência usará para assustá-lo. Qualquer que seja o medo de uma pessoa, ele se materializa em eventos que ela deverá encontrar no seu caminho. Como reprovações em exames, mais cedo ou mais tarde você deverá novamente enfrentá-los, refazê-los.*

Eu não precisava recapitular mentalmente as minhas experiências para saber que o Dreamer estava dizendo a verdade. Todavia, resistia. Parecia-me uma aberração a visão de um mecanismo planetário feito para manter a humanidade em estado permanente de medo, instabilidade, sob a sombra de uma contínua ameaça.

Somente sob ameaça um ser comum pode encontrar a força de afugentar as sombras, os fantasmas criados pelos seus traumas infantis, pelos seus sentimentos de culpa. Um ser humano real não precisa disso... vive eternamente em um estado de certeza, esclareceu o Dreamer, e enfatizou a expressão final com um tom especial de voz para evidenciar sua importância.

Eu estava perplexo. O que eu ouvia parecia a teorização de uma injustiça planetária. A humanidade se dividiria em duas espécies, então: uma feliz e despreocupada, abençoada por um senso de certeza indestrutível, e outra, imensamente maior, dominada pelo medo, temerosa, em perpétua espera de problemas e dificuldades. Disse-Lhe o que pensava e encontrei no Dreamer um inesperado estado de tolerância e compreensão.

No mundo do Dreamer também fazer uma pergunta exigia cautela e atenção. Em Sua presença eu continuamente estava atento quanto ao que pensava, sentia, e ao mínimo movimento, do tom de voz ao olhar. Esse cuidado transformava cada instante ao Seu lado em *trabalho* de Escola. Ao contrário, longe Dele, a minha capacidade de atenção se desagregava, atraída por mil direções e, com ela, todo o meu ser se fragmentava.

Também o ser humano comum se sente seguro: as suas certezas são os seus medos... as suas dúvidas são a sua verdade. Ama-os e não se separaria deles por nada deste mundo. Desde a infância alimenta-se de medos ilusórios, come o fruto da sua imaginação negativa, da sua criatividade ao contrário. Por isso, troca as sombras por adversidades reais e, assim, vive e sente-se sob constante ameaça...

O Dreamer explicou-me que, pouco a pouco, a dor dessa condição deixa de ser sentida, torna-se uma coisa só com a existência, e desaparece. Dor e insegurança convertem-se em componentes naturais da vida, balaustradas já familiares, tranquilizadoras a um ponto tal que abandoná-las seria uma ação impossível para a maior parte dos seres humanos.

Sinta-se seguro, exortou-me. *Fora não existe nenhum inimigo. É sempre você, na verdade, quem ameaça a si mesmo.*

As pessoas não se sentem nunca seguras. Mesmo quando uma pessoa é rica, e aparentemente não há o que temer, sente-se indecisa, num estado de constante instabilidade e insegurança; vive no medo, na incerteza, na dor... É a única ocupação que conhece... uma atividade que governa toda a sua vida.

"Então não tem jeito..."

Não existem métodos para sentir-se seguro; não existem portas blindadas, cofres ou casamatas, nem existem precauções que se possam adotar. Depois recitou:

> *Somente um verdadeiro sonhador pode sentir-se seguro.*
> *Sonho é segurança.*
> *Dúvidas, medos, sofrimentos são ilusões,*
> *realidade exclusiva do ser comum.*

Fechei os olhos e me deixei embalar por aquele poema breve... vivi um sentimento de segurança, de invulnerabilidade que somente uma criança sente, não obstante esteja circundada por adultos medrosos, ansiosos... Tentei retornar, ainda mais atrás, até a condição de um feto no útero. Então *recordei* a integridade sem jaça, a inocência sem a menor separação, e flutuei no líquido de um oceano de certeza sem limites. A voz do Dreamer deu continuidade aos versos:

Para estar seguro você tem de estar sem pecado... sem culpa...

Como um raio, ficou claro que uma pessoa pode ser atacada somente por inimigos internos. Quem mente, simula, engana; uma pessoa em falha, incerta, duvidosa, medrosa... não há como escapar. São seus próprios medos que abrem as portas ao ladrão... Senti-me perdido!... e, comigo, toda a humanidade, condenada a uma perpétua insegurança. Quem teria conseguido se safar? Um estado de irremediável desconforto drenou aquele universo, e a aridez da terra tomou rapidamente o lugar do líquido da certeza no qual eu estava nadando. Escorreguei para condições do ser sempre mais dolorosas e distantes.

Somente alguém capaz de mirar tudo sobre si mesmo, somente alguém que quer, pede e tenta mudar com todas as suas forças pode conseguir, interveio o Dreamer detendo aquele meu abalo. *E mesmo que aos olhos da humanidade comum ele pareça um temerário, que vive em alto risco, ou até mesmo um inconsciente, ainda assim o indivíduo guiado pela integridade e pela seriedade é constantemente acompanhado desse senso de salvação. Somente ele sabe que não está arriscando nada, na verdade. Nos negócios, nas iniciativas aparentemente mais arriscadas, quem tem essa certeza não pode ser atacado, não pode errar. Qualquer coisa que toque se enriquece e se multiplica; em qualquer circunstância, até a mais desesperadora, ele encontra sempre a solução. Os eventos e as circunstâncias dão-lhe sempre razão, porque ele mesmo é a solução.*

E acrescentou o verso:

Sinta-se seguro permanentemente.
Esteja seguro e sinta-se imortal imediatamente.

Em seguida, com o tom atenuado de quem está confiando um segredo, disse: *Ainda que o ser comum se sinta constantemente sob ameaça e com medo de alguém ou de algo, na verdade não existe nada nem ninguém que possa prejudicá-lo do externo. O mundo é a projeção, a materialização do nosso sonho... ou dos nossos pesadelos.*

O mundo pode ser um paraíso ou um inferno. Onde viver é decisão sua!

Parou para me dar tempo de anotar, e depois concluiu:

Libere-se do medo!... Intrepidez é a porta para a certeza e a integridade. Nenhuma quantidade de esforço pode torná-lo destemido. A intrepidez vem por si só, quando você percebe que não há o que temer.

A revelação do Dreamer de que nenhuma ameaça é externa colocava-me diante de um sorvedouro sem fundo. A perspectiva de viver sem medo, de sustentar uma condição de ser que exigia um estado de vigilância sem trégua, uma atenção incessante que filtrasse até o menor grão de inferno fazia-me senti-la ainda mais ameaçadora que a nossa opressiva condição. Ter medo, ser vacilante, sentir-se ameaçado pelos fatos da vida sempre foi a única certeza, ou seja, a quintessência daquilo que é considerado um estado natural do ser humano. A ideia de uma humanidade sem medo era tão repugnante quanto a perspectiva de vê-la transformada numa espécie extraterrestre distante de mim anos-luz e de tudo aquilo que eu concebia como ser humano. A ameaça à nossa insegurança é mais assustadora do que o próprio medo, como a ideia da imortalidade é mais inaceitável do que a certeza de morrer. Estava absolutamente seguro de que todo ser humano estaria pronto a sacrificar a sua vida para defender, para si e para as futuras gerações, o direito de ter medo e de sofrer.

Atrás de cada dor, medo, dúvida, incerteza esconde-se um pensamento destrutivo; e atrás de um pensamento destrutivo existe a causa das causas: a ideia da inevitabilidade da morte, reafirmou. *Essa é a verdadeira destruidora da humanidade... a origem de todas as aflições do ser humano, das guerras e da criminalidade nas civilizações criadas por ele.*

A consciência de que essa semente de morte existe no ser humano aniquilaria para sempre a morte física da sua existência. A morte, as cercas do limite colocam o ser humano comum protegido da perturbação que o infinito lhe gera.

O Dreamer explicou que a certeza da morte que o ser humano carrega dentro de si parece originar-se no momento do seu nascimento, ainda que na verdade tenha origens muito mais longínquas. Vindo ao mundo, sua primeira sensação é a de se sentir sufocado, dominado. Nas nossas sociedades, chamadas civis, a vida tem início por um dos mais brutais rituais, um verdadeiro e especial boas-vindas ao inferno. Expelido na dor, acolhido por luzes cegantes de uma sala cirúrgica, vozes agitadas dos médicos e gritos de sofrimento da mãe, deitado sobre uma fria superfície de aço, depois de esculachado, o neonato encontra o medo, a paúra, como a primeira impressão que, à semelhança do fenômeno de *imprinting*[27] das aves, o seguirá como a sua verdadeira geratriz. *A partir de então, nada lhe parecerá mais familiar que o gosto agridoce do medo,* afirmou. Toda a vida de um ser humano comum parece controlada por esse primeiro instante, pela experiência daquele fogo líquido que sentiu atravessar-lhe os pulmões na terrificante passagem de ser aquático para ser do ar.

---

27. Fenômeno exibido por vários animais jovens, principalmente aves, como pintinhos, patinhos e gansos, que demonstram a influência do ambiente no comportamento animal: quando saem de seus ovos, seguem o primeiro objeto em movimento que encontram no ambiente. Considerado um tipo de aprendizagem, é também conhecido como "estampagem". (N. T.)

A garrafa

O tempo passou no mais completo silêncio. Tentei preenchê-lo mergulhando nos apontamentos que havia fadigosamente registrado. Sentia crescer um irreprimível desejo de saber mais. Qual era o segredo do medo, da angústia que carregamos dentro de nós? Qual era a razão de milhões de vidas, como a minha, tão infelizes? O Dreamer pareceu pegar no ar essas perguntas e saiu do Seu silêncio. Mas as palavras que pronunciou foram completamente inesperadas. *Em Nova York você vivia com uma garrafa de água sempre à mão*, disse em tom acusatório, em voz alta, como para denunciar essa circunstância a alguém às minhas costas. O embaraço que senti foi terrível. Enquanto Ele falava, apontava-me os dois dedos indicadores com um estranho movimento de cima para baixo, como para atrair sobre mim a atenção de uma invisível testemunha. Aquele modo de excluir-me da conversa direta, colocando entre nós um observador virtual, fez-me cair num desconcerto vergonhoso. De repente, as falsas proteções, os compromissos, as máscaras criadas e sedimentadas ao longo de uma vida pularam uma após outra, como camadas de pele morta. Perdi o controle dos músculos do rosto e senti mil expressões adquirirem formas de caretas grotescas, em uma sucessão de imagens em alta velocidade. A máquina estava em *tilt*, bem como seu programa de controle. Foi naquele espaço não mais cativo, como se o Dreamer o tivesse liberado, que a memória daqueles anos preponderou sobre qualquer outro tipo de emoção, e as imagens começaram a fluir.

De súbito, aquelas lembranças deram-me a impressão de ser segmentos de vida de uma outra pessoa. Para prevenir a formação de cálculos, os médicos haviam me aconselhado a beber muita água. Ter uma garrafa de água sempre por perto tornou-se com o tempo um hábito. A garrafa transformou-se em uma espécie de prótese, um apêndice do qual eu não ousava abrir mão. Um dos primeiros efeitos do encontro com o Dreamer, aliados à corrida pela manhã e a aplicação de Seus princípios na minha vida, foi o desaparecimento de muito lixo psicológico e, com ele, também da garrafa.

Sua doença não é calculose, mas dependência. Os cálculos são apenas um sintoma, sinais indicadores para manifestar a verdadeira doença, para encontrar a via da recuperação.

Disse-me que quando não os escutamos e não seguimos o caminho de retorno em direção à verdadeira causa, as doenças tornam-se agudas e os sintomas ainda mais insistentes e dolorosos.

Com Suas indicações, portanto, e muito menos água, o problema no rim tornou-se uma recordação distante. Ao rever as imagens fluírem na tela da minha mente, perguntava-me por que Ele teria reinvocado exatamente aquele episódio. Inesperadamente disparou um mecanismo recluso e fui lançado a uma memória sem tempo, vertical ao plano daquelas recordações, na eternidade de um daqueles meus estados de ser. Entrei nos pensamentos angustiantes daqueles anos. *Recordei* que a perda daquela escravidão, libertar-me da tirania do medo que me havia tornado inseparável de uma garrafa de água não me conferiu nem alegria nem conforto. Ao contrário! Penetrando num átomo daquele passado, descobri que aquela nova liberdade teve para mim o sabor de uma perda irremediável, como a falta de uma pessoa cara ou a constatação de uma derrocada financeira. Agora tinha presente que a coisa mais difícil tinha sido suportar o vazio deixado pela cura. A perda, mesmo que temporária, do medo, da angústia de estar doente, eu a senti como a queda de uma proteção vital, o abandono de velhas e familiares escoras.

Os verdadeiros pobres

A voz do Dreamer sobressaltou-me e reconduziu-me à minha tarefa de redigir.

Tirar de alguém ainda não pronto um problema ou uma doença é como desativar--lhe o sistema de alarme ou eliminar um providencial redutor de velocidade. Se não estiver preparado, as consequências são imprevisíveis. Poderia se ver em condições ainda mais graves que as anteriores.

Por isso um ser humano não pode ser ajudado do externo. Excluída uma doença ou uma preocupação, imediatamente deverá substituí-la por outra doença ou outra preocupação, muitas vezes ainda pior, restabelecendo, como uma perfeita máquina homeostática, as condições que lhe correspondem no ser.

Estava revelando-me o segredo de um comportamento que diz respeito à massa de homens e mulheres. Um mecanismo psicológico de alcance mundial sempre esteve diante dos nossos olhos, mesmo que seu funcionamento pareça ainda inexplicável. As pessoas têm dificuldade para abandonar seus sofrimentos, medos e incertezas. Eis do que são ricas! São esses os bens que possuem, e a eles são tão apegadas como os seus bens mais valiosos, razão que as impede de irem além. A razão que me deu o Dreamer é que a humanidade os tem como escudos protetores.

"... Vai, vende tudo quanto tens e dá aos pobres, e terás um tesouro no céu; depois vem e segue-me. Ouvido isto, o jovem retirou-se pesaroso, porque possuía muitos bens."

Finalmente, na trama da parábola do jovem rico, como através de uma filigrana, vi o brilho da inteligência de Quem a havia criado. O tesouro guardado por vinte séculos nessas extraordinárias palavras mostrava o seu deslumbrante esplendor.

A explicação do que havia acontecido no Veronica's chegou repentinamente e me iluminou. O que o Dreamer havia realmente pedido aos homens e mulheres reunidos naquele jantar não era para abandonarem suas riquezas ou bens, mas a pobreza de cada um. Na realidade, estava indicando-lhes como entrar em níveis mais altos da existência. *Façam-se substituir por alguém*, havia dito. Eis o significado do discurso ao jovem rico: "Vende tudo quanto tens e dá aos pobres". Eis quem eram os pobres na referência do Evangelho. Deem aquilo que têm a quem está aspirando tomar os seus lugares. Perceberão que tudo o que possuem e ao que são mais apegados na vida é pobreza em comparação àquilo que está por chegar.

Por um mecanismo especial que o Dreamer ilustrou-me profundamente, no nosso universo tudo aquilo que não evolui degrada. Também nas nossas vidas, a cada instante, há sempre duas possíveis direções: ou em direção ao alto ou em direção ao baixo. A isso chamou a *lei da evolução*, e definiu que, aplicada tanto a indivíduos como a organizações, nacionais ou mundiais, a sua validade é universal. Sem um estímulo para o alto, sem a energia especial do desejo veemente de ser mais, a vida se curva sobre si mesma e se degrada.

Fez-me refletir sobre o emblemático caso da Igreja que, em certos períodos da sua história, não conseguindo encontrar a energia para se elevar a uma ordem superior, encurvou-se cada vez mais sobre si mesma, descendo de oitava em oitava até o ponto de assumir uma direção oposta àquela inicial. Foi assim que pôde transformar-se na negação de si mesma, tornar-se idólatra, supersticiosa e até mesmo criminal: chegou a inventar a Santa Inquisição, os autos-de-fé e as Cruzadas, continuando paradoxalmente a denominar-se e a acreditar-se ainda cristã.

Os ricos do Evangelho, condenados a permanecer no buraco da agulha, fora das portas do Reino, não são os tios Patinhas que mergulham no ouro de seus cofres, mas os homens sobrecarregados pelo peso das emoções negativas, pelos seus apegos e sentimentos de culpa, curvados sob o peso do medo tanto de viver quanto de morrer.

Apresentou-se a mim com clareza o desastre produzido pela interpretação às avessas dessa mensagem que nos séculos alimentou em milhões de seres o vitimismo e a tendência à escassez Pensei na atitude da Igreja que, compadecendo, justificando e às vezes até exaltando a pobreza, perpetuou-a, tornando mais difícil a sua eliminação da consciência humana e, portanto, da sociedade.

O medo é amor degradado

O medo é uma droga que sempre circulou nas veias da sua existência. Não é medo de algo... É somente medo. Agora você já se acostumou.

As condições que um ser humano encontra no mundo dos eventos são úteis para lhe revelar do que ele tem procurado escapar, o que ele tem tratado de não ver dentro de si. O mal e a acidentalidade, para quem não tem uma Escola, são problemas. Para quem tem uma Escola, são instrumentos de trabalho para reconquistar a integridade perdida, e entender. Ao mesmo tempo, são sintomas, bips de alarme sobre sua verdadeira condição.

Contrariamente àquilo que uma pessoa crê, primeiramente vem o medo, depois a escolha do que ter medo.

Dúvidas, medo e dor definem cedo na vida de um ser os limites das suas possibilidades; um espaço hipnótico, irreal, dentro de cujas fronteiras ele se sente seguro, como se entre paredes maciças de uma fortaleza, metade refúgio, metade prisão.

O abandono do medo é o primeiro passo em direção à integridade, à unidade do ser. Sobre o medo não se constrói nada, nem se pode acrescentar inteligência. A ausência de medo é a primeira lei do guerreiro. O medo faz você depender de um emprego e o impele a refugiar-se na doença, como você já fez no passado.

A voz do Dreamer assumiu o tom de uma ácida exortação quando me ordenou: *Transforme o medo em oportunidade!... O ser humano tem só dois sentimentos: o medo e o amor. Estes não são opostos um ao outro... São a mesma realidade em planos diferentes do ser... O medo é o amor degradado, o amor é o medo sublimado.*

Deu-me tempo de anotar essas últimas frases e, antes de continuar, assegurou-se de que eu as tivesse registrado fielmente.

O medo é a morte dentro. O herói é o homem em ausência de medo, em ausência de morte interna. Herói... Eros, amor, a-mors significa imortal. Quem não tem morte dentro não pode encontrá-la fora.

Herói é um grau da escala humana que não se obtém no clamor da batalha, mas em solidão, vencendo a si mesmo. A batalha serve somente para tornar visível o que o herói já conquistou no invisível. Sua invencibilidade ou invulnerabilidade é simplesmente a prova dos nove de alguma coisa que já aconteceu no ser, o teste de tornassol da sua vitória sobre a morte.

O Dreamer deixou transcorrer uma longa pausa. Utilizei-a para completar e ajeitar as anotações. Sentia a preciosidade daquele conteúdo e a grandiosidade de Suas revelações, que projetavam uma luz esplendorosa sobre os mecanismos mais secretos, as zonas mais escuras da nossa psicologia, sobre aquilo que nos faz uma espécie mentirosa, medrosa, mortal.

Quando retomou, Ele vinculou o tema à questão do Kuwait, aos meus medos de deixar o trabalho e transferir-me para lá.

Ir ao Kuwait é importante para você. Externamente é o início de uma estrada empresarial; interiormente é um primeiro passo em direção à superação de um estado de apneia, de uma condição limitada do ser que você se permite há muitos anos. O empresário já é um homem a caminho do sonho, disse com voz vibrante. O tom era doce. *É um rebelde capaz de colocar em jogo reputação e meios para modificar a realidade, para romper esquemas e equilíbrios preexistentes e criar outros mais proveitosos. Reunir outros seres, assumir a responsabilidade por isso, transmitir-lhes entusiasmo, contagiá-los com o próprio sonho são atitudes que se podem chamar características do empresário. São qualidades do ser para atingir graus mais altos na escala da responsabilidade humana.*

Senti uma angústia nascer dentro de mim sem controle. Percebi a indisposição inconfundível de uma cólica renal, quando o ser é invadido como por uma sombra e seu mundo interno se vela. Não existe uma outra sensação tão precisa entre a dor física e a dor psicológica. Instintivamente, levei a mão ao rim direito.

Queria inteirá-Lo dos meus receios sobre o retorno daquele mal que esperava já tivesse desaparecido para sempre, bem como dos exames médicos que estava por fazer.

Pare de ser um mentiroso, disse bruscamente. *Você é da pior espécie, aquela de seres que mentem a si mesmos, os hipócritas...*

A doença não existe. O corpo não adoece nunca. Pode somente mandar sinais, produzir sintomas, para nos informar o que falta no ser... As doenças não existem; existem somente recuperações.

Depois, com premeditada lentidão, pronunciou: *Toda cura é uma liberação do medo... Uma vez livre da verdadeira causa, também os sintomas desaparecerão.*

Fiquei completamente desconcertado. O anúncio que tanto a doença como a saúde dependiam somente de mim, e que a dependência, o medo, eram os fabricantes dos meus cálculos precipitou-me em pensamentos que se alargavam interiormente em círculos sempre mais amplos, até me desorientar.

Até agora você viveu como um dependente, disse em tom severo, tirando-me de uma ruinosa queda na autopiedade, *e tem a doença dos irresponsáveis. Quem adoece dos rins tem medo e por isso depende. Adoecer dos rins significa que existem problemas de comunicação, primeiramente consigo mesmo e depois com os outros.*

Naquela hora essas afirmações me pareceram obscuras e me deixaram cético. Somente muitos meses depois descobriria que culturas ancestrais já sabiam que no nosso céu interno brilham e orbitam estrelas e galáxias, que os planetas que formam o sistema solar são associados analogamente aos órgãos do nosso corpo. A Antiguidade clássica associava o fígado a Júpiter, o coração a Marte, o baço a

Saturno, os pulmões a Vênus. Nesta última associação, encontrei a confirmação de que a respiração é conectada às emoções, ao amor, compreendido como *a-mors*, ausência de morte.

Pela respiração e por seus órgãos podem-se controlar as emoções, pode-se combater o medo. Nas convicções do Classicismo confirmei o que já me havia antecipado o Dreamer: os rins estão associados a Mercúrio, o alado mensageiro dos deuses e, portanto, à comunicação. Mas essas descobertas só me chegariam mais tarde. Naquele instante com Ele eu ostentava um evidente ceticismo. Perguntei:

"Como, então, a comunicação me é congenial e sempre trabalhei em setores em que é mais intensa essa atividade?"

Exatamente por isso! Aqueles que adoecem dos rins são atraídos pela atividade da comunicação e se esforçam em equilibrar essa incapacidade... essa ausência de conexão, de compreensão... de comunhão.

Depois, com o tom de querer passar ao que mais interessa, disse: *Os seus medos fizeram da empresa que lhe paga um ídolo monstruoso que reflete a sua dependência... você transferiu para fora de você o seu sonho... você o trocou por um salário e por falsa segurança, reduzindo-se a um estado de escravidão... Quem depende já está na cova até o pescoço.*

A verdade é que, como milhões de pessoas, você já decidiu eliminar-se, acrescentou com uma estocada final. Fui tomado por um sentimento de rebelião, um ressentimento muito próximo ao ódio que, por sua súbita aparição inesperada e violência, assustou a mim mesmo em primeiro lugar. Ele havia golpeado uma terminação nervosa, colocado a descoberto a parte de mim mais escondida que, cegamente, na escuridão, estava guiando a minha vida. Mas também, do mesmo modo que se manifestaram, esses sentimentos desapareceram como fantasmas do ser. Atrás deles, mais profundamente, encontrei rendição e gratidão. Alguma coisa em mim, mais verdadeira e sincera do que qualquer outra, sabia que quem encontra o Dreamer encontra a cura.

Vá para o Kuwait, disse paternalmente com surpreendente doçura. *Aceite aquele trabalho e viva a vida de um empresário. Comece a respirar as primeiras porções de um ar mais doce... Será útil para você colocar por terra as barreiras que o impediram de alcançar estados superiores de responsabilidade.*

Remova seus obstáculos internos que impedem seu crescimento e todos os seus problemas pessoais, sociais e econômicos se dissolverão.

Medo e dependência são a mesma coisa. Depende-se porque se tem medo, e tem-se medo porque se depende.

Não existe guerra mais santa que combater e vencer esse limite... Supere o medo, arranque-o do ser.

ADEUS, NOVA YORK

Aqui parou. Tive a impressão de que estivesse avaliando a oportunidade de transmitir-me uma última informação. Sua imagem começava já a perder os contornos, quando disse: *No Kuwait você encontrará homens e mulheres que são células valiosas do Projeto.*

A solução vem de cima

No dia seguinte, cancelei o exame radiológico e aceitei a proposta de Yusuf Behbehani. O doutor L., chefe de pessoal da ACO, ficou muito surpreso ao receber, em poucas linhas, a minha demissão, e quis me ver. Já o havia encontrado em outras ocasiões. A impressão que eu tinha dele era de um comandante severo, soberbo. Mas desta vez o encontro foi diferente. Sua vida se abriu diante de mim de golpe, como se seu passado e seu futuro se comprimissem naquele instante. *Vi* seu relacionamento com a mulher, com os filhos, com a existência. Doutor L. representava o próprio símbolo de uma carreira horizontal, aparentemente de sucesso, mas na realidade guiada pelos mesmos medos, pela dependência e pela infelicidade que tinham caracterizado a minha vida. Uma vez tomada a decisão, a visão fez-se lúcida, cortante como uma lâmina. *Vi* nos olhos de quem tinha sido o meu chefe o reflexo das minhas inseguranças, a pequenez da condição empregatícia, a asfixia daquela descrição do mundo. *Vê-lo* e sentir-me livre foi uma coisa só. Era livre porque *via, via* porque era livre. Reconhecer-me naquele homem, perscrutar a minha imagem reflexa em cada atitude ou palavra sua foi como apoiar o pé sobre um degrau e ir além. Não poderia nunca mais ser meu chefe. Havia bastado elevar-me um milímetro na verticalidade para *compreender,* num instante, toda a existência daquele homem: estudos, carreira, relacionamentos; sua vida afetiva, profissional, as aparentes vitórias e insucessos, e tudo aquilo que pudesse acreditar saber ou possuir de súbito foi compreendido. E eu fui liberto. No meu ser sentia a supressão das velhas correntes. Parecia-me, então, absurdo, como crédulos idólatras, a devoção à escassez humana, a veneração generalizada por tudo aquilo que é sofrimento, a nossa afeição à mentira, a nossa fé irremovível na inevitabilidade da morte. O encontro com doutor L. tinha sido um duelo entre o velho e o novo em mim. Uma única hesitação e teria sido abatido e lançado no érebo da dependência. Mas, como numa disputa medieval, no mundo do invisível estava gravada a minha vitória. Fui invadido por uma felicidade excitante, indomável, de quem acabou de superar um desafio mortal. Quando nos separamos, já à porta de seu escritório, tive a impressão de que também os olhos do doutor L. exprimissem satisfação pela minha passagem. Nosso encontro havia dado também a ele um respiro de liberdade e, por algum instante, o havia feito sair da prisão do seu papel. Percebi que toda a humanidade, como um único organismo, sabe e sente alegria por uma célula, uma única que seja, que se cura e prenuncia a nova espécie.

Compreendi que, em todos aqueles anos, a ACO Corporation não representara apenas um trabalho e uma fonte de renda, mas uma proteção e a representação tangível de uma condição de dependência. Era hora de virar a página.

Em poucos dias fechei a casa, mandei as crianças aos avós maternos por algumas semanas, acompanhados de Giuseppona. Estava pronto para transferir-me à cidade do Kuwait, a cidade-estado flutuante sobre seu ouro negro, mas já também uma fronteira dos negócios mundiais e um dos centros financeiros do planeta.

Também nessa circunstância encontrei Giuseppona ao meu lado. Seus olhos brilhavam de excitação. Mais uma vez estava pronta. Acolhia também essa mudança e a perspectiva de viver por anos no Oriente Médio com o entusiasmo de uma menina. "Resolva logo, filho!", disse abraçando-me. A bagagem estava pronta, e Giorgia e Luca estavam já no carro prontos para partir. "Encontre-nos uma bela casa... Não vejo a hora de ver o deserto... Imagino-o como uma praia um pouco maior que Lícola..."[28] E além disso quero encontrar algum príncipe árabe..." O bom humor de Giuseppona era irreprimível e contagioso. Graças a ela, aquele adeus às crianças foi luminoso. A promessa de estarmos juntos muito em breve deixou-me mais forte e ainda mais determinado a enfrentar a crucial e radical mudança.

Como já tinha acontecido em todas as fases da minha vida guiadas pelo Dreamer, a partir daquele momento as coisas entraram nos eixos e assumiram com precisão o seu lugar, como no encaixe de peças num jogo perfeito. A decisão, uma vez tomada, deu um andamento fluido a situações há tempos estagnadas e às quais eu me submetia.

O mais importante primeiro! Coloque diante de qualquer outra coisa apenas aquela que é mais importante de todas: o sonho, a sua evolução. Quando você se recordar de Mim, um senso de discriminação emergirá... saberá com certeza o que fazer e o que não fazer. Quando começar a se auto-observar, a se conhecer, tudo aquilo que é certo começará a acontecer, e tudo aquilo que não faz parte do sonho, tudo aquilo que é inútil, supérfluo ou danoso começará a se dissolver.

Deparava-me com a veracidade desses ensinamentos a todo instante, tocava-os com a mão. Aquilo que fazia parte do passado estava simplesmente se esfacelando, sem nenhum esforço ou qualquer tentativa da minha parte de detê-lo. Como Noé, podia levar comigo apenas as *sementes* do meu novo mundo.

---

28. Localidade da província de Nápolis. (N. T.)

Aparentemente eu estava abandonando a segurança do emprego, um equilíbrio familiar, a casa, por uma aventura empresarial em um país distante. Somente os anos ao lado do Dreamer, o longo trabalho de auto-observação, a Sua presença faziam-me ver que, na verdade, eu estava renunciando à mentira e à dependência que ainda me impeliam a acreditar na certeza de um *trabalho seguro*, na proteção, na ajuda do mundo externo.

Gretchen encarnava de modo exemplar aquela descrição do mundo, sua representante e fiel guardiã, sempre atenta a alimentar e perpetuar aquele modo de pensar, de sentir, de conceber a vida. Quando chegou o momento, como eu havia previsto, ela não teve coragem de deixar os Alpes pelas areias do Oriente Médio. Aquela mulher e tudo o que representava não podiam me seguir. Repetia-se exatamente aquilo que havia acontecido com Jennifer. Cada vez que eu dizia sim ao Dreamer, era a morte de um mundo de falsidade, de incompreensão e de hipocrisia. Minhas certezas eram para Ele sucata a ser trocada o mais rápido possível por algo precioso, para mim ainda invisível.

As mudanças tão radicais, aparentemente inesperadas, eram somente o efeito de um milímetro de compreensão em anos e anos de esforço. Apesar disso, seriam necessários outros anos de preparação e a queda ainda em tantos outros erros, antes de poder ir além e entrar com mais profundidade em Sua filosofia.

Dando mais espaço aos princípios do Dreamer, Gretchen dissolvia-se junto com as insinceridades e os fantasmas da minha vida. Retornou a Nova York, suas cartas foram se rareando, até que não nos vimos mais. Os ídolos que eu havia adorado, as coisas em que havia firmemente acreditado estavam desmoronando. Cada prioridade foi subvertida. A carreira, a família, o dinheiro, o sistema inteiro de valores, tudo estava assumindo formas novas. Algo de extraordinário estava penetrando na minha vida. Algo de gentil, sincero, verdadeiro tomava lugar, com simplicidade.

O Dreamer me recordava constantemente que o sonho é a coisa mais real que existe e que a Arte de Sonhar é uma elevação do ser que permite adentrar o mundo das soluções.

No mundo dos eventos, no mundo dos opostos, você não pode se encontrar com a solução. A solução não está no mesmo plano do problema. A solução vem de cima e não pela linha do tempo! É preciso saber como entrar no mundo das soluções. Quando você se eleva no ser, tudo aquilo que parecia nebuloso torna-se claro, e aparentes problemas que se apresentavam como montanhas insuperáveis revelam-se leves saliências...

Refleti então sobre uma questão vital, sobre um fato que está diante dos nossos olhos, porém continua a evitar com astúcia qualquer análise ou investigação: em toda a história do mundo, os problemas não foram nunca resolvidos! No máximo foram transferidos no tempo ou na geografia, adiados para o futuro ou deslocados para um outro país. As mudanças da história da humanidade e as soluções encontradas no tempo para os seus gigantescos problemas são, por isso, somente aparentes. Esses problemas são ainda exatamente como eram há milênios. A humanidade não os resolveu ontem com as mãos nuas e o sílex e não consegue resolvê-los hoje em posse da tecnologia mais avançada.

"Mas certamente muitos males conseguimos aliviar, nós melhoramos..."

Entre os hábitos mais nocivos e inveterados do ser humano encontra-se aquele de falar sempre em melhorar o mundo e acreditar nisso. A linguagem comum é cheia de palavras como evolução e progresso, mas tudo fica como está. Melhorar é impossível, concluiu secamente. *Crer que se pode evoluir e melhorar faz parte das superstições da velha humanidade. É uma fé beata e cega.*

Há milênios não acontece nada. Os problemas planetários, da pobreza à criminalidade até os conflitos e as guerras, são os mesmos de sempre, na idade da pedra como na era digital.

Melhorar é a palavra de ordem de quem quer deixar tudo como está; de quem se permite um modo de pensar obsoleto, sem vitalidade. Crer que o mundo possa ser melhorado do externo é a convicção fideísta[29] de uma humanidade que não tem força para enfrentar a raiz do seu mal. Urge uma revolução do pensamento. Uma reversão. Para mudar a realidade é preciso mudar o sonho. Somente o indivíduo pode fazê-lo.

O tempo encurva, e o ser humano e toda a civilização por ele criada se encurvam e se degradam como um ciclo que os leva sempre ao ponto de partida, ao passado, enquanto têm a ilusão de caminhar em direção ao futuro. A solução, tanto para a vida de uma pessoa quanto para a história de uma sociedade, não se encontra, portanto, jamais no tempo, mas em um tempo vertical, em um tempo sem tempo, em uma elevação da qualidade do pensamento que pode acontecer somente neste instante.

Somente governando o instante suspenso entre o nada e a eternidade, a humanidade poderá modelar seu destino, criar eventos de ordem superior.

---

29. Fideísmo: doutrina teológica que, desprezando a razão, preconiza a existência de verdades absolutas fundamentadas na revelação e na fé. (N. T.)

6
Na cidade, do Kuwait

Isto é Economia!

Apoiei-me contra o espaldar da poltrona e estiquei as pernas debaixo da longa mesa de mogno. Tinha sido uma jornada intensa, cheia de afazeres, como acontecia ininterruptamente havia meses. Tínhamos trabalhado em festiva desordem, com os escritórios abarrotados de caixas enormes com os novos equipamentos e móveis chegados da Europa. As torres gêmeas do Al Awadi Center, para onde eu tinha transferido o escritório central, estavam silenciosas naquela hora da noite. O ruído do ar-condicionado ligado era monótono e confortante, como o som surdo e vibrante de satisfação de um grande gato mecânico. No escuro, a cidade do Kuwait era um punhado de diamantes entre as espirais das Ring Roads, suas tangenciais concêntricas. A única rodovia do país alinhava suas luzes em direção aos poços, poucas milhas a noroeste. Ali ofegavam as grandes bombas extratoras, cabeças imensas de sáurios emergindo de oceanos minerais de milhões de anos.

Embora já fosse noite, a temperatura lá fora devia estar ainda insuportável; aquele dia havia superado todos os recordes. Sorri ao pensar no decreto do emir que ordenava a suspensão imediata de qualquer atividade laboral quando as temperaturas superassem os quarenta graus. A partir de então os termômetros oficiais paravam de registrá-las, resolvendo assim o problema do custo daquela proibição.

Com a transferência dos escritórios e dos departamentos de assistência técnica ao complexo comercial das Al Awadi Towers, a empresa que iniciei no Kuwait tinha entrado em plena operação e tornava-se uma das atividades mais produtivas entre os numerosos negócios da *holding* Behbehani. Eu havia selecionado, de vários lugares da Europa e alguns dos Estados Unidos, os dirigentes e técnicos mais qualificados para aquela organização. E outros mais chegavam, à medida que o contínuo desenvolvimento das atividades assim o exigia, no clima excitante que acompanha a conquista de novas fronteiras. Cada um deles havia assinado um contrato de permanência de pelo menos três anos no Oriente Médio. Não tinha sido fácil encontrá-los, escolhê-los e, principalmente, motivá-los a se transferirem à cidade do Kuwait. Esse pequeno exército de *expatriados* tinha mil problemas e inúmeras necessidades: desde vistos de permanência e transferência de móveis à adaptação das famílias, educação dos filhos etc. Eu passava noites e noites organizando, planejando o necessário para o bom andamento daquela empresa e o bem-estar de todas aquelas pessoas pelas quais eu me sentia responsável. Não conseguia nunca, porém, satisfazê-las plenamente. Agora que eu era o chefe, queria fazer por elas o que teria desejado para mim quando ocupava suas funções.

Entre línguas, nacionalidade e profissionais, eu tinha concentrado uma pequena torre de babel, um corpo multiforme, felizmente heterogêneo, que a cada dia crescia seguindo o desenho de uma gestação perfeita. Cada elemento, cada pessoa, juntava-se na trama daquele tecido de malha estreita. Já sentia aquele time como uma extensão de mim mesmo.

Colocar-se a serviço daquelas pessoas, trabalhar para o bem-estar delas, significa recordar constantemente os princípios do sonho... Sua mudança as fará mais vivas, mais responsáveis, mais livres. Isto é Economia!

Agora, só com meus pensamentos, eu repassava mentalmente o que Ele me havia dito. Um perfume de infância impregnou o ar. Senti a leveza de uma festa. Passei mentalmente em revista todos os homens e mulheres que trabalharam para mim. Revi seus rostos, enquanto ouvia novamente as palavras sem tempo do Dreamer: *Curá-los, servi-los e amá-los é a tarefa de um verdadeiro líder. Numa organização, até a mais distante das células deve ser curada para que evolua e acelere seu progresso.*

Esquecer o sonho

Naqueles meses de construção, intensamente absorvido por minha nova vida, esqueci as recomendações do Dreamer e perdi o aspecto mágico do jogo. Por períodos sempre mais longos vivi em apneia, sem respirar o ar puro de Seu ensinamento, esquecendo minha busca. Preocupações e trabalho intenso, que então confundia como indicadores e efeitos irreprimíveis da responsabilidade, engaiolavam-me até eu acreditar que tudo dependia das minhas decisões, das estratégias escolhidas.

Está tudo feito, tentou repetidamente advertir-me Ele, pressagiando o caminho desastroso sobre o qual eu dava meus passos. *Está tudo feito. Você deve apenas aceitar.* Mas Suas indicações caíam no vazio, ou melhor, rompiam-se contra os suportes da minha presunção. Estava convicto de que os crescentes sucessos das atividades que eu dirigia fossem o resultado natural de capacidades e dotes que sempre me caracterizaram. As mil situações de negócios, com todas as suas aparentes emboscadas e armadilhas, as lutas para estabilizá-las e vencê-las mantinham-me sempre mais dolorosamente tenso e preocupado.

Recordo-me que uma noite, indo para um jantar no *Riccardo*,[30] tomamos a estrada costeira. Ali fluía o tráfego mais fantástico do mundo, com bentleys e ferraris que avançavam ao lado de mercedes e caminhonetes enfeitadas como camelos de desfile. Ruidosos, era-me difícil ouvir aquilo que estava dizendo o Dreamer. De repente, todo rumor cessou. Como por um comando invisível, os carros estacionaram ao lado das calçadas ou pararam no meio da rua. Tapetes de oração se desenrolaram em direção a Meca para acolher as genuflexões de centenas de motoristas transformados, como por encanto, em uma massa de pessoas em oração. Sob o céu que se adensava de estrelas, a orla tinha se tornado uma imensa mesquita. Naquele silêncio, a voz do Dreamer alcançou-me com uma intensidade indescritível.

Esses homens estão fazendo o mesmo caminho seu. Ajoelham-se cinco vezes ao dia e oram para alcançar o mesmo objetivo que você. Mas o paraíso em que creem nunca virá. O paraíso é um estado de ser... o além é este mundo em ausência de limites. A religião com seus rituais de massa é ilusória...!

Naquela mesma noite, esperei o momento oportuno e pedi-Lhe que me falasse mais sobre isso. Explicou-me que religiões, ideologias e ciências são pontes a se atravessar, transcender e abandonar. Uma vez cumprido seu papel, deveríamos livrar-nos delas; mas, pelo nosso comodismo, elas se transformam em prisões de dogmas e superstições, em armadilhas mortais. Para a humanidade, assim como é, agressiva, conflituosa, para pessoas que, por conta própria, destruir-se-iam, a religião é um instrumento de controle social, de prevenção, um modo de conter a criminalidade juntamente com tribunais, xerifes e prisões.

Lembre-se do seu objetivo. Se você verdadeiramente quiser transformar seu destino em uma grande aventura, recorde-se dos princípios do sonho. O comodismo da humanidade ao se entregar a emoções negativas e pensamentos destrutivos é a verdadeira causa de todos os seus problemas. Seja vigilante! Não permita internamente a presença de nem mesmo um átomo de dor. Use qualquer meio, mas feche logo qualquer ferida mortal que você tenha!

---

30. Restaurante italiano do Hotel Sheraton, na cidade do Kuwait. (N. T.)

Apesar da presença do Dreamer e de Suas recomendações, inevitavelmente eu me encontrava percorrendo outra vez as velhas trilhas de uma existência infeliz. Recordo-me que também desta vez Ele foi obrigado a concluir nosso encontro com uma ameaça.

Faça sua revolução!, intimou, *ou um dia você se verá em genuflexão junto àquela multidão, esperando propiciar uma divindade fora de você.* Depois, em um sussurro feroz como o sopro de um enorme predador, acrescentou: *Mude... ou deverei substituí-lo por alguém mais preparado!*

A pressão do trabalho aumentava a cada dia com o crescimento da empresa e a expansão de suas atividades. De noite, eu acordava em sobressalto e permanecia insone por horas. Providencialmente, de quando em quando, como um raio de sol que penetra entre as grades de um cárcere, a lembrança do Dreamer vinha dar-me um alívio e, então, uma brecha se abria naquele muro de esquecimento. Por instantes eu conseguia religar-me ao sonho. Quisera não abandonar mais esse lugar no ser, a ilha sem tempo em que não existiam preocupações, incertezas, nem ansiedade! Mas esse estado... durava um piscar de olhos. Medos e dúvidas, distanciados momentaneamente, retornavam ainda mais fortes que antes. Sentia-me sufocar. Uma náusea invadia-me e a mente caía em poder de um exército de pensamentos sombrios.

Naquela noite, o silêncio e a solidão contribuíram para minhas reflexões. Abri, *ao acaso*, o caderno de anotações. Sua voz chegou-me viva e possante: *Todo ser é o único artífice da realidade que lhe corresponde viver. O mundo é uma grande tela sobre a qual projetamos os fantasmas da nossa vida. Além de nós não há nenhuma força, conhecida ou desconhecida, natural ou sobrenatural, que possa influenciar nosso destino... Qualquer evento da nossa vida, antes de se manifestar, deve ter nosso consentimento.*

Ergui os olhos e, encantado, permaneci na escuridão emoldurada pelo mármore das janelas mouriscas. Percebi quanto minha vida agora era diferente. Vivi um intenso momento de gratidão por tudo quanto havia recebido e pelo que estava acontecendo comigo. Uma única gota de um mundo superior basta para dissolver os infortúnios de uma existência.

Observei aquele ambiente, cada detalhe, com um novo brilho. Notei a elegância árabe, opulenta e vistosa, da sala de reunião. Pela porta entreaberta, espiava a alegre desordem das grandes caixas deixadas sobre os ricos tapetes. Na manhã seguinte, meus homens desempacotariam equipamentos e móveis e os montariam.

Passei mentalmente em revista seus rostos sorridentes. Foi então que tive a inexprimível sensação de não estar só. As batidas do meu coração se intensificaram enquanto lentamente rodei a poltrona em direção àquela presença.

Preocupar-se é animalesco

A poucos passos de mim estava Ele, elegantemente vestido em Seu estilo sem tempo. Estava sentado em uma posição ligeiramente curvada para trás, com as pernas cruzadas e a expressão de quem está claramente à vontade. Parecia absorto na leitura de um pequeno livro finamente encadernado. Não me olhou nem deu sinal de ter me notado. Havia quanto tempo estava ali?

Não tive tempo de me refazer da surpresa, quando Ele, sem preâmbulos, como de costume, entrou no assunto.

Pessoas como você, identificadas com a descrição do mundo, preocupam-se porque se esqueceram do aspecto miraculoso do ser, disse sem desviar os olhos do livro. A pausa transcorreu como se Ele ponderasse consigo mesmo Sua afirmação. Depois, sem esconder uma sensação de desgosto àquele pensamento, acrescentou: *Preocupar-se é animalesco!*

Fazia seis meses que não O via. Ao encontrar-me repentinamente diante Dele, tão perto a ponto de poder tocá-Lo, vivi sentimentos contraditórios. Superada a surpresa, senti a alegria, imprevista e tumultuosa, de quem no deserto vislumbra o cume de palmeiras inesperadas. Mas a alegria foi rapidamente embaçada por um enxame de emoções desagradáveis. Senti o pranto, há muito reprimido, romper-se com um odor infecto. Por longos meses me havia deixado só, enfrentando uma tarefa superior às minhas forças. Quantas vezes me arrependera de ter Lhe dado atenção, de estar naquele lugar. Quantas vezes, em desespero, sentira-me enganado, sem forças para continuar, sem modo de retornar. Cheguei a querer a miserável segurança de um salário, o refúgio no abraço tenebroso da escravidão. Até mesmo o sofrimento cego, a amargura inconsciente da minha vida antes do Dreamer, pareceu-me preferível àquela fatigante escalada. Apesar do esforço para me conter, não pude evitar uma reação agressiva, quase de declarado desafio.

"Se preocupar-se é animalesco", rebati, enquanto meus músculos faciais se enrijeciam e eu perdia o controle das expressões, "então, o que se deve fazer? Se não me preocupo, nem penso, quem o fará?"

O Dreamer não teve nenhuma reação. Permaneceu absorto na leitura do livreto, aberto na palma da Sua mão esquerda. Tão logo falei, quis retroceder, retornar a fita do tempo e apagar tudo. Mas era tarde demais. A violência e a arrogância do tom que usei voltaram-se contra mim; senti-me esmagado pelo peso de um rochedo. Notei que pelo menos consegui evitar dizer "eu". E isso, absurdamente, deu-me certo alívio. O silêncio continuou, já mais denso e penoso. Permaneci imóvel todo o tempo, observando-O ler. Quando deixou a leitura, fui assaltado por uma inquietude, um perigo impendente e desconhecido. Lentamente fechou o livreto, mantendo os dedos indicador e médio entre as páginas, fazendo as vezes de marcador, e levantou os olhos até se fixarem nos meus com uma intensidade que não pude suportar. Percebi, por um instante, o abismo que nos separava e uma vertigem de anos-luz mediu a distância entre nossos seres.

Você ainda pertence a um mundo que acredita agir e escolher... um mundo em que se fazem planos e programas... e no qual a emanação da existência passa inobservada, acusou-me com um tom de patrão severo. Depois, atenuando-o imperceptivelmente, disse: *O único planejamento que um ser pode fazer é desenvolver a si mesmo, alimentar o próprio sonho. Todo o resto lhe será acrescentado. O abandono de um átomo de medo move montanhas e projeta-o como um gigante no mundo dos eventos.*

"Como é possível evitar preocupar-se com o futuro?", perguntei ansioso; temia a dor de uma intervenção. Encorajado por um raio de benevolência, completei: "Como se pode viver sem planos, sem programas?". No tom da voz era reconhecível o esforço de remediar, de qualquer jeito, a grosseria da minha primeira pergunta.

A programação é uma forma de exorcismo, uma fuga do real. O ser humano aplaca o medo do futuro com a falsa segurança das previsões, por intermédio de rituais de planejamentos e programas. Diante da aparente falta de controle, da imprevisibilidade da existência, seres como você recorreram a fórmulas e regras, na ilusão de conseguir dobrar o Universo pelas lentes deformantes da racionalidade e substituíram-no por uma descrição mais confortável.

Mas nada disso jamais pôde aliviar a sensação da própria precariedade, aquela sensação de insegurança, disse, como que observando o resultado de um amargo balanço.

Programar é como cavar um poço e acreditar poder fazê-lo conter a imensidão de um oceano. Esse escudo da fraqueza, essa couraça ilusória que o faz se sentir protegido, o tênue diafragma mental que você interpôs entre você e o real rompe-se e, de repente, o ser é colocado em frente ao abismo, ao ilimitado, à vida assim como é, e não como lhe foi descrita.

Crenças e práticas de anos vividos nas organizações, teorias de decisão, estratégias empresariais, modelos, tabelas e gráficos gerenciais, e todo o armamento de doutrinas e técnicas aprendidas nos estudos de Economia e de Negócios feitos na Itália, nos Estados Unidos ou na Grã-Bretanha estavam agora ruindo sobre mim como ídolos de pedra.

"Mas um executivo, para tomar decisões, não deverá de qualquer modo programar sua atividade e a de seus colaboradores? Não deverá, também, fixar objetivos a serem alcançados?", perguntei numa última e débil tentativa de salvar pelo menos uma pequena porção de segurança sobre a qual havia fundamentado minha vida, e a ilusão de poder administrar uma empresa minha no Kuwait.

Não se esconda atrás da máscara de um papel, esbravejou o Dreamer. *Não diga um executivo. Diga: 'Eu, como posso fazer?'. Use-o intencionalmente, esse pequeno eu, e assuma a responsabilidade! O Universo ouve você. Sempre!... e o avalia também enquanto você faz uma pergunta.*

Uma antiga ferida abriu-se dentro e eu a senti queimar de ressentimento pela humilhação, como a palma da mão atingida por uma reguada dos barnabitas. Num instante estava entre os muros do antigo colégio, engastado como uma pérola branca entre as vísceras de Nápoles, conectado àquela consciência de menino. Senti a cura. Quando aquelas imagens se dissiparam, encontrei-me diante do Dreamer, livre, inocente. Agora podia finalmente ouvi-Lo.

Um verdadeiro líder planeja e programa, como fazem todos, mas sem acreditar nisso. Seu planejamento é uma récita que respeita ações e papéis de um roteiro teatral invisível.

Cada átomo é um átomo de criação... cada átomo é novo. Nunca houve um momento antes nem um momento depois deste instante... nem nunca haverá! Tudo aquilo que você vê, e tudo aquilo que você não vê, é criado neste instante. Tudo acontece agora, neste instante eterno, na onipotência, no espaço infinito do seu ser.

Enquanto falava, o Dreamer puxava do céu um fio invisível entre o indicador e o polegar, traçando no ar uma vertical ao mundo.

O instante é território do sonho...

O planejamento do ser comum acontece no tempo e no espaço... cedo ou tarde se encurva e fracassa.

"Mas o *sonhar* também não é uma forma de planejamento?", perguntei com a doçura de uma rendição, sempre mais fascinado por Sua visão.

O sonho é uma planificação que acontece em ausência de tempo... na eternidade, em um tempo vertical... Eu sou este instante... Este instante contém tudo aquilo que irei recolher no tempo... partículas, fragmentos de mim! Por isso, um sonhador não faz planos, nem se preocupa. Ele deixa que o sonho se exprima em toda sua liberdade, em toda sua beleza... Sabe que os resultados se produzem sem esforço, naturalmente, de acordo com seu grau de impecabilidade e de integridade.

No profundo do ser, você é um campo unificado de possibilidades ilimitadas. É aí que seu sonho acontece. É aí que alguém, ou o necessário para criar prosperidade e sucesso na sua vida, aparece. É aí que seu propósito de vida se torna claro.

Depois, como que demonstrando uma fórmula matemática, continuou: *Nas empresas e em todas as pirâmides organizacionais, quanto mais baixo é o nível de responsabilidade, mais é necessário planificar... Mais se desce em direção aos papéis subalternos, mais é forçoso programar cada detalhe, fixar e receber objetivos precisos.*

Ali, todos os rituais de um processo de decisão são escrupulosamente seguidos, mas só por intermédio desses homens e mulheres não acontece nada.

O ar ainda vibrava com essas palavras, quando as luzes da sala de reunião em que estávamos se apagaram e uma tela desceu lentamente até cobrir a parede do fundo. Tive a impressão de que paredes e teto desapareciam. Senti a poltrona movimentar-se e receber fortes empurrões, como se estivesse sobre uma plataforma móvel ou algum fantástico e invisível veículo.

A fuga é para poucos

As imagens começaram a deslizar pela tela. Vi massas humanas andarem às cegas pelos corredores das organizações, lotarem seus espaços abertos ou engaiolarem-se em escritórios apertados como celas de insetos. *Essas são sombras. Ninguém até agora conseguiu transformar esta humanidade, conduzi-la à condição de uma nova espécie. Somente uma Revolução Individual poderá reverter o modo de pensar e de sentir de milhões de homens e mulheres enredados no sono hipnótico.*

Revolução Individual, duas palavras que teriam uma importância decisiva na minha vida, embora naquele momento não me dissessem nada. Eram, porém, o anúncio do Projeto para o qual o Dreamer estava me preparando há anos. Era ainda muito cedo para que me pudesse revelar sua grandiosidade.

Visitei com o Dreamer os mais baixos círculos das organizações. Com Ele penetrei naqueles mundos densos, de baixa vibração, povoados de prisioneiros. Com a respiração suspensa, assistia à sucessão ininterrupta daquelas imagens. Olhava homens e coisas flutuarem no líquido esverdeado de um imenso aquário iluminado por lívidas luzes de néon. Eu tinha vivido ali por tantos anos, porém somente agora percebia o quanto era duro pertencer àquele meio, e quão dura era a condição daquelas criaturas condenadas a respirar, todos os dias, o ar que elas mesmas envenenavam. De repente, o vidro que continha aquele universo doente virou um espelho e nele vi refletidas as imagens de dois velhos decrépitos, cinzas, encurvados. Notei suas peles pregueadas, rachadas como uma terra ressequida. As rugas de seus rostos pareciam golpes feitos com o gume de algum objeto, deformando-os. Alguma coisa em suas aparências era inquietantemente familiar. Perscrutei-lhes, esforçando-me em descobrir a causa daquela perturbadora sensação. Até que os reconheci e me horrorizei... Aqueles velhos éramos nós... o Dreamer e eu! Voltei-me espantado em Sua direção. Encontrei-O em pleno controle. Seu rosto severo era mais jovem que nunca e encorajava-me com um sorriso. Senti-me mais sereno, mas o ânimo permaneceu marcado por um desespero mudo, sem pranto.

Vi um sem-número de jovens esperarem em fila. Em seus olhos ainda se podia distinguir algum lampejo. Como uma fita humana de gravação, passavam, um a um, diante de um sinistro examinador que ou os descartava ou os acolhia e encarregava-os de um trabalho. Como Minos, com as espiras do rabo, indicava a cada um uma atribuição de dor, o posto fixo nos circuitos infernais das organizações. Observava com dó a palidez de seus rostos, os olhares mortiços. Sabia que estavam condenados à infelicidade.

Ser escolhido é aquém da dignidade. Uma pessoa sonha seu trabalho e o escolhe segundo seu objetivo, sua predileção. Deu-se conta da minha profunda tristeza por aquela sorte. Pegou no ar a pergunta que Lhe teria feito e antecipou: *A evolução das massas é impossível! Nenhuma revolução ou ideologia poderá conseguir isso. A fuga, a saída, é para poucos. Somente o indivíduo pode conseguir.* Minha expressão permaneceu penosamente absorta. Sentia-me o representante de uma espécie sob severo juízo que escuta o anúncio de uma sentença imprópria e inapelável.

Aquela que você está observando não é a humanidade, disse, percebendo minha incompreensão. *Essa aglomeração que você vê não está fora de você.* Pensei que o Dreamer estivesse colocando-me diante da minha mentira, desmascarando meu falso altruísmo e a presunção de poder fazer alguma coisa pelos outros. Fiquei mortificado. Mas a lição estava bem distante de ser concluída. Agravando a situação, tornou mais cruel Seu exame e conduziu-o a uma profundidade ainda maior. *Aquela multidão que você está olhando é sua degradação; aqueles seres aviltados pela dor, pela ansiedade da competição são fragmentos esparsos do seu ser, o reflexo especular do desespero que você traz dentro de si.* Estava golpeando em mim o fariseu no templo. Senti uma parte disforme ser desnudada diante do mundo. A mortificação transformou-se num sentimento mais honesto. Uma vergonha incontida dominou-me e, como um fogo líquido, explodiu em chamas sob a pele, devorando-me dos pés à cabeça.

Pode fazer somente por si mesmo!, escutei-O afirmar em tom lúgubre, tentando sacudir-me daquele estado. *Eles são você! Sua mudança transformará a humanidade inteira... Se quiser que esse sofrimento acabe, que a humanidade mude, cure a si mesmo.*

Balancei diante daquela mensagem de responsabilidade. Uma porta blindada às minhas costas estava lacrando qualquer via de fuga. Não teria mais como acusar nem me compadecer de ninguém. Uma mordida apertou-me o estômago. Numa busca desesperada de refúgio, escondi-me entre as páginas do meu caderno. Com o nariz metido entre os apontamentos, tratei de recolher os pensamentos em desordem e me concentrar naquilo que Ele estava dizendo. Segundo o Dreamer, a única possibilidade da humanidade, o único modo para progredir, é a construção de um homem íntegro. *Essa é a única salvação das massas*, declarou. Continuou afirmando que o ser humano é ainda um ser em transição, de psicologia incompleta. A evolução da espécie é uma viagem em direção à integridade; deve cumprir-se do interno ao externo, de dentro para fora, por meio de um processo de unificação que não se pode impor. Por isso, todos os velhos sistemas faliram. Guerras e revoluções não conseguiram. Com a mente em tumulto, eu anotava convulsamente, sublinhando mais vezes essas afirmações.

A próxima passagem evolutiva do ser humano não pode acontecer em um futuro histórico, mas em um tempo sem tempo, em um futuro vertical. Como pela fresta repentina de uma cortina, apresentaram-se claros o sentido evolutivo das organizações humanas e a razão de todo o seu aparente e insensato pesar. A aspiração do ser humano de transcender a si mesmo e sua milenar busca para dar um significado à sua existência estavam se transferindo do tradicional terreno religioso e político àquele dos empreendimentos econômicos, das fábricas, indústrias, laboratórios e escritórios. A bordo das organizações, como em astronaves lançadas no espaço, estava acontecendo o êxodo do ser humano em direção à integridade. Empresas e organizações e a gigantesca rede mundial de templos e oráculos dos negócios estavam substituindo conventos e igrejas, transformando-se em lugares de aspiração e de evolução.

As organizações do futuro serão Escolas do Ser, profetizou o Dreamer, cunhando uma de Suas epígrafes criadas para serem esculpidas no céu.

Depois, pronunciou as palavras que ficariam gravadas para sempre em mim: *O business, os negócios, será a religião planetária, a religião das religiões. É no business, mais que nos conventos, nas mesquitas ou nos ashram, que os seres humanos estão empenhados num esforço titânico em direção a graus mais altos de responsabilidade. É no business que está acontecendo a transformação de adversidades e dificuldades em propelente para a viagem à liberdade. É nos grandes edifícios das multinacionais, nos templos das finanças, mais que nas sinagogas e nos monastérios, que os seres humanos estão tentando o impossível: modificar o modo de ver... mudar os próprios destinos.*

A vastidão daquela imagem fez tremer minhas pernas. Apenas ouvir aquele presságio já exigia uma responsabilidade que eu ainda não possuía. Na Sua trama se entrevia, com uma antecedência de decênios, a revolução que teria extirpado dos Seus fundamentos éticos todo o sistema econômico e decretado o fim do velho *capitalismo racional*. Nessa mensagem estava o segredo da Escola de Economia que eu fundaria. Saber decênios antes que todas as empresas, grandes ou pequenas, tornar-se-iam escolas de ideal e de responsabilidade, que o sucesso econômico de cada uma era um conjunto único com a evolução de cada um de seus homens e que, no vértice de todas, estariam filósofos de ação eram uma vantagem competitiva imensa em relação a qualquer outra universidade.

Mas naquele momento eu não podia saber. Era como se, junto ao pedido de criar uma indústria de automóveis, o Dreamer tivesse também me dado o completo projeto do motor do futuro. Na Sua mensagem havia já o sopro da filosofia planetária da ESE,[31] a unicidade do Trabalho que a Escola viria desenvolver, a grandeza da sua missão: preparar poetas do fazer.

Sonhar é o desenvolvimento de um mundo interno que faz você deixar de ser uma função da vida, um boneco mecânico do mundo externo das aparências. O objeto da Escola é a liberdade: liberdade de conflitos, sofrimento, divisão e morte.

O sonho é alguma coisa que o coloca entre você mesmo e a vida... O ser humano comum pensa que a vida seja a causa, e ele, o efeito. Somente um trabalho sobre o ser, o trabalho de uma Escola de reversão, mudança total, pode produzir a transformação desta visão calamitosa de mundo.

O trabalho de uma verdadeira Escola é um trabalho de escavação, um trabalho de eliminação de escórias, estratificações e contaminação, em busca daquilo que um dia possuíamos, que nos fazia íntegros, felizes, imortais: a vontade.

A Escola e a Vontade são uma coisa só. A Escola é a Vontade fora de nós. A Vontade é a Escola dentro de nós.

Quando a verdadeira vontade emergir, você não terá mais necessidade da Escola. Desenterrada a vontade, seremos donos de nós mesmos... Donos de nós mesmos significa donos do Universo.

Debaixo de tudo e de todas as coisas existe algo precioso que nós deveríamos possuir por direito. É o contato com esse algo que nos permitirá possuir tudo e todas as coisas.

Programar sem crer

Aqui começamos a retornar. Com Ele escalei os caminhos que conduziam às faixas mais ricas e luminosas dos negócios. O Dreamer mostrou-me que atrás das

---

31. ESE – European School of Economics, escola de Economia com sede em Londres, Nova York, Milão, Roma e Lucca. (N. T.)

grandes multinacionais, dos gigantes das finanças mundiais e das indústrias, atrás das aventuras mais corajosas e dos empreendimentos aparentemente irrealizáveis, além de cada êxito humano, há sempre e tão-somente um indivíduo e o seu sonho. Aproximando-se do vértice das pirâmides decisórias, ali onde a organização revela sua máxima velocidade, mostrou-me a imobilidade de onde nasceu toda aquela ação, e a invisibilidade que havia dado vida àquela ideia luminosa: o fundador, o homem visionário, o louco luminoso, o utópico prático. Ele, e somente ele, permitiu a existência daquele mundo e, como uma térmita-rainha, ainda o alimentava.

Sua única atividade é a cura da sua integridade. Aquilo que o torna especial é a atenção, um espírito vigilante que não permite a uma dúvida ou à sombra de um compromisso abalar sua determinação, que não permite um único átomo turvo entrar e contaminar o sonho.

Pela velocidade psicológica de um líder, programas e planos são instrumentos muito lentos, rígidos demais. Lá, onde se decide, a exigência é um sexto sentido, a intuição, e ainda um sétimo, o *sonho*; ou seja, na realidade não existe nada a decidir.

Um verdadeiro líder faz programas, mas sem acreditar neles. Guia-o sua aspiração, crê somente em sua impecabilidade. Não há objetivos fora de si mesmo, porque o objetivo é ele mesmo... sua liberdade!

Uma vez alcançado aquele nível de integridade, será sua visão a criar o caminho, será seu passo a criar a trilha. Não precisará escolher uma direção, porque Ele é a direção, o inventor do sonho que está se desenvolvendo e que toma forma no mundo dos eventos.

Comprometa a si mesmo com a integridade, ordenou, pronunciando lentamente essas palavras para salientar sua importância. *Compromisso interno é investimento. É seu compromisso que faz as coisas acontecerem. É a incorruptibilidade do líder que atrai todos os recursos necessários: a solene promessa que fez a si mesmo de honrar o jogo até o fim. O sucesso de toda sua ação no mundo externo é somente o reflexo da sua integridade.*

A realização de empresas nos confins do impossível, a criação de imensas riquezas, a fundação de impérios econômicos são somente uma extensão da sua essência, uma certificação do seu grau de liberdade interior, do seu nível de responsabilidade. Se um ser humano mantém íntegro seu compromisso, o sucesso é inevitável, é um produto natural.

Um líder de verdade sabe que o verdadeiro business é somente interno! Ele é o guardião incorruptível da própria promessa. É esta que deve manter intacta, ressaltou o Dreamer, e se calou. Imagens de impérios financeiros e de fortunas incalculáveis continuaram na tela ainda por alguns segundos, depois se dissolveram, e um profundo silêncio tomou posse de cada canto daquela sala de reunião. Seus olhos

NA CIDADE DO KUWAIT

severos me perscrutavam e observavam o efeito daquelas revelações. Eu sentia o ser literalmente em desordem. Na loja interna, preços e mercadorias tinham saltado pelos ares, e agora se recompunham. Novas prioridades estavam colocando o preço certo na mercadoria certa, e uma nova ordem estava indicando os lugares nas prateleiras, relegando velhas convenções e princípios arcaicos ao depósito. Fechei os olhos e exprimi com força o desejo que aquela operação fosse até o fim.

Quando voltou a falar, atacou o tema da imobilidade. Para o líder, a ação mais potente é um fazer por intermédio do *não-fazer*, um agir sem agir. O Dreamer definiu-a *"an effortless action"*, uma ação sem esforço: um estado poético, sonhante...

Para o líder, a solidão e a imobilidade são acumuladores de poder, concluiu. *É o estado no qual ele intui e atrai as valiosas mensagens da vontade... que no ser humano é ainda sepulta. Seja sincero! Seja sincero e você a sentirá forte e clara... e saberá!*

Minha imaginação partiu para a tangente e visualizei massas infinitas de empregados. Do alto observei o pulular de milhares e milhares de homens e mulheres no seu incessante vaivém. As imagens eram vívidas e reais. Mentalmente focalizei-as. Vi seres patéticos, de comportamento extremamente agitado, gestos acelerados moverem-se como na pilhéria de um filme mudo. O Dreamer interveio nesse ponto das minhas extravagâncias, penetrou nas minhas reflexões e guiou-as. Depois de tantos anos vividos nas organizações, somente agora, ao Seu lado, eu estava percebendo que aqueles que mais se agitam, os mais preocupados e assoberbados, ocupam, na realidade, posições insignificantes e estão nos níveis mais baixos de responsabilidade e de retribuição.

Do vazio, imóvel, movo a roda do Universo inteiro e os seres que se encontram sobre a circunferência, sobre os raios, sobre o meão, declamou solenemente o Dreamer. *Aquele vazio no centro do meão é o verdadeiro criador da roda... sobre aquela invisibilidade apoia toda a pirâmide hierárquica dos seres que fazem parte do conjunto.* Quem era aquele ser que estava revolvendo minha vida?

Senti a multidão dos meus pensamentos unirem-se interiormente, as emoções e as partes esparsas do ser juntarem-se. Um rio de energia nascia, rompia as margens e, com a inundação, levava embora detritos, dúvidas, preocupações e qualquer morte.

Ao lado Dele, a Economia e os Negócios desembocavam na poesia, e, mais ainda, em uma arte universal. Queria manter aquele estado de inteligência, a clareza, a lucidez daquele momento, aquela sensação de poder conter tudo e qualquer coisa. Foi então que me indicou como viver estrategicamente e me falou da arte da interpretação: o *acting*.

Um líder deve saber interpretar todos os papéis à perfeição. Pode simular distração, ignorância e até mesmo negatividade, mas não deve acreditar nisso, advertiu.

O tom que usou imprimiu à recomendação o caráter de uma questão de vida ou morte. *Pode irar-se e tornar-se violento, pode transformar o rosto em uma máscara de agressividade, mas internamente não deve se sentir minimamente atingido.* A essa interpretação da negatividade chamou de *correta atitude de negação*.

Completou que, por meio da arte de interpretar papéis, do acting, um líder pode programar, fazer planos e simular projetar-se no mais distante futuro. *Mas sem acreditar nisso*, repetiu no mesmo tom peremptório.

Um ser livre, um ser real, sabe que todo momento exige uma estratégia, todo instante tem seu estatuto e impõe um roteiro que seja interpretado impecavelmente. O distanciamento de quem sabe que está interpretando permite-lhe fazer escolhas desde rumos diferentes de ação e papéis possíveis a desempenhar até a máscara a ser usada, que se alinhe perfeitamente às circunstâncias e aos eventos que ele encontra. *Somente um ser humano real pode interpretar!*, revelou-me em tom conclusivo. *Um ser comum, identificado com seu papel, condicionado pelos seus medos e hipnotizado pela descrição do mundo esqueceu a arte de interpretar, o poder do acting, e conhece somente a mentira.*

Muitas vezes, no ponto crucial do Seu discurso, tentei me proteger daquelas ideias subversivas. A capacidade de interpretar do líder me parecia muito próxima ao mentir, ao oportunismo.

Interpretar conscientemente não significa mentir, rugiu. *Acting significa viver estrategicamente!*

O Dreamer tinha livre acesso a qualquer um de meus pensamentos. A rendição a essa evidência dispersou as sombras, antes ainda que se adensassem.

Viver estrategicamente é a ação de um guerreiro que cumpre intencional e impecavelmente os atos que a situação requer.

Externamente responde às exigências do papel... ao mesmo tempo, internamente, apossa-se da responsabilidade e do poder que se escondem atrás daquela máscara.

Somente quem vive estrategicamente pode conseguir isso!

Esperou que essa afirmação produzisse seu efeito, perscrutando-me como um médico que tivesse acabado de injetar o antídoto para um veneno. Seu discurso, quando o retomou, tinha um tom grave, entre advertência e anúncio solene de um saber vital: *Quando você se pré-ocupa, quando planeja e imagina negativamente, quando você se esquece do que o trouxe até aqui, você se reduz às dimensões de um inseto e o mundo toma as rédeas. Milhares de fotogramas registram no Universo sua derrota e não somente não poderá ter mais, mas lhe será tirado até mesmo aquilo que acreditava ter.*

O Dreamer estava dando-me as últimas recomendações antes de me jogar de novo nas garras do mundo. Sua voz baixou até um sussurro. Estava por me comunicar algo que se tornaria o fundamento de tudo aquilo que construiria na minha vida e o princípio primeiro da prosperidade.

O sonho é a coisa mais real que existe! O sonho é a realidade em ausência de tempo. Somente um homem que sonha pode criar riqueza.

Para o Dreamer, o *sonho* é o mundo sublimado, a verdadeira causa de tudo o que vemos e tocamos.

O sonho é uma planificação vertical que somente um visionário pode conhecer... o depois não existe senão na imaginação... Internamente, cada instante é uma loja que se abre e se fecha, a cada instante se ganha e se perde, a cada instante é um sucesso ou um insucesso. Tudo acontece agora, neste instante eterno.

A agenda

Uma agenda cheia de compromissos, que não tem espaços, como a sua, começou o Dreamer, indicando uma das páginas que estava completamente cheia de nomes, horários e números de telefone, *é uma declaração de suicídio. Significa assinar a própria morte. Quanto mais morto é alguém, mais ele preenche sua jornada de compromissos.* Foi um murro no estômago. A dor, que àquela altura eu já conhecia bem, era o sinal mais seguro da eficácia daquele novo ataque ao meu sistema de convicção. Tentei escapar da aceleração impressa por palavras tão fortes e diretas. Sentimentos de aversão e pensamentos violentos contra o Dreamer surgiram dos recantos do ser e me desordenaram interiormente num crescendo incontrolável. Eu me opunha a ser catalogado dentre os mortos somente pelo fato de ter uma existência ativa e intensa.

"Mas é impossível viver no contexto de uma *sociedade moderna* sem assumir obrigações, sem compromissos ou encontros", disse ressentido. Enfatizei *sociedade moderna* com sarcasmo, como que demarcando a diferença entre nossos mundos. Estava convicto de que aquilo que o Dreamer sustentava não tivesse nenhum senso prático.

Uma vez me dissera: *Deixe que o jogo continue, que a comédia se desenrole... permita que colaboradores e profissionais façam aquilo que seus papéis preveem. A empresa é uma representação teatral com máscaras e personagens que seguem um roteiro. Mas não acredite nisso! Não se perca!... Não se esqueça que é um jogo.*

Estava certo de que o Dreamer não percebia o que significa dirigir uma empresa internacional com centenas de colaboradores, e sentir no pescoço, todos os dias, o hálito dos acionistas. "E depois", eu disse exasperado: "não entendo!..... O que tem a ver uma agenda com seres vivos ou mortos?...". Consegui falar com dificuldade. Um nó me apertava a garganta.

Cada compromisso que você marca, cada encontro que você programa, disse, sem aparentemente revelar qual secreto grito de ajuda, escondido na minha agressividade, eu estava lançando, *serve para reforçar sua ilusão de estar vivo, para você se reafirmar nas suas convicções insensatas. Primeira dentre todas: a de poder planificar. Planificar e acreditar nisso é morrer. Somente aquilo que é morto se pode planificar. A verdadeira planificação é neste instante, no aqui e agora...*

Um líder poderá ter exércitos de colaboradores que fazem planos e programam em detalhes as atividades futuras, mas suas decisões serão sempre fruto do instante. Até aquele momento ele não sabe, não age, até que o instante manifeste sua eternidade. Somente então saberá tudo aquilo que deve saber.

Tudo estará à sua disposição quando você aprender a viver o instante na sua totalidade. Planos e programas acontecerão naturalmente, sem esforço, quando você deixar de acreditar neles.

Seu olhar fez-se de aço. Continuando a fixar-me, girou a cabeça primeiro para a esquerda, depois para a direita, como se quisesse colocar em confronto meus dois perfis. Fiquei apreensivo. Havia em Seus movimentos uma ameaça silenciosa, prestes a sobrevir, como nos movimentos de um predador que esconde seu feroz intento.

Para homens como você, a agenda serve para esquecer, disse em voz baixa.

A apreensão rapidamente se transformou em susto. Eu precisava encontrar um modo para sair daquele estado a todo custo. Se tivesse tido a ligeireza necessária, bastaria ter-Lhe pedido uma explicação para essa visão tão bizarra e até mesmo engraçada: como pode uma agenda servir para esquecer? Sentia-me trancado em um casulo psicológico que não conseguia furar. Aquele encontro com o Dreamer estava se revelando um duelo mortal entre a parte, em mim, que não queria ceder, e a outra, sedenta, que bebia avidamente Suas palavras.

Encontrei apenas um sopro para perguntar: "Esquecer o quê?".

Lentamente Ele reduziu, ainda que poucos milímetros, a distância entre nós. *Esquecer você mesmo*, disse num sopro.

O espanto transformou-se em medo, irracional, devastador, que transbordou e inundou meu ser. Um dia, exatamente em momentos como este, teria reconhecido as etapas fundamentais da minha evolução: quando o Dreamer, penetrando na couraça das minhas incertezas inabaláveis, conseguia depositar um pouco da Sua substância preciosa, como faz uma abelha que poliniza. Assim eu me aproximava do *sonho*.

O mundo é o desenvolvimento no tempo daquilo que sonhamos... Um compromisso é sempre consigo mesmo... Ou melhor, com uma parte de você, mesmo que você não a conheça. Pessoas e eventos surgem e se dissolvem seguindo um roteiro já escrito no ser.

Quando você planifica e acredita nisso, está se distanciando do mundo real... Mais você se convence de que compromissos e encontros acontecem como programados, mais você reforça seu senso de morte... E assim você se vê com pessoas abúlicas, que planificam e programam como você, e iludem-se de estar escolhendo ou decidindo sem jamais reconhecer a própria impotência.

Aqui o Dreamer parou e eu acreditei que Seu trabalho de demolição tivesse acabado. Tinha uma necessidade desesperada de uma pausa de tranquilidade. Mas Ele não deixava jamais um trabalho pela metade. Cuidadosamente calculou os tempos e me lançou em seguida o desfecho daquela extraordinária lição: *Um dia sua agenda será a de um ser humano livre, a agenda de um ser que realmente faz porque sabe que tem a solução sempre consigo... que é ele a solução. Você interpretará os encontros e os papéis e deixará o mundo livre para acontecer... do melhor modo possível. O mundo tornar-se-á sua obra-prima, sem esforço ou pressão. Somente então sua agenda será a agenda de um verdadeiro líder... terá só páginas em branco.*

Alô, quem sou?

O dia começou a mil por hora. Do terraço da casa de Samia já havia respondido a diversos telefonemas. O Dreamer estava ao meu lado e me observava em silêncio, enquanto, ocupado pelos fatos e pela euforia das conversações, de acordo com os casos, eu dava ordens, levantava a voz, enfurecia-me e, um par de vezes, saía do sério.

De vez em quando me virava em Sua direção tentando trocar com Ele um olhar de cumplicidade, ou buscando receber um sinal de solidariedade pela massa de trabalho que devia enfrentar desde bem cedo, além da ingrata tarefa de ter de digerir um time de desajeitados, a quem precisava repetir cada coisa cem vezes. Mas como era possível serem tão obtusos? Confundir até as ordens mais simples, mais claras?

Ao telefone não responda: 'Alô, quem é?', mas sim: 'Alô, quem sou?', disse o Dreamer, para minha surpresa, enquanto, ainda ao telefone, finalizava uma longa conversa. Pensei não ter entendido bem. Havia pouco mais que sussurrado, como fazia quando queria comunicar algo particularmente importante, coisa que exigia que eu abandonasse qualquer afazer e me concentrasse Nele. Entrei em estado de vigilância. Um olhar bastou para me informar que o Dreamer já tinha se transformado em um predador impiedoso. Um longo arrepio percorreu minhas costas, enquanto sentia a adrenalina entrar no circuito em doses maciças. Com toda a calma que pude reunir, pedi-Lhe que repetisse o que havia acabado de dizer, mas minha voz estava já comprometida por uma crescente apreensão.

Os outros são vocêêê!, gritou com Sua voz mais terrível.

Nos mundos internos, no inferno do ser em que me precipitei em meio a acusações e reclamações, o Dreamer não era mais um cortês hóspede sentado à mesa de minha casa, mas sim um aterrador capitão que gritava ordens em meio a uma tempestade enquanto a nave estava à beira de um abismo de água. Estremeci, pulei de susto, e o telefone quase caiu sobre a mesa enquanto saltava de uma mão para a outra como um ser maliciosamente vivo e fugidio. A cena devia ser tão cômica que até o Dreamer não pôde deixar de rir. Atrás da Sua máscara mais severa, da Sua ira aparentemente incontrolada, havia permanentemente um oceano imóvel; atrás da severidade do Seu olhar mantinha-se encoberta uma serenidade esfíngica que me aterrorizava mais que Suas ameaças. Foi questão de um instante, para que, em seguida, Seu rosto retomasse a careta feroz do predador.

Os outros são você!, disse. Sua voz chegou calma, mas isso não me tranquilizou. *O mundo é assim porque você é assim, e não vice-versa.*

Não escape! O visível serve para reconhecer o invisível. Os outros servem para revelar-lhe aquilo que você não quer ver em si mesmo... 'O que projeta em mim tudo isto?' Esta é a pergunta que dirige a si mesmo uma pessoa de bem!

Observei e escutei você. Você é indeciso, prolixo... A confusão está em você, não nos outros, retomou, alongando imperceptivelmente Seu corpo sobre a mesa. *O mundo manifesta-se duvidoso, caótico, irresponsável, para atestar o que você sabe, onde você está.*

A cada telefonema, quem quer que seja do outro lado, inevitavelmente você pergunta: 'Atrapalho?'.

No momento em que o Dreamer fazia essa observação, dei-me conta de que era exatamente assim. Entretanto, ainda não entendia que importância aquele aspecto pudesse ter. "Atrapalho?" era uma pergunta de praxe. Sempre a ouvi distraidamente e a considerava nada mais que uma expressão social de cortesia, um sinal de respeito pela privacidade dos outros, especialmente no caso de um superior.

'Atrapalho?' é uma expressão que usam com você porque o sentem despreparado. O mundo, os outros, reflete você... é um espelho que reproduz a imagem de uma pessoa lenta, que fala muito e bravateia. 'Atrapalho?' significa sua falta de responsabilidade. 'Atrapalho?' é porque você não oferece clareza. 'Atrapalho?' é o mundo que denuncia você.

Trimmm! O telefone tocou outra vez.

Atendi e mecanicamente perguntei: "Quem é?".

Nem bem completei aquela usual pergunta, e a voz do Dreamer ressoou ainda mais terrível que antes. *'Alô, quem sou?' deve dizer, não 'quem é?'* Estava enfurecido. *'Quem sou eu?'*, insistiu, continuando a gritar. *Assim responde ao telefone quem entendeu que do outro lado encontra sempre a si mesmo!*

Eu escutava o Dreamer e ao mesmo tempo tentava assegurar um mínimo de normalidade à conversação telefônica apenas iniciada.

'Alô, quem sou?' significa recordar que está encontrando sua confusão, continuou, sobrepondo-se à minha conversação sem consideração, indiferente a quem pudesse estar do outro lado da linha e do que pudesse ouvir. Eu escutava a voz do Dreamer e respondia com monossílabos ao meu interlocutor, enquanto tentava, de algum modo, encurtar e concluir o telefonema.

O mundo quer ser governado! Quem lhe telefona precisa ser contido... tem necessidade de clareza... Mas bastam-lhe poucas palavras para descobrir que você não tem uma direção... Está ferido, está farto...!

Imponha-se leveza, entre em outras zonas de inteligência, exortou-me com imprevista benevolência, retornando a um tom de voz normal. *Uma pessoa atenta sabe que, escondida sob a crosta da determinação e da falsa segurança, existe sempre a mesma ferida, a mesma chaga... sabe que não existe nada que possa começar ou fazer até que aquela ferida não esteja curada, cicatrizada. E ainda que tentasse escapar, ainda que se recolhesse numa caverna como um eremita ou num convento como um asceta, longe de qualquer telefone ou compromisso, aquela ferida, aquela chaga retorna dolorosamente para denunciar sua falta de preparo. Mas você, como todas as pessoas comuns, não sente mais aquela dor, ou finge não sentir.*

Em Sua voz havia o eco de um fracasso sem remédio, a dor de uma derrota cósmica. O telefone tocou de novo. Àquela altura, não sabia mais o que fazer. Não queria afrontar o Dreamer e ao mesmo tempo não sentia a liberdade, o espírito ou o senso de jogo necessário para responder de acordo com Suas indicações. O telefone continuou a tocar. O Dreamer, com um sinal, convidou-me a responder e acompanhou Seu gesto de incentivo dizendo: *Pense, que bênção! O mundo nos telefona para nos dizer quem somos e aquilo que nos falta... É como ter o oráculo de Delfos à disposição e poder interrogá-lo à vontade.* Depois, entre sério e espirituoso completou: *Todos ao telefone parecem perguntar quem é... na realidade, já sabem! Você já sabe quem está do outro lado... porque é você quem telefona a si mesmo.*

Alguma coisa disparou, desbloqueou; uma sensação de bem-estar invadiu-me como uma vértebra deslocada que retorna ao lugar. O telefone continuou a tocar, mas eu estava muito ocupado escrevendo para poder responder. Estava em um estado febril, por capturar e fazer meu o segredo daqueles ensinamentos que tinham em si a força de mudar uma vida, de transformar o destino de um ser.

O mundo é puro reflexo do seu ser... Não se esqueça!, preveniu-me. *O mundo lhe telefona para comunicar-lhe quem você é... para fazê-lo conhecer aquilo que você sempre evitou saber de si mesmo!*

É você e somente você a decidir quem deve estar do outro lado... É você e somente você a decidir o que dirá a você... Por enquanto, do outro lado da linha, você encontra uma humanidade que reflete sua fragilidade. É você quem pede ajuda, quem pede para sarar.

Ouvia e registrava aquilo que o Dreamer estava me dizendo com a certeza absoluta de que as coisas eram exatamente assim. Tudo me era perfeitamente claro. Os elementos esparsos de tantos ensinamentos Seus estavam encontrando lugar em uma composição perfeita. Teria desejado poder registrar, em cada detalhe, a compreensão daquele instante para reencontrá-la intacta a qualquer momento que precisasse dela, e para ser um dia capaz de transmiti-la.

Um ser vivo convida a vida, prosseguiu, desfrutando da brecha que havia aberto em mim. *Seu vitimismo convida o insucesso.*

Vida atrai vida. Inteligência atrai inteligência.

Quer modificar as pessoas do outro lado da linha? Quer mudar suas palavras, seu tom, a substância das notícias das quais são portadoras?... Mude a si mesmo! Torne-se a solução e o mundo estará resolvido para sempre.

Deu-me alguns segundos, esperou que eu registrasse entre as anotações também esta parte do Seu discurso. E continuou:

Responder 'Alô, quem sou?' é a atitude de uma pessoa que sabe e se recorda de ser a única responsável por tudo aquilo que acontece na própria vida... Um telefonema permite-lhe entender aquilo que até agora você se negou a ver, tocar, enfrentar.

Naquele momento o telefone tocou de novo. Antes de responder, ouvi as recomendações do Dreamer: *Clareza... Doe clareza ao mundo... e do outro lado da linha estarão apenas boas notícias.*

"Alô, quem sou?", disse e sorri ao pensar no efeito que essa excêntrica pergunta estava provocando no meu interlocutor. Daquele momento em diante, atender ao telefone não seria mais o início de uma conversa comum, mas uma viagem de descoberta, profética e aventurosa, como as antigas peregrinações a Delfos, inebriantes como os vapores soprados das fendas no pavimento do templo e o encontro com a pitonisa oficiante.

O telefone tocou de novo. *Torne-se a solução... dentro!*, comandou o Dreamer, dando com um sinal a permissão para responder. *Seja livre!... Fora não existe nenhum problema a resolver... nenhum ser malvado de quem se defender ou inimigo a combater. Para dar uma resposta ao mundo você deve ser a solução. Entre em um estado de sinceridade, simplicidade, leveza... na luminosidade do ser. Se for capaz de olhar o jogo do alto, descobrirá que o mundo do outro lado da linha lhe oferecerá toda a sua gratidão e devoção.*

Você descobrirá, então, que o verdadeiro trabalho como pessoa, o único, é ajustar o mundo. Vai perceber que você, somente você é a causa de toda loucura, conflito, criminalidade que acontece no mundo, e que você, somente você, pode curá-lo, protegê--lo, salvá-lo e amá-lo, se você souber curar-se, proteger-se, salvar-se e amar-se dentro.

O telefone tocou mais uma vez. "Alô, quem sou?", respondi. Senti a química da gratidão penetrar em cada célula e, com dificuldade, controlei a inesperada e irresistível – naquele momento, quase desrespeitosa – vontade de abraçá-Lo.

Rasteira na mecanicidade

A voz do *muezim*[32] muitas vezes por dia convidava os fiéis à oração. Como nas antigas pólis, aquela voz parecia definir o perímetro de muros invisíveis. Não havia pelotões da polícia religiosa, como na Arábia Saudita – onde salvar a alma é negócio de Estado –, patrulhando o *souk*, nem se ouviam os golpes de cassetete sobre as portas metálicas das lojas para se assegurarem que qualquer atividade profana tivesse sido interrompida e que todos tivessem se dirigindo à mesquita. Mas, igualmente, a cantilação dos versos corânicos difusos pelos tênues minaretes suspendia qualquer atividade e convidava, peremptória, a uma das ritualísticas genuflexões diárias em direção a Meca.

Saber a direção da cidade sacra para a orientação interior dos islâmicos tinha a mesma importância da estrela polar para a navegação. Em qualquer escritório, quarto de hotel, lugar público havia uma flecha apontada com precisão para Meca. Naquela direção, milhões de tapetes de oração, cinco vezes ao dia, desenrolavam-se ao mesmo tempo em todo o Islã para acolher os fiéis. Ao bater da hora fixada, qualquer outra atividade passava para segundo plano.

Uma vez, em uma viagem de retorno da Europa, na última hora encontrei lugar num avião da Saudi Arabian Airlines que fazia escala em Jeddah. Muito tarde descobri que se tratava de um voo durante o *haj*[33] que ia diretamente a Meca e que eu era o único *infiel* a bordo. Minha posição tornou-se embaraçosa quando, no meio da viagem, todos os passageiros tiraram as roupas que vestiam na partida

---

32. Religioso islâmico que, do alto dos minaretes das mesquitas, chama os fiéis para a oração. (N. T.)

33. Nome da peregrinação à cidade de Meca, que todo muçulmano deve fazer pelo menos uma vez na vida. (N. T.)

e se cingiram da vestimenta branca dos peregrinos islâmicos. Em grupos, revezavam-se nos corredores daquela aeronave Tristar e, a despeito dos apelos e esforços inumanos da tripulação para fazê-los retornarem aos seus lugares, continuavam a fazer suas genuflexões e orações voltados a Meca. Perguntei-me como conseguiam encontrar a direção. Fantasiei passarinhos místicos, seres de índole misteriosa, infalivelmente atraídos e movimentando-se na direção do pequeno sol negro, no centro da mesquita Al-Kaba.

Muitas vezes me aconteceu de, no meio de uma negociação, os interlocutores islâmicos interromperem a reunião e retirarem-se para a oração. Advertiam que aqueles poucos minutos de interrupção de algum modo os revigorava. Eu não sabia como. Tentei indagar a razão mais profunda daquela prática religiosa, a inteligência oculta naquele ritual, mas ninguém soube me dar uma explicação que fosse além de uma visão carola, supersticiosa. Durante um dos encontros com o Dreamer, encontrei oportunidade para Lhe perguntar. A explicação que recebi teve um peso especial na minha preparação. Anotei-a fielmente.

As tradições sapienciais, através dos milênios, inventaram e transmitiram toda espécie de truques para contestar a rigidez, a repetição à qual inevitavelmente as pessoas são propensas. A genuflexão dirigida a Meca cinco vezes ao dia, o ritual do jejum do Ramadã no nono mês do ano lunar islâmico e os rituais presentes em todas as tradições religiosas podem ser definidos como rasteiras na mecanicidade. A função é alimentar a inteligência então entorpecida, latente pela interrupção de rotinas, estimulando os seres a se desviarem das trilhas dos hábitos arraigados.

O Dreamer continuou explicando que aquelas são normas de higiene física, mental e espiritual das quais se perdeu o sentido, o aspecto inteligente que lhes deu origem, e que hoje sobrevivem veladamente sob forma de crenças religiosas, rituais já esvaziados de significado ou crendices. Bastaria prestar um pouco de atenção aos nossos movimentos para descobrir quão mecânica e repetitiva é nossa vida. Desde o amanhecer, damos início com escrupuloso rigor a uma série de ações, sempre iguais: saímos da cama apoiando o mesmo pé, começamos a fazer a barba sempre do mesmo lado, escovamos os dentes repetindo o mesmo número de movimentos, nas mesmas direções, com as mesmas caretas. Temos hábitos óbvios, exprimimos as mesmas ideias usando gestos, linguagem e inflexões como sempre. Até mesmo nossas emoções são previsíveis, como reflexos condicionados da alma. No ser humano comum, a vontade é sepulta. Seu comportamento é o reflexo de uma inteligência artificial e poderia mais proficuamente ser estudado por ciências como a Etologia ou a Robótica, e não pela Psicologia.

Até mesmo quando está convicto quanto a tomar uma decisão, a fazer uma escolha, a exprimir livremente sua vontade, com um mínimo de auto-observação, todo ser humano poderia facilmente perceber que, na realidade, está sendo guiado por processos mecânicos, está percorrendo velhos sulcos mentais escavados por preconceitos e lugares-comuns, reproduzindo, portanto, os hábitos dos outros.

Eu estava espantado e, ao mesmo tempo, fascinado pelas ideias do Dreamer, por Seu estilo – um modo de revelar as verdades mais cruas sobre a condição humana sem ferir – e pela origem de Sua autoridade e sabedoria. Atrás da severidade de Sua fisionomia havia um sorriso invisível e constante, um senso de infinita compaixão que mitigava Sua sistemática e impiedosa demolição de ideias, crenças e ilusões fincadas no ser.

Quis saber mais sobre a *rasteira na mecanicidade*, mas o Dreamer parecia ter fechado o assunto. Insistindo, consegui apenas obter outra frase, que transcrevi fielmente para enquadrá-la no vasto sistema filosófico Dele.

Qualquer esforço intencional, até o menor deles, dirigido a modificar uma ação repetitiva, uma reação mecânica, ou a contrastar com um hábito é uma rasteira na mecanicidade.

O Dreamer acrescentou que esse *trabalho* permite a um ser humano evitar as leis da acidentalidade, esconjurar a verificação de incidentes e até mesmo esquivar-se de envolvimentos em desastres e calamidades naturais.

Daquele dia em diante, procurei lembrar-me disso o mais frequentemente possível e comecei a observar e a combater, em mim, automatismos já calejados, reações mecânicas rangentes e enferrujadas, fixidez, hábitos e rotinas de todo tipo. Somente quem dedicou a atenção a isso pode entender a dificuldade que encerra e perceber quão pouco da nossa vida permanece fora da tirania dos automatismos e das repetições inconscientes. Mas vale a pena. O desenvolvimento da atenção de um espírito vigilante estende sua validade muito além da modificação intencional de uma rotina, de um costume ou de um comportamento. Nesse jogo interno de guardas e ladrões, a capacidade de montar armadilhas aos nossos hábitos, de se tornar um caçador implacável das coisas velhas e imprestáveis em nós, a atenção aos nossos movimentos, a consciência das nossas reações são um trabalho no ser que tem reflexo inestimável sobre a qualidade do pensar e do sentir e, portanto, sobre nossa vida.

Vencer a si mesmo

Os encontros com o Dreamer tornaram-se raros, e os eventos e as circunstâncias externas, sempre mais sufocantes. Sentia-me inadequado, insatisfeito. O mundo se agigantava e, ameaçador, dominava-me. Sua *força* hipnótica tornava-se mais penetrante e possessiva à medida que, ao passar dos meses, a empresa no Kuwait crescia em importância.

Mantenha o humor, não se leve tão a sério, tinha me recomendado ao vir me salvar das margens do desespero. *Use a auto-ironia. É um antídoto potente contra qualquer forma de rigidez e de identificação.*

Na linguagem do Dreamer, identificar-se com o mundo indicava a nossa queda em um estado de falta de liberdade, a nossa redução psicológica. *Você se torna efeito e o mundo torna-se causa. Você se torna pequeno e o mundo se agiganta e o engole.* Na mesma hora, num flash, atravessou-me a mente a cena de Alice que arrisca afogar-se nas suas próprias lágrimas.

Contra a identificação, o Dreamer havia me ensinado toda uma série de truques e estratégias para não ser engolido por aquela sucessão acelerada e hipnótica de eventos que retratam o que o ser humano chama *realidade*. Um dos modos era o de interromper, num determinado ponto, toda atividade, escolhendo intencionalmente os momentos aparentemente menos oportunos, os mais intensos e cruciais. No canto de um quarto, imóvel, eu tentava desafiar a pressão que o tempo exercia sobre cada centímetro quadrado do meu ser. Nesses momentos, sentia fisicamente a tirania do mundo que me vinha capturar para me reconduzir ao turbilhão dos afazeres e das preocupações, que vinha me chantagear com o pensamento de todos os danos que poderiam derivar daqueles poucos segundos de distanciamento, daquele pequeno vazio que eu estava criando no *continuum* dos eventos mecanicamente preordenados da minha vida. Quando eu colocava em prática essas Suas indicações, sentia crescer uma capacidade de desligamento, de independência dos eventos, de controle das circunstâncias na qual me encontrava. A vida e os negócios perdiam a gravidade. Então, livre da atração magnética que pudessem exercer sobre mim, conseguia reencontrar a dimensão do jogo. Outras vezes, para me defender, entre outros estratagemas, escolhia o de fazer caretas com a boca diante do espelho. Observando o recurso zombeteiro, esforçava-me para não me esquecer do que realmente estava em jogo. A partida em curso era mortal.

Aqueles esforços intencionais abriram um túnel e colocaram-me em comunicação com as grandes escolas da Antiguidade. Como golpes num diapasão do tempo, fizeram-me vibrar em uníssono com todos os átomos de Seus ensinamentos. Foram clarões de lucidez. Recordo-os como raros momentos de graça.

Foi naquele período que o Dreamer introduziu no meu léxico a inesquecível expressão *vencer a si mesmo*. Recordo-me claramente da primeira vez em que me falou disso. Estávamos sentados em torno da grande piscina do *roof-garden* do Le

NA CIDADE DO KUWAIT

Méridien. Ele vestia um terno de linho branco, mocassins de couro de crocodilo e óculos escuros. Cada pequeno detalhe e a atitude contribuíam para Lhe dar um ar de um ocidental refinado que havia muito conhecia aquele país. Conversávamos observando pelos vidros os finos minaretes e a extensão de terraços e palácios cobertos de poeira da cidade do Kuwait que desciam lentamente até as águas do golfo de cor cobalto como as cúpulas Water Towers. Estava confidenciando-Lhe minhas dificuldades como empresário e a natureza dos obstáculos que continuamente encontrava em meu caminho. Perguntei-Lhe como se faz para possuir as chaves da liderança. Queria conhecer a fórmula mágica da impavidez, da invulnerabilidade, da vitória, da glória.

Um líder é antes de tudo um diretor do ser. Sabe reconhecer e circunscrever em si qualquer negatividade... Sabe que, para vencer todas as batalhas, precisa antes vencer a si mesmo.

Vencer a si mesmo significa não permitir que as emoções negativas nos governem; é ter as rédeas na mão... Significa vencer a destrutividade dos nossos pensamentos, não permitir a autossabotagem... Significa a superação dos nossos limites e de quaisquer obstáculos criados pelo medo, pelas dúvidas e por qualquer outra sombra no nosso ser.

Vencer a si mesmo significa desenterrar a vontade, fazer uma viagem de retorno em direção à integridade.

Na vida não há outra coisa a fazer!, afirmou de modo irrefutável. *As provas da existência que chegam até um ser, os empenhos de trabalho, ou toda dificuldade que ele encontra em seu caminho representam outras tantas oportunidades de acalmar a multidão briguenta que carrega dentro de si e avançar em direção à integridade.*

Sorriu ao ver minha expressão desanimada enquanto anotava e esperou um pouco antes de acrescentar algo. Inclinou levemente o corpo sobre a mesa em minha direção. Quando Ele assumia aquele ar, eu entrava em estado de ansiedade. Pressenti a iminência de uma informação vital, o enunciado de um daqueles fragmentos da Sua filosofia capazes de, sozinhos, acelerar em anos minha compreensão. Abandonei meu caderno, aberto como estava, sobre minhas pernas, endireitei-me sobre a cadeira para indicar-Lhe que estava pronto, mas também para aliviar um pouco a pressão que eu sentia crescer com Seu milimétrico avizinhamento.

Vencer a si mesmo, sussurrou, *significa não sentir nem deixar transparecer a menor expressão de negatividade... não permitir internamente nenhum abaixamento, nem mesmo a menor careta de dor.*

Esperou. Estava examinando com um imperceptível sorriso minha reação diante dessa revelação. Depois, modulando a voz, cadenciou:

Se assaltado pelo tempo, engula o tempo
Se assaltado pela dor, engula a dor
Se assaltado pela dúvida, engula a dúvida
Se assaltado pelo medo, engula o medo

Observei como, muitas vezes, o Dreamer exprimia um conceito ou evocava uma imagem reiterando-os, repropondo-os como um refrão. Naquele momento pareceu claro que o uso que Ele fazia da reiteração não era somente um meio pedagógico, como tinha acreditado até então, mas uma forma de poesia ritmada com base no paralelismo, na proposição reiterada de um conceito ou de uma imagem por diversos ângulos. Como acontecia comigo naquele momento, isto Lhe permitia superar barreiras psicológicas e penetrar nas duras estratificações da minha geologia interior. O Dreamer recomeçou a falar e eu pus de lado temporariamente aquelas reflexões.

Vencer a si mesmo significa não depender do mundo. Significa ser criador, senhor de si mesmo, dos próprios estados de ser e, portanto, senhor do mundo. Acrescentou que essa capacidade de distanciamento é completamente natural, é um direito de nascença de todo ser humano.

Aqui se calou e começou a fitar-me com insistência. Sob Seu olhar, as lembranças afluíram da obscuridade para a mente, como jangadas em caravana que desce o curso das águas do tempo.

As imagens fizeram-se sempre mais vívidas até começarem a delinear os contornos de um episódio da minha vida. Revi-me criança, no quarto de Carmela, enquanto me exibia com um dos meus frequentes caprichos. Gritava e vertia rios de lágrimas cercado por adultos apreensivos. Até mesmo Giusepponne era incapaz de me acalmar. Eu parecia desesperado, mas, dissimulado, observava-os. Assim que a distração de todos me permitia, certo de que ninguém notasse, olhava-me no espelho do imenso armário e íntima e maliciosamente eu ria, feliz com minha capacidade de interpretar. Apropriei-me daquele fragmento esquecido da minha infância. Sorvi o prazer secreto de então, o poder de entrar e sair à vontade daquele estado, sem que genitores e adultos, cegos, pudessem nem mesmo suspeitar da minha capacidade de distanciamento. Daquela posição, podia controlá-los e tiranizá-los sem remorso.

Mas um dia o garotinho pára de interpretar. Esquece. E aquela máscara, que uma vez ele usava à vontade, torna-se uma careta permanente que governa com tirania sua vida..., interveio o Dreamer, inserindo-se no fluxo dos meus pensamentos, *e o garotinho transforma-se de verdade no ser caprichoso, irritadiço e manhoso que estava interpretando, transforma-se em um adulto frágil que depende de qualquer um ou de qualquer coisa, de um emprego ou de uma droga, elegendo o mundo seu chefe.*

A liberdade, disse com leveza, mas com olhar de aço, *custará a você as máscaras que você usou assim por tanto tempo.*

O sonho é a coisa mais real que existe

No curso dos dois anos que passei no Kuwait e no Oriente Médio, criou-se em mim uma espécie de dependência da magia do Dreamer. A gratidão pelo bem-estar, pela saúde, pelo sucesso, pela possibilidade de, a cada dificuldade, recorrer à Sua sabedoria, misteriosa e inesgotável, foi gradualmente substituída por um crescente antagonismo, por uma rebelião reprimida contra Sua autoridade. Das mil feridas que me infligia o mundo, eu perdia energia aos borbotões, e, com ela, a confiança em mim mesmo, a vontade de viver, a alegria. Até o aspecto miraculoso com o qual o Dreamer havia entrado na minha vida estava evaporando, como uma essência preciosa espargida no ar. Todo o meu mundo estava se enevoando. Como um reflexo da minha perda de vitalidade, também os colaboradores não mais dedicavam energia e entusiasmo ao trabalho como antes. Meu papel de chefe, resolver os problemas que incessantemente me assediavam, massacrava-me! *Não pode governar os outros quem não governa a si mesmo.*

Em nossos encontros, então cada vez mais raros, eu anotava ainda Seus ensinamentos e, depois, refletia longamente; mas uma cisão, havia tempos, profunda, estava separando em mim o sonho daquilo que eu tomava como realidade. Hoje sei que o antigo drama do ser humano, a expulsão do Éden, não aconteceu apenas uma vez na alvorada de sua história, nem inesperadamente. *O inesperado tem sempre necessidade de uma longa preparação.*

A fábula de Adão, incompreensível, ingenuamente absurda até, estava se reproduzindo e desenrolando-se sob meus olhos. Um ser dotado de sensibilidade havia cedido o paraíso em troca do medo e da dor. Como foi possível? Quem trocaria a vida pela morte? Ainda assim, o ser humano trocou e continua a trocar. Eu estava vivendo isso na própria pele. A mordida na maçã é acreditar que o externo seja a causa, que o mundo fora de nós tem uma vontade própria que se assenhora de nós e nos controla. O teatro do absurdo levanta as cortinas do seu palco e reproduz, a todo instante, aquele drama de morte, a cada adiamento que fazemos do *aqui e agora*. Pecar significa desviar; também minha pecabilidade foi um desvio, um distanciamento dos aspectos mais elevados de mim mesmo. Átomos de esquecimento, desobediência e divisão multiplicaram-se e invadiram o paraíso, contaminando-o.

Pouco a pouco, releguei a filosofia do Dreamer ao mundo da utopia. Aquela visão ainda me fascinava, ainda sentia a potência que Seus ensinamentos emanavam, mas cheguei a convencer-me de que, no fundo, tratava-se de pura teoria. Bem outras eram as situações práticas, dificuldades que alguém, com minhas responsabilidades, deveria enfrentar no dia a dia: uma empresa para dirigir, centenas de homens e mulheres que dependiam daquela organização e uma família para cuidar. Cercado por colaboradores entusiastas, com uma bela casa em Samia, o quarteirão mais exclusivo do Kuwait, com empregados domésticos e motorista, esqueci em qual inferno o Dreamer havia me encontrado há apenas dois anos, esqueci a magia que me havia conduzido até lá. Cheguei até mesmo a pensar que os princípios e as ideias do Dreamer tivessem sido formulados de propósito para me complicar a vida, para aumentar inutilmente minhas dificuldades.

O sonho é a coisa mais real que existe, havia me repetido o Dreamer. *Ligue-se ao sonho com um cabo de aço e não permita que nada nem ninguém os separe. Uma pessoa sem o sonho é um fragmento perdido no Universo*. Mas já havia meses eu estava alimentando uma divisão entre Seu mundo e a realidade do dia a dia. Aquele mínimo de integridade que havia ganhado graças ao Dreamer, aquele movimento imperceptível no ser que havia movimentado montanhas na minha vida eu estava perdendo. O pecado imperdoável, o pecado dos pecados, é acreditar que é o mundo quem nos cria. Cometemos esse pecado a cada instante em nosso coração quando fazemos do mundo o nosso deus: um deus sofredor, um deus ignorante. Do Gênesis à narração de Frankenstein, da fábula de Alice a Blade Runner, o ser humano narra sempre a mesma e infinita história: do criador que se torna vítima da sua criatura. Somos sugestionados: o mundo externo domina a situação e nós o acreditamos real, o colocamos acima de nós, o idolatramos.

O mundo, quando você o vê, já foi feito, disse-me uma vez o Dreamer, explicando-me que é esta a razão pela qual se chama *criado*: vem depois! É efeito! Existe uma causa que vem antes. Somente poucos dentre poucos podem perceber que o mundo não tem uma direção, não tem uma vontade própria.

A vontade pertence somente ao indivíduo... ela governa o mundo. Se a vontade se ausenta, o mundo automaticamente toma a direção.

Foi uma descoberta chocante! Saber que o mundo, a massa, não pode ter vontade é reconhecer, com o avião já no ar, que não existe piloto, e saber, em poucos instantes, como funcionam todos os instrumentos e assumir o comando do avião. *Seu preocupar-se é, então, inútil! Serve apenas para perpetuar sua dependência do mundo.*

"O que significa depender do mundo?", perguntei-lhe, sentindo Sua filosofia conflitar mais do que nunca com tudo aquilo que eu queria ainda acreditar.

Significa que quando você esquece, você se reduz, decresce, e o mundo se torna seu chefe, respondeu secamente. *Os seres sem vontade reduzem-se a anões psicológicos e vagam no próprio universo com o rabo entre as pernas, encurvados sob o peso dos sentimentos de culpa, assustados mortalmente pelos fantasmas que eles mesmos criaram.* Acrescentou que seres reduzidos a essa condição não poderiam fazer outra coisa senão acusar, lamentar-se, justificar e cultivar pena de si mesmos. E é ainda essa a condição da humanidade... uma condição na qual eu estava entrando de cabeça, como Ícaro, quando a cera da memória se derrete e perdem-se as asas da gratidão.

Como o personagem de Pirandello em Henrique IV, encontrei-me aprisionado no papel que deveria apenas interpretar. *Transformar-se em um homem de negócios, assumir o papel mais amplo de um empresário não significa tornar-se um ser livre. Identificar-se com esse papel significa ter apenas trocado de prisão, ter entrado em uma nova cela. Liberdade significa ser livre da identificação com o mundo, significa apagar para sempre esse canto de dor que tem governado toda a sua vida.*

Dentro de mim já havia lançado o martelo contra o grilo falante, havia já decidido suprimir aquela Sua voz impertinente.

Foi assim que o contato com o Dreamer chegou quase a desaparecer. Somente minhas forças naquele momento me sustentavam. Corria e desgastava-me em perseguir soluções que, no tempo, sem perceber, transformavam-se em problemas, formando um círculo perverso e sem fim. As baterias solares carregadas da energia do Dreamer perderam potência. Aparentemente, tudo ainda seguia como antes, mas aquela energia, aquela luminosidade especial que havia entrado na minha vida por intermédio do Dreamer como um líquido vital insubstituível já minava pelas centenas de feridas no ser.

Eu não treinava mais. Negligenciava o corpo. O cansaço, as rugas e os outros sinais de envelhecimento e decadência física eu os justificava pelo volume de trabalho e o pouco repouso. Na realidade, saído do *sonho*, eu estava retornando pela estrada que havia feito com o Dreamer.

Até a confiança dos parceiros, a lealdade, e muitas vezes a admiração dos colaboradores, que acreditava me fossem dedicadas pela minha capacidade pessoal, não eram mais que um reflexo da minha conexão com o Dreamer. Aqueles relacionamentos perderam o brilho e, em alguns casos, desapareceram completamente. Eu acusava os outros pela mudança. Pareciam-me ingratos, mesquinhos, aproveitadores. Enquanto isso, os problemas e os antagonismos apresentavam-se sempre mais ameaçadores, e os insucessos sempre mais frequentes. Mas assim mesmo, em muitos momentos, pelo menos no início, aquele deixar-me escorregar para trás foi suave, agradável inclusive. Menos encontros e contatos com o Dreamer, até quase desaparecerem da minha vida, significaram inicialmente maior leveza, despreocupação. Meu vestuário tornou-se um pouco menos austero, meus hábitos menos sóbrios. Aceitei com mais frequência os convites a recepções em embaixadas, festas em clubes e mansões... tornei-me um *habitué* de restaurantes e de pontos de encontro os mais frequentados da cidade. O Dreamer havia sempre sugerido o *understatement*, ou seja, não ser muito acessível, participar somente de poucos eventos oficiais escolhidos judiciosamente e em ocasiões estrategicamente preparadas. Às vésperas de encontros importantes, a disciplina indicada pelo Dreamer requeria que eu intensificasse o trabalho sobre mim mesmo, com um aumento de atenção à comida, aos exercícios físicos, às leituras. O reforço do estado de alerta, de vigilância era para não deixar aberta nem a menor brecha ao mundo, a fim de não permitir prejuízos àquela riqueza, a substância preciosa que eu havia acumulado em meses e meses de *trabalho*.

Ao liberar-me de grande parte de tudo isso, senti o alívio de um espartano que recebe com alegria a notícia da guerra, mesmo interrompendo sua cansativa rotina de paz feita de exercícios em excesso e esforços extremos.

Naquele momento, no céu do Kuwait adensavam-se, como nuvens carregadas de chuva, as ameaças de guerra. Os incidentes relativos à fronteira com o Iraque já eram diários e o mundo político e dos negócios internacionais mostrava sinais de nervosismo e de incerteza sobre o futuro do minúsculo xecado.

Alguns fornecedores internacionais aumentaram as precauções contratuais e, por algumas vezes, executivos ocidentais, que já haviam até assinado contrato, renunciaram de última hora e resolveram não mais se transferir. Tirei a importância daqueles sintomas e dediquei toda a atenção ao desenvolvimento da empresa. Renovei os esforços e decidi pelo lançamento de uma nova linha de produtos, iniciando uma campanha de imagem feita pela agência local da DBDO International. O diretor, um jovem libanês de cultura europeia, prometeu confiar aquele projeto a um novo gerente de nacionalidade inglesa, que ele considerava o mais adequado. Viria em poucos dias encontrar-me nos escritórios da Al Awadi Towers para apresentar-me suas ideias.

Foi assim que conheci Heleonore. Não me recordo muito bem das ideias que ela me apresentou para a campanha publicitária, mas aquele seu sorriso, sua vitalidade e sua beleza de origem andaluza deixaram-me uma impressão irremovível.

Recordei-me das palavras do Dreamer e esperei que ela fosse uma das células preciosas do Projeto que deveria encontrar no Kuwait. Concentrei cada desejo meu num só e o expressei forte no meu coração: "Deus, faça com que seja ela".

Heleonore

A partir daquele momento, encontramo-nos quase todos os dias. As noitadas juntos, as partidas de tênis no clube do hotel Hyatt, um encontro na bola gigante das Water Towers de onde admirávamos as luzes do golfo, um jantar no Versalhes do Méridien foram alguns instantâneos da corte, veloz, que lhe fazia.

Heleonore tornou-se minha melhor colaboradora, a amiga, a confidente dos meus dois filhos. Entrou na nossa vida suave e inexoravelmente, ocupando pouco a pouco cada um de seus ângulos. Jamais uma invasão recebeu tão pouca resistência.

Giuseppona não se pronunciou, mas eu sabia não ter sua aprovação. Não associei sua atitude à minha condição de distância do Dreamer, à minha desobediência. Pensei estar enciumada. Tomei como uma temporária e compreensível reação à ameaça ao seu papel. Na verdade, Giuseppona intuía que eu estava entrando num mar de dificuldades. Havia nascido em Cumes, e daquela civilização mais antiga de Roma, fundadora de Neapolis, tinha o espírito profético e a linguagem sibilina. Sua inteligência primordial, não contaminada pela instrução, sem sobejos ou esquemas mentais, tinha a lucidez da essência, a força da simplicidade, da sinceridade, da pureza de quem sabe sem saber.

Estava tentando mais uma vez. Depois da morte de Luisa, não tinha deixado de acreditar poder refazer uma família verdadeira, feliz. Ainda estava convencido de que os naufrágios familiares nos quais submergiram os relacionamentos anteriores com Jennifer e Gretchen tivessem sido gerados por condições externas. Não havia tido sorte no amor, como se diz. Era tudo. Mais cedo ou mais tarde encontraria a mulher certa e, então, tudo caminharia bem. Iludia-me, ainda, que um destino feliz pudesse tocar-me, mesmo permanecendo assim como eu era; que circunstâncias e fatos diferentes do passado pudessem acontecer na minha vida, mesmo sem mudar nada.

O mundo externo é a materialização da sua psicologia. É você quem deu o consentimento a cada um dos seus problemas, a cada dificuldade da sua vida... Um dia, quando você se conhecer, entenderá por que o mundo é como é.

Com a chegada de Heleonore, a voz do Dreamer tornou-se ainda mais remota. De manhã, Jamil recolhia tâmaras frescas das palmeiras do jardim e servia-nos no café da manhã à base de queijo fresco, minúsculas azeitonas pretas e um *tabbouleh* intensamente perfumado de hortelã e cheiro-verde. Foram meses apaixonados, mas não felizes, carregados pelos traços de um inexprimível, sutil sofrimento, o mesmo que nublava a alegria de cabular a aula e tornava difícil engolir os bocados de pão que Carmela havia colocado na lancheira.

Assim, parecia que o mundo combatia nossa união. Na realidade, era eu mesmo que não conseguia perdoar minha transgressão a um código invisível, a uma consciência que, ferida, estava informando ao mundo minha condição de *fora-da-lei*.

O Dreamer estava me preparando para tornar-me um rei e eu havia, de novo, escolhido a mediocridade. Somente esquecendo Suas ideias, distanciando-as da minha vida, poderia encontrar uma mulher que me reconduzisse ao inferno do passado, ao gueto da dependência.

Durante os primeiros meses não posso dizer que Seus ensinamentos me tivessem feito falta. Minha presunção tinha preenchido com abundância aquele espaço. Sentia, porém, um obscuro sentimento de mal-estar crescer dentro, como uma premonição supersticiosa, a profecia de uma iminente desventura. Todo aquele lixo de emoções, de imagens negativas e de sentimentos de culpa que acreditava ter deixado para trás estavam outra vez se apoderando da minha vida.

A ideia de poder construir nossa felicidade sem considerar nada além do nosso egoísmo, de noite empalidecia como a lua daquele céu islâmico sob o qual Heleonore e eu não tínhamos mais cidadania. Não somente pelo Dreamer, mas também pelas leis kuwaitianas, éramos *ilegais*. Não se podia subestimar os riscos que corríamos num país que tinha eleito o Alcorão como a lei absoluta para qualquer aspecto da sua existência. Um país de moral farisaica, tão inflexível no público quanto licenciosa no privado.

Dia após dia afrouxaram-se os laços com o país, com aquele trabalho, com o próprio Yusuf Behbehani, enquanto a casa em Piemonte, Chiá, circundada por lagos aos pés dos Alpes e a vida na Itália representavam um chamado sempre mais irresistível.

Uma exaltação subjugou-nos, pintando de negro nossa situação e tudo aquilo que tínhamos no Kuwait e aumentou a atração por tudo o que acreditávamos nos esperasse na Itália. Heleonore estava entusiasmada com a ideia de viver na casa de Chiá. Juntos fazíamos projetos sobre como torná-la mais confortável, finalizar sua reforma e organizar a família. Em minha imaginação, ao retornar à Itália tudo seria maravilhoso. As crianças retomariam a *normalidade*. Até mesmo Soshila, cocker que eu trouxera escondida no bolso do casaco em uma recente vinda da Itália, poderia viver como um cão!

A adoção

No Kuwait, país misógino, os cães são evitados pelos muçulmanos como seres impuros; e, de fato, ali são quase inexistentes. Bastava que Soshila relasse em uma doméstica para vê-la correr e fazer a ablução, e sabe-se lá a quais outros rituais de purificação ela se submetia!

O prazer de ver a alegria de Giorgia e Luca quando fiz aparecer do bolso do casaco o focinho daquele filhote foi impagável. O Dreamer foi particularmente duro naquela ocasião. Mostrou-me como a decisão de presentear as crianças, introduzindo no país um animal malvisto por aquela cultura, escondia um egocentrismo tão mais perigoso quanto mais descuidado fosse.

Uma pessoa de bem, qualquer que seja o lugar em que se encontre, quaisquer que sejam os usos, costumes ou credo religioso do povo que a hospeda, respeita-os. Uma inteligência do coração guia suas escolhas. Além do tempo e da geografia, sua ética lhe permite sentir-se sempre em casa, na legalidade e na moralidade, sem esforço, disse-me o Dreamer naquela ocasião. Mesmo não entendendo muito bem, registrei fielmente Seu discurso, e especialmente como fechou o assunto: *Introduzir aquele cão naquele meio é a manifestação de uma vaidade escondida, de uma divisão em você mesmo e nos outros, que o relega aos últimos degraus da escala do ser. Um dia, quando reconhecer em você essa vaidade, poderá curá-la. Por enquanto, e até que compreenda, empenhe-se em não criar escândalo.*

Tive de esperar algum tempo para que se verificasse uma ocasião favorável antes de captar o sentido da lição que, naquele momento, pareceu-me excessivamente severa. Um dia, abrindo por acaso o Evangelho, encontrei aquela parábola em que Jesus Cristo ordena que Pedro pague o devido tributo a César, para *não criar escândalo*. Ele encontraria as moedas necessárias em um peixe recém-pescado. A explicação que estava já ali, escondida numa sinuosidade do ser, emergiu em plena luz como o levantar repentino de uma cortina. Aquilo que descobri não clareou apenas o episódio do filhote de cocker, mas também situações aparentemente distantes, unidas pelo fio de um mesmo mecanismo psicológico. Ficou claro como a vaidade e o egocentrismo, o desejo de ser o centro e criar escândalo, eram a mola secreta e a explicação mais profunda dos comportamentos mais variados e menos compreensíveis de tantos homens e mulheres: da paixão pelos esportes radicais e aventuras mais arriscadas até as iniciativas humanitárias e benignas, como a adoção de crianças de outra raça. Pela vaidade e pelo egocentrismo, alguns podem enfrentar oceanos sobre uma caixa de fósforo, ou erigir catedrais, fundar religiões. Entendi que a polaridade oposta ao *criar escândalo* é o comportamento de quem é silencioso, de quem faz sem nenhuma necessidade de levantar ondas contrárias, antagonismos ou hostilidades. Há aqueles que, no silêncio, sem alardear, sustentam uma responsabilidade que milhares de pessoas não poderiam nem mesmo tocar com um dedo.

Recordei-me de um casal de amigos, ele pediatra e ela professora universitária, que por humanitarismo quis adotar um menino equatoriano. Enfrentaram inúmeras viagens àquele país e superaram inúmeras dificuldades, pagando mediadores – e depois até a própria mãe da criança – para conseguir a adoção.

Aqueles esforços não seriam jamais empreendidos, nem de longe, para uma criança do próprio país. Uma criança branca passaria inadvertida, os outros acreditariam ser realmente um filho natural, comentou quando Lhe relatei essa história. *Seria como orar ou jejuar sem o demonstrar, aliás, tomando cuidado para que ninguém jamais viesse a saber de nada.*

A criança negra teria, ao contrário, *criado escândalo.* Faria manifestarem-se aversões, divisões, rancores, tê-los-ia ocupado com brigas aparentemente externas, mas, na realidade, criaturas da própria violência reprimida, materialização do próprio racismo inconsciente, dos sentimentos de culpa que a escolha daquela adoção esperava produzir ou, de algum modo, esconder deles mesmos.

Contei ao Dreamer que, com efeito, passados alguns anos, encontrei aqueles meus amigos muitíssimo amargurados e envelhecidos. Falaram-me das inúmeras angústias e das opressões, grandes e pequenas, que todos os dias aquele menino e eles mesmos sofriam por parte de gente intolerante e de um ambiente reacionário, nas palavras deles mesmos. Tanto que pais com idêntica questão viram-se obrigados a constituir uma associação que se batesse pela defesa de seus direitos e pela afirmação dos princípios que tinham inspirado aquele *ato de amor.* Desiludidos e mais infelizes que antes, pouco tempo depois haviam decidido separar-se e, finalmente, divorciar-se.

A adoção escolhida pelos seus amigos não foi um ato de amor, como eles podem ter acreditado, mas a tentativa de preencher o vazio daquele relacionamento. Nada é externo. Nenhuma coisa do externo, nem mesmo a adoção de uma criança, pode eliminar as mortes internas, o medo, a solidão, o sofrimento.

Perguntei-Lhe por que aquele casal teria sido atacado, por que aquele ato, ou o ato de outros casais como aquele teria suscitado tanta aversão e exclusão.

Os ataques do mundo são uma bênção... chegam sempre para nos curar. O mundo deve intervir do externo para denunciar aquela falta, aquela doença que você crê não ter.

Explicou-me que se tivessem sido mais sinceros, teriam podido saber que havia sido aquele menino a adotá-los, e não vice-versa; que, na realidade, tinha sido ele o benfeitor. Aquele pequeno tinha vindo para assumir para si o mal-estar deles, para assimilar a solidão deles e tentar curá-los do medo, dos sentimentos de culpa e da esterilidade. Segundo o Dreamer, se tivessem reconhecido tudo isso não teriam sentido necessidade alguma de adotar uma criança, nem de atrair para si contrastes e aversões.

O mundo sabe, concluiu.

Ao ouvi-Lo, e conhecendo bem aquele casal, agora *via* que, ao adotar uma criança *diferente* deles, ambos tinham sido movidos pela motivação que jamais poderiam suspeitar ou confessar a si mesmos. Na verdade, o que poderia satisfazê--los mais, e por anos, do que ver nos olhos dos outros a admiração por uma generosidade tão extraordinária!

Enquanto escrevo, sei que colocar a descoberto nossa falsidade, o egoísmo, a vaidade escondidos atrás de um ato tão humano exige um longo trabalho de auto-observação. Sou consciente da gravidade desta denúncia e assumo completa responsabilidade.

Como célula da humanidade, descobri em mim mesmo que é essa ignorância, aparentemente irrelevante, insignificante, que nos degrada e nos faz presa do medo, seja de viver, seja de morrer. É essa sombra ignorada do nosso ser, o desconhecimento dessa criminalidade interna que se projeta sobre a tela do mundo e materializa todos os horrores, as atrocidades, a violência.

Com os intensos e já agudos sinais de uma guerra iminente, as desculpas para deixar o Kuwait certamente não faltavam, ou, pelo menos, era assim que queríamos acreditar. Já com a ideia em mente de retornar à Itália, a cada dia procurávamos e encontrávamos novas confirmações pertinentes àquela resolução. A decisão longamente cultivada foi, então, tomada em poucas horas.

O xeique Yusuf Behbehani não ficou surpreso nem se mostrou muito contrariado. Liquidei meus interesses na empresa e, de comum acordo, nomeamos para dirigi-la o meu segundo. Nos olhos de Roger, que brilhavam de satisfação por aquela eleição inesperada à posição que o Dreamer havia criado para mim, li minha condenação. Mas era muito tarde para voltar atrás e preferi sufocar e apagar aquela fagulha de lucidez.

Também Heleonore deixou seu trabalho na DBDO International e, com toda a família, deixamos a cidade do Kuwait levando conosco a cachorrinha Soshila. Uma breve parada na ilha de Chipre, alguns dias em Atenas, como uma câmera de descompressão, e depois a Itália.

7
O regresso à Itália

A cláusula

Um incômodo pensamento acordou-me de repente. Esfreguei os olhos repetidamente, mas aquele pesadelo não desaparecia. O quarto em que despertei era desprovido de adornos e cheio de entulhos. Iluminado por uma lâmpada pendente, as paredes apresentavam-se sem reboco, e o piso sem revestimento. Por longos segundos não consegui acreditar que aquela casa tivesse substituído a elegante vila em Samia.

Percorri com o olhar o rodapé e observei os fios coloridos de eletricidade que despontavam das canaletas plásticas fixadas com argamassa. Ao meu lado Heleonore dormia, e sua presença confirmou-me que, infelizmente, era tudo verdade. Era mesmo aquela a casa em Chiá com que tínhamos tanto sonhado...!

Quando sigo o curso dos eventos e remonto às raízes daquilo que me havia arremessado às garras do passado, o pensamento me conduz a um fato, por anos mantido em segredo, e pelo qual não pude me perdoar até o dia em que encontrei a coragem de confessá-lo ao Dreamer. Antes de partir para o Kuwait, Ele me havia recomendado: *Corte! Corte para sempre! Não leve consigo nenhum átomo do velho mundo.* Enquanto me falava, eu sentia a morte no coração. No momento de deixar a ACO Corporation, ao assinar minha demissão, havia pedido e obtido que eles inserissem uma cláusula. Assegurava que, no período de dois anos, caso eu decidisse retornar, eu poderia reaver meu antigo trabalho. Mantive-a secreta. Quantas vezes refleti sobre aquela vontade involuntária que havia urdido aquela emboscada, aquela insidiosa previdência que havia ditado tal cláusula, deixando abertas as portas que me reconduziriam ao passado.

Os chefes dos citas, os misteriosos habitantes da estepe eurasiática, o povo adormecido no gelo, meditavam longamente em torno do fogo antes de se decidir por uma migração ao sul ou uma guerra de conquista a oeste. A decisão podia requerer dias ou meses, mas, uma vez tomada, era irreversível. Com as carroças carregadas com suas famílias e pertences, queimavam cada coisa que restasse às suas costas: pontes, casas, colheitas e tudo o que não pudessem levar com eles.

Quão diferente tinha sido minha atitude ao me deslocar em direção ao novo!

Você é guiado pelo medo, foi o comentário do Dreamer diante da minha confissão. *Tem vivido uma vida em conformidade com a multidão. Anos e anos de dependência... sem encontrar coragem para respeitar seu sonho, sua unicidade.*

Ulisses fez-se amarrar ao mastro do navio para, diante do canto das sereias, não esquecer sua promessa, o sonho, os laços que o ligavam aos seus princípios. É o ato de um ser de Escola, de um ser impecável que, como todos os heróis, conhece a si mesmo.

Não tema a obediência. Alinhe-se com os princípios da Escola, disse. Sua voz era doce. *Obedecer à Escola não é depender, mas seguir aquilo que é mais puro, mais verdadeiro em você. Um dia, quando se aproximar de uma maior honestidade e sinceridade, verá que nunca existiu uma diferença. A Escola, que está aparentemente fora de você, irá se fundir com a Escola que está dentro de você: a Vontade.*

O trabalho na ACO e a casa de Chiá eram somente alguns dos pontos que eu não havia tido coragem de eliminar, somente algumas das sereias de cujo canto não havia sabido proteger minha vida. Esse canto acabaria sendo fatal. A distância entre mim e o mundo do Dreamer aumentou excessivamente, até que se tornou grande demais para ser superada.

Um brusco despertar

Já desde nossa chegada, com a visão do jardim invadido pelas ervas daninhas e da estrutura retorcida dos andaimes apoiados num dos muros externos da casa, vivi um brusco despertar.

Depois de poucas semanas da partida do Kuwait, parecia distante o tempo em que eu havia sido o chefe de uma empresa e de uma equipe internacional. Até Heleonore tinha dificuldade em reconhecer em mim o homem que seguira com tanta confiança. O Dreamer havia me indicado o caminho da prosperidade, me beneficiado o físico e o espírito, revertido minha desesperada descrição do mundo abrindo-me a uma visão inteligente e corajosa. Com Ele, havia provado o gosto da liberdade: liberdade da dor, da dúvida, do medo. Ao Seu lado havia me aproximado de uma energia capaz de transformar minha vida e romper o curso daquele destino inexorável. Eu Lhe retribuí abandonando aquilo que Ele me havia confiado. E mais, escondendo Dele minha relação com Heleonore. Embora muito distantes, as palavras do Dreamer ainda ecoavam, mas o fio de ouro que me ligava a Ele parecia ter se rompido para sempre.

Visão e realidade são uma mesma e única coisa.

Eis pelo que Heleonore era verdadeiramente apaixonada!... Pela filosofia do Dreamer, por Sua força, por aquelas Suas palavras que, como o patético personagem de Rostand,[34] eu ainda repetia fazendo-as minhas. A presunção e a incapacidade de sentir gratidão por tudo o que eu tinha recebido haviam me separado do Dreamer e, agora, eu estava perdendo também ela, a mulher que me havia seguido com tanta confiança. Esquecida a promessa solene feita ao *sonho*, minha vida estava mostrando os remendos da sua condição.

Aquela freada no ser estava evocando todos os fantasmas do passado e reconduzindo-me às condições de quando eu vivia em Nova York, antes do encontro com o Dreamer. Até fisicamente estava assumindo a aparência e as atitudes do homem que eu tinha sido. No corpo, no rosto, multiplicavam-se os efeitos de uma decadência psicológica. O homem dinâmico que o Dreamer havia sabido despertar em mim, o chefe de empresa seguro de si, determinado, elegante, amado por seus homens estava tristemente se transformando numa sombra de si mesmo. Vagava pela casa preocupado. Gastava o tempo fazendo contas domésticas, discutindo com os operários da obra a colocação de uma lareira ou de um pavimento, entrando em disputa com um vizinho por questões de limites ou me ocupando do escoamento de uma calha.

Com os vizinhos havia tentado estabelecer um relacionamento amigável, presenteando-os com qualquer *gadget* eletrônico trazido do Kuwait ou recebendo-os em casa. Mas todos os meus esforços eram incapazes de aplacar a hostilidade que manifestavam.

Também nesta pequena localidade, escondida em uma ruga do Cenozóico, Heleonore e eu éramos uns fora-da-lei. Era como se todos soubessem da nossa

---

34. Edmond Rostand (1868-1918). Dramaturgo francês, cuja obra mais famosa é *Cyrano de Bergerac*. (N. E.)

transgressão, como se nossa chegada tivesse sido precedida de uma excomunhão planetária, de uma ordem difundida para não nos acolher. E a essa ordem toda a cidade havia respondido com a rapidez e a precisão de uma obediência hipnótica, tornando nossa vida difícil. De fato, para cada coisa, desde a colocação de Giorgia e Luca na escola às licenças da prefeitura para completar a reforma da casa, eu encontrava obstáculos inacreditáveis.

Recriminava, reclamava, acusava a burocracia, os eventos, as pessoas, as circunstâncias e não entendia que a mudança tinha sido apenas aparente.

Deixando aberta aquela porta atrás de mim, já tinha decidido pelo meu fracasso, premeditado minha derrota.

O maior inimigo do ser humano é ele mesmo! Você é o exemplo mais evidente de quanto é impossível ao ser humano abandonar as prisões da mediocridade, levantar as armas contra os próprios limites, reverter a descrição do mundo. A amargura que você está vivendo, sua fidelidade ao sofrimento são a prova disso...

Pode parecer que sua vida esteja árida, reduzida, como se as raízes estivessem infectadas ou doentes, mas a verdade é que você jamais sonhou com algo diferente desta pobreza, desta dor, desta prisão.

Giuseppona tinha perdido sua comicidade e a proverbial loquacidade que, sempre, em qualquer novo local que estivéssemos, preenchia nossa casa como uma música. Não sentia mais aqueles seus divertidos monólogos, comentários poéticos sobre todos os fatos familiares, atuais e distantes, verdadeiros textos teatrais que do murmúrio passavam pelo rondó e culminavam na epopeia. Aquela mulher que desde que nasci sempre fora o emblema da energia e da coragem guerreira, o cacique indômito que havia cuidado de mim e de meus filhos, estava envelhecendo e alquebrando. Aquela sua cômica blandícia e a histriônica vaidade que a faziam escolher o vestuário mais fantasioso e de gosto duvidoso tinham se apagado. De noite, eu a ouvia tossir penosamente em seu quarto. Cada ataque era um golpe que me apertava o coração e me congelava, como um presságio de desgraça. Até que vi o impossível: Giuseppona de cama e um médico que a examinava. Não queria acreditar! Sempre fizera do seu lema "esteja longe dos médicos" uma lei rígida, uma regra inquebrantável de vida. O abatimento daqueles meses evocava a tristeza do período da doença de Luisa e obscurecia-me a alma. Também Giorgia e Luca tinham perdido o entusiasmo. Para mantê-los longe daquela atmosfera infeliz, inscrevi-os numa escola de assistência a alunos, onde, depois das horas regulares de lição, permaneciam até a noite.

O REGRESSO À ITÁLIA

A ignorância está sempre a um palmo de distância

Tempos atrás, o Dreamer me havia posto em alerta: *Enquanto você não redescobrir sua vontade sepulta, enquanto você não alcançar sua verdadeira liberdade, sua integridade, o passado estará sempre à espreita para reconduzi-lo àquilo que é velho e deteriorado.*

A ignorância está sempre a um palmo de distância... Se você deixar de vigiar e se esquecer do sonho, será pilhado num instante e, com você, cada conquista, cada entendimento, ainda que conseguidos a duras penas, degradarão.

Não importa quanto trabalho você tenha dedicado. Enquanto você não atingir a totalidade do ser, estará sempre em equilíbrio instável sobre o abismo da sua ignorância...

A totalidade do ser significa domínio de si; é o resultado de um longo trabalho de Escola... Antes disso, um homem não é mais que um sonâmbulo suspenso entre o nada e a eternidade.

Excedi-me ao reagir a essas asserções. Recordo que me expressei sobre a questão em termos de *grande injustiça*; apelei até mesmo a princípios universais de equidade. Na realidade, estava apenas defendendo a mim mesmo com a antecedência de anos. Estava justificando minha desobediência antes mesmo que se verificasse. O mal-estar que sentia e aquele incômodo que determinava a escolha, o tom e a veemência das palavras revelavam meu futuro fiasco. Minha queda já estava ali, no seio do invisível, gravada e pronta em cada detalhe, como uma planta em sua semente.

A injustiça não existe!, declarou o Dreamer de modo irrefutável, fechando questão. Sabia que qualquer outra explicação teria sido inútil. Eu não estava pronto. Era ainda muito cedo para eu aceitar a ideia de que, na vida de qualquer ser, nunca houve nada de mais justo ou mais providencial que aquilo que ele pudesse considerar injusto. Sobre o tema da injustiça eu teria logo uma dura lição quando circunstâncias dolorosas, dramáticas colocar-me-iam na situação de entender.

Depois de anos daquelas advertências que havia considerado *exageros pedagógicos*, estava sentindo na própria pele quanto sofrimento inútil nasce do esquecimento.

Meu retorno anacrônico jogava-me de novo no érebo da existência, do qual, um dia, já havia escapado. Quando a vontade é ausente, preponderam a dúvida, o medo, os limites, a descrição do mundo. Agora bordejava nas águas turvas de um passado que havia continuado a escorrer ao meu lado como uma miserável vida paralela.

Abandonado o Kuwait sem a aprovação do Dreamer, as fibras luminosas que me ligavam ao sonho tinham se adelgaçado ao extremo. Estava caindo de novo nos círculos da existência dos quais eu provinha.

Meu destino estava suspenso por um fio.

Retorno ao passado

Minha existência estava em perigo.

O dinheiro obtido da cessão da cota de participação na empresa do Kuwait estava rapidamente exaurindo-se e vi, de novo, a necessidade de procurar trabalho. Como em uma fábula do Oriente Médio, perdido o objeto mágico, aquele mundo que o Dreamer me havia feito conhecer estava desaparecendo, escapando-me pelos dedos como areia.

Retornava ao seio do invisível, como um nascimento de trás para frente. As recepções com as luminosas mesas com prataria, o elegante perfil das Water Towers, o espetáculo do deserto que mergulha no cobalto do mar, a casa de Samia, as viagens pelo mundo, os desafios empresariais, os homens e as mulheres que eu havia escolhido, tudo foi sugado por um aspirador cósmico. Nunca mais os revi, como se pertencessem a um universo paralelo, sem passagem ou comunicação com o meu. Aquela abertura não maior que o buraco de uma agulha que eu atravessava milagrosamente com o Dreamer tinha se fechado para sempre. O Projeto tinha me abandonado. Como Esaú, eu havia trocado a primogenitura de um reino por um mísero prato de lentilhas.

Foi naquelas condições que, antes que vencessem os dois anos, agarrando-me àquela cláusula que me assegurava poder ser readmitido, fiz os contatos para voltar a trabalhar na ACO Corporation. Por ocasião das entrevistas que se seguiram, visitei vários conhecidos e velhos amigos em seus escritórios. Estava para ser sugado uma vez mais por um vórtice infernal.

Na ACO tudo estava como antes da minha partida para o Kuwait. Fantasmas empresariais ainda pairavam exatamente ali onde os havia deixado, atrás daquelas minúsculas mesas de trabalho, nos corredores ou em volta de uma máquina de café, com os discursos, os pensamentos e as atitudes de sempre. Ao me ver passar, trocavam sinais ou olhares de cumplicidade entre eles. Ao me encontrar, desenhavam sorrisos amarelos nos lábios, ou então me espiavam de seus próprios e intransponíveis recintos, através das barras de jaulas invisíveis, evidentemente satisfeitos por rever um companheiro de prisão. Retornando àquele trabalho, eu lhes levava um sopro de vida artificial, como um suprimento de oxigênio a um doente. O que lhes poderia dar mais satisfação? Eu era a prova dos nove de suas próprias e radicadas convicções, a demonstração viva e conclusiva de que a fuga daquela existência infernal era impossível e até perigosa. Imagino que, mecanicamente, experimentassem sentimentos confusos em relação a mim. Maldade, sarcasmo, alegria pelo insucesso daquela evasão eram secreções emotivas que se imiscuíam e se emaranhavam no casulo de suas almas. O caso daquele companheiro resgatado estava retirando de suas mentes até o mais vago desejo de fuga. Meu retorno oferecia o consolo que traz consigo a aceitação do insuperável, o alívio que sentimos pela rendição diante daquilo que nos parece irremediável, invencível. Calado aquele solitário roçar da lima que havia precedido minha fuga, retornou, sinistro e tranquilizador, o silêncio do *cárcere* e sua ordem.

Uma forma de esquecimento acompanhava minha reintegração à condição de dependente e mitigava a amargura então insuportável. Ainda alguns dias mais e a operação de reinclusão naquele mundo seria completa e irreversível.

Antes que isso pudesse acontecer, com os últimos sinais de lucidez tentei de todos os modos reencontrar o Dreamer. Retornei a Londres, procurei-o no St. James, no Savoy. Retornei ao banco da Roosevelt Island, ao Café de la France, em Marraquesh. Rastreei as ruas de cada lugar onde tinha estado com Ele... sem êxito.

O Dreamer havia me abandonado.

Na ansiedade que acompanhava aquela conclusão, pela dor daquela perda, cheguei a pensar que Ele não tivesse nunca existido, senão na minha imaginação.

A poluição psicológica

Meu pedido de voltar a trabalhar pegou-os de surpresa e foi acolhido pelos diretores da ACO Corporation mais por respeito ao compromisso assumido no contrato do que por uma efetiva utilidade. Os chefes não sabiam onde me colocar nem o que me confiar. Eu esperava um cargo de responsabilidade... e, com dificuldade, encontraram um lugar no departamento de Marketing Internacional. Não me foi consignado um papel, nem recebi qualquer indicação quanto às minhas responsabilidades. Eu estava num limbo, sem colaboradores nem chefe. Nem secretária. Havia um único móvel: uma escrivaninha e um telefone que nunca tocava.

Nos primeiros meses, tentei manter um estado de vigilância e esforcei-me para não deixar escapar nenhuma queixa ou qualquer sinal de desacordo. Todavia, inveja, ciúmes, raiva ou frustração eram continuamente esguichados no meu ser, envenenando-o. A ACO era uma fábrica de pensamentos e emoções negativas. Um contratempo ou um erro de um colaborador bastava para trazer à superfície velhas escórias. Todavia, o longo trabalho feito com o Dreamer não tinha sido de todo inútil. Um filtro de atenção permitia-me observar aqueles estados de ser, circunscrevê-los e controlar suas manifestações.

A única coisa que me dava vida eram Seus ensinamentos, que relia no meu caderno. Aquela condição de isolamento ajudou-me a retomar as pegadas do Dreamer e a manter Seus ensinamentos vivos em mim.

A desobediência aos princípios do sonho significa autossabotagem, significa matar--se dentro. A existência fora não pode fazer outra coisa senão refletir aquele suicídio interior.

Para não respirar a atmosfera da ACO, vivi em uma espécie de *apneia psicológica*. Por períodos mais ou menos longos, consegui manter certo distanciamento, mas era uma ação desesperada, como tentar eliminar as brânquias num mundo líquido. Sabia que sem o Dreamer não resistiria por muito mais.

Daqueles meses me recordo dos extenuantes esforços de auto-observação e de vigilância para não ser capturado pelo rio da negatividade que me circundava por todos os lados. Observava aquelas águas lamacentas aumentarem de volume a cada dia, recolhendo detritos psicológicos e materiais nocivos. Com ímpeto, escorria ao longo de andares e corredores, encontrando impulso e canalizando-se entre as margens feitas de fábricas e escritórios, desembocando nos estacionamentos ao ar livre, chegando à pequena cidade e inundando ruas, casas e a vida daquela gente.

Aquele período de isolamento permitiu-me estudar de perto, mas com o necessário distanciamento, o fenômeno que o Dreamer chamava *poluição psicológica* nas organizações. Retornar à ACO significou por meses ter à disposição um dos mais sofisticados e completos laboratórios científicos para esse tipo de observação. Remonta àquela época o estudo e minhas primeiras verificações de fenômenos ligados à manifestação de preocupações, pensamentos, dúvidas, medos e, em geral, à produção e exteriorização de todo tipo de lixo emocional. Cientista e cobaia ao mesmo tempo, descobri que pensamentos destrutivos, emoções negativas não só contaminam a pessoa, mas também, uma vez manifestados, liberam uma substância desconhecida da nossa ciência, invisível, porém capaz de contaminar o meio, as pessoas e tudo aquilo com o que mantiver contato. Interessei-me vivamente pela descoberta da natureza contagiosa daqueles elementos, a capacidade que têm de se propagar de pessoa a pessoa, em altíssima velocidade, assumindo muitas vezes as características de uma verdadeira endemia. Assim, centenas, milhares de seres podem ser contaminados por uma mesma sugestão ou imagem, por uma única emoção negativa, e impelidos a reações coletivas, mecânicas, muitas vezes violentas, como *reflexos psicológicos condicionados*.

Para o Dreamer, a felicidade, o amor, a alegria, a gratidão, a serenidade e os estados superiores de ser são emoções que, geralmente, a humanidade, tal qual é, não pode sentir.

Para que as emoções positivas se produzam, é necessária uma longa preparação, um intenso trabalho sobre si mesmo, anos de auto-observação para eliminar estratos de ignorância, de rudeza, e tudo aquilo que impede os elevados estados de ser.

Talvez sempre o soubesse. De qualquer modo, agora não podia mais fingir ignorar uma descoberta de tal importância: as organizações humanas são mortalmente tristes, verdadeiras indústrias da dor. Fábricas e escritórios, e, antes ainda, escolas e universidades parecem ter sido projetadas, organizadas para produzir e alimentar sofrimentos aparentemente inúteis. Enormes quantidades de energia são gastas em divisões e conflitos entre grupos e indivíduos, em emoções inúteis e desagradáveis, em estados de angústia e de ansiedade, em condições de preocupação, incerteza e irritabilidade. Tive como verificar o paradoxo que revela como matérias-primas saem das fábricas transformadas e enobrecidas, enquanto homens e mulheres saem humilhados.

Observando-as internamente, cheguei a me perguntar a razão pela qual nas organizações parecia existir – além de qualquer esforço científico e empresarial – um insistente e *perverso* mecanismo que constantemente produz e alimenta uma condição de atrito, uma penosa situação de tensão e conflito para aqueles que ali trabalham. Absurdamente tudo indicava que não fosse outra, mas exatamente esta a razão de existir delas, sua verdadeira produção e, ao mesmo tempo, seu misterioso motor.

Na barriga da baleia

Enquanto eu fazia essas reflexões, simulando estar absorvido pelo estudo dos documentos que entupiam minha mesa, sentia no organismo que me hospedava, a ACO, um esforço de assimilação que incessantemente me incitava a participar, que tentava arrebatar aquela centelha de vida que ainda me permitia ver. Era como se uma lei férrea, não conhecida, porém implacável, uma espécie de força da gravidade, uma entropia psicológica, não pudesse permitir por muito mais tempo a anormalidade de uma posição de testemunha, de observador. A atenção, aquele estado de vigilância que me esforçava para manter, tornava-me alheio, o habitante de um universo governado por outras leis. Os anticorpos teriam logo entrado em ação: teriam me encontrado e assimilado, ou expulso, como se faz com uma excreção ou um corpo estranho. Bastava uma pequena desatenção, uma expressão de desagrado ou uma queixa em voz baixa, um movimento de raiva, inveja, ciúmes ou antagonismo para estabelecer a ligação com aquele mundo de tristeza no qual eu me colocava na condição de observador.

Certamente uma inteligência instintiva supervisionava tudo isso. Tive a clara sensação de estar no interior de um imenso organismo vivo, como Jonas na barriga da baleia, ou em uma prisão muito especial, tão avançada que se podia ler os pensamentos dos reclusos e, em tempo real, identificar quem estava alimentando pensamentos de evasão.

Um dia observei no saguão lotado a hora da transumância de seres famintos e salivantes que se deslocavam dos escritórios para o almoço. Tive a ameaçadora visão de uma organização hipnótica, de um formigueiro humano cheio de seres tiranicamente atarefados, exatamente como insetos arcaicos e cegos tão parecidos conosco.

Foi então que, estupefato, fiz a descoberta: aquele ser vivente era ela, a ACO, aquele organismo superestruturado que nos continha. Nós todos, dirigentes, empregados e operários, éramos apenas órgãos, glândulas, corpúsculos orgânicos que fluíam em suas artérias sem vontade própria ou um destino individual. Horrorizei-me vendo-os grudados àquele mundo como a um papel mata-moscas, guiados pelo misterioso influxo das emoções negativas. Multipliquei meus esforços. Recorri a todo e qualquer estratagema para não me descobrirem e metabolizarem-me. Erguia barricadas psicológicas ao transcrever páginas e páginas de frases do Dreamer; depois, relia-as todas num só fôlego. Como recurso extremo, cheguei a fazer as orações que aprendi quando criança; pelo menos impediam temporariamente que aquele fluido magnético me penetrasse. Nos momentos mais difíceis, quando sentia as defesas vacilarem, recordava o ensinamento do Dreamer, fixava-me num único ponto por longos minutos, na tentativa de recolher os fragmentos esparsos do meu ser e não me afastar do instante.

Aparentemente, ninguém da ACO parecia ter se dado conta da minha tentativa de fuga, dos estratagemas e de toda a argumentação que eu, continuamente, inventava para tentar manter um estado de concentração e distanciamento. Até aquele momento tinha conseguido resistir, representar melhor do que eu mesmo pudesse esperar, mas não me iludia. Sabia que tinha pouco tempo, talvez somente alguns dias, e depois seria dado o alarme pela minha tentativa de me manter estranho à condição de todos os outros dependentes. Minha condição *marginal* seria descoberta e eu teria imediatamente o destino de uma térmita deixada muito tempo longe da influência de sua rainha. Sem a ajuda do Dreamer eu não tinha nenhuma possibilidade de ser bem-sucedido.

O acidente

Naquela manhã, estava ocupado em acompanhar os serviços dos pedreiros na reforma da casa de Chiá quando senti um barulho de freada vindo da rua. O presságio de uma desgraça, ininteligivelmente esperada, coagulou-se em evento e congelou o ar. Atravessei o jardim em direção àquele som e passei correndo pelo portão de casa, precipitando-me para a rua. Durante aquele brevíssimo trajeto, a apreensão aumentou em demasia, transformou-se em ânsia e, em seguida, num medo desmedido que se propagou no ser até a náusea.

Luca, no Kuwait, sentia falta das suas corridas de bicicleta. Tão logo voltamos para a Itália, pediu-me uma de presente, e dela não mais se separou, deslocando-se pelas ruelas da pequena cidade como uma pequena bólide. Agora eu o via. Aquela trouxa abandonada no chão do outro lado da rua... era ele!

Passei a noite à cabeceira do meu filho num quarto de hospital. A ânsia, o medo, a dor tornaram-se fisicamente insuportáveis, até que, atingido o ápice, desapareceram como por efeito de um anestésico. Voltei o pensamento ao Dreamer. Algo dentro se dissolveu. Senti a leveza de um aeróstato liberado de seu lastro.

Não O encontrava havia meses, nem sabia como retomar o contato com Ele. Decidi então fazer uma tentativa: escrever-Lhe uma carta, como havia feito anos atrás; uma carta que fosse o testamento do falso em mim, o último ato de um homem que tinha decidido renunciar para sempre à hipocrisia, às queixas e a tudo aquilo que o havia guiado até aquele momento da sua vida.

Não havia mais ninguém a culpar. Agora percebia ser a única causa de qualquer desventura.

O mundo não pode mover uma agulha sem o nosso consentimento.
O mundo é como você o sonha.

Naquela mesma noite, após Heleonore me substituir no hospital, comecei a colocar ordem nos meus pensamentos e nas sensações que vivi naqueles terríveis instantes. Tudo isso se compôs em forma de uma carta dedicada ao Dreamer. Àquele trabalho ocupei-me com tenacidade por dias, sem que pudesse prever seu fim. Todas as vezes em que a julgava quase concluída, ao relê-la... parecia-me inadequada, bem longe do resultado desejado.

Aparentemente era eu a escrevê-la, mas era a carta que me revelava. Nela estava refletido meu ser. Com um pouco de sinceridade, eu *via* expressões embaraçosas de um falso ego mostrarem-se furtivamente em uma ou outra frase, denunciando vaidade, mentira, ausência de gratidão. Então eu abandonava o que já havia escrito e começava tudo de novo. As mesmas frases que num momento me pareciam certas, a uma nova leitura revelavam-se insatisfatórias, ou arrogantes, ou sem sentido. Muitas vezes, poucos minutos depois, ao ler o que havia escrito, tinha a sensação de ler o texto de outro ser, de um desconhecido. Então, substituía palavras, descartava frases e conceitos inteiros, refazia o trabalho, confrontando-me todas as vezes com minhas resistências, com uma incompreensão que não conseguia remover. Uma voz interior incessantemente me pedia para parar, criticava-me e até zombava de mim pelo absurdo daquele esforço. "Enfim", dizia, "você não saberia nem para onde enviar esta carta!". Considerei este tormentoso e contínuo pensamento o sinal mais seguro de que estava fazendo algo bom e útil.

Estava aprendendo a desconfiar de mim, ou melhor, daquilo que até aquele momento eu havia acreditado ser eu. Começava somente agora a conhecer aquela parte sombria, indolente do meu ser, que havia guiado minha existência. Finalmente estava vendo algo franco e sincero.

Depois de um dia e de uma noite de esforços frustrados, desiludido pela leitura da enésima versão, percebi que, por mais voltas que desse, aquela carta só poderia refletir o que eu era. O velho não poderia escrever o novo! Não havia modo de manter fora daquela carta o antigo e deteriorado e as monstruosidades vividas. Não existia nenhuma ideia, estilo expressivo, construção, escolha de palavras que me permitisse esconder aquela deformidade que me deixava horrorizado. O pensamento em Luca, as circunstâncias do acidente, o cansaço venceram-me.

Depois de anos, senti de novo aquela sensação terrível de dois no mesmo corpo. A ideia de cair para sempre na armadilha de uma ambiguidade sem saída apavorou-me. Daria qualquer coisa, até mesmo abandonar a convivência com este *estranho*, para sair do acúmulo de dúvidas e medo, de acordos e hipocrisia que me mantinham prisioneiro.

A certeza de que até esta última e desesperada tentativa de criar um contato com Ele tinha naufragado e que o Dreamer não chegaria para me salvar, arremessaram-me num desânimo sem fim. Não consegui mais me controlar. Recolhi rapidamente as folhas das últimas versões da carta, entulhos sobre aquela mesa, reduzi tudo a uma bola de papel e joguei-a longe, com raiva. Com um gesto desesperado de impotência, lancei-me contra a parede e esmurrei-a até verter sangue das mãos e dos pulsos. Já sem forças, prostrei-me; caí de joelhos chorando.

Naquele minuto, no auge do desespero, sem mais defesas ou proteção, soube que o acidente que envolvia o ser que me era mais caro era um pagamento pela minha desobediência. Gritei para que Luca se salvasse. Ofereci-me em seu lugar. A dor era tão forte que não a sentia mais. Tinha desaparecido. Restava a dor da dor. Apanhei de novo papel e caneta e, desta vez, escrevi a carta com ímpeto, sem interrupção.

A carta. Um rei Midas ao contrário

Ao Dreamer,

Esta carta sou eu.
Esta folha vazia é o reflexo do meu vazio.
Há muito tempo já sinto uma espécie de náusea por

tudo aquilo que vejo em mim, por todos os sinais que indicam
uma redução de forças, um retorno ao passado.
Escavo e escavo meu ser, mas não encontro nada que tenha valor,
nem mesmo a consciência de não valer nada.
Um estado de infelicidade, de insegurança, de medo
fazem de mim um estranho a Você e à minha própria vida.
Procuro todos os estratagemas para sair desta condição,
mas seus efeitos duram um piscar de olhos.
A vontade é ainda profundamente sepulta.
O trabalho de me observar traz ainda mais desconforto.
Onde quer que pouse meu olhar, vejo sempre
a mesma expressão de desagrado.
O espelho do mundo, dos outros, nunca foi tão nítido, nem tão claro.
Alguns são como lupas e me mostram, sem piedade, todos os detalhes.
Outros, menos lúcidos, mais densos e distantes,
levam mais tempo para devolver-me a imagem.
Mas todo o mundo sabe. Defendo-me, tento esquivar-me... encorajar-me,
porém estou exausto. Estou sendo espremido pelos meus limites.
Os confins do meu ser sufocam-me.
Sei que me deu oportunidades imensas. Peguei somente as migalhas.
Isto me faz sofrer...
O pensamento quanto ao que poderia ser, o que se poderia ter feito...
"Ajustar o mundo significa curar a si mesmo."
Estas palavras estão trabalhando dentro.
Mais que o fracasso, mortifica-me o pensamento
de ter sido um obstáculo ao Seu projeto.
Minha presunção de acreditar que sei fez-me esquecer o alvo.
Coloquei em risco a evolução de milhares de homens e mulheres
que estão no Seu sonho, que esperam fazer a passagem;
comprometi a viagem de cada um deles em direção à integridade.
Sei também que a oportunidade é grande, ainda agora,
mesmo nestas condições.
Sei que tudo é reconquistável e pode ser levado avante.
Assusta-me o pagamento.
O fato é que depois de anos de oportunidade de estar próximo a Você,
em contato direto com Suas ideias, com Suas palavras,
estas ainda não se tornaram carne da minha carne.

Escrevo-as, reconsidero-as, mas não as aplico na minha vida.
Hoje, mais do que nunca, não sei quem sou.
Como Você me disse: jamais soube.
Mas no passado, muitas vezes, por muito tempo, iludi-me e
confundi meu egoísmo, meu medo e minha preocupação
de salvar a mim mesmo com aspirações.
Acreditei tivesse alguma capacidade.
Hoje sei que qualquer coisa à minha volta assume o aspecto
da mentira que ainda governa minha vida.
Sou um rei Midas ao contrário. Tudo aquilo que vejo e toco torna-se pobre.
Queria exprimir-Lhe minha gratidão, saber dizer-Lhe obrigado
por tudo o que fez por mim, por ter descarrilado minha vida dos seus
terríveis trilhos, por ter me dado um novo destino.
Obrigado por ter me mostrado a estrada da dignidade,
por ter me oferecido o Seu oceano de liberdade, ainda que,
pelos meus limites, eu tenha podido beber apenas poucas gotas.
Obrigado por ter me feito provar o que é ausência de medo,
de dúvida, de dor...
Por ter me feito vislumbrar, além da aparente invencibilidade da morte,
um fragmento de eternidade, seu brilho inefável.

Dance! Vá... daaance!

Entrei na ponta dos pés. Encontrei-O atento lendo, recostado na rica cabeceira. O leito parecia intacto. A cor cinza dos longos cabelos sobressaía na candura dos travesseiros de linho impecavelmente passados e engomados. Parecia um príncipe renascentista. Prendi a respiração na absurda esperança de que não percebesse minha condição. Não me sentia à vontade e, ao mesmo tempo, não queria estar em nenhum outro lugar no mundo.

Alguma coisa de extraordinário havia acontecido comigo, uma mudança me havia levado a Ele. Mais uma vez. Gratidão era a chave de acesso. Enquanto recolhido nestes pensamentos, sentia a sutileza do fio que me conectava a Ele.

Eu vim para oferecer-lhe um atalho, disse em tom decisivo, sem preâmbulos. *Enquanto você for governado pelo medo, pela dúvida, pelo conflito dos seus pensamentos, deverá depender de alguém ou de alguma coisa fora de si. Enquanto não se liberar, você substituirá a dependência de alguma coisa pela dependência de uma outra coisa qualquer. Mas isto não é liberdade nem evolução.*

Examinou-me e uma sombra anuviou-Lhe o rosto.

Tudo denuncia sua mentira. Você é um ser falso. A hipocrisia ainda guia sua existência. E agora, na cabeceira do seu filho, quer saber por que a vida parece enfurecer-se contra você...

Parou e usou a pausa para levantar-se do leito. Aquela referência a Luca me sobressaltou. Rapidamente havia sentido toda a amargura daquele grave momento da minha vida.

Assim mesmo, seguia com ânsia crescente Seus movimentos. O Dreamer estava avançando em minha direção sem desviar o olhar, fixando-me ameaçadoramente nos olhos. Depois, esticou o pescoço aproximando o rosto imperceptivelmente do meu, diminuindo as distâncias psicológicas entre nós. Cada molécula do ar vibrava, antecipando uma comu-nicação vital. Com rapidez, repetidamente vi-O balançar a cabeça de um lado para o outro, como um pugilista que procura uma abertura na defesa do adversário. O rosto assumiu a expressão feroz de quem está para desferir um golpe.

Minha respiração ficou suspensa pelo medo. Transcorreu uma eternidade, o silêncio fez-se ainda mais profundo. Em seguida, num sibilo feroz como a ameaça de um inimigo mortal, sussurrou: *O mundo é como você o sonha.*

Tive dificuldade para suportar. Quis fugir, mas não podia mexer um músculo sequer. *Mude o sonho e o mundo mudará*, disse. Acenei lentamente com a cabeça, para indicar-Lhe ter entendido que Ele podia retirar-me daquela quina do Universo, densa e grave, em que me havia espremido.

Foi neste ponto que recebi Dele a ordem mais incrível que se possa imaginar. Tão inesperada quanto bizarra que, de início, até demorei a acreditar que estivesse falando sério. *Dance! Dance!... Dance!*, intimou-me repetidamente, aumentando cada vez mais o tom da voz até torná-lo um grito possante. *Dance! Dance!*, gritou, ao me ver paralisado pela surpresa, incapaz de mover um músculo sequer. *Dance... Dance! Vai... DAAANCE!*, continuou a gritar, até que ficou horrivelmente claro, sem equívoco, que estava me ordenando começar a dançar ali, naquele momento. O medo e o desconcerto transformaram-se em uma repentina e irrefreável rebelião, liberação da vergonha de anos e de uma repugnância sem fim. Desencadeada pelo evidente absurdo da exigência do Dreamer, a hipocrisia de sempre encontrou ocasião fácil para ostentar sentimentos de pai e manifestar dor pelo meu menino. Na luta que me dilacerava intimamente, venceu a parte decadente. Desabafei aquele monte de falsidades que eu era. "Dançar?", perguntei fingindo verificar ter entendido bem, mas carregando a pergunta com toda a violência de quem acredita ter razão para dar e vender e, por isso, tem o apoio de todo o mundo.

"Deverei dançar enquanto meu filho está em perigo de morte?", perguntei desafiante. Tive apenas tempo de vê-Lo dar um salto em minha direção com a velocidade de um tigre. Seu rosto tinha se transformado em uma máscara de violência. *Não é seu filho que está em perigo de morte, mas você! E não somente agora, mas sempre!*

Você é vivo e sincero apenas sob ameaça!

O Dreamer arremessou-se contra mim resoluto, com os punhos erguidos, frementes, os olhos fora das órbitas, as veias da testa pulsando de raiva como torrentes furiosas. Tentei proteger-me levantando os braços, mas aquele movimento ficou pela metade e deixou o rosto descoberto. Eu estava paralisado pelo susto. Não podia me desviar daqueles olhos ameaçadores que agora estavam a poucos centímetros de mim, fixos nos meus. Imóvel, inerme, via-os brilhar como carvão aceso. Somente então notei com pavor que suas pupilas estavam atravessadas por um sorriso de misteriosa crueldade. Quando finalmente consegui interpretar a ferocidade, não tive tempo de me aterrorizar. Vibrou duas fintas, alternando os punhos contra meu rosto, como teria feito com um saco de treinamento de boxe. Depois inspecionou meus olhos, para avaliar o efeito do gesto sobre mim. Eu estava assustadíssimo.

Não mexa os olhos!!!, gritou, continuando a examinar minhas pupilas, como se procurasse um corpo estranho, perigoso. Era um gesto que, na interação entre homens, não havia jamais visto antes. *Não os mexaaaa!!!*, determinou mais vezes, gritando e prolongando terrivelmente a vogal final da palavra, deparando-se com minha incapacidade de obedecer à Sua ordem. Assim ficamos, olhos nos olhos, predador e presa, por um tempo que me pareceu infinito. Num sibilo, mais terrível que Seu grito, disse: *Esta monstruosidade deve sair para sempre!.* Não sabia sobre quem ou sobre que coisa em mim estivesse falando. Em seguida, retirou o rosto com calculada lentidão, porém ainda me mantendo sob a ameaça implacável dos Seus olhos. Quando recomeçou a falar, o tom era normal e, exatamente por isso, ainda mais devastador.

Eu não tenho limites!, disse com fria ferocidade. *Estou aqui para ganhá-lo para sempre ou para perdê-lo!...*

Surpreendentemente, desembainhou um sorriso brilhante, como pelo sucesso de um experimento difícil, ou a vitória de uma aposta impossível. Aquele ser não tinha nada de humano, ou pelo menos não tinha nada daquilo que até então eu havia considerado humano. Sem mais referências, cambaleei. Senti o horror e o desconcerto soprarem em meu pescoço; meu corpo transformou-se num único e longo arrepio. Teria preferido cem vezes Sua explosão de ira àquele seu inumano sorriso.

O REGRESSO À ITÁLIA

Você, como milhões de seres, é vivo e sincero somente quando sob ameaça. Somente quando encontra alguém ou alguma coisa mais violenta que você é que mostra um aspecto de homem...

Por um instante fiz você de espelho e você recuou diante da sua imagem refletida, como sempre fez na vida. Teve medo da sua própria violência. Está horrorizado porque não se conhece, disse com um tom já normal. Seu rosto tornou-se subitamente sereno e pacato, sem fotogramas intermediários.

Pessoas como você alistam-se à vontade entre os pacifistas, vão engrossar as fileiras de todos os exércitos da salvação do planeta, tornam-se apóstolos do humanitarismo, defensores contumazes da não-violência, sem saber que são, eles mesmos, propagadores de lutas e de divergências.

A humanidade cria instituições beneficentes, organizações humanitárias, movimentos filantrópicos que são o reflexo encarnado da sua falsidade, da sua degradação... Altruísmo, humanitarismo tornam-se formas que seres usam para esconder de si mesmos a própria violência; são a forma com que alguns assumem a própria separação, a distância dos outros. A benevolência, a generosidade, o amor degradam-se e materializam-se numa alma mendicante, no equívoco mais completo do verdadeiro sentido de fazer pelos outros, na degeneração última e extrema da caridade.

Agora o Dreamer não estava mais se dirigindo a mim. Na mira da Sua injúria havia englobado toda a humanidade como ela é, uma humanidade decadente, que perdeu qualquer conexão e até a memória das reais qualidades de um ser. Essa inserção de mais pessoas considerei um modo de abrandar a pressão sobre mim e dar-me um pouco de fôlego. Senti alívio, um misto de aturdimento e felicidade de quem sai milagrosamente ileso de um acidente mortal. O sabor de uma liberdade desconhecida, de imperceptível fez-se sempre mais forte, até plenificar o ser. Era um nascimento, era aquela a minha primeira respiração. Atravessou-me os pulmões, renovados, como um fogo líquido que os preencheu infinitamente.

Mas aquela trégua durou pouco. O Dreamer aferrou-me entre Suas garras, sem piedade, como faz uma fera que se detém por alguns instantes para lamber a presa ainda palpitante, e depois retoma seu cruel banquete.

O mal não é ser violento, mas, sim, não saber que o é. A violência é a reverberação de uma psicologia conflituosa, o efeito de um matar-se dentro.

Quando recomeçou a falar, Seu discurso tinha a solenidade de um sermão. Pensei que raramente à humanidade moderna chegaram palavras mais implacavelmente sinceras, insuportavelmente lúcidas e até insolentes como essas... Quem teria podido pronunciá-las?

O primeiro trabalho a fazer é construir a si mesmo! A ignorância em relação a si mesmo convida todas as desgraças e as misérias que você pode observar na vida dos se-

res humanos... A vítima cria, meticulosa e inconscientemente, as condições para atrair seu perseguidor. Tem, na escuridão do seu ser, por muito tempo tecida, a terrível rede que irá capturar seu algoz.

A cura pode vir somente de dentro

O discurso estava se fazendo mais denso e começou a aproximar-se da questão do acidente de Luca. Com o Dreamer eu estava explorando a fundo o fenômeno da acidentalidade para chegar a entender por que a vida parecia mostrar tal obstinação raivosa e cruel. Imaginei subir com Ele o curso de um mítico rio até chegar à sua distante nascente. Sabia que aquela procura, curva após curva, chegaria a mim. Senti dor antes mesmo que começasse.

O incidente não tem a ver com o menino, mas tem a ver com você... é o efeito da sua pecabilidade, e continuou dizendo que quando um homem faz uma promessa interior, quando assume um caminho em direção à unidade do ser, à integridade, paga por qualquer desvio, mácula ou *pecado*.

Aqui interrompeu Seu discurso e me perscrutou longamente.

Um bom passado é como ter um bom capital. Seu passado é um castigo de Deus, constatou com amargura. *É um caminhão de débitos!... Até que você os pague, todos eles, deverá atravessar inúmeros sofrimentos e confrontar-se com os antagonistas mais cruéis.*

Quando você for consciente disso, sentirá gratidão por todos os sofrimentos e bendirá cada dor e cada aparente injustiça... Um dia saberá que vieram para elevá-lo e melhorá-lo, e o quanto foram necessários para sua evolução.

Dificuldades e sofrimentos são testes no seu caminho para a integridade. Quando um homem percebe isso, a vida se torna seu mestre.

Toda crise, toda queda, toda dificuldade são perfeitas, insubstituíveis.

Notando a dificuldade que eu tinha para aceitar aquela explicação e assumir a plena responsabilidade por todos os eventos da minha vida, repetiu aquela fria advertência: *Se não forem as minhas palavras a mudá-lo, será a vida a fazê-lo. Aquilo que você não pode entender por meio das Minhas palavras, deverá entender por meio dos seus erros.* Disse-me que entre essas duas opções não existe diferença, senão pelo fato que *entender por meio dos próprios erros* é um percurso acidentado, muito mais lento e doloroso. E concluiu: *Depois das Minhas palavras, chegará a vida com suas leis e seus instrumentos de cura.*

O Dreamer explicou-me que cabe à humanidade, assim como é, cerrada num sono hipnótico, viver permanentemente sob a ameaça de antagonistas impiedosos.

Seus ensinamentos, como outras vezes havia acontecido comigo ao Seu lado, evocaram uma visão: o planeta pareceu-me uma prensa ou um arrocho, sempre em atividade, para molar os desobedientes, os que teimam em não entender. Vi a série infinita de males que sempre afligiram o mundo; ouvi a quebra e o estalar de ossos sob o tórculo; reconheci a necessidade daquele holocausto, daquele horror sem fim, das guerras, das calamidades e das monstruosas tragédias que sempre cobriram de chagas o planeta. Segui o curso serpentino da nossa história milenar, até que, acima da crosta de uma descrição ignorante, por um rasgo na tela, vi que aquelas desventuras eram o amargo remédio para uma humanidade degradada, as atrozes cauterizações para indivíduos, nações e sociedades inteiras sem outra via para curarem-se.

A vida não é uma máquina de transformação, como você está imaginando, interveio, corrigindo-me, *mas uma máquina da verdade. Eventos e circunstâncias não nos chegam para nos curar; são sintomas para nos fazer ver quem somos...*

A verdadeira cura pode acontecer somente do interno.

Nenhuma política, religião ou sistema filosófico pode transformar a sociedade a partir do externo. Somente uma revolução individual, um renascimento psicológico, uma cura do ser, pessoa por pessoa, célula por célula poderá conduzir-nos ao bem-estar planetário, a uma civilização mais inteligente, mais verdadeira, mais feliz.

Elogio da injustiça

Foi naquelas circunstâncias que ouvi do Dreamer a apologia que relatei nos apontamentos sob o título de *Elogio da injustiça*. Enquanto tomava nota e a mão corria veloz sobre as páginas para poder acompanhá-Lo, ouvia conceitos e esquemas mentais esfacelarem-se sob os golpes de aríete de Suas palavras. Com uma mão eu escrevia e com a outra eu me mantinha agarrado aos meus velhos pensamentos, às convicções de sempre, como às raízes salientes de um abismo sobre o qual então eu pendia, suspenso pelos últimos pretextos de racionalidade.

Por ainda muitos anos, para a massa humana será impossível assimilar isto e aceitar a evidência de uma verdade tão simples.

Eu sabia que esse preâmbulo e o tempo da pausa que se seguiu davam-me uma maneira de me preparar para aquilo que estava por dizer. Mas isso só fez aumentar minha ansiedade. Tentei ganhar um pouco de solidez. Convulsivamente, naqueles poucos segundos, tentei recolher-me e juntar a turba de pensamentos esparsos, mas aquela improvisada construção não se sustentava e a pseudo-unidade se desfazia após cada tentativa minha de reunião. Resignei-me com a falta de preparo e escutei.

A vítima é sempre culpada!

Já tinha ouvido esta paradoxal afirmação do Dreamer durante o jantar no Veronica's, mas isso não ajudou a atenuar a força arrebatadora da declaração e o choque da Sua insustentável incoerência.

A injustiça é a justiça mais justa! Aquela que o ser comum chama injustiça é um recurso da existência que lhe permite acesso a um estado de completude, a graus mais altos de compreensão. A injustiça é compaixão manifestada.

Não podia me convencer. Na mente explodiram, em sucessão, as imagens de Luca espremido sob o muro, a chegada da ambulância, a corrida ao hospital, o corre-corre dos médicos para atendê-lo. Veio-me um sentimento de rebelião irreprimível. O Dreamer leu meu pensamento:

O acidente do seu filho não foi um acidente... A acidentalidade não existe... O acidente é um exato e verdadeiro ato de vontade... o ato de uma vontade inconsciente.

Eventos desagradáveis e desgraças atingem-nos para curar-nos, completar-nos. A injustiça chega aos seres humanos como oportunidade para melhorar a própria vida, para despertar em cada um o sonho de um dia ser livre.

A injustiça é a via para o conhecimento de si... para a própria completude. Não pode existir justiça mais justa que a injustiça.

O Dreamer falava e eu continuava a balançar a cabeça e a escrever, enquanto as lágrimas rolavam pelo meu rosto.

Sua voz suavizou. *Estou disposto a explicar-lhe cientificamente*, disse com paciente compreensão. *Existe no ser, até naquele mais degradado, uma vontade involuntária, um desejo inconsciente, uma beleza ainda destituída de razão, um conjunto disforme que grita por recuperação...*

O mal está sempre a serviço do bem. O mal não existe!... Isso que é aparentemente negativo... as adversidades... aquilo que o ser humano horizontal chama injustiça, na realidade é uma bênção. Os eventos, as ações e as circunstâncias mais injustas chegam para elevar o ser a níveis mais altos de completude, de integridade, de liberdade.

Lembrou-me que até os sintomas de uma doença são sinais valiosos do corpo que denunciam uma degradação do ser, uma redução da inteligência. Mas o ser humano não sabe mais lê-los e confunde a causa com o efeito. Por isso, qualquer intervenção direta sobre o sintoma para suprimi-lo, como faz a Medicina institucional, ignora a verdadeira doença e a torna mais aguda. Junto ao sintoma, elimina-se também a oportunidade de uma cura superior.

Não existe nenhum mal fora de nós, mas somente indicadores visíveis de cura, sentinelas luminosas de uma verdadeira salvação que está em nós mesmos.

"Até as doenças mais graves?"

Até as doenças aparentemente mais graves são apenas sintomas, sinais que indicam a via para a cura. Elas revelam a culpa que, por trás de toda queda, denuncia a autossabotagem, as mil mortes internas que são a verdadeira causa da morte física.

Mas, para reconhecê-las, é necessário refazer seus passos pelo caminho de volta em direção à verdadeira causa!... Um dia a Ciência descobrirá que não existem muitas doenças. Atrás da aparente multiplicidade, além da complexidade das manifestações, a doença é uma só... é um pensamento, é uma semente funesta.

"A causa de todos os males... é, portanto... a nossa psicologia?"

Não. Também os aspectos psicológicos são ainda sintomas que motivam a busca da verdadeira causa, da causa das causas, do mal por trás do mal: a ideia da inelutabilidade contra a morte. A eliminação dessa superstição, colocando em discussão essa 'self-fulfilling prophecy', essa profecia que se auto-executa, resolverá a psicologia do ser humano e a psicologia resolverá todos os males.

O ser humano fez da morte seu limite, mas, na realidade, também ela é só um sinal, um sintoma de cura e, paradoxalmente, a prova mais evidente da nossa imortalidade. A morte é o sinal mais evidente e tangível da nossa onipotência, da capacidade de o ser humano realizar o impossível: destruir o corpo.

Na raiz de todas as desigualdades entre os homens, de todas as injustiças ou da falta de liberdade existe a verdadeira diferença, da qual todas as outras se originam: o grau de responsabilidade interior.

Ser, compreensão, responsabilidade, destino são uma mesma e única coisa.

O ser humano é a sua compreensão. Os seres humanos pertencem a níveis diferentes de compreensão. É esta a verdadeira desigualdade entre eles!

Mesmo parecendo similares, entre os seres humanos existem diferenças enormes, distâncias de anos-luz no caminho em direção à integridade. Como entre as espécies zoológicas em diversos estágios de evolução, esses estágios no ser relacionam-se a eras evolutivas muitas vezes incalculavelmente distantes entre si.

"Mas então", disse hesitante, "todas as afirmações do ser humano, suas mais nobres declarações... e as lutas, as guerras e as revoluções feitas em nome da liberdade e da justiça...?"

Foram em vão e deixaram cada coisa como já estava!, disse o Dreamer, pronunciando bem e lentamente as palavras e ordenando a agitação dos meus pensamentos. *Guerras, revoluções e qualquer outra tentativa de dar aos seres humanos igualdade, justiça, liberdade, paz faliram, porque se fundamentaram na convicção de que havia um malévolo a combater, de que existiam obstáculos externos a eliminar.*

Riquezas, privilégios e disparidade social são apenas um efeito, o reflexo de uma diferença muito mais profunda. É no ser, na nossa respiração, no nosso sentir que acontece tudo.

O nível do nosso ser atrai a nossa vida.

A humanidade, assim como é, precisa do mal!

Um ser humano comum consegue ouvir a si mesmo somente pela dor... Para sentir-se vivo, precisa do sofrimento... do antagonista... do tempo.

Enquanto tal condição perdurar, a dor e tudo aquilo que o ser humano chama injustiça serão o único motor do mundo e a única força capaz de empurrá-lo em direção a estados superiores de ser.

O mundo é criado pelos nossos pensamentos

Seu filho não morreu porque ainda existe um fio que liga você a Mim. Como uma chama de fogo que ao crescer penetra na escuridão e domina o espaço, aquela conclusão do Dreamer penetrou na névoa do meu ser e a iluminou. Aquilo que vi emergir era insustentável. Teria desmaiado se a Sua voz não chegasse a me sacudir com Sua irônica gravidade. *Agora, à cabeceira de seu filho, você se pergunta por que... pergunta-se por que sofreu um acidente... Você gostaria de saber por que sua vida é assim desastrosa...!*

Para não encontrar Seu olhar, desviei os olhos, fixei as toras que queimavam na lareira e fingi estar absorto, acompanhando os reflexos luminosos das chamas sobre as tramas de ouro do Seu colete.

Pegue um segmento de sua vida, um milímetro de sua existência. Encontrará ali o mapa de seus pensamentos destrutivos, de seus estados emocionais corrompidos... A dúvida e o medo dividiram até hoje os eventos de sua vida.

Quem vive o inferno não pode criar outra coisa a não ser o inferno! Sua dúvida torna-se medo e o medo fabrica pedras no seu rim... ou trama acidentes e desastres no mundo dos eventos.

O mundo é assim porque você é assim.

O mundo é uma invenção sua... O acidente é uma tentativa do mundo de revelar-lhe sua falta de atenção, de amor, e mostrar-lhe a via da justeza. Mas você não ouve a si mesmo.

Logo, o pensamento cria... até aquilo de mais destrutivo, mais doentio!

O horror é ter transferido Deus para fora de nós!, disse, e prognosticou que quando o ser humano se apropriar novamente de sua dignidade, da vontade, de seu direito de artífice, as religiões desaparecerão.

Era uma vez um ser sem religiões. Elas surgem quando, por um abalo de sua religiosidade, o ser humano se degrada e transfere a divindade para fora de si.

Senti o peso insustentável dessa responsabilidade. Minhas capacidades balançavam diante de uma visão tão diferente de qualquer interpretação corrente, de uma explicação tão impiedosa quanto a condição humana e as engrenagens que a destroem. Junto a mim, a humanidade inteira estava sob julgamento, no banco dos réus, na cela dos criminosos, detida por aquela sentença que anunciava uma lei coletiva, inflexível, do chamado "acaso", que não mais permitia qualquer via de fuga. Lamentar-se, acusar, justificar e mentir pareciam agora o uivo ancestral de seres zoológicos ainda nos primórdios da evolução, hesitantes na escuridão das próprias consciências.

No centro da visão do Dreamer encontrava-se a reversão, a grande virada quanto à relação que acreditamos existir entre estados e eventos. A voz do Dreamer e o ensinamento da *Escola dos Deuses* de Lupelius fundamentavam-se em uma única concepção que desorganizava e subvertia a visão ordinária do mundo. A convicção mais radicada no ser é que o mundo externo seja a causa. É esta a viga sobre a qual apoia sua alucinada cosmogonia: a superstição de que os estados são um efeito dos eventos. Como a imagem da realidade, que cai na retina dos olhos plana e ao contrário, também o ser humano percebe ao contrário a relação que existe entre seus estados de ânimo – suas emoções – e os eventos externos. Já que a primeira educação, desde a mais tenra idade, convenceu-nos de que o medo é o efeito do encontro com algo assustador, e a dor, a reação a algo doloroso, o Dreamer explicou-me a necessidade de uma *segunda educação*, de uma revolução psicológica que, na história humana, assumisse as proporções titânicas de uma fuga de Tártaro das profundezas da Zoologia. *O ser humano é cego à profundidade.* Não a percebe. O nosso aparato visual não é dotado da capacidade de ver além de duas dimensões. As imagens chegam à retina planas e invertidas. No transcurso de uma lenta evolução, o ser humano aprendeu a elaborar e a integrar a informação visual invertendo-a e dando-lhe profundidade, adicionando-lhe uma terceira dimensão. Do mesmo modo, deverá girar em cento e oitenta graus sua concepção de mundo – revertê-la – ao acrescentar uma terceira dimensão, traçando uma vertical à sua psicologia. Isso lhe permitirá ver que são os estados do ser que precedem e determinam a natureza, a qualidade dos eventos e todas as circunstâncias de sua vida.

Estados e eventos são uma única e mesma coisa, concluiu o Dreamer, repetindo a síntese nesta fórmula do elemento capital da Sua visão. *Estados e eventos são uma coisa só! O tempo que intercorre entre eles cria, no ser humano, a ilusão de que entre os estados de ser e os acontecimentos da sua vida não existem conexões.*

O Dreamer neste ponto parou e esperou. Tive a impressão de que recolhesse no ar uma aprovação antes de prosseguir. Em seguida disse:

Se alguém pudesse levantar a cortina do tempo, ou comprimi-lo, descobriria que os estados são já eventos! Os estados emocionais de um ser são eventos à espera da oportunidade de se manifestarem. O terreno, que já tremia sob meus pés como por efeito de um sismo, agora abriu-se repentinamente. Uma escarpa fendeu meu universo pessoal em todo o seu comprimento, separando para sempre o velho do novo. Antigas crenças agora se apartavam das novas convicções que o Dreamer me mostrava novamente. Na borda daquela fenda, eu balançava. O velho sistema, suas ideias gastas, consumidas por milênios, ruíam.

As certezas sobre as quais o ser humano fundamenta sua vida, as próprias causas às quais ele sempre atribui sua infelicidade e tudo aquilo que o leva a lamentar-se e a acusar o mundo estavam mostrando toda a sua irrealidade. O fatalismo que o impele a acreditar-se um ser indefeso, à mercê de eventos incontroláveis, o vitimismo e a autopiedade que inevitavelmente fazem-no encontrar fora de si as causas de todas as suas aflições caíam como ídolos de barro. Existe no ser humano a trágica dificuldade de perceber a relação de causa e efeito entre seus estados de ser e os eventos da sua vida.

O passado é pó

Pensamento é Destino. A humanidade pensa e sente negativamente!, sentenciou o Dreamer no tom de um inapelável julgamento. *Isto já é suficiente para explicar a interminável sequela de infortúnios que o ser humano insiste em transmitir, e que ele chama História, e explica ainda por que, através dos milênios, nossa civilização foi constantemente marcada por um destino tão terrível.*

"Mas, se não recordarmos nossa história, como poderemos extrair conhecimento dela?", objetei, tentando salvar qualquer pedaço da velha visão. Um tremor na voz, quase um pranto, prenunciava a falência de qualquer uma de minhas convicções. O Dreamer não falava. Tentei disfarçar de racionalidade o pânico que eu sentia sem controle crescer em mim, e disse: "Como poderemos evitar, no futuro, os erros cometidos no passado?".

Passado é Pó!, declarou preciso, jogando fora num golpe meus temores infundados. *A história do ser humano é a narração de uma visão criminosa, a materialização da sua parte mais abjeta... Recordar sua série infinita de crimes, como fazem todas as escolas do mundo, pode somente nos contaminar.*

Afirmou que se trata da milenar tentativa daquela parte menor no ser humano de sobreviver e perpetuar o passado, reproduzindo-o e colocando-o à nossa frente como um falso futuro.

Não é a experiência nem a memória dos erros passados que podem transformar a humanidade, modificar-lhe a história, o destino. Somente o indivíduo pode fazê-lo por intermédio da sua transformação.

Entendi o absurdo de repropor às crianças uma história de horror, não governada pela vontade, mas pelo acaso e pela criminalidade. Guerras e revoluções, cruzadas e perseguições, nascimentos e quedas de impérios, tudo isso me pareceu sujeira que escapou de uma vassoura cósmica. Devemos eliminar aquele passado de delinquência e com isso a memória de todos os criminosos e dos pequenos-grandes homens que a velha humanidade ainda transforma em mito e transmite como benfeitores e heróis.

Só aparentemente a crueza da mensagem do Dreamer parecia pressagiar a inevitabilidade de um fato adverso. Na realidade, aquela faca nas nossas feridas era um bisturi de luz. Atrás da Sua impiedosa análise, que relegava o ser humano aos esconderijos secretos de um mundo infernal, muito abaixo da tumba, o Dreamer estava indicando o modo de resgatá-lo da culpa, da dor, da ignorância... da morte. Estava traçando um mapa luminoso para nos permitir retornar a um estado de inocência, de integridade, de poder. Eis finalmente o atalho, a passagem!

O que disse a seguir confortou-me: continha o anúncio de uma solução.

Nós não deveríamos recordar o passado; nós deveríamos recordar o acima!

É preciso desenvolver uma memória vertical, perpendicular ao plano da História... É preciso elevar o ser do indivíduo!

O mundo não é criado... O mundo é pensado...

Senti cada fibra do corpo ser percorrida pela força daquela autoridade, a mesma que atravessou os milênios nos momentos mais tristes de sua história e lançou ao ser humano, como salva-vidas ou balsas, evangelhos, códigos, fábulas e parábolas. Entendi a tragédia da nossa incurável resistência em ouvir, a profundidade do sono que nos entorpece. Eis por que os anjos foram sempre representados com trompetes e tambores, como uma banda de músicos rumorosos.

Uma vez eu lhe disse que se você fosse vigilante, consciente e atento a tudo aquilo que você fabrica no seu ser, a morte de sua mulher não teria sido necessária. Você não teria obrigado o mundo a revelar-lhe isto com tamanha violência.

Para se recuperar, você escolheu o tempo, e o tempo é dor... Você não está no presente, e sua ausência dá espaço a todos os desastres programados por sua desatenção.

A grandeza, a universalidade daquela visão resgatava o ser humano da condição de um autômato, de um fantoche bioquímico movimentado pelos fios de um poder prevaricador e fatal, restituindo-lhe a plena responsabilidade por qualquer acontecimento de sua vida. Senti gratidão pelo presente que o Dreamer estava me dando. Minhas velhas ideias estavam sendo substituídas por uma nova e fulgurante verdade: *Nada é externo.* Tudo depende de você. Não existe nada que alguém possa receber do externo: nem sucesso, nem dinheiro, nem saúde. Era essa a voz milenar, a mesma das antigas Escolas de responsabilidade, das forjas de heróis e semideuses, na qual sempre se moldou uma humanidade sadia. *O nosso mundo, com todos seus acontecimentos, é criado por nossos pensamentos.* Também os pensamentos destrutivos criam; somos artífices também da negatividade. Em vez de reagir ao mundo que nós mesmos criamos, deveríamos saber seguir o rastro ainda quente dos eventos e, remontando aos estados que os geraram, circunscrevê-los e eliminá-los.

Vontade e acidentalidade

A consciência é luz. Saber o que acontece dentro de nós permite interferir no instante, o único tempo real, para projetar um mundo novo livre da acidentalidade. Onde existe essa consciência, onde essa luz chega, a acidentalidade não tem razão de ser. Acidentes e doenças, para poder entrar em nossa vida, devem ter nosso consentimento; porém, fazem-no quando, antes, a intensidade daquela luz foi atenuada.

Ainda uma vez, de modo sempre mais convincente e inexpugnável, o Dreamer estava colocando-me diante da evidência de que a acidentalidade não existe. *O inesperado sempre precisa de uma longa preparação.*

Um ser humano não pode se esconder. Tudo em sua vida é regulado pela Lei e pela Ordem.

"E os acidentes?"

Existem para o ser humano assim como é... para a criatura degradada a que se reduziu... para aquele ser que, sepultando a vontade, tornou-se a caricatura de si mesmo, e adicionou que, para uma humanidade que não possui a vontade, os eventos e as circunstâncias da vida são regulados pelo externo, pela descrição do mundo.

Percebi, então, que uma vida infeliz, flagelada por dificuldades e problemas, não se deve ao acaso, mas à falta de vigilância, à ausência de atenção a tudo aquilo que nos acontece intimamente. É como guiar com os olhos vendados. O ser humano, assim como é, revela-se um sonâmbulo que atravessa cruzamentos e ruas no mais profundo sono. Percebi que, para a humanidade comum, sobreviver é um milagre quotidiano. Um arrepio de medo percorreu meu corpo até a raiz dos cabelos. Não sei exprimir o horror que então percebia e a compaixão pela precariedade de vidas como as nossas que, sem uma vontade-guia, tateiam nas regiões mais desoladas da própria psicologia.

O REGRESSO À ITÁLIA

Palavras solenes de uma epígrafe universal vibraram no ar em seguida, e eu as recolhi meticulosamente:

Você é completamente responsável por sua vida. Você é completamente responsável por seu destino. Você tem de reconhecer que dor, doença e pobreza não são acidentais, mas produtos de seus conflitos. É você, e somente você, quem os cria.

Para o Dreamer, a acidentalidade é sempre a indicação de uma cura, é sempre um pagamento, porém involuntário. Quando a vontade não está presente, o mundo assume as rédeas e, então, pagamos com a acidentalidade e a casualidade.

Os estados de ser guiados pela vontade determinam os eventos que encontraremos. O pagamento voluntário, antecipado, é a escolha de uma humanidade sadia. O pagamento posterior, involuntário, é a escolha de uma humanidade decaída, que paga por meio da acidentalidade, do sofrimento... por meio do tempo.

A perda dessa compreensão, em todos os lugares e em todas as épocas, gerou uma série infinita de modos, tentativas de pagamento antecipado. O denominador comum a todos é a autopunição.

A tentativa de esconjurar desgraças futuras ou de apagá-las do próprio destino foi sempre, na história de todas as civilizações, acompanhada pelo sacrifício e pela expiação dos sofrimentos auto-infligidos.

Percorri com o pensamento as promessas para obter uma graça, os votos dos penitentes, os mártires oferecidos a santuários e igrejas, a autoflagelação, as mortificações voluntárias. Rememorei, com essa nova inteligência, os ritos tribais e os antigos sacrifícios de bestas e homens imolados e oferecidos nos milênios a divindades visíveis e invisíveis. Atrás das aparentes diferenças dos rituais e da escolha das modalidades, reconheci o declínio da sabedoria, agora esquecida. Atrás daquelas manifestações, era ainda possível perceber distantes reverberações da original compreensão, fragmentos do conhecimento de que a verdadeira causa de tudo o que nos acontece está dentro de nós. Como me dissera o Dreamer, aqueles fragmentos são apenas uma palidíssima lembrança que a humanidade consegue ter do pagamento antecipado... uma humanidade que não conhece mais outro modo para perdoar-se dentro...

Segundo o Dreamer, o pagamento antecipado é a transformação de si mesmo. É, portanto, a síntese das funções mais elevadas num ser humano: a atenção, o autoconhecimento, a transformação das emoções negativas, a liberação dos pesos internos.

Nos níveis mais baixos da humanidade, essa inteligência degrada e o pagamento antecipado pelo trabalho interno converte-se em autopunição.

Recordei os processos que tinha visto quando menino, os carregadores de andor que jorravam suor e sangue sob o peso de uma estátua, uma madona ou um santo. Observava-os com os olhos estatelados. Antes de enfrentar um novo trecho, ajeitavam o pano sobre as costas dobradas para protegê-los do imenso peso das grossas varas. Atravessavam becos e bairros, passando entre duas alas de multidão maltrapilha que se ajoelhava e fazia o sinal da cruz. Revi seus rostos arroxeados pelo esforço e o rosto dos santos: os olhos voltados para o céu e as balançantes auréolas de latão dourado fixadas na nuca. Giuseppona cobria-me, protegendo-me daquela febre de corpos. "Estão ganhando o paraíso", disse-me uma vez. Jurei a mim mesmo que nunca iria a um lugar habitado por aquelas boas e deformadas fisionomias. Sem saber, estava já observando uma alegoria viva do pagamento. Unicamente o Dreamer teria, um dia, explicado que aquilo é a tentativa de pagar antecipadamente, de sofrer e de usar a dor para esconjurar futuros sofrimentos, exorcizar calamidades e desastres programados pela própria desatenção, porém já a caminho de nosso encontro no mundo dos eventos. Uma humanidade esmagada pelo peso de suas superstições – pobre – tem apenas o sofrimento e a acidentalidade como pagamento.

A acidentalidade é sempre um pagamento, a indicação de uma cura, mas involuntária, repetiu. Enfatizou mais vezes o fato de que se tratava sempre de um pagamento, de um mal a serviço do bem, e nunca de uma punição. Não queria que Sua visão pudesse de algum modo inserir-se entre aquela infinidade de leis que vão do talião ao carma, até o contrapasso dantesco inventado pelo ser humano, para dar-se uma razão pelas próprias desgraças. Recomendou-me que registrasse essa Sua especificação nas minhas anotações.

Para o Dreamer, no momento em que a vontade não funciona, o mundo pega as rédeas. Aplicar a vontade a cada uma de nossas escolhas elimina o pagamento involuntário, a acidentalidade, a causalidade. Por meio da vontade podemos guiar nosso destino.

A acidentalidade é uma vontade degradada, esquecida, sepulta, continuou o Dreamer. Paradoxalmente, a acidentalidade é uma vontade involuntária *que tomou o lugar da verdadeira vontade*.

Recordei que o Evangelho fala de homens de boa vontade e o Dreamer confirmou-me que aquela expressão indicava homens que fizeram o caminho de volta para reconquistar a vontade esquecida, sepulta. A boa vontade.

O ser humano permutou a vontade pela acidentalidade. Quem percebe isso procura uma Escola para reconquistar a integridade perdida. Afirmou que esta é a verdadeira razão da existência de cada escola: o retorno à unidade do ser.

Somente poucos percebem a necessidade de uma Escola especial, somente poucos dentre poucos têm as qualidades para poder encontrá-la.

Pela fração de um instante, atravessou-me o pensamento de fazer parte daquela humanidade. Nem tive tempo de fabricar uma molécula de presunção, e a voz do Dreamer já estava me explorando dentro, em busca daquele ladrão que eu havia feito entrar em meio aos meus pensamentos.

Não! Você não está entre aqueles poucos!, disse. O tom era grave, entre desilusão e uma depreciativa reprovação.

Sou eu que escolhi você! Enquanto dizia isso, Ele baixou lentamente sobre o rosto delgado uma expressão das mais duras, como um guerreiro que se apronta abaixando a viseira do elmo. Congelei e me arrependi mil vezes por aquele pensamento. Queria parar aquilo que Ele estava por me dizer, mas era muito tarde. *Escolhi-o para demonstrar, por intermédio de você, que todo ser humano pode conseguir!*, disse golpeando-me sem dó.

A humanidade pode renovar-se, pode regenerar-se, renascer... pode readquirir a vontade sepulta.

Não é preciso uma revolução de massa. A verdadeira transformação da humanidade acontece por meio da transformação de um único indivíduo que realize a própria integridade, a totalidade de si mesmo.

Um ser humano é golpeado por uma desgraça, como o acidente ocorrido com seu filho, para fazê-lo entender que é ainda parte daquela faixa de seres que pagam somente se obrigados... por intermédio da acidentalidade.

Se você não souber dar uma direção ao seu sofrimento, fará parte daquela multidão supersticiosa que você via quando menino, de uma humanidade que tenta esconjurar os eventos pela propiciação de uma divindade externa que, na sua imaginação, controla a vida. Se isso não acontecer em uma procissão, poderá acontecer num estádio, em meio à multidão ruidosa unida por um fanatismo esportivo.

Disse-me que outro modo popular de pagamento é por meio dos papéis, das funções. Uma lei infalível admiravelmente coloca cada um no lugar certo. Quem faz o trabalho mais ingrato nos hospitais, nos tribunais, nos cárceres acredita ter escolhido aquele trabalho, ter superado uma seleção, ter vencido um concurso para assumir aquele papel. E mais: acredita estar sendo pago por aquilo, quando na realidade é ele quem está pagando.

Aqueles papéis são pagamentos a prazo, disse ironicamente, mantendo Sua expressão severa e Seu humor sem sorriso. *O papel que uma pessoa assume é sua expiação e um dia será seu caixão.*

Uma humanidade nova substituirá o pagamento involuntário, a purificação involuntária, por um pagamento antecipado. A cura virá antes da doença e a solução chegará antes dos problemas.

Ame a si mesmo com todas as suas forças, em todas as circunstâncias e sob qualquer condição... sem descanso. As coisas acontecem sem esforço, naturalmente, por necessária consequência, e são todas reguladas por nossa vontade.

Deu-me alguns segundos para completar as anotações que ocupavam páginas e páginas do caderno, e depois, como se estivesse dirigindo um apelo a todos os heróis em escuta, disse: *Existe um fragmento de eternidade para ser trazido a quem, como você, vive nos círculos do inferno das organizações.* Esperei que a mim fosse confiada aquela extraordinária missão, mas sobre esse ponto não se pronunciou.

Você deve recomeçar de onde começou. Não posso evitar-lhe isto!, disse referindo-se à minha condição, agora que eu havia retomado o trabalho na ACO Corporation. *Aquilo que não foi superado deve se repetir.*

A notícia de que o Dreamer me retomava a bordo e que a viagem continuava foi uma recarga de energia. Senti o êxtase de quem enche os pulmões de ar fresco depois de uma longa apneia.

Em seguida àquele encontro com o Dreamer, meu filho Luca recuperou-se e, depois de uma rápida convalescença, sarou completamente. O céu sobre Chiá limpou-se e amainou-se como a dispersão de uma névoa sufocante. Nos dias seguintes, dispus-me a ouvir atentamente os sinais que me indicariam o próximo passo. Prometi a mim mesmo que qualquer mudança que a estrada indicada pelo Dreamer me reservasse, desta vez não esqueceria. Imaginava que o novo trabalho exigiria a transferência de toda a família a um local distante. Na realidade, minha base na Itália deslocou-se apenas alguns quilômetros, mas a área de ação veio a se situar na outra ponta do mundo. A carta inesperada de um headhunter de Via Larga convidava-me a uma seleção. Apenas três semanas após aquele encontro com o Dreamer, reencontrei-me na chefia dos mercados do Extremo Oriente, na divisão de Comércio Exterior de um colosso empresarial. Desta vez, queimei as pontes e, às minhas costas, lacrei qualquer possível passagem ou via de comunicação com o meu passado.

8
Em Xangai com o Dreamer

A perfeição não se repete nunca

Do Plaza Concert, no Bund,[35] observava com o Dreamer o intenso tráfego das embarcações sulcarem o Huangpu. Naquele ponto, o imenso rio flui entre as duas almas de Xangai: uma do período colonial europeu, de arquitetura monumental, e a outra dos novos bairros de Pudong, de silhueta futurística. Aqui, a perder de vista, a cidade é um imenso estaleiro dominado por arranha-céus de arquitetura visionária, sonhados para uma megalópole do futuro.

Não tinha mais encontrado o Dreamer desde meu retorno do Kuwait e da minha admissão no novo trabalho no Extremo Oriente. Nesses meses, infinitas vezes havia lido e relido as anotações que fiz durante todo o meu longo aprendizado. Nas diversas circunstâncias da vida, havia tentado manter firmes os princípios adquiridos por Seu intermédio. Tinha desejado tanto este momento com o Dreamer, todavia temia o encontro. Duas questões intimamente conectadas estavam ainda pendentes e permaneciam abertas como feridas: o modo como havia abandonado o Kuwait e minha relação com Heleonore. Eram situações espinhosas de que não poderia mais escapar.

Aquela tarde tinha sido intensa e os ensinamentos do Dreamer, dos mais formidáveis. Ao Seu lado, ouvindo-O, tinha atravessado os centenários jardins de Yu Yuan. Depois, caminhamos na teia de ruelas em torno do templo budista, na zona do velho mercado. Imerso na densa multidão daquela enorme cidade, com Ele eu sentia estupor e o mesmo sentimento de proteção de quando, agarrado à

---

35. Bairro de Xangai, Bund (pronuncia-se *bú-ned*) é um centro político, econômico e cultural. (N. T.)

mão de Giuseppona, espiava as vísceras descobertas de Nápoles e atravessava suas vias formigantes como feridas verminosas.

O Dreamer conhecia Xangai e a China como se tivesse vivido lá por muito tempo. Ilustrava a história e o pensamento em detalhes, comentando os mais minuciosos eventos da vida de todo dia. Um artesão no trabalho, o vestuário de um transeunte ou as tratativas vivas e animadas que se teciam entre compradores e vendedores nas minúsculas lojas, sob qualquer ângulo, tornavam-se frestas profundas pelas quais eu penetrava nas raízes de uma civilização que havia sido o berço do confucionismo. O segredo daquela substância adesiva social, capaz de manter reunidos mais de um bilhão de homens e mulheres, a sabedoria compreendida nas suas seis virtudes,[36] foi-me revelado pelo Dreamer com a autoridade da inteligência que o havia gerado. Uma jovem artista estava concentrada em decorar vasinhos de vidro de dimensões diminutas, microscópicas. Pintava o interior do objeto com paciência e habilidade incomuns. Paramos diante de sua banca e o Dreamer observou seus movimentos por alguns instantes, sem fazer comentário. Depois, lentamente, das mãos da moça Seu olhar se voltou ao meu rosto. O tempo dilatou-se, o momento transformou-se em eternidade, e me perdi naqueles olhos que me estavam penetrando como ninguém havia feito antes. A ternura de Carmela, minha mãe, a severidade de Giuseppe, meu pai, o afeto de um amigo, a venerabilidade de um mestre concentraram-se naquele único olhar que me arrebatou a alma. Aquela artesã era Ele. Estava indicando o trabalho, o processo de transformação a partir do interior que todo ser humano deve cumprir e que ninguém no mundo poderá fazer por ele: tornar-se o artífice da própria existência. Pela centelha de um instante, fui a criatura frente a frente com seu criador, sem mais defesas, sem máscaras ou papéis. Naquele átimo, saboreei a vastidão daquele ser, escutei Seu alento sem tempo, sem limites, sem restrições, e bebi uma gota da Sua liberdade. Uma vertigem tomou o lugar dos meus pensamentos.

A imagem seguinte da qual tive consciência foi ver-me sentado a uma mesa de canto num local público. O ambiente era o de uma antiga casa de chá. Da janela, segundo o que eu podia ver, toda a construção em madeira parecia edificada sobre palafitas no centro de um pequeno lago. O pensamento correu ao Dreamer. Percorri o olhar em volta à Sua procura. Estava ali, sentado ao meu lado. Já sereno,

---

36. Virtudes principais recomendadas por Confúcio para um governo virtuoso da sociedade: a jus-tiça (i), a cerimônia (li), o saber (chih), a fé (hsin) e a lealdade (chung). A sexta virtude, a benevolência (jen), foi, ao longo dos tempos, abandonada no Japão, produzindo uma substancial diferença com o confucionismo chinês e substituída pela lealdade (chung), que assumiu o valor de virtude principal no moderno sistema ético japonês. (N. T.)

observei que o local era frequentado exclusivamente por chineses. Os clientes, com seus rostos, trajes, adornos, pareciam saídos de uma estampa do período colonial, quando Xangai, pequeno vilarejo de pescadores, estava no início de sua escalada para se tornar um dos maiores portos do mundo. A voz do Dreamer, de início tênue e distante, alcançou-me abrindo espaço no intenso burburinho dos fregueses, tornando-se sempre mais clara. Parecia a continuação de um discurso já iniciado.

...todos os problemas da humanidade, da criminalidade do bem-estar nos países do primeiro mundo, pela degradação dos valores morais, à pobreza endêmica que grassa em inteiras regiões do planeta, são, por esta razão, somente o sintoma de uma doença mental. Essa afirmação do Dreamer arrancou-me do estado de torpor. Era apenas o prelúdio de um anúncio que um dia eu reconheceria como uma das pedras angulares do Seu pensamento. Endireitei as costas lenta, quase furtivamente, e me dispus à escuta ainda mais atento. Da exposição que se seguiu, destacou que, desde a noite dos tempos, os infortúnios do ser humano não são outra coisa senão a materialização da sua incompletude, o reflexo do seu ser fragmentado. A fratura na sua psicologia remonta à mais distante infância da humanidade... Eu já estava completamente acordado, dolorosamente lúcido, quando afirmou: *O mundo é assim porque você é assim. O mundo, a realidade que acreditamos ser externa a nós, é a reverberação física da nossa psicologia, do nosso ser.* Esforçava-me para entender.

Enquanto isso, duas jovens garçonetes em trajes típicos aproximaram-se para preparar a mesa do chá. O Dreamer deteve-se para dar atenção àquela operação que pareceu considerar da maior importância. Por longos minutos, permaneceu absorto em dirigir e cuidar de cada particularidade daquele minucioso ritual. Eu estava ansioso. Não via a hora que retomasse o discurso. O segredo dos males milenares do ser humano, e talvez a raiz da minha própria infelicidade, estava para ser revelado... Eu estava surpreso e desiludido pelo fato de que Ele pudesse interromper um argumento daquela importância para se dedicar a alguma coisa tão sem importância. Naturalmente, não ousei exprimir minhas considerações, mas continuei a fomentá-las. Ainda acreditava que os pensamentos fossem invisíveis e que um ser pudesse escondê-los.

Não existe nada de muito pequeno ou de insignificante! Num tom áspero de uma reprovação, estava falando sem me olhar, aparentemente com a intenção de seguir os detalhes daquele cerimonial. Senti-me pego em flagrante e corei de embaraço.

Faça que cada ação seja impecável! Impecabilidade é ausência de qualquer ato desnecessário.

Em seguida, enquanto escolhia de uma lista imensa os tipos de chá que degustaríamos, acrescentou: *Quando alguma coisa é bem-feita, é feita para sempre! Todo o Universo é informado disso, e você não terá mais necessidade de repeti-la.*

Depois de uma breve pausa, completou: *Somente a imperfeição se repete. A perfeição não se repete nunca, porque continuamente transcende a si mesma. Uma perfeita crisálida deve cessar de ser uma crisálida perfeita e morrer para ter acesso a uma condição superior de ser.*

Continuou dizendo que, por intermédio da atenção, regulando os mecanismos internos e as engrenagens mais sutis da própria máquina, um ser humano está ajustando o mundo e pode, portanto, mudar sua história.

A evolução do Universo depende da evolução do indivíduo, da sua transformação. O individual e o universal são a mesma e idêntica coisa. Na origem do progresso e de toda forma de arte encontra-se essa compreensão e é esta que deve voltar a ser o elemento central da educação de um ser humano. Acrescentou que o teatro, as danças sagradas e todos os ritos inventados pela humanidade haviam tido origem nesta percepção: *Tudo está interligado* O menor movimento na verticalidade, no mundo da vontade, provoca as mudanças mais relevantes no mundo dos eventos.

O Universo está no nosso cérebro... é uma semente dentro do ser humano que se desenvolve conforme lhe apraz. Por isso, se uma pessoa intencionalmente agisse sobre algo, por menor que fosse, ou levasse à perfeição mesmo a coisa mais simples...

"... como fazer um chá?", procurei com amabilidade dizê-lo, na tentativa de fazê-Lo perdoar as minhas considerações anteriores, infelizes, se bem que não expressas.

... ou apenas aprender a servi-lo impecavelmente..., completou o Dreamer, com argúcia, fazendo Seu aquele jogo e devolvendo o lance. Notei que, ao ouvir isso, as duas moças trocaram olhares entre si e sorriram. Imaginei uma respeitosa cumplicidade, uma reverente colaboração para com o Dreamer. O pensamento que também elas fossem *pessoas da Escola* atravessou-me a mente como um relâmpago e deixou-me sem ar. *... com a impecabilidade daquele gesto teria consertado para sempre seu universo pessoal... sairia de uma faixa acidental da existência, onde tudo já está programado, do nascimento à morte, e modificaria seu destino... O mundo é o reflexo, uma ressonância do ser...*

Como grãos de ouro, cuidadosamente recolhi cada palavra daquele ensinamento no meu caderno e descrevi as especiais circunstâncias que me permitiram fazê-lo.

A razão do ser humano é armada

Nesse meio-tempo, nossa mesa já estava suntuosamente preparada. Os alvos linhos, delicada e ricamente bordados, receberam a mais fina louça e bandejas com doces e confeitos de todo tipo. Quando também essa parte do ritual foi cumprida e Suas ordens pareceram-Lhe perfeitamente executadas, retomou o argumento interrompido.

Estirou o queixo para chamar minha atenção sobre o que nos circundava e disse: *Tudo aquilo que você vê e toca, aquilo que chama de realidade, é psicologia... solidificada. O pensamento do ser humano materializa-se e torna-se mundo. Fatos são pensamentos.*

Sua voz fez-se profunda e o tom rouco traiu a amargura da afirmação que estava por fazer.

A mais grave das doenças do ser humano, a causa de todos os seus males, individuais e sociais, é a divisão interna, a sua psicologia conflituosa. Imediatamente explodiu dentro de mim um caleidoscópio de imagens com a voz dos mitos que o ser humano criou e narrou a si mesmo por milhares de anos. Nesse cenário fantástico, irrompeu a grandiosa cena do nascimento da deusa da Razão, Atena, que, cintilante de armas, pula das fossas do crânio de Zeus, filha de uma enxaqueca do deus ou de um pesadelo seu.

É um mito-advertência!, disse, penetrando no vórtice desses pensamentos e capturando aquela imagem. *A razão do ser humano é armada! Este é o mais lúcido diagnóstico que uma civilização pode fazer em relação ao seu mal.*

"A Grécia antiga, então... sabia qual seria seu fim!", exclamei, excitado com aquela descoberta.

A resposta do Dreamer não foi imediata. A alegria nervosa que eu experimentava com Seu anúncio, e que alcançava as alturas, estava agora rapidamente se transformando em ânsia. Sentia o peso daquela revelação aumentar à medida que eu percebia sua amplitude. Doía tocar o limite, descobrir a incapacidade de conter a beleza, a inteligência daquela descoberta.

Não! A Grécia não soube escutar seus sinais, nem seus oráculos. Reconhecer o próprio mal, a própria culpa, já é a cura.

Enquanto anotava a resposta do Dreamer e tentava imaginar o parto mental de Zeus, percebi que, espantosamente, não existia um estudo iconográfico do mito de Atena quanto ao seu nascimento tão extraordinariamente profético. Disso não há nenhum rastro em toda a História da Arte.

O ser humano não quer ver sua loucura, reconhecer a destrutividade do seu pensamento, explicou. *Há séculos a humanidade foi advertida e sente pairar sobre seu destino a sombra dessa profecia. Não podendo escutá-la, não sabendo o que fazer nem como exorcizá-la, tentou removê-la e ignorá-la.*

O reconhecimento do lado escuro dentro do ser é a solução, a cura, a autêntica salvação.

Anunciou-me que se as multidões pudessem reconhecer a causa dos seus infortúnios sairiam do estado de escravidão em que vivem. Mas isso é impossível, pois somente o indivíduo, por si, pode ter acesso a esse conhecimento. A massa não quer nem procura o conhecimento de si. Tem medo de tudo o que é novo e desconhecido. A escravidão em que vive a humanidade e suas infinitas adversidades apoiam-se no medo do desconhecido que a agita e a cega. Os líderes políticos de todos os tempos têm alimentado e reforçado essa fobia pelo novo. A massa não pode sonhar. Quando uma civilização não sabe mais ouvir o sonho que a gerou, ouvir a voz dos seus homens solares, ela decai. A ausência deles prenuncia a queda de cultura e progresso; coincide com momentos de loucura coletiva, capazes de destruir tudo aquilo que, por séculos, foi criado por indivíduos que sonham, por poetas do fazer.

A massa é um fantasma, um mecanismo influenciado por tudo e também por todas as coisas... Não tem fé, não tem vontade própria... não pode criar... pode somente destruir. Este é o verdadeiro papel da massa... Somente a integridade, que possui uma vontade, pode sonhar e materializar o impossível.

Tudo aquilo que eu ouvia do Dreamer podia ser aplicado às empresas e às organizações modernas. Entendi que elas têm vida limitada não porque têm dificuldades financeiras, ou problemas ligados à tecnologia e a mercados, mas porque faltam seres humanos responsáveis, íntegros: seres humanos que amam.

Ao Seu sinal, começaram a chegar, um a um, os inúmeros tipos de chá, de acordo com padrões de aroma e sabor tão antigos quanto a própria China. Ele aspirou com prazer as volutas aromáticas que subiam dos bules e ocupou-se de versar o conteúdo em nossas minúsculas xícaras.

Depois do longo passeio do dia e das emoções das novas descobertas, desfrutei daquela mesa e saboreei a refinada amostra de habilidade confeiteira. O Dreamer fascinou-me ao narrar as origens de cada doce e ilustrou-as com receitas e técnicas de preparação, cuja tradição remontava à dinastia Ming. Como sempre, foi um anfitrião gentilíssimo. Ele mesmo, porém, nada comeu.

O ser humano atravessa oceanos, escala os cumes mais altos e arrisca sua vida nas circunstâncias mais temerárias. Retira-se para templos, ashram e mesquitas... recolhe-se em oração ou une-se no sexo... escolhe a vida da penitência ou da libertinagem... a cela do monge ou os desafios dos negócios... sempre na mesma tentativa de unir-se dentro... na infinita busca da sua completude.

Também as religiões laicas, da psicanálise ao comunismo, foram somente a versão novecentista da mesma busca. Também elas, como as confissões religiosas, podiam ser consideradas experimentos, partes das infinitas tentativas que, em todas as civilizações e em todos os tempos, o ser humano realizou para reaver a sua integridade: aquele estado especial de certeza que lhe pertence por direito de nascimento e que ainda, ancestralmente, ele recorda como o paraíso perdido.

A história do ser humano é uma viagem de retorno... a parábola do filho pródigo é a sua insuperada metáfora. Mas todas as religiões esqueceram sua razão de ser. Degradando-se, transformaram-se em seu oposto... máquinas de promoção da morte e da ideia da sua inevitabilidade. Em vez de se curarem, alimentaram a divisão e o conflito, cultivando a intolerância, as guerras de princípios e todo tipo de superstição.

Também o cristianismo, recordou o Dreamer, na mão de seres humanos e ainda fruto de uma psicologia dividida, gradativamente chegou a se transformar em Inquisição, sem ao menos mudar o nome. E ainda hoje os golpes de aríete dos paradoxos evangélicos, que teriam a força de reduzir a pó as estruturas mentais da velha humanidade, não conseguiram nada, e a potência dos sentimentos elevados de suas parábolas, a sabedoria das suas leis econômicas foram relegadas a matéria de catecismo, coisa para criança. Seu ensinamento é confiado a preceptores sem conhecimento, que ensinam o que entenderam e são absurdamente e até mesmo os perpetuadores daquele sono hipnótico que o Evangelho veio para abater. Minhas anotações densamente cobriam páginas e páginas do caderno, quando O ouvi anunciar:

É preciso alimentar nas crianças a ideia de imortalidade... da imortalidade física.

Atrás da aparente tranquilidade do tom que usava, senti a potência, a ênfase heróica de um grito de despertar dirigido a todo o planeta. Um raio rasgou a escuridão dos séculos e vi um estandarte tremular no clamor de milhares de batalhas contra superstições, fanatismos e idolatrias.

É preciso levar essa ideia a todas as escolas, de todos os tipos e graus, e às universidades... com a cautela de quem sabe que tão logo a discussão da morte seja colocada em cena, você se tornará o inimigo de todas as ideologias e religiões, completou em tom premonitório.

O animal que mente

Naquele momento, as coisas me pareceram claras. Como peças de um mosaico que ocupam cada uma o seu lugar, cada parte do Seu notável ensinamento encontrou encaixe e tornou-se, aos meus olhos, o elemento coerente de uma visão impressionante. Finalmente, a milenar história de desgraças, atrocidades e infelicidades encontrava uma explicação. O absurdo de milhares de conflitos, o paradoxo trágico de multidões de pobres num universo de ricos até o inacreditável – a atrocidade de deixar morrer milhares de crianças que poderiam ser salvas com um esforço pequeníssimo – encontrava, finalmente, uma razão legítima, uma causa além do tempo, além de fronteiras, etnia ou fé. O ser humano, assim como é, é um doente mental! E suas sociedades e instituições são a materialização da sua psicologia fragmentada, da sua lógica conflituosa, o reflexo especular da sua fé na morte.

Perguntei-me como e quando esse dano mental teria se produzido. Daria qualquer coisa para saber! Seria a descoberta mais sensacional da história e certamente a mais útil. A imaginação alçou voo. Como uma expedição científica, imaginei retornar milênios em busca do evento que havia reduzido o ser humano às condições em que se encontra: numa espécie de viagem à Lua em busca do bom senso perdido de Orlando.[37]

A tradição judaico-cristã denominou aquele tombo fatal de queda do Paraíso, interveio o Dreamer, com um traço de amável humor na voz, *e marcou-a como o pecado dos pecados, o pecado original. Um pecado imperdoável.*

Teria centenas de perguntas a fazer-Lhe. Era maravilhoso poder me aproximar daquela Sua consciência inexaurível, aquela especial autoridade que pertence não a quem interpreta ou faz suposições, mas a quem sabe. Sempre me interessei pelo simbolismo da mordida na maçã, da serpente, da folha de figueira e, sobretudo, sempre senti uma espécie de mal-estar intelectual diante de uma tradição tão importante que há quatro mil anos sustenta que de um fato assim insignificante teve origem tal tragédia. E por que, depois, denominaram aquele pecado de *mortal*?

A mordida na maçã não é um fato insignificante, mas a metáfora decisiva daquele escorregão no ser do indivíduo que abdica da sua natureza e que de criador se reduz a criatura. Morder a maçã significa crer em um mundo fora de nós, que nos contém e governa; significa dar consistência ao fantasma de uma alteridade... Para o ser humano, é o início da dependência e de toda sua trágica história.

O Dreamer evocou as primeiras palavras de Adão e elas vibraram graves e solenes em cada fibra do meu ser, como as de um corifeu, e invadiram-me do terror terapêutico da tragédia. Elas ressoarão para sempre como a autodenúncia, os estigmas de um ser caído em desgraça: *Escondi-me... tive medo... não fui eu... foi a mulher quem me deu...* Senti-me o espectador único de uma tragédia irremediável. O drama da nossa degradação estava sendo representado ali, naquele momento. Eu estava vendo ao vivo a aparição daquele ser que o Dreamer, de modo admirável, definiu, o animal que *mente*.

As palavras de Adão assinalam o nascimento da dependência e são o manifesto do ser humano comum, mentiroso e irresponsável, o ser humano mais antigo do qual você possa encontrar alguma pista.

---

37. Personagem da obra de Ludovico Ariosto, *Orlando Furioso*, de 1516. (N. T.)

O uso daquele você, *en passant*, foi tão magistral a ponto de se revelar diante de mim a visão de tradições extremamente mais antigas que o Gênesis. Imaginei tesouros de conhecimento inacessíveis ou perdidos sobre os quais não poderia nunca saber nada e dos quais o Dreamer era guardião imortal. Mais uma vez me defrontava com o mistério daquele ser que podia atravessar o tempo, as civilizações e que conhecia o segredo de escolas desaparecidas, inutilmente radiosas como joias enterradas. Arrebatado pelas sucessivas descobertas – enquanto o que o Dreamer dizia explodia em mim e criava terremotos no ser –, com a mão trêmula eu continuava freneticamente anotando. Percebendo minha excessiva palidez, Ele interveio para me animar um pouco e, entre sério e jocoso, sempre comedido, brincou comigo, fazendo uma alusão à minha condição profissional: *É nas palavras de Adão, nas primeiras palavras pronunciadas por um homem em desgraça que o pensamento empregatício, a identificação com o mundo e a dependência encontram suas raízes!*

A linguagem que, para o Dreamer, é a síntese do pensamento e da extensão ideológica de um ser, em Adão denuncia a existência de uma fragmentação psicológica, de uma quebra no ser. Se era um só com Deus, como pôde desejar e acreditar tornar-se mais que Ele? É evidente, portanto, que, antes ainda de Eva, da tentação e da serpente, Adão já tivesse se dividido.

Mentir, esconder-se, acusar, justificar-se, compadecer-se são, desde então, e sempre serão, os estigmas verbais, e antes psicológicos, de um ser expulso do paraíso que perdeu a própria integridade.

Com a mordida na maçã, Adão troca a vida pela morte, a liberdade pela dependência, a integridade pela divisão. A imortalidade, que era direito de nascimento do indivíduo, é substituída por uma eternidade fragmentada, inconsciente, mortal. Esta se reduz a uma perpetuação biológica baseada na junção sexual e na reprodução vivípara...

Enquanto o Dreamer falava, eu tinha uma sensação dentre as mais raras: aquele inconfundível arrepio que acompanha uma descoberta da inteligência.

O pecado de Adão é mortal porque é uma queda no tempo, uma queda no estado hipnótico, na convicção de poder morrer. Mas o ser humano não pode morrer, pode apenas se matar, enunciou num suspiro, enquanto interpretava a atitude precavida e a cautela de quem está transferindo um pesado segredo. O Seu anacrônico humor adicionou pathos, uma intensa carga emotiva, àquela afirmação já tão dramática: *A morte é sempre um suicídio.*

É hora de o homem retornar à casa, de acordar do seu sono e de se assenhorar daquilo que é seu por direito... a imortalidade perdida.

Senti a inteligência daquela visão transformar-me, sua química atravessar-me os órgãos e chegar até as moléculas, as células, os átomos. E enquanto me falava do mal dos males, das origens ancestrais da divisão do ser humano e do seu *pecado*, Ele me curava. Um sentimento de gratidão sem precedentes dominou meu ser.

Torne-se um ser livre!

Meus pensamentos turbilhonavam em torno das coisas extraordinárias que tinha ouvido naquela tarde. Inutilmente tentava dar ordem àquelas ideias, retê-las, ou apenas me deter em alguma delas. Brotavam aos jorros uma após a outra. Separavam-se de mim como folhas de uma árvore e sem mais me pertencerem corriam em espiral para se juntarem no redemoinho gerado pelo sopro do Dreamer.

A casa de chá onde estávamos lotava com a chegada dos clientes, e o murmúrio das conversas fazia o ar vibrar prazerosamente. Fui surpreendido por Sua voz, que me sussurrou no ouvido: *A religião planetária é a divisão! A divindade que a humanidade venera acima de qualquer outra é sempre a mesma: o medo!*

A força daquela afirmação preponderou no espesso vozerio do ambiente. No silêncio daquele espaço, cada pensamento meu se calou e Suas palavras, cortantes como bisturi, tocaram em pontos profundamente doloridos.

A dependência é medo!... Também você fez do medo o seu ídolo. Por isso depende e ainda ganha para viver escondido atrás de um emprego...

Eu sabia que mais cedo ou mais tarde aquele momento chegaria, e já estava até preparado para enfrentá-lo como uma circunstância nada agradável; mas o tom do Dreamer e o modo como havia iniciado o Seu discurso fizeram-me antever uma sequência ainda mais tempestuosa. Peguei o caderno e fingi ocupar-me dele, para me esconder, como fazia quando Sua severidade chegava aos limites do suportável.

Eu vim para livrá-lo!, disse em um sibilo. *Entrei na sua vida porque um dia você sonhou ser livre...*

Sua voz transformara-se em uma vibração que remexia em cada ângulo do ser à caça dos meus medos, onde quer que se refugiassem. Depois concluiu: *Mas você, depois de anos, ainda permanece em condições de escravidão!* Senti uma ferida interna reabrir-se diante daquela observação tão direta. O traço de desilusão que transmitia molestou-me e amargurou-me, como se me fizesse uma injúria não merecida... uma injustiça.

Para abandonar sua condição, para sair da prisão dos papéis a desempenhar, você deve reverter sua visão, disse movimentando um pouco a cadeira para trás. Entendi o movimento. Era hora de ir. Devo ter revelado uma expressão de desapontamento. O Dreamer esperou alguns segundos, como que escolhendo o que melhor pudesse me ajudar a compreender, e disse:

Livre significa livre do mundo...
"Por onde se começa?", perguntei com determinação.
É um trabalho tenaz de anos e anos... Mesmo que começasse neste momento, toda a sua vida poderia não ser suficiente...
Encontrei-me sem pontos de apoio. Imaginei distâncias siderais e objetivos distantes de mim por éons de tempo. Senti o desânimo prevalecer e invadir-me.
O Dreamer prosseguiu sem aparentemente considerar meu estado de ânimo.
Livre significa livre do medo, das dúvidas, da ansiedade e das emoções negativas... Livre de prejulgamentos, de preconceitos, de uma descrição mesquinha do mundo... Livre de qualquer limite... Livre da mentira e do trabalho que ainda, para seres como você, é uma condenação, o efeito perverso de uma maldição bíblica.
A convicção de que existe uma realidade fora de você fez do mundo o seu chefe... Hipnotizado pelo reflexo no espelho, você ainda procura a segurança nos olhos dos outros.
O que me dizia mostrava o absurdo que era a minha tentativa de respirar nas águas do Dreamer com as guelras de um ser primitivo. Cada frase Sua era um ataque mortal ao meu passado, à falsidade. Sabia que quando Ele investia contra mim com tamanha força, minha vida melhorava, muitos pesos eram removidos e liberavam espaços para estados de certeza, clareza e determinação. Por isso mesmo eu suportava cada golpe esperando que fosse o último. Que parasse!... Ou, ao menos, que me desse um pouco de folga, por Deus!... Ainda que apenas para serem escutados, Seus ensinamentos exigiam uma força que somente vez ou outra eu sentia ter. Meu nível de responsabilidade flutuava, ia e vinha, aumentava e diminuía sem meu governo. Eles eram vivos! Senti-os insuportavelmente apertar meus limites até que os subjugaram junto a preconceitos, convicções anacrônicas e ideias superadas... Cada fibra do meu ser vibrava.
Livre dos papéis... livre do medo... livre da identificação com o mundo. Aquilo me chicoteava frontalmente como esferas de metal sobre o eixo inclinado da minha existência. Repentinamente, tais ideias explodiram internamente em uma girândola de luz, sons, imagens... Minha cabeça estava em chamas.
Pelo Dreamer eu estava recebendo uma mensagem do futuro, uma profecia tão forte e extraordinária sobre o destino do ser humano que eu não conseguia sustentá-la, contê-la. Uma humanidade alforriada de qualquer necessidade, arremessada para fora da condição correspondente à sua natureza – ou pelo menos daquela que até aquele momento eu firmemente acreditava fosse sua natureza, quando na verdade era seu inferno –, a mim parecia uma ideia disparatada. Teria podido simplesmente colocá-la de lado, rejeitá-la, mas era muito tarde. A visão do Dreamer me escavava e devorava tecidos mortos e velhos esquemas. Não conse-

guia assimilá-la, nem tampouco expeli-la. Como célula da humanidade, átomo de um corpo imortal, sabia que o Dreamer estava indicando a estrada que todos, "heróis e semideuses primeiramente, os outros depois", deverão tomar... e chegar ao fim, ainda que em mil anos. Enquanto me falava disso, sabia que esse incrível êxodo da humanidade já tinha começado. Alguns indivíduos já haviam dado o primeiro passo, o mais ousado: colocar em discussão a invencibilidade da morte, não aceitar mais sua inexorabilidade. A Revolução Individual batia à porta...

Enchi páginas e páginas, sem parar, até sentir cãibra na mão. Cheguei à última folha do caderno e febrilmente continuei a escrever no verso do menu da casa de chá. O que me dizia já não importava mais se passaria pelo filtro da razão ou seria racional ou aceitável. A única coisa que contava era escrever, registrar tudo. Sabia somente que não deveria perder nenhuma palavra, nem trocar um só acento... Um dia leria novamente aquilo e entenderia; ou talvez fosse apenas algo para transmitir às novas gerações de estudiosos, aquilo que ora o Dreamer me doava generosamente, embora eu me sentisse tão despreparado para receber.

O Dreamer levantou-se, afastando delicadamente a cadeira e dirigiu-se à saída. Deixei a casa de chá um pouco contra a vontade. Percebi que na verdade me agarraria a qualquer coisa. Acamparia até mesmo num bar para não ter de enfrentar o novo. Fiz essa constatação ao observar a estranha melancolia que me dominava, enquanto apressava o passo para alcançar o Dreamer que já estava sobre a pequena ponte de madeira. Dirigiu-se ao ponto de táxi ali perto e, quando dei por mim, estava sentado em uma velha limusine já pronta para me levar ao hotel. Quando a porta se fechou e O vi do outro lado da janela receei não revê-Lo mais. Mas Ele me tranquilizou: marcou um encontro para o dia seguinte, ali, à mesma hora.

Enquanto o táxi cruzava as ruas de Xangai e passava sobre os viadutos daquela imensa cidade eu ainda pensava no que me dissera. Percebi que continuava tentando ordenar meus pensamentos em tremenda confusão. Naquele dia, cada convicção tinha sido virada de cabeça para baixo. Cheguei à devassadora conclusão de que, depois daquele encontro com o Dreamer, dos meus velhos esquemas mentais, como muros de uma cidade derrotada, não restava pedra sobre pedra.

O pai de Buda

Cheguei ao compromisso com muitas horas de antecedência. Alguns turistas ocidentais pouco frequentes entravam ou saíam do Yufo Si, o templo onde é guardado o Buda de jade branco. Era aquele o ponto indicado pelo Dreamer para o nosso encontro. Passei o tempo vagando no labirinto de ruazinhas do velho mercado. Ao passar outra vez diante do amplo portal, procurava Seu rosto entre a multidão na esperança de vê-Lo despontar. Quando O avistei, estava ainda distante. Caminhava na minha direção, acompanhado de três velhos de aspecto austero, mais altos do que a média. Um deles tinha a cabeça raspada e usava leves óculos de armação dourada. Entregou ao Dreamer um pacote, oferecendo-o com as duas mãos e inclinando o tronco e a cabeça para a frente. Vi-os depois se despedirem com reverências e sinais que exprimiam grande consideração. Assim que ficou só, fui ao Seu encontro. Uma rápida olhada bastou como cumprimento entre nós. Em silêncio, pegou o caminho que ladeava o muro e eu O acompanhei. Quando dirigiu os passos em direção à entrada do templo e começou a subir os degraus, fiquei surpreso, depois de já tê-Lo ouvido falar sobre as religiões. Assim que entramos, vi um grupo de monges comendo a uma mesa num canto. Acendemos, como manda o ritual, os bastões de incenso no imenso fogo no centro do pátio e colocamo-nos diante da imponente estátua de Buda. Eram poucos os visitantes e, logo depois, somente nós. *Aspire algo, mas não dependa daquilo*, anunciou, dando-me com aquela inesquecível epigrama a resposta mais completa e profunda à hesitação que eu senti diante do templo. *Respeite todos os cultos e todas as religiões dos seres humanos, mas não faça parte.* Eu estava ainda refletindo sobre isso quando O senti dizer a meia-voz: *Ao Meu lado você poderá mudar sua visão e, com ela, seu destino.* As chamas de mil velas assentiram ondejando todas ao mesmo tempo e criando fulgor nos ornamentos de Buda. Com o Dreamer era sempre Escola! Retirei caderno e caneta da pequena mochila e comecei a anotar.

Envelhecer, adoecer e morrer são parte da descrição do mundo, continuou, sussurrando nos meus ouvidos. *São estados aceitos como eventos naturais e inevitáveis, sem que nenhum ser tenha se rebelado contra isso. É o resultado de um sistema de convicções e expectativas que se tornou universal...*

Aquilo que esperamos acontece!, afirmou em tom resoluto. E acrescentou: *Adoecer, envelhecer e morrer são maléficas atitudes mentais.* Suas ideias declaradas ali, diante daquele ídolo, rodeados que estávamos por quiméricas divindades, símbolos de todas as superstições e de todos os preconceitos do ser humano, forçaram as paredes do ser diante dos paradoxos que Ele me mostrava. Para o Dreamer, como para Lupelius, adoecer, envelhecer e morrer eram *atitudes danosas* das quais o ser humano precisava se libertar. Ocupei-me em escrever por bastante tempo sem parar. Esperou que eu completasse minhas anotações e continuou dizendo que somente um trabalho de Escola permitiria a cada um quebrar aquele sortilégio, sair daquele sono hipnótico no qual está imerso há séculos. Lembrou novamente que o advento de uma nova educação – que chamou *segunda educação* – consentiria ao ser humano abandonar a trilha mortal da repetitividade.

Estava aproximando-se o momento, disse-me, em que morrer não estaria mais *na moda*; o ser começaria a trocar suas convicções e a rebelar-se contra a ideia da morte e de sua inevitabilidade. Deixou-me meditar sobre essas afirmações até que, com um sinal, me comunicou que era hora de ir embora. Demos as costas à imagem do Buda e nos dirigimos à saída. Antes de chegar ao portal, o Dreamer inclinou imperceptivelmente a cabeça e se aproximou do meu ouvido, como para me confidenciar um segredo. No Seu sussurro e naquele gesto, reencontrei o perfume dos domingos da minha infância, a cumplicidade com Elio e Rosária, a igreja de Santo Antonio Abate perfumada pelo odor de vela e de incenso, e aquela irreverente, inextinguível alegria que dava alimento inesgotável às nossas risadas e charlas de criança. O Dreamer conhecia todas as teclas da minha alma. Ostentando a máxima reserva, disse-me: *Na história de Buda, o verdadeiro iluminado é o pai.*

Quando saímos do templo, pedi-Lhe que me contasse a história daquele rei. Soube assim da ideia do pai de Buda de proteger o filho de toda e qualquer mensagem de degradação, de qualquer noção de limite. Pessoalmente, assegurava-se de que o jovem príncipe fosse constantemente cercado pela alegria, pela beleza e pela riqueza. Continuamente substituía os membros da corte e os servos que atendiam ao filho. Ele mesmo se maquiava, tingia os próprios cabelos e a barba, de modo a não permitir que a doença, a velhice e a morte entrassem na visão de mundo do jovem Buda.

Esta é ainda hoje uma das fábulas mais instrutivas já transmitidas!, foi o comentário do Dreamer. *O pai de Buda sabia quão potente é a descrição do mundo e conhecia a força das convicções.*

Ele soube idear uma Escola para imortais e engendrar uma preparação para a imortalidade. Ali o jovem Buda foi treinado a viver para sempre. O Dreamer concluiu que o rei, por ter sonhado um mundo que havia banido doença e velhice e pela sua atividade dirigida a preservar o filho, deveria ser reconhecido como um dos pais da humanidade e entre os mais ousados pesquisadores de toda a história.

Não foi por acaso que a tradição o considera um rei, um homem régio, real! No Olimpo dos heróis, seu mito merece um lugar ao lado de Prometeu.

Depender é uma servidão intolerável

Era crepúsculo. À margem do Bund observávamos Xangai transformar-se em um oceano de luz. O Dreamer havia acabado de tocar em um dos temas mais doídos, apenas mencionado quando estávamos no templo. Eu sabia que agora Ele iria até o fim. Respirei fundo e preparei-me para o amargor que Sua intervenção poderia me provocar.

A falta de integridade, a incompletude psicológica, a divisão e os conflitos que o ser humano carrega dentro de si constituíram o fio condutor dos Seus ensinamentos em Xangai. O ser humano é mentalmente doente e o mundo é o eco da sua loucura. A história do pecado original narra essa fratura psicológica produzida na sua infância. Agora o Dreamer estava me conduzindo à descoberta das raízes da dependência.

Somente um ser íntegro pode ser livre. Em essência, foi o que disse. Eu O ouvia, mas não ousava olhá-Lo. Dissimulava estar entretido na observação dos trêmulos reflexos das luzes que revelam a extensão do rio, sem os quais seria invisível. *Alguém dividido em si mesmo só pode depender.* Instantaneamente, fiz a ligação com o que me dissera quando do nosso primeiro encontro, muitos anos antes: *Ser empregado é apenas uma manifestação visível do depender... esta condição não é o efeito de um papel a desempenhar, não é a consequência de um contrato de trabalho... nem nasce do fato de se pertencer a essa ou àquela categoria social. Depender é ausência de vontade. Denuncia um estado de medo... o vínculo a um círculo infernal do ser.*

Para o Dreamer, tudo teve início quando se começou a considerar o tempo uma mercadoria, isto é, quando se começou a comprar o tempo dos seres humanos e não mais aquilo que produziam: ideias, bens, serviços. Acentuou que a formação de um exército infinito de milhões e milhões de trabalhadores *dependentes*, operários e empregados, dispostos a vender o próprio tempo a preço fixo, um tanto por hora ou por mês, é um fenômeno inteiramente moderno que não tem precedentes na história universal da humanidade.

Liguei o discurso do Dreamer à aversão, ou melhor, à repugnância que a Grécia clássica e Roma dedicaram a qualquer forma de trabalho, físico ou intelectual. Na época de Homero, considerava-se a pior das condições humanas a de *thetes*, o operário agrícola que para viver devia vender o trabalho dos próprios braços. Para os gregos, sustentados pela liberdade, depender de qualquer um para a sobrevivência cotidiana era uma servidão intolerável. Segundo Aristóteles, dever-se-ia recusar a qualificação de cidadão a todos aqueles que precisassem trabalhar para viver. O exercício da virtude política era impraticável e impossível para quem fosse um assalariado, um operário, ou recebesse qualquer contribuição por um trabalho, pois era uma condição que impedia ao espírito a elevação e o bem-estar. Senti crescer em mim, antes ainda de uma barreira mental, uma animosidade irrefreável. Pensei que aquela visão pudesse ter lugar até na Grécia do século IV, mas era um despropósito propô-la a uma sociedade do terceiro milênio. Esse vestígio de racionalidade contribuiu para fomentar o meu ressentimento pelo ataque que eu sentia iminente e já despontava furtivamente diante do que dizia o Dreamer. Sem mais poder me conter, explodi: "Todos desistiriam de trabalhar se pudessem desfrutar dos privilégios de um aristocrata...".

O Dreamer pôs às avessas minhas ideias, como se faz com uma luva:

É o grau de liberdade conquistado internamente, afirmou com severidade. *É a vitória sobre o medo que faz um ser pertencer à classe dos heróis, à classe daqueles que amam, que sonham, e não àquela de quem deve trabalhar para viver.*

O ser humano deveria dedicar-se somente a manter um elevado estado de ser, uma condição de serenidade, e não deixar jamais de sonhar... assim tudo lhe seria acrescentado.

Somente uma humanidade educada para a beleza, para a verdade, para o bem-estar, somente uma humanidade sonhadora, intuitiva, contemplativa pode suportar o poder do não-fazer, a responsabilidade do ócio áureo.[38]

A velha humanidade quer continuar a trabalhar... não saberia o que fazer se não trabalhasse... Quer depender. Já decidiu viver sob a égide do medo... elegeu a dúvida como o seu patrimônio natural e chefe!, comentou o Dreamer, deixando escapar uma veia de amargura, como se observasse o efeito desolador e irreversível de uma ruína cósmica. *Suicida-se tentando dedicar-se a algo incessantemente, preocupando-se, aturdindo-se... tornando-se escrava do tempo...*

Visão e realidade são a mesma coisa

Visão e realidade são a mesma coisa. O mundo é a sua visão. Mude a si mesmo e o mundo mudará para sempre!... Esta é a maior ajuda que você pode dar ao mundo.

"Mas mesmo que mudasse", perguntei com um tom de quem pede permissão, "o que seria de todo o horror, infelicidade e dor em que vive o mundo? O que poderia parar suas guerras?".

O mundo é você!, exclamou o Dreamer, com sinal de exasperação. *O mundo está em guerra porque você está em guerra...*

Um sonhador crê somente em si mesmo, na sua impecabilidade, e projeta o mundo que deseja. A realidade em que vive é a exata representação do seu paraíso portátil.

"Mas a realidade..."

A realidade é uma goma de mascar: assume a forma dos seus dentes!

"Mas aquilo que vejo e toco..."

---

38. Ideal de vida da cultura greco-romana, que privilegia a busca da felicidade e da verdadeira natureza do ser humano e de seu progresso por intermédio do *não-fazer* ou da contemplação. (N. T.)

O mundo que você vê e toca não é objetivo e jamais poderá ser... Reflete você. Aprenda a ser brilhante, elegante, altivo, grandioso! Aprenda a usar com propriedade a injúria e a raiva! Aprenda a interpretar o papel que a circunstância exige: cômico, irônico, incisivo, sonhador, divertido; sóbrio e sincero, sereno e imperturbável! Torne-se um paladino da liberdade. Dirija sua obra para melhorar a humanidade, liberando-a da tirania e da opressão de todo gênero – política, religiosa, social, intelectual e emocional... – e você verá construir-se, sob seus olhos, um paraíso terrestre.

Esse diálogo, todas as vezes que o recordava ou o lia em minhas anotações, fazia-me pensar na fábula geométrica de Abbot, no encontro em *Flatland*[39] do quadrado com a esfera, entre uma criatura plana e um ser tridimensional.

O discurso do Dreamer, que compreendia camadas e níveis, que afirmava a existência de tantos universos e tantas realidades pessoais quantos são os seres humanos, não podia ser visto numa visão plana com a percepção bidimensional de um habitante de *Flatland*.

Uma raça a empregar

Para o Dreamer, a ausência de qualquer papel pode ser suportada apenas por aquele que assumiu para si o mais alto nível de responsabilidade.

Um dia, quando tiver superado tais papéis e souber interpretá-los perfeitamente, também você se libertará deles. Essa conquista poderá exigir de você instantes ou toda uma vida. Depende de você!

Acrescentou que o ser humano comum não pode suportar a responsabilidade de tal liberdade.

Somente o ser que recolheu uma faísca de eternidade pode conseguir isso, recordou. *Abaixo do nível de um ser íntegro, a existência aprisiona o ser na fixidez de um papel.* Para o Dreamer, o papel mede-nos e revela nosso grau de liberdade.

Nas primeiras luzes da Revolução Industrial, a espécie *sapiens* encontrava-se diante de uma bifurcação da sua evolução. Nos escritórios e nas fábricas do mundo produziam-se transformações somáticas, psicológicas e comportamentais tais, a ponto de delinear o perfil de uma nova espécie.

---

39. *Flatland, a Romance of Many Dimensions*, de Edwin A. Abbot. Publicado no Brasil pela Editora Conrad, em 2002, com o título de *Planolândia: um romance de muitas dimensões*. Editado pela primeira vez em 1884, na Inglaterra, ironiza comportamentos da sociedade vitoriana em uma história em que figuras geométricas dotadas de características humanas convivem em um universo bidimensional no qual a ordem é mantida por autoridades poligonais, além de mostrar o impacto causado pelo contato com figuras tridimensionais, inconcebíveis àquelas até então. (N. E.)

Uma raça a empregar. Sua principal característica é a capacidade de aceitar estoicamente a insuportável amargura do depender, anunciou num tom entre espirituoso e sério. Acrescentou que, no tempo, essa parcela da humanidade tornou-se imensa, até representar o grupo dominante, o mais disseminado no planeta. Exemplificou que transformações similares produzem-se nos animais depois de domesticá-los. Com calculada lentidão, pôs-se a enumerá-las: o relaxamento dos músculos, a obesidade, a flacidez e o afrouxamento do ventre, o encurtamento da base craniana e dos membros, a palidez da pele, o envelhecimento precoce, o abatimento... Enquanto as listava, perscrutava-me da cabeça aos pés, simulando um crescente assombro como se descobrisse em mim todos aqueles aspectos de quem pertence à *raça empregatícia*. Avançou naquela pantomima até me perguntar, com a máxima seriedade, se podia me usar como prova viva da Sua teoria. Diante da minha expressão de ofensa e vergonha, o Dreamer não pôde parar de rir abertamente. Somente então vi que estava fazendo troça. Fiquei sem ação, com os músculos do rosto contraídos e rígidos, como os de um cadáver, e não pude unir-me a Ele em uma das raras vezes que pude vê-Lo gargalhar. *Uma pessoa observa-se, ri de si mesma, e é livre!*, Ele comentaria tempos depois a propósito desse episódio. *Se você está confuso, observe a confusão em você e estará livre. Auto-observação é autocorreção.* Daquela vez me disse que, com efeito, a verdadeira religião do ser humano comum é a identificação com o mundo externo. A humanidade encontra-se nas condições em que está porque não tem capacidade de se auto-observar.

Se você fosse capaz de observar seu inferno, este desapareceria, sua cura seria imediata e comunicada a todo o Universo.

Observando agora a reação que tive, posso ver a fragilidade do homem que eu era e quanto estava distante até mesmo de quem havia apenas iniciado o caminho em direção à integridade. Os doentes do Novo Testamento - cegos, aleijados, surdos, leprosos - eram metáforas vivas de uma humanidade psicologicamente deficiente, mas pelo menos conhecedora da própria incompletude, já pronta a entrar em uma zona de cura; homens e mulheres, poucos dentre poucos, que pediam acesso à integridade.

Foi doloroso descobrir e admitir que eu não tivesse ainda alcançado aquela condição, que eu era da raça dos nicodemos,[40] da laia dos seres agarrados ao mundo das aparências, apegados a instituições e templos empoeirados, a rituais inúteis, incapazes de abandonar as falsas certezas do velho pela grande aventura individual.

Por certo eu não pertencia à humanidade dotada de fé, dotada daquilo que o Dreamer chama a *vontade*, o *sonho*. O Dreamer era, e representou por muitos

---

40. Fariseu. (N. T.)

anos, uma ameaça à minha visão do mundo, às minhas convicções e a tudo aquilo que eu queria que fosse minha vida.

Agora entendo que curar significa ir às raízes daquela pecabilidade. No ser está a verdadeira causa daquela *deficiência*, de todas as misérias humanas, de todos os infortúnios. *Você é a origem e o fim de cada evento. Controle-o na fonte. Este mundo de adversidade e sofrimento foi criado por você e só você pode mudá-lo.*

A cura é um processo de dentro para fora, do interno ao externo. Pode acontecer somente se você a quiser. Revelou-me, em seguida, que os milagres do Novo Testamento eram na realidade *certificações*, porque nem mesmo Ele podia produzir uma cura caso não tivesse já acontecido dentro de nós: *Vai, é a tua vontade que te curou!*

Faça somente aquilo que ama!

Trabalhar é o reflexo de uma psicologia incompleta.

O papel que o ser humano ocupa no mundo é o sintoma mais sincero de uma incompletude, o modo mais simples para ressaltar a causa de todos os seus males.

Você pode fazer somente aquilo que você é. Quando isso for claro para você e se tornar carne da sua carne, saberá também como interferir na causa. Mudar a si mesmo significa intervir em cada átomo quanto ao próprio modo de pensar e sentir; significa trazer luz à própria vida. Quanto mais você conhece a si mesmo, mais os papéis e as funções que você desempenha tornam-se sublimes. Quanto mais responsável você é interiormente, menos você depende. Isso permite abandonar o sofrimento inerente a cada papel e transformar o trabalho-fadiga em sonho.

O trabalho se tornará sublime, até que um dia desaparecerá das atividades humanas.

Por milênios, trabalhar foi o reflexo de uma maldição... o efeito de uma queda. Por meio do estudo e da observação de si mesmo, uma pessoa encurta a distância entre si e o mundo que projetou, sanando, assim, a incompletude dos próprios estados de ser e, por consequência, a sua realidade.

O Dreamer revelou-me ainda como em todas as culturas e em todos os tempos o trabalho sempre teve uma conotação de fadiga, até se tornar o próprio sinônimo de constrição, de esforço. Nas várias línguas do mundo, as condenações bíblicas à dor – para o homem por meio do suor do trabalho, para a mulher por meio do trabalho de parto – entrelaçam-se e revelam suas origens comuns. No cunho do francês *travail* e no termo anglo-saxônico *labour*, essa compreensão é registrada e selada para sempre. Assim é no espanhol, bem como nos antigos dialetos, herdeiros diretos e invisíveis continuadores da visão grega.

É preciso transformar o trabalho em sonho!, anunciou com vigor o Dreamer. Foi um grito de guerra capaz de exaltar a coragem e convocar exércitos sob a bandeira de uma mesma cruzada.

Empregue toda a sua força, tempo, energia e tudo o que você tem para realizar o que realmente você quer. Essa exortação era dirigida a uma audiência planetária, a milhões de seres que como eu tinham se esquecido do voo mágico, do *sonho*.

A Arte do sonhar significa amar-se dentro. São necessários anos de auto-observação e de atenção para redescobrir a vontade, para reaver a integridade perdida. Afirmou que para os jovens é mais simples avaliar o que verdadeiramente querem. Neles, a vontade – o *sonho* – não é ainda completamente sepulta.

Uma verdadeira Escola elimina tudo aquilo que atrapalha o sonho. Mais que impor falsas ou inúteis noções, uma verdadeira Escola libera os jovens do medo, das superstições e do sono hipnótico que os confina no gueto de uma humanidade dependente.

Meu pai havia, a seu modo, tentado confiar minha educação a uma Escola do Ser, procurando-a entre os institutos religiosos. Mas os barnabitas, já naquele tempo, enredados na descrição do mundo, tinham deixado de preparar homens responsáveis, uma aristocracia com poder de decisão. Também eles tinham esquecido.

Quem ama aquilo que faz não depende. Quem ama não tem tempo para vender... Somente quem não ama pode ser recrutado, retribuído. Um ser humano que ama é impagável.

Entre as grandes ilusões de quem trabalha, existe aquela de receber uma retribuição. Na verdade, aquilo que é considerado uma compensação, um salário, é somente um modesto, um parcial ressarcimento pelos danos produzidos pela condição de dependência. Sublinhei várias vezes no meu caderno aquela definição que nos arremessava a anos-luz de distância de tudo aquilo em que estávamos habituados a acreditar e a pensar. A dor boa de uma ferida que está sarando acompanhou a consciência que tive quanto àquela degradação física e moral que sofrem homens e mulheres, ou melhor, que se infligem, trabalhando sem criatividade, sem amor, em ambientes psicologicamente poluídos.

No seu conjunto, a visão do Dreamer antecipava o advento de uma humanidade mais responsável, mais livre e feliz, resgatada da dependência, consagrada somente àquilo que ama. Predisse que isso seria acompanhado inevitavelmente de uma Economia mais evoluída, de uma progressiva e irreprimível redução do trabalho-fadiga e de um declínio da educação tradicional.

A Economia não está baseada no trabalho, mas na felicidade. A felicidade é Economia. As escolas da velha humanidade basearam-se em uma concepção oposta.

Elas são a ramificação da atitude mental de toda uma civilização que ainda concebe o trabalho como dor, como uma condenação; de uma sociedade que, para funcionar, ontem usava os escravos e hoje precisa educar um exército de perdedores, homens capazes de aceitar o insuportável amargor de depender.

Aos sete anos, os espartanos deixavam de depender. Eram colocados em uma escola da coragem, em que se forjavam heróis, guerreiros luminosos, invencíveis. Atualmente, com a mesma idade, as crianças são incluídas no triste exército dos adultos.

É observável a transformação que sofrem. O gosto pelo jogo, o frescor das impressões, o entusiasmo, a adaptabilidade, a coragem são substituídos pelas emoções aparentemente humanas (inveja, ciúmes, rancor, ansiedade, temor), pela aquisição de hábitos insanos (lamentar-se, o falar excessivo, o esconder-se e o mentir) e pela imitação daquelas deformações, que são as máscaras da degradação que sofreram.

Engaiolar a liberdade da criança – cortar as asas do sonho – é uma imoralidade que a humanidade, assim como é, nem consegue ver. Sua paga são os inúmeros males sociais que a afligem e uma economia basea-da no fracasso.

Houve uma longa pausa. O gigante Huangpu tinha sido tragado pela noite e apenas as luzes do intenso vaivém dos barcos que trafegavam àquela hora permitiam vislumbrar sua presença. Em pé, debaixo de um lampião sobre a rua que costeia o Bund, completei as anotações dessa inesquecível lição, registrando sua conclusão: *Como o barulho do trem friccionando fortemente os trilhos, que depois de um tempo já não percebemos mais, assim se torna a dor da dependência para nós: uma coisa só com a existência, uma constante natural e, absurdamente, uma presença reconfortante na vida. Abandoná-la será, quando chegar à idade adulta, uma tarefa... quase impossível.*

A direção terrível e maravilhosa

Aquele trecho do Bund tinha nesse meio-tempo assumido aquela atmosfera docemente ociosa de um elegante boulevard de outros tempos, com os grandes lampiões, os bancos de madeira e ferro fundido, o vaivém dos passeios de uma multidão colorida e cosmopolita. A pé chegamos ao Peace Hotel, cujo restaurante oferecia uma vista soberba da costa e da Oriental Pearl TV Tower. Arquitetura e ambientação do início do século XX mais as notas de uma orquestra de jazz no térreo como uma máquina do tempo transportaram-nos para cem anos atrás. Tudo era perfeito, mas eu continuava taciturno e pensativo. As duras palavras que tinha ouvido do Dreamer naquela noite eram apenas um prelúdio; sabia que a parte mais espinhosa daquele encontro estava ainda por vir.

O diretor acolheu-nos como hóspedes de honra e acompanhou-nos pessoalmente à mesa, assistido por dois impecáveis garçons. O maître parecia conhecer o Dreamer muito bem. Seu comportamento, as informações que fornecia sobre o andamento da noite, as atividades do restaurante e do hotel, mais outros indícios que percebi à entrada sugeriram-me que o Dreamer fosse mais do que apenas um cliente tido em alta consideração.

Eu estava nervoso. Desejei que aquele diálogo se prolongasse, que o maître se detivesse um pouco mais, para adiar o máximo possível o momento em que ficaria sozinho com o Dreamer. Sua expressão era terrivelmente séria quando iniciou o tema: *Cada aspecto da vida de alguém, cada decisão, cada escolha corresponde ao seu grau de responsabilidade interior... É isso que determina seu papel no mundo e lhe confere o destino que merece.*

No Kuwait estavam-se criando as condições para sua passagem a uma faixa mais alta da existência... mas a um homem como você, ainda vítima de dúvidas e medos, a oportunidade apresentou-se como uma ameaça mortal.

Aparentemente você desistiu. Acreditou estar escolhendo uma via mais simples, uma vida mais tranquila. A verdade é que você não estava preparado para aproveitar aquela oportunidade que lhe ofereci! Seu olhar tornou-se ainda mais severo. *Seu nível de responsabilidade não podia abrigar aquela prosperidade. Pessoas como você se assustam com a liberdade. Pela enésima vez, o mundo da dependência tragou-o e lançou-o no círculo mais escuro da existência, fazendo-o repetir os desastres do seu passado.*

"Se você já sabia que eu desistiria, por que...", esbocei, sem conseguir completar a pergunta. Um nó me apertava a garganta.

Foi o único modo de fazê-lo entender que nada pode ser doado! Uma pessoa deve pagar por tudo aquilo que recebe. E o pagamento acontece no ser.

Um ser humano pode ter somente aquilo que sua visão consegue enxergar, pode possuir somente aquilo pelo que é responsável.

A lição que se seguiu foi um marco no meu aprendizado. *Nada é externo*, reafirmou. Sua voz vibrava rouca e grave. *Um ser humano não preparado, ainda que temporariamente favorecido por um evento ou por uma circunstância externa, é atirado na antiga pobreza, caso o ter exceda seu nível de ser.*

A riqueza, o bem-estar e a qualidade da vida, seja de uma pessoa, seja de uma nação ou de toda uma sociedade, não dependem da disponibilidade e da abundância dos meios e dos recursos materiais, mas da amplitude daquele ser, ou dos seres que integram aquela sociedade ou nação. O modo de sentir, de pensar e de agir, a altura das aspirações e a profundidade das ideias, aquilo em que creem e sonham decide seus destinos.

Seja um Rei e um reino lhe será dado, anunciou, registrando aquela lei em cada fibra do meu ser. *A realeza do ser precede sempre o nascimento de um reino.*

O Kuwait foi uma prova para medir sua responsabilidade, para fazê-lo ver de perto como o medo cria o inferno no mundo dos eventos. É o medo que faz você depender de um emprego, de uma mulher, de uma droga... É o medo que faz você acreditar que um salário possa protegê-lo, dar-lhe segurança.

Quem não conhece a si mesmo, quem não é senhor dos seus estados, não pode fazer nem por si nem pelos outros.

Uma pessoa pode escolher somente a si mesmo! Sua condição de apaixonado é ainda uma forma para fugir da responsabilidade. A mulher que você acredita amar é, também ela, uma refração da sua propensão a depender.

Deveria já saber, naquela altura, que a imediata e total aversão que eu sentia pelas ideias do Dreamer era o sinal mais seguro da sua eficácia em devastar meus esquemas mentais, em fazer ir pelos ares ideias obsoletas e programas ruinosos. Apesar disso, em todas as vezes eu resistia, rebelava-me àquela intolerável pressão que sentia ao Seu lado e que esmagava cada centímetro quadrado do meu ser.

O Dreamer tinha sempre razão. Seguindo-O ou recordando Seus ensinamentos era impossível fracassar, errar, prejudicar-se, sair do caminho. É difícil imaginar quão insuportável é a sabedoria do Grilo Falante para um Pinóquio que já decidiu permanecer de madeira.

Naquela noite, Suas palavras foram ainda mais perturbadoras, demasiado revolucionárias para poder sustentar o peso e a imensa energia que continham. A aceitação e a compreensão de ideias de ordem superior são sempre uma operação dolorosa para quem não está pronto e não quer entender. Mesmo apenas ouvi-las já requer ampliação do espaço psicológico, aceleração do pensamento, mudança nas convicções e nos hábitos arraigados. Em todas as vezes, eu me via absolutamente despreparado para recebê-las e fazê-las minhas. Em todas as vezes, a filosofia do Dreamer chegava a me parecer não somente contrária a tudo aquilo em que sempre acreditei, mas blasfema, uma verdadeira e total transgressão às leis naturais consagradas pela história e pela razão. Suas ideias abriam diante de mim um sorvedouro que colocava de cabeça para baixo minha visão do mundo e descobriam uma passagem venturosa a uma espécie nova que não tinha mais nada em comum com a velha humanidade. Nos momentos de graça, quando a compreensão finalmente conseguia abrir uma fresta de luz no ser, eu reconhecia que a direção indicada por Ele era absurda, porém necessária, terrível, contudo maravilhosa, sofrida, mas tão feliz quanto o esforço do salmão que sobe o rio em direção à própria origem. Atrás de Sua linguagem paradoxal, sobressaía uma revolução psicológica, uma revolução do indivíduo, tão grandiosa quanto um êxodo, tão visionária e épica quanto a ação de Espártaco.

Apaixonar-se

O Dreamer retomou a conversa referindo-se ao meu relacionamento com Heleonore e a essa minha enésima tentativa de reconstruir uma família. As primeiras frases que escolheu e a entonação que usou confirmaram meu temor: ouvir o que Ele estava por dizer não seria nada agradável, tampouco fácil de aceitar.

Admitir a filosofia do Dreamer, abrir espaço às Suas ideias, nunca foi fácil ou confortável. Mas agora que estava tocando num tema dos mais espinhosos, sentia os suportes da minha obstinação reforçarem-se e as antigas defesas erigirem-se ainda mais intransigentes como consequência do meu apego. Receava que pedisse para me separar delas. O meu aprendizado encontrava-se em um ponto crucial.

Na obscura floresta das minhas inquietudes, as palavras que me chegaram soaram ainda mais duras e aterradoras, como uma tuba na profundeza de uma gruta: *O medo e sua inclinação à dependência fazem-no agarrar-se a tudo aquilo que você encontra, como aconteceu com essa mulher. E mente a si mesmo acreditando-se apaixonado...*

O Dreamer conversou comigo longamente. Algum átomo de compreensão penetrou entre as escamas da couraça e mudou a minha atitude. Imperceptivelmente, até o tom do Seu discurso adoçou-se, ainda que conservasse na voz a inicial severidade.

Revelando-me o verdadeiro significado daquela alteração do ser que os homens chamam *apaixonar-se* e colocando a descoberto a armadilha mortal que esconde, lapidarmente disse: *Atrás de qualquer estado de paixão existe uma queda*. No olhar vi o sinal da advertência que queria me fazer, reforçado pelo tom de Sua voz: *E atrás de cada queda há uma culpa*.

Apreendi que a denúncia dessa ameaça, o indício da queda iminente atrás do ato de apaixonar-se está presente nas mais diversas culturas. Expressões idiomáticas como "to fall in love" ou "tomber amoureux" são usadas por milhares de pessoas sem que ninguém seja capaz de escutar seu grito de alarme. Este, debaixo do nosso nariz, agita um sinal de perigo que ninguém mais se apercebe. O Dreamer foi além, aprofundou aquela análise ao afirmar que apaixonar-se por alguém ou por alguma coisa não é uma advertência, mas a queda em relação à condição de amar.

Nada é externo. O mundo, os outros... são você mesmo distribuído no tempo. Amar alguém é amar um fragmento de si... significa diminuir-se... significa fragmentar-se.

Para o Dreamer, amar alguém fora de si é comparável à tentativa de transferir o oceano para um copo ou à pretensão de enxugar toda a água do mar com um punhado de areia.

Amar (a-mors) significa ausência de morte. Amar significa amar-se dentro, eliminar de si qualquer forma de autossabotagem. Acrescentou que isso só pode acontecer intencionalmente. Para o Dreamer, *amar-se* dentro pode ser somente a expressão de um verdadeiro e exato ato da vontade.

Somente a integridade pode amar e somente a totalidade do ser, em toda a sua magnificência, pode conter o amor.

"Um homem que alcançou a integridade não poderá ter uma companheira, filhos, uma profissão, uma vida social, relacionamentos, amigos?", perguntei, angustiado por aquela perspectiva para a qual me sentia sem preparo algum.

Sim, mas não se esqueça nunca de que tudo aquilo que acontece fora de você é apenas uma representação cênica, o filme do seu ser que, pela sua grandiosidade, não pode viver senão no interior de você mesmo.

O outro... os outros... o mundo... são a sua imagem refletida... um copo de água... um punhado de areia.

Para o Dreamer, amar a si mesmo é o único amor possível. Amar a si mesmo é a arte suprema. Amar alguém fora de si é uma idolatria que encontra o auge da sua expressão na sexualidade.

Na escolha de um companheiro, como em inúmeros momentos em que se deve dar uma direção à própria vida, o ser humano é constantemente influenciado pelo sexo. O tom pacato desse preâmbulo acrescentou intensidade ao seu discurso. Agucei ao máximo minha atenção.

A humanidade pôs o sexo no centro da sua existência, sem nem ao menos intuir que é apenas um distante brilho de um êxtase esquecido: a unidade do ser.

Prosseguiu dizendo que o sexo, assim como a comida e o sono, exige um atento comando, uma capacidade de gestão que os seres humanos esqueceram. A atividade sexual, que deveria servir como disciplina, uma tecnologia a serviço da humanidade para alcançar a unidade do ser, foi distorcida. Quem entrou em outras zonas do ser usa a sexualidade como propelente a serviço da integridade.

Continuou afirmando que essa inteligência foi perdida. A função sexual foi degradada até se tornar uma atividade efêmera, que nos deixa ainda mais insatisfeitos, ainda mais incompletos, ainda mais distantes daquela condição de completude que é direito de nascimento de todo ser e que dela abdicou.

Nunca antes, nem de longe, tinha pensado no sexo sob essa perspectiva que o Dreamer colocava diante de mim e deixava-me sem ar. Imagens em uma sequência muito rápida alternaram-se na minha mente. Vi a humanidade aferrar-se aos relacionamentos sexuais, afanar-se nas alcovas. Observava essa planetária ocupação dos seres humanos com o distanciamento de um etólogo que estuda o comportamento sexual de uma espécie zoológica, seus rituais de aproximação, suas técnicas reprodutivas. Tive por um instante a exata percepção do estado de degradação no qual caímos e da distorção que, em nós, sofreram funções e órgãos, criados para receber mensagens, sinais da unidade do ser. Na visão do Dreamer, o sexo é um fio de ouro para nos permitir encontrar pistas e percorrer o caminho de volta em busca da nossa integridade perdida.

Uma humanidade fragmentada distorceu essa função, transformando o relacionamento sexual com o companheiro numa dependência e a sexualidade num pretexto para esquecer e depender. Senti-me imensamente sozinho, como um ser alheio, testemunha escolhida para sustentar a visão daquela arfante busca de integridade, de completude, destinada a falir, porque não guiada pela vontade e pela inteligência. Uma busca condenada a perpetuar um infrutuoso resultado, por ser a impossível tentativa de um ser que deseja amar fora antes de amar-se dentro.

Via aqueles amplexos acenderem-se e apagarem-se, rápidos como um bater de olhos, insignificantes como espirros, e todas as vezes concluírem-se com uma nova desilusão, com uma outra pequena morte. Via renovar-se nos humanos aquela expectativa de felicidade, aquela busca de integridade destinada a ser sempre traída e falida, sem fim. Sobre a tela da mente apareciam imagens de prados congelados. Vi a corrida mortal de renas que perseguem aquela fragrância de almíscar que as enlouquece e em vão a buscam fora de si. Por um destino infeliz, não saberão jamais que aquela essência que as inebria é produzida por suas próprias glândulas.

O ser humano procura a felicidade, o amor fora de si, disse, interrompendo o fluxo daquelas imagens e penetrando naquele ponto dos meus pensamentos, *mas a viagem do filho pródigo não é externa... é uma aventura interior, é a viagem de retorno à unidade do ser.*

O homem tenta incessantemente a reconquista da sua integridade. Junta-se à mulher, que é parte de si, criada de uma costela sua, para reaver aquele estado de unidade interior, seu paraíso perdido.

Depois, com o tom de um juízo inapelável disse: *Na álgebra do ser, duas metades não formam uma unidade, mas uma incompletude ao quadrado! Um verdadeiro sonhador exprime-se na totalidade. Não há espaço para um mundo incompleto.*

Eu sou você

"Mas se tudo aquilo que acontece é uma criação, uma projeção minha, então Você... quem é?"

Eu sou você!, disse inesperadamente, cunhando uma expressão que seria impressa a fogo na minha mente. *Eu aconteço dentro de você.* O mundo ruía debaixo dos meus pés. Nada era como antes nem jamais tornaria a ser.

Notando a minha expressão de estupefação, o Dreamer acolheu-me, diminuindo a distância entre nós, e disse: *Você me vê fora de você porque Eu estou em você... Tudo aquilo que você vê e toca, dos insetos às galáxias, está em você... ou não poderia nem vê-los nem tocá-los.*

Tive uma vertigem. As têmporas pulsavam como batidas do coração. Alguma coisa de insólito estava acontecendo... algo estava crescendo, forçava espaço em meu interior, como um ser cuja gestação tivesse sido acelerada em ritmo vertiginoso.

Tudo está interligado. Nada está separado. Se você pudesse transformar um único átomo do ser, seu menor pensamento, um hábito, uma atitude, uma inflexão da voz... essa mudança explodiria em todo seu ser e seu universo mudaria para sempre... Mas transformar esse único átomo no ser é como engolir oceanos ou movimentar montanhas no mundo dos eventos.

Na Sua voz vibrava uma nota de aflição pela amargura de um tema que se referia à raiz da condição do ser humano e à razão da sua infelicidade.

Se mudar um átomo de nós mesmos exigia o esforço que permite movimentar uma montanha, o pensamento retrocedia diante do abismo de anos que teriam sido necessários para que nossa humanidade se transformasse. Para reconduzir aquela distância a proporções humanamente concebíveis, objetei que, pelo menos na minha história, não faltaram arriscadas mudanças de rota e grandes perturbações, isto é, muito mais que um átomo tinha se modificado em minha vida desde quando O havia encontrado. Com efeito, nos últimos anos, várias vezes havia trocado trabalho, companheira, país, e várias vezes mudado de atividade e a família para outro continente antes de chegar ao Kuwait e finalmente encontrar-me ali, em Xangai.

São mudanças apenas aparentes, respondeu o Dreamer. *Na existência de um ser comum, na verdade, nada muda. Seu passado torna-se seu futuro. Tudo na sua vida denuncia sua incompletude.* Sua voz retornou firme e severa. *O ser tem medo de qualquer mudança que possa levá-lo ao abandono da trilha confortável e mortal da repetição.*

Além da ilusão de mudar, também na sua vida tudo se repete, tudo é sempre igual a você mesmo.

Suas tentativas de refazer uma família, as mulheres que você escolheu, assim como as funções que você ocupou, as casas em que morou, os amigos que teve foram sempre, e de qualquer modo, o reflexo da sua rigidez... manifestações evidentes, acima de tudo, da restrita faixa de existência na qual você confinou sua vida.

Existem mundos paralelos ao seu os quais somente o sonho pode penetrar.

Se não há nada neste momento que o satisfaça, isto se deve ao estado do seu ser. Você nunca conseguirá aquilo que você quer enquanto permanecer assim.

Você primeiramente tem de mudar a si mesmo para conseguir uma nova compreensão, um novo entendimento, uma nova vida e consequentemente conseguir atrair acontecimentos de um grau superior.

Mudar a si mesmo significa antes de tudo libertar-se de si mesmo.

Para nascer em um nível superior, você tem de morrer para o nível inferior.

Eu estava confuso. O Dreamer percebeu a minha dificuldade e esperou. Eram fachos de luz apontados para zonas desconhecidas do ser, flechas que perfuravam meus órgãos e geravam uma dor insuportável.

O passado, que eu havia imprudentemente evocado, agora me sufocava. A morte de Luisa e toda a infelicidade das minhas relações, as brigas, as incompreensões, as traições de toda uma vida estavam vindo à tona, cada uma com sua porção de fel.

Luisa tinha sido o ímpeto e a inconsciência dos vinte anos, queimados como uma vela acesa pelas duas extremidades. Jennifer, eu a reconhecia como a personalização da minha vaidade, possessividade e medo da vida. Gretchen foi a projeção da minha agressividade, da traição que sempre esteve ali, escondida atrás de cada olhar, atitude ou palavra. Era verdade. Cada uma daquelas mulheres foi a seu tempo a imagem especular das minhas condições. O Dreamer tirou-me dessas reflexões. *Aquelas mulheres chegaram para tornar fisicamente visível, para denunciar aquilo que você não quis nunca descobrir em si mesmo.* O tom era extraordinariamente doce, e senti angústia diante do novo desafio: o que eu deveria descobrir escondido atrás dessa minha última condição, a de apaixonado, atrás da minha mais recente *queda.*

Uni-verso. *Verso* o *uno*

Ficamos alguns minutos em silêncio. Da nossa mesa podíamos apreciar uma vista extraordinária do rio. O perfil de aço da Oriental Pearl TV Tower sobressaía luminoso como um cometa sobre o fundo da noite e do chuvisco de luzes da distante zona de Pudong.

O restaurante do Peace Hotel nesse meio-tempo lotou. Sua atmosfera *démodé* foi acentuada pelos trajes dos clientes, na maioria casais que pareciam saídos de uma foto do início do século passado.

O Dreamer estava agora abrindo um novo tema, um dos mais cruciais daquele encontro. Fez uma pausa para permitir aos garçons a retirada dos pratos. O do Dreamer estava intacto. Dei-me conta de que, empenhado em escrever o que dizia, também eu quase não havia tocado na comida.

O Projeto está esculpido em caracteres imortais na própria palavra universo, disse, retomando a fala. Evidenciou como, há inúmeras gerações, o ser humano pronuncia a palavra *universo* sem perceber a extraordinária potência que uma inteligência epônima escondeu no seu significado, como uma espada invisível na sua bainha.

Uni-verso. *Verso* (em direção a) o *uno*. O sentido da existência, a direção do mundo, dos eventos e dos homens, do tempo dos tempos foram revelados, anunciados e colocados ali, sob os nossos olhos. Aquela mensagem cósmica, tão antiga quanto as estrelas, potente como a energia compri-mida de milhões de sóis, simples como a verdade, tinha atravessado éons de tempo e todavia somente poucos entre poucos a haviam entendido.

Em todas as tradições religiosas e sapienciais das civilizações de todos os tempos, sempre esteve presente uma mesma mensagem de integridade, e nasceram daquela irreprimível atração pela unidade do ser que ainda as faz vibrar. Naquele voo do Dreamer, vi o tecido conjuntivo de seres e nações, a espessa trama de ideias, filosofias e visão atravessadas por um fio de ouro que as unia além do tempo e do espaço, independentemente de qualquer diferença de cultura, raça ou geografia.

O monge, de monos, é um ser solitário em direção ao Uno, à unidade; um ser em busca da sua integridade, afirmou. A sombra de um sorriso que Nele antecipava uma argúcia desenhou-se em Seu rosto quando acrescentou: *É um ser em construção. À porta de sua cela poderia estar escrito 'Em obras'... O hábito e a disciplina que escolheu estão a serviço do seu objetivo de se tornar um indivíduo.*

Explicou-me que indivíduo deriva de indivisível e indica a direção do ser humano à unidade. É uma condição rara. Somente poucos dentre poucos, por meio de um estrênuo trabalho sobre si mesmo, conseguem-no e tornam-se legitimamente *indivíduos*. A menção era muito direta para que eu não percebesse a amargura daquela comparação que me colocava em circunstância tão desfavorável. Aqui estiveram e aqui existiram homens determinados, investigadores incansáveis da própria integridade. E eu, onde estava? Inutilmente teria procurado meu rosto naquele pequeno exército de corajosos, de loucos luminosos, que em todas as épocas procuraram e empregaram esforços sobre-humanos para sair da condição ordinária. E eu, o que havia feito para sair dos sulcos da minha existência, para merecer um destino individual, uma grande aventura pessoal?

Fiz um exame veloz de consciência e estendi rápido sobre minha vida um véu piedoso. Então, na minha mente explodiu, com todo seu esplendor, a grandiosidade do segredo escondido atrás de dois humildes contos, passados quase inobservados por dois mil anos. Duas histórias imensamente potentes, metáforas imortais disfarçadas de fábula: a parábola do pastor que deixa as noventa e nove ovelhas para procurar aquela extraviada! E a outra, a da moeda de prata perdida pela mulher que, tendo-lhe restado nove, varre e revista cada canto, empenha-se e não desiste de procurá-la enquanto não a encontra. Aquelas histórias fundamentais estavam se revelando guardiãs milenares de uma mensagem de integridade. Contêm vivas e para sempre a lembrança do *projeto* e o segredo da incessante tensão do homem em direção àquela assíntota universal que é a unidade do ser. É esse o alcance máximo, o alvo a atingir e a própria razão da nossa existência neste planeta.

No paraíso não pode entrar nem mesmo um grão de inferno, sintetizou poderosamente. *Para um indivíduo vertical, a perda de um só átomo da sua integridade significa perder tudo. Ele não fica em paz enquanto não restabelece a própria completude.*

Adicionou que *santo*, em seu significado mais profundo, além dos dogmas eclesiásticos cristãos, significa *são*, curado. Santo é, portanto, um ser íntegro, inteiro, que elegeu a completude, a unidade do ser como objetivo de sua vida; é um ser vigilante em relação aos seus estados e às suas emoções, porque sabe que o menor desvio da totalidade de si mesmo o precipita aos infernos da pequenez e da mediocridade.

Toda iconografia sagrada de que eu podia me lembrar passou pela minha mente e fez-me reviver o estupor que eu sentia quando, criança, observava as cabeças dos santos circundadas por uma coroa de luz. Relegados à penumbra dominada pelo odor das velas, em igrejas sem vida ou nas ascéticas salas de museus ou galerias, eu os tinha sempre visto como homens do passado, seres patéticos, anacrônicos, retrógrados. Somente agora eu podia ver toda a ignorância e o disparate de um imaginário coletivo que projetou nos santos o próprio sofrimento, a própria derrota, uma multidão que absurdamente deposita a fé num aspecto miraculoso *fora de si*.

Fora de si é a verdadeira loucura, o mal dos males do qual a humanidade deverá curar-se.

Na verdade, santos eram os homens e as mulheres que tinham simplesmente ousado *acreditar em si mesmos*; pessoas comuns que, sabedoras da própria incompletude, fizeram a viagem de retorno à integridade perdida.

O rei é a terra e a terra é o rei

Isto é Economia!, afirmou inesperadamente o Dreamer, irrompendo entre aquelas reflexões repletas de recordações, antes de se transformarem em melancolia. Por alguns instantes, suspensa no ar restou somente a visão de um exército de homens e mulheres vitoriosos, sem auréolas ou louros, sobre o fundo de uma epopeia sem tempo. Essa imagem desapareceu soprada pela brisa de novas palavras: *Sem indivíduos, sem a vontade deles em ação, não há nem proveito nem progresso, não há negócios nem riqueza. Eles são o sal da terra. Grandes impérios políticos e fortunas financeiras se desmontam e se desintegram caso eles faltem.*

Repentinamente encontrei ali a solução de um enigma que há anos atormenta os estudiosos de Economia e que os centros de pesquisa das universidades e das escolas de Economia de meio mundo estão tentando resolver. As empresas do planeta morrem jovens. Suas existências revelam-se sempre mais precárias, e a vida média foi progressivamente sendo reduzida a uma duração efêmera. Também os gigantes da Economia e das Finanças não vivem muito, haja vista que a metade das empresas que vinte anos atrás eram classificadas entre as cinquenta maiores do mundo hoje não existem mais.

Agora eu entendia que essas corporações eram a projeção do líder incompleto. A única verdadeira razão dos seus prematuros desaparecimentos era a ausência de homens e mulheres íntegros. Teria bastado um para esconjurar a perda de imensos patrimônios de conhecimento, de homens e de meios, ou a dissolução de civilizações inteiras. Pensei em onde estaria Roma sem Cipião e, mais tarde, César; e o que teria sido da maior multinacional do mundo sem um executivo do calibre de Francisco de Assis! Homens íntegros, sadios... Quem os estava preparando? E onde?

A voz do Dreamer veio me buscar na zona daquela reflexão. *O rei é a terra e a terra é o rei*, declamou, reatando meus pensamentos ao *sonho*. *Uma pirâmide organizacional é ligada ao alento de seu líder. Um fio de ouro solda a sua imagem e seu destino pessoal àquele da sua organização e dos seus homens. Seu ser corpóreo coincide com sua Economia, como foi para os antigos soberanos.*

O Dreamer conectou-se à tradição chinesa clássica e eu O seguia com máxima atenção enquanto me contava que, nos momentos de maior dificuldade para o império, como uma carestia ou uma invasão inimiga, o imperador chinês, o filho do céu, retirava-se aos aposentos internos do palácio para encontrar as portas do Todo. Imóvel, endereçado ao sul, com suas virtudes supra-humanas, provia a que todo o império permanecesse harmonizado com o Decreto do Céu. Ele sabia que as dificuldades a enfrentar revelavam uma perda de integridade sua. Era consciente de que a batalha era antes vencida interiormente. Para aquele homem, naquele nível de responsabilidade, não existia separação entre a própria integridade e a do império. Vencer a si mesmo, reintegrar a unidade do ser, era a real vitória. Somente então chegava à solução, efeito e medida do seu grau de impecabilidade: manifestar-se-ia pela chegada de um exército aliado ou pela desagregação do exército adversário, por lutas internas, intempéries ou carestia.

Com o Dreamer, senti viva e palpitante a inteligência que sempre percorreu a história das civilizações, das mais antigas tradições até a moderna história da Economia. Do império chinês ao império da comunicação de massa de Maxwell, de Walt Disney ao reino de Artur, pelos séculos ressoa uma mesma e imutável lei: *Quando o rei adoece, a terra adoece. Porque o rei é a terra e a terra é o rei.*

Também a histórica declaração de Luís XIV surgia-me, agora, sob a luz de uma nova inteligência. *L'Etat c'est Moi*[41] não era o grito de um déspota, não era a afirmação de uma soberania sem limites, como por séculos se pode ter acreditado, mas a consciência de um homem de perfeita correspondência entre seu destino pessoal e o de milhões de seres, de todo um império.

Um líder, alguém com responsabilidade, seja homem, seja mulher, dedicado aos negócios, sabe que seu destino financeiro, a longevidade e o sucesso de seus empreendimentos e até mesmo a sua saúde física estão diretamente ligados ao seu grau de integridade.

A condição para se transferir de um mundo dividido a um mundo unido é uma só! Existe uma coisa que devemos necessariamente abandonar... A breve pausa que se seguiu me pareceu interminável ... *o sofrimento.*

"Não deveria ser tão difícil", afirmei rapidamente. "Quem não aceitaria?"

E ainda assim, para o ser humano comum é exatamente este o impossível, disse o Dreamer. *Veja o seu caso. Você gostaria de renunciar ao sofrimento, mas isto exigiria a renúncia de um mundo feito de lutas, conflitos, divisões, que é o seu mundo, o único mundo que você conhece.*

Somente quem conhece a si mesmo pode descobrir que nada está fora de si... que ele é solitário no Universo, o único responsável pelas situações em que se encontra e por tudo aquilo que lhe acontece.

Aqui o Dreamer endireitou as costas e lentamente estendeu o pescoço para cima, como para se aproximar em alguns milímetros do céu. E disse: *Para poder atrair algo de miraculoso, para poder dar concretude ao impossível, um homem deve elevar-se no ser, aproximar-se daquela condição de unidade, de integridade, que é seu*

---

41. O Estado sou Eu. (N. T.)

direito de nascimento... *É a parte mais verdadeira, mais concreta de cada um de nós: o sonho.*

O Dreamer fechou os olhos e disse: *O sonho é a coisa mais real que existe... Tudo aquilo que vemos e tocamos e tudo aquilo que não vemos, dos átomos às galáxias mais distantes, não são outra coisa senão o reflexo do nosso sonhar.*

A realidade é o *sonho* mais o tempo

A finalidade do nosso futuro é tornarmo-nos um. Quando dentro de cada um ocorre essa unificação, quando alcançamos esse estado de integridade, somente então surgem as condições para ser tocado pelo sonho.
A realidade é o sonho mais o tempo.

Registrei esse aforismo como uma equação: S + t = R. Dessa forma, eu um dia haveria de comunicá-la aos estudantes da European School of Economics – ESE, transmitindo a inteligência dessa visão e o segredo da imensa energia compreendida na sua fórmula.

Tudo se origina do *sonho*. Tudo aquilo que vemos e tocamos, todas as coisas visíveis nascem no seio do invisível. O tempo o revela. Este é o ponto máximo e o significado essencial do pensamento do Dreamer, o esteio da Sua sólida, coerente e incontestável filosofia, que veio a alimentar as raízes da futura universidade e forjou nela o lema: *Visibilia ex Invisibilibus.*

Sonhe... sonhe... nunca pare de sonhar... Voe!... e não pare jamais, incitou-me fortemente. *A realidade seguirá...*

Com esta exortação, o Dreamer pareceu concluir aquela minha segunda jornada com Ele em Xangai.

Estávamos somente nós no restaurante. Até a orquestra de jazz do saguão já tinha parado de tocar. Da nossa janela, o Oriental Pearl TV Tower exibia-se como um imenso míssil luminoso sobre a rampa de lançamento, pronto a devorar o espaço.

Sonhe... Sonhe sem parar... a realidade seguirá!

"Por que, em toda a história do mundo, foram tão poucos os seres humanos com um *sonho*?", perguntei.

Para alguém ser tocado pelo sonho, ele deve ter alcançado a unidade do ser, respondeu o Dreamer. Recordo-me que aquela expressão me tocou profundamente. *Somente um indivíduo íntegro, indivisível pode sonhar intencionalmente e perceber que o sonho é a coisa mais real que existe.*

"E quem não sonha?", continuei, já certo da enorme quantidade daqueles que não seriam aceitos no restritíssimo clube dos sonhadores.

Todos os homens sonham, todos têm o poder de criar o próprio mundo, mas somente poucos são conscientes e sabem que o sonho é potente... tem a força de enriquecer cada coisa em torno de si, ou de alimentar o pesadelo do mundo.

Somente poucos dentre poucos, por intermédio da vontade e da própria impecabilidade, podem sonhar um mundo perfeito e concretizá-lo. É a condição do guerreiro, do herói, do indivíduo que ama.

O *sonho*, na visão do Dreamer, ocupa o vértice na escala do real como a coisa mais concreta que existe, aliás como a própria condição da concretude.

Eu sentia a mente ser assediada. Centenas de perguntas se sobrepunham e se amontoavam exigindo uma resposta. Antes que pudesse abrir a boca, o Dreamer antecipou-se, interrompendo-me com a mão em um gesto decisivo.

A vontade, você não pode encontrá-la no mundo, disse com um tom de quem prové uma informação definitiva. *A vontade existe somente em você... mas está sepulta. É preciso desenterrá-la.* Não adicionou mais nada e me concedeu alguns minutos para eu completar minhas anotações e refletir sobre Sua última afirmação.

Depois, referindo-se à questão da impecabilidade, definiu-a como a capacidade de ser univocamente apontado na direção do próprio *sonho*, sem jamais ceder, sem *pecar*. Um ser que tem constantemente presente seu sonho não pode ser corrompido... Tudo na sua vida é impecavelmente focalizado na sua grande aventura.

Observei que essa condição me parecia um tanto quanto difusa.

"Aparentemente, todos os homens fazem esforços", argumentei com a estratégica intenção de forçá-lo a falar-me mais sobre aquele tema tão apaixonante. "Todos, ou quase todos, tentam melhorar a própria vida, fazem projetos, programações, são empenhados em conseguir os seus objetivos..."

O Dreamer esclareceu-me a diferença entre *sonhar e programar*. Os homens que alimentam um sonho não têm dúvidas, não sentem incertezas ou medo. Toda vez que dirigem suas mentes aos seus sonhos, sentem renovar o entusiasmo, entram num estado de liberdade, porque o sonho é ligado à vontade, é a *verdadeira* vontade. Por outro lado, quem tem uma programação, quem se propõe a algo por intermédio de um planejamento, toda vez que pensa naquele algo sente a ansiedade assaltá-lo e sucumbe como presa do medo e das dúvidas.

O medo e a dúvida são o câncer do sonho, afirmou laconicamente, cunhando mais uma de Suas máximas potentes e impiedosas. Diante da sua pausa, aproveitei para ordenar as anotações que já cobriam páginas e páginas do meu caderno. Até que, entretido naquela ação, assustei-me com o som de Sua voz:

As pessoas trabalham, planejam e acumulam com uma força e uma energia que você poderia chamar de tenacidade, mas é só medo... Descargas de adrenalina, como tempestades elétricas, continuamente atravessam chispando o universo escuro de suas células. Estes homens e mulheres parecem seres vitalmente empenhados, idealistas convictos ou empresários determinados, mas na realidade são pessoas leais à morte e atentas à folha de pagamento.

Eu escrevia e devorava o branco das páginas. Sentia a preciosidade da substância que Suas palavras e Sua presença produziam. Senti-as enriquecerem o ar e viajarem incansavelmente até os ângulos mais remotos do planeta, até as dobras mais escondidas do ser de cada pessoa, para abrandar as feridas, dispersar as sombras. Eu estava perturbado. Uma emoção incompreensível, uma espécie de pranto, gentilmente pressionava os limites do ser e fazia vibrar cada fibra. Levantei a cabeça do caderno e vi Seu rosto aproximar-se levemente do meu.

Trabalhe por um ideal. Coloque-se a serviço da humanidade que sonha, que aspira, que pede!, disse. As palavras que se seguiram não poderia mais esquecer nem evitar. *Procure constantemente aperfeiçoar a si mesmo. Tente sempre aumentar sua compreensão. Pague antecipadamente sua existência. Ajude os outros nos seus esforços se houver um sincero pedido.*

Este trabalho deve fazê-lo você, a partir do interno. Não posso mais fazê-lo em seu lugar. Tentei o impossível... fui contra a inflexibilidade do seu destino, que já o havia condenado, para dar-lhe uma oportunidade, para fazê-lo sair da sua condição.

Somente alguém que ama pode ser livre e somente um ser livre pode amar. Liberdade e amor são as duas faces da mesma realidade.

A inesquecível lição sobre a dependência, o apaixonar-se, e a última, sobre a unidade do ser iniciada no Peace Hotel encontravam seu epílogo sobre a orla do Bund naquele discurso que agora ecoava tão forte quanto o grito de uma grande revolução.

Peça para se tornar um dia o Dreamer, aconselhou-me com firme docilidade, e acrescentou: *De todos os possíveis destinos, é o maior! Peça para se tornar o inventor, o criador do seu universo... Então o mundo obedecerá a cada coisa que você lhe ordenar e dará a você tudo o que você desejar.*

Fechei os olhos. Pareceu-me que o céu de Xangai fosse atravessado pelo mais luminoso e auspicioso dos cometas. Tive a certeza de que aquele desejo podia ser satisfeito; bastaria exprimi-lo com sinceridade! "Agora ou nunca!", pensei. Não teria uma segunda chance. Mas continuava paralisado.

O Dreamer, e com Ele o mundo inteiro, parecia à espera, suspenso pelo fio sutil da minha intenção. Nunca antes tinha percebido com tanta clareza que tudo dependia de mim e que até o Dreamer existia por mim.

O trabalho de anos, o longo aprendizado e todos os esforços especialmente realizados tinham servido para me conduzir ali, àquela crucial encruzilhada. E agora, finalmente, a grande tarefa para a qual havia tanto tempo me preparado começaria... ou permaneceria no limbo dos mundos possíveis. Era hora de levantar voo. Às margens daquele abismo sem retorno, eu hesitava. Sentia sobre mim Seu olhar, que traduzi como um misto de ânsia e esperança. Então soube, com absoluta certeza, que Ele era o único ser no mundo que havia verdadeiramente me amado. Senti as lágrimas irresistíveis e os olhos intumescerem-se na tentativa de recolhê-las e contê-las. Depois, o mundo se velou e tive de parar de escrever.

Ser tocado pelo *sonho*

Desde que O havia encontrado, incessantemente o Dreamer me estimulava a ampliar a visão, a modificar minhas atitudes e com isso o meu destino. *Atitudes e eventos da vida são inseparáveis. A atitude é o evento.* Estrategicamente, eu havia usado cada ocasião, criado eventos, encontros e circunstâncias para acelerar minha passagem para uma faixa mais alta da existência. Com a oportunidade de comandar uma empresa no Kuwait, emerso no papel de um empresário internacional, o Dreamer havia acompanhado aquele propósito evolutivo que encontrava força e origem na minha promessa. O que havia acontecido no Kuwait tinha sinalizado uma brusca freada e constituído-se em um sério deslize em direção aos mais baixos estados do ser. Diante de um abismo, tudo se transforma em pretexto para voltar atrás, para não voar: Heleonore, as crianças, uma doença, a casa...

Mas agora eu não podia mais esconder isso nem mentir a mim mesmo. No Kuwait, pela enésima vez tinha escapado diante de uma passagem a um grau superior de responsabilidade, de compreensão! Traí a parte mais elevada de mim. Heleonore foi somente um pretexto.

O próximo passo é sempre desconhecido e invisível. A passagem a estados superiores é sempre um salto no escuro, no vazio. Para cumpri-lo, você deve morrer para tudo aquilo que foi até hoje.

Percorrer mesmo que um único milímetro no ser é um salto mortal, um salto cósmico que somente poucos podem dar, disse o Dreamer, entrando naqueles pensamentos e compreendendo a verdadeira essência da minha condição. *A verdadeira diferença entre dois seres é a amplitude do sonho de cada um. Um ser constantemente preocupado com sua sobrevivência, que pensa somente em si mesmo – aliás, um falso si mesmo, porque não se conhece –, não pode ser tocado pelo sonho.*

Somente alguns anos depois, por ocasião de uma viagem à Macedônia, sobre o monte Olimpo descobriria que para o ser humano, assim como é, para os egoístas, os gregos antigos haviam cunhado o termo *idiotes*. O idiota era, para os gregos, o oposto do demiurgo, do líder, de quem faz pelos outros.

Um empresário, atrás da aparente busca de lucro, de ganho, mais profundamente de quanto ele mesmo possa saber, está a serviço de um Projeto. É já um ser que faz pelos outros seres, sabe que o aperfeiçoamento deles é o seu sucesso. Sua vida é dedicada. Não tem escolha. Como capitão de um antigo veleiro, ele sabe que deverá retornar com a nave ou afundar com ela.

Com o Dreamer, eu estava descobrindo que somente o *sonho* pode nos tornar livres, derrotar qualquer limite. Somente o *sonho* pode transformar a pobreza em prosperidade, as dificuldades em inteligência, o medo em amor. Somente o *sonho* pode permitir-nos atravessar o limiar do paraíso perdido.

O paraíso não é o mundo do além... O paraíso é este mundo... em ausência de limites, disse. *Ser tocado pelo sonho significa receber a dádiva de uma grande aventura pessoal, significa encontrar-se frente a frente com a própria unicidade.*

Os homens devotos a uma descrição do mundo baseada na escassez e no medo não podem ser tocados pelo sonho, porque o sonho é liberdade, e eles, desde crianças vigiados por sacerdotes da dependência e profetas das desventuras, foram educados em prisão.

É assim que milhões de seres, para a própria sobrevivência, dependem dos outros. Pode-se reconhecê-los por serem marcados pela mais total ausência de gratidão e pela incapacidade de amar.

Dar é dar-se... Para dar é preciso ter e para ter é preciso ser.

Estava para continuar e Seus lábios já se entreabriam, talvez para me dizer do Projeto, quando parou para me observar melhor. Senti Seu olhar penetrar-me fundo. A expressão que vi formar-se no Seu rosto, como pela descoberta da minha irremediável inadequação à tarefa que me esperava, fez-me sentir um vagabundo que estivesse se apresentando para ser admitido ao mais aristocrático dos clubes.

Sabe qual é a diferença entre nós?, perguntou em tom seco, áspero.

Permaneci em silêncio, pego de surpresa com Sua abordagem assim tão direta que depois de anos de absoluta reserva parecia agora focar, sem meio-termo, a misteriosa questão da Sua natureza. Quem era verdadeiramente o Dreamer? Esperei, já que ficou evidente que de mim nenhuma resposta Lhe chegaria. Ele disse:*A diferença entre nós é que meus átomos dançam bêbados do eterno néctar da imortalidade e você é atraído e governado por tudo aquilo que é mortal... Eu venci a morte e você investiu tudo na inevitabilidade dela.*

Cambaleei e não teria saído do torpor se o Dreamer não tivesse vindo em meu socorro. Foi então que O ouvi repetir:

Eu sou você!, disse, e o apelo desta expressão teve o poder de devorar distâncias siderais entre nossos seres. Reencontrei-me próximo a Ele como nunca antes. Quando Lhe pareceu que eu tivesse absorvido pelo menos o primeiro impacto, acrescentou: *Eu fui você e você será Eu. Separam-nos éons de tempo e um abismo na consciência. Acelere! Mandando-o ao Kuwait, dei-lhe uma gota e você a trocou pelo oceano. Agora que eu quero lhe dar o oceano, você recua...*

Fechei os olhos, senti a velocidade incrível que Ele me estava impelindo e temi não conseguir. Enquanto ainda falava, retirei-me a um canto do ser e ali esperei que passasse a borrasca, como um barco a vela. Nessa hora, incitou-me a tomar uma posição. A mudança de tom foi repentina e Sua voz explodiu tão forte que fui tomado por um terror misterioso.

Tome uma decisão de uma vez por todas!!!, gritou. Em Sua voz havia uma determinação impiedosa e a heróica fúria de um capitão que grita ordens no meio de uma batalha mortal. *Trabalhe noite e dia para o seu aperfeiçoamento e não se esqueça nunca mais da sua promessa.*

"E de que promessa me esqueci?"

A promessa de mudar, disse. *Uma promessa que não fez somente a você, mas a todos os seres luminosos, visionários, que irão querer iniciar este caminho.*

"Como farei para mudar?"

Sonhe um novo sonho. Sonhe um novo mundo!... O mundo é como você o sonha. O mundo é como você o quer!... Você o quis violento, falso, mortal. O mundo será diferente quando seu sonho mudar.

Seu contínuo lamentar-se do passado o conduz sempre ao velho..., retomou depois de uma longa pausa. *Abandone-o!*, ordenou. *É tempo de dedicar-se em tempo integral ao Projeto.*

Prometi com a máxima sinceridade e solenidade que não mais hesitaria e que nada mais se interporia à minha evolução. O Dreamer olhou-me nos olhos longamente e eu sustentei aquele exame. Senti crescer a ansiedade pelo seu êxito, até que o lampejo de uma benevolência severa no Seu olhar deu-me um pouco de conforto.

Prometer em relação ao trabalho não faz sentido. A promessa de um ser comum já é uma mentira.

Mude a sua atitude, agora!... Este é o verdadeiro agir. Os fatos, as circunstâncias e os eventos da vida mudarão no tempo. Deixe aquele trabalho e transfira-se para Londres. Ali você encontrará homens e mulheres que estão prontos a trabalhar com você. Serão as colunas portantes de uma grande revolução: uma revolução individual, psicológica, planetária, que modificará, desde os alicerces, o modo de pensar e de sentir da humanidade, hoje incapaz de enfrentar os desafios que a esperam.

9
O jogo

Crer para ver

A influência do Dreamer na minha vida começava a dar resultados surpreendentes. Em poucos dias, e sem nenhuma hesitação, eu havia vendido a casa de Chiá, deixado o trabalho na ACO Corporation e transferido a família para uma elegante casa em estilo georgiano, em Londres, imersa no verde de Hampstead.

Seven Oaks tinha sido a residência de um importante empresário. A arquitetura, os objetos e a decoração, quadros e estátuas antigas, eram a expressão de uma aristocracia empresarial sóbria e poderosa. Seven Oaks era, sobretudo, um fabuloso laboratório alquímico. A atmosfera daquela casa formava-me e transformava-me, despertando clareza de ideias, atitude corajosa e muita força para o *fazer*.

Ali, naquela residência, guiado pelo Dreamer, dedicaria todos os meus esforços para extirpar a mentira da minha vida de uma vez por todas. Ali aprenderia pôr um fim àquele canto de dor, feito de inquietação e dúvidas, e a fortalecer-me naquela potente disciplina que o Dreamer chamava de *Arte de Sonhar*: a arte de acreditar em si mesmo, de harmonizar os opostos, de transformar adversidades e antagonismos em eventos de ordem superior.

Com o Dreamer ao meu lado sentia-me seguro, invulnerável. Próximo a Ele, as mudanças mais radicais, aparentemente temerárias – como aquelas que estavam acontecendo naqueles dias –, entraram na minha vida com simplicidade e alteraram sua ordem com suavidade. Aquele salto no vazio, em lugar de transtornar minha existência, recolheu fragmentos esparsos e uniu-os fortemente.

Heleonore e meus filhos enfrentaram as mudanças sem dificuldade. Sentiam-se protegidos. Minha determinação dava-lhes segurança.

Mesmo com a firmeza e a força com que eu havia tomado aquelas decisões, elas não eram fruto da minha vontade. A confiança em mim mesmo, que não conhecia hesitação nem dúvida quando ao lado do Dreamer, oscilava tão logo me desviava de Seus ensinamentos. O que acontecia à Sua volta, fruto do comando de um ser que sabe governar eventos, fatos e circunstâncias, que sabe tornar o mundo obediente, dócil e moldável como argila, para mim era ainda incompreensível.

Passaram-se meses. Longe do Dreamer, o *sonho* começou a perder força e o passado tomou as rédeas. Com o esfriamento dos princípios do sonho em mim também fora o ar gelou e a atmosfera cobriu-se de névoa. No meu universo, agora lento e denso, até o menor movimento tornara-se difícil, penoso. Cada aspecto da minha existência, por intermédio de vários sintomas, começava a denunciar minha atenção no passado... dúvidas... amargura.

Como já tinha acontecido quando do retorno do Kuwait, quanto mais me sujeitava à situação, mais sentia a necessidade de programar e fazer planos. Meus cálculos fizeram-me concluir que o nível de vida assumido esgotaria em pouco tempo todas as minhas reservas. O ritmo de vida ao lado Dele era insustentável. Custava-me acompanhá-Lo. Para o Dreamer não havia limites e nada era muito caro. *Tudo está ao nosso alcance.*

O limite está em nós.

Viver daquele modo pareceu-me demasiado arriscado. O medo de ficar sem dinheiro obrigou-me a abrir uma conta num banco de Londres. Ali depositei uma boa parte do obtido pela venda da casa de Chiá, prometendo a mim mesmo não mexer no dinheiro, somente em caso de extrema necessidade. Sobre isto nada Lhe disse. A certeza de poder contar com aquela soma caso as coisas piorassem confortava-me nos momentos de desencorajamento, quando a angústia me invadia e dominava minha vida. A conta bancária se tornara uma prótese psicológica que assumira o lugar da autoconfiança e da coragem. Dissimulei aquela decisão com falsa responsabilidade, exatamente como já fizera anos atrás ao inserir uma cláusula de readmissão no contrato com a ACO Corporation. A recorrência era um sinal certo da minha queda nos sulcos de uma repetitividade mortal. Quando os sintomas da iminente queda mostraram-se mais fortes, confessei tudo ao Dreamer e fechei a conta antes que o passado me pudesse engolir sem possibilidade de voltar atrás.

Todos acreditam em alguma coisa... acreditar não é difícil.. mas despertar a vontade, escolher o próprio objetivo e segui-lo sem se desviar é para poucos. Obrigar-se a acreditar é mais que acreditar..., concluiu o Dreamer na ocasião. *Acreditar em si mesmo significa criar.*

Indivíduos especiais, em todas as épocas, encontraram o capital necessário para realizar suas iniciativas impossíveis somente depois de terem eliminado de seus seres qualquer tipo de dúvida. O verdadeiro capital está dentro de nós. Os recursos que encontramos são o reflexo material de uma prosperidade interna que, independentemente das circunstâncias, sabemos alimentar em nós.

Não se separe mais dos princípios do sonho. Mantenha-os sempre vivos. Não permita que esfriem em você, e verá que cada coisa virá em seu benefício. Até a história, a parte mais grosseira e superficial da existência, dará razão a você.

Suas ideias inspiravam-me, mas não era fácil colocá-las em prática! Quando chegava a hora de aplicar a filosofia do Dreamer, ela mostrava toda a imperviedade de um caminho reservado para poucos dentre poucos. Todavia, sobre a crista traçada por essa Sua visão, como um imenso divisor de águas, a totalidade da massa humana dividia-se em duas partes: uma feita de seres frágeis e incompletos, influenciados por tudo e por todos, que seguem e dependem mesmo quando acreditam estar no comando, e a outra, composta por um punhado de seres verticais, poucos dentre poucos, seres íntegros, determinados, dotados de uma fé intocável. São estes os que sustentam o mundo. Para o Dreamer, só aparentemente a vida de uma sociedade é guiada por seus governantes; na realidade, seus destinos são decididos pela integridade de poucos indivíduos. Se eles faltam, o destino de imensas regiões, e até mesmo de uma civilização, é já marcado.

Atrás das pessoas que parecem fazer, atrás dos reconhecidos comandantes das organizações mundiais, dos organismos políticos e humanitários, dos grandes impérios dos negócios e das finanças, atrás dos magnatas, líderes e tycoons – empresários de grande riqueza e poder – existem pessoas simples, sinceras, sóbrias que, imóveis, invisivelmente dirigem por intermédio do *não-fazer*.

Um ser humano que acredita em si mesmo dá um passo aparentemente no vazio, e somente então inevitavelmente verá o terreno materializar-se sob seus pés para dar razão à sua loucura luminosa... Crer para ver, e jamais o contrário!

Mas, à época, as qualidades para pertencer a esse clube de seres humanos especiais eram para mim ainda inacessíveis. À medida que as dúvidas e o medo cresciam, eu fazia e refazia contas, chegando sempre ao mesmo resultado: o dinheiro conseguido com a venda da casa de Chiá daria para somente alguns meses mais. Eu não tinha ideia do que faria no futuro. Estava sem projetos e sem trabalho. O velho mundo me abandonava e o novo ainda não me dava seus sinais.

Mude sua viiida!

No início daquela aventura, um episódio foi particularmente significativo e decisivo. Quando ainda procurava onde morar para me transferir para Londres, tive como mostrar-Lhe várias opções de casa. Preocupado, guiado pelo receio de não ter meios suficientes, e incerto quanto ao que o amanhã me reservava, também as casas menos pretensiosas me pareciam muito caras. Foi assim que, ao encontrá-Lo, defendi veementemente a escolha de um apartamento não muito grande – em minha opinião, mais do que adequado –, mas bem decorado, situado numa ruazinha tranquila entre Marylebone Road e o Regents Park. Não me esquecerei jamais de Sua reação... ficará para sempre entre os ensinamentos mais valiosos.

Investiu contra mim como um jato de água gelada. *Você pode somente escolher a si mesmo, seus limites, sua mediocridade*, foi Sua reação à minha proposta. O tom era de desdém. *Passam-se os anos, mas sua vida não muda! O mundo é assim porque você é assim. Entre na visão de um Dreamer e pare de se ver como um miserável. Quaisquer que sejam as condições que governam a existência de um ser, elas correspondem exata e admiravelmente às suas expectativas.*

Recordo-me que até tentei uma defesa. Sustentei que minhas escolhas eram resultantes das condições nas quais Ele me havia colocado. No caso, acreditava ser simplesmente sensato tomar decisões e assumir gastos considerando possíveis futuras dificuldades. Outras teriam sido minhas escolhas se ao menos pudesse contar com os recursos adequados...

Cada coisa deve ser ganha. As dificuldades que coloco na sua estrada são bênçãos mascaradas. Na realidade, elas são marcos que sinalizam a direção da integridade, da inteligência.

Pensei que estivesse brincando comigo. Depois de anos de trabalho com o Dreamer, acreditava já ter suportado todo tipo de conflito de pensamento, pensava estar pronto para aceitar a reviravolta de qualquer ideia ou convicção ordinária e já saber persistir, não obstante obstáculos e desilusões. Mas estava enganado.

Você não tem mais tempo para se lamentar. Transcenda, transcenda continuamente cada ponto já alcançado, cada aparente sucesso. Não permaneça nem mesmo por um átimo nas velhas trilhas, nas velhas convicções. Transcenda a si mesmo.

O mal é o bem de ontem não transcendido.

Eu tinha os músculos do rosto contraídos e não sabia mais qual expressão assumir. Queria rebelar-me, gritar toda a minha aversão por aquela visão que não dava espaço a justificativas, acusações, queixas ou recla-mações... A frustração e a impotência formaram um nó único que me apertava a garganta. O máximo que consegui foi emitir um som desarticulado. Tentei recompor-me, experimentei ordenar ideias para dizer qualquer coisa que tivesse sentido, mas...

Mude sua viiida!, gritou o Dreamer com toda a potência de Sua voz. Vi as veias das têmporas e da garganta incharem como enchente impetuosa e tive medo. O grito vibrou no ar e permaneceu suspenso entre nós por uma eternidade. A visão de um guerreiro tocando sua trombeta de guerra apareceu por uma fração do instante. Nem bem tive tempo de registrar essa imagem e o Dreamer já tinha retomado Sua ribombante reprovação.

Você ainda está preso no passado. Vender sua pobreza não serve! Quando vivia na casa de Chiá, você se conformou com sua escassez, com seu sofrimento. Esteja atento para não trazer com você seu passado e as mesmas misérias de sempre... Recorde-se: Passado é Pó.

Não ande pelo mundo propondo-se... São ainda inúmeros os sinais de escassez... Leve a Minha presença... as Minhas palavras... Leve-meeee!

O novo grito, ainda mais insuportável, fez irromper um terror infinito dentro de mim. Senti sua química propagar-se em cada ângulo do ser e devorar imensas distâncias que existiam entre mim e mim mesmo. Sob aquele grito, barreiras internas começaram a esfacelar-se e cair em ruínas, como os muros de Jericó sob decibéis celestes. Senti-me curado, unido, como nunca antes.

Inesperada como veio, a tempestade acalmou-se e o Dreamer retomou Seu comportamento normal, como se nada tivesse acontecido. Na pausa que se seguiu, tive a ilusão por poucos segundos de que a tempestade tivesse acabado. Estava ainda me refazendo, quando O vi encostar lentamente os dedos indicadores verticalmente nos cantos da boca. Observei o gesto ser feito num tempo muito longo, como uma sequência em câmera lenta. Com apreensão, depois com inquietude, e finalmente com uma crescente angústia, segui cada fotograma do Seu movimento que parecia fazer parte de um desconhecido rito guerreiro. Sua excentricidade e extrema lentidão carregavam o gesto de um significado inexplicavelmente ameaçador... assustador. Eu estava sem ar, com as emoções em completa convulsão.

Quando finalmente entendi que os dois dedos ao lado da boca estavam simulando um megafone, receei outro daqueles horripilantes urros capazes de registrar na carne o conhecimento que me transmitia. Mas desta vez o Dreamer não gritou. Avizinhou o rosto ainda mais e com voz apenas audível, sibilou: *A casa que você está procurando em Londres não é para você, é para o Dreamer! Recorde-se disso. Se você trouxer você, o que vier ao seu encontro será frágil e pobre como o é seu mundo... Deixe de lado suas preocupações e fique próximo a Mim. Descobrirá que os obstáculos não existem, que o único e verdadeiro obstáculo é você mesmo, a sua irredutível crença no limite.*

A partir daquele dia, as agências começaram a me propor soluções completamente diferentes, de outro nível. O Dreamer, como sempre, tinha razão. Modificada a minha atitude, o mundo seguia como uma sombra. Não procurei mais uma casa para mim, mas para o Dreamer. Quando encontrei Seven Oaks, logo a reconheci. Era a casa onde continuaria o *trabalho*. Em poucos dias, Heleonore organizou a mudança da Itália e transferimo-nos para lá com as crianças.

Na ocasião, não podia saber, mas a casa, fora de qualquer parâmetro razoável, era sob medida para lançar-me no precipício. Devia ser uma estratégia do Dreamer para acelerar meu ritmo, mas eu não conseguia encontrar uma razão para a montagem daquele cenário. Sem Sua ajuda não teria podido nem mesmo imaginar aquele passo. Seven Oaks representava a ruptura de uma barreira, o instrumento para triturar uma geologia interna feita de pobreza e ignorância estratificada ao longo dos anos. Era uma carga de dinamite para abrir uma brecha nos alicerces que defendiam aquele pesadelo, a identificação com um mundo pobre, limitado, infeliz.

O pagamento

O dinheiro não é real. O real é a visão de um indivíduo, o real são suas ideias. Os recursos e o dinheiro são apenas a consequência natural... alinham-se e assumem as proporções do seu sonho.

Mas se você está mesmo convencido de que seu problema é falta de dinheiro, disse com um plácido sarcasmo, *então vá ao banco e peça um empréstimo.*

"Pode ser!", menti num impulso. Na boca do estômago já havia um nó só de pensar no encontro com um cérbero bancário e a tentativa de conseguir um empréstimo impossível. Intimamente eu acusava o Dreamer de ter me metido em dificuldade. A preocupação transformou-se em agressividade. Explodi: "E por que me dariam um empréstimo? Baseado em quê?".

O mundo sabe... O banco sabe!, afirmou. *O banco, como o mundo, não está fora de você. Pode conceder-lhe somente aquilo que você já possui.* Com um movimento rápido de cabeça, teatralmente perscrutou à direita e à esquerda para se certificar de que estávamos a sós e ninguém pudesse surrupiar o segredo que estava por me confiar. Depois, em voz baixa, disse: *No Universo não existe nada que lhe pode ser doado. Um ser humano pode receber somente aquilo que já pagou.* Essa pantomima pegou-me de surpresa. Não tive nem tempo de ajustar os músculos do rosto para uma nova máscara; o Dreamer já havia reassumido Sua habitual severidade.

O pagamento pode vir no tempo ou em ausência de tempo! O espaço criado agigantou o valor da Sua declaração e prenunciou a intensidade do que estava por dizer. *Se existe uma diferença entre os seres humanos, ela está no mundo que eles mesmos escolheram para pagar...*

Um ser humano que acredita em si mesmo já pagou por tudo aquilo que possui. Seu verdadeiro negócio, sua única ocupação é manter-se intacto e não permitir que nada nem ninguém comprometa sua completude. Ele sabe que é sua indivisibilidade que lhe cria riqueza, sabe que seu destino financeiro depende do seu grau de integridade.

Todos os esforços que você fizer para vencer o canto de dor que existe dentro de você traduzir-se-ão em poder financeiro. Todas as vezes que você viajar na direção oposta à multidão, você criará riqueza no mundo dos eventos.

Nada é externo! A auto-observação, a capacidade de circunscrever uma emoção negativa, uma dor, uma dúvida é dinheiro que vem ao seu encontro.

O mundo dos eventos é muito lento para reconhecer quem pagou antecipadamente, quem já saldou as suas contas no invisível. Precisa de tempo para registrar aqueles créditos... porém, sua administração é infalível.

Aqui se deteve para me olhar intensamente. Li em Seus olhos a gravidade da revelação que estava por me fazer, e já intuía a dor que deveria me provocar. *Você, como milhões de pessoas que amam depender, escolheu pagar com o dinheiro do tempo: a dor!,* disse com o tom de amargura que a comparação sugeria.

Crédito e débito são a mesma e idêntica coisa, divididos pelo tempo... O futuro sabe! Obter crédito é apenas um sinal luminoso que indica que o pagamento já foi feito. Se lhe foi concedido, é porque você já o pagou.

Eu estava maravilhado. O Dreamer transmitia-me um segredo que nenhum economista antes havia podido descobrir e muito menos formular por meio de uma lei tão importante que explicava a ousadia, o caráter visionário, o sentimento de certeza dos estadistas, capitães de indústria e sonhadores do mundo dos negócios; uma teoria sobre capacidades e características dos empreendedores e a loucura luminosa do líder, cujas iniciativas, escolhas, decisões muitas vezes cruciais para o futuro de tantos homens e mulheres sempre pareceram temerárias, senão malucas, aos olhos do ser humano comum.

"E então por que – mesmo sendo dirigidos por pessoas de valor – impérios financeiros ou industriais caíram?" O Dreamer estava acelerando e eu O acompanhava com dificuldade.

Na vida, como nos negócios, existe somente um modo de perder: deixar de acreditar em si mesmo!

No Instituto de Economia, em Nápoles, com meu professor Palomba,[42] sobre o caminho antes traçado por Amoroso,[43] tínhamos dado os primeiros passos no território do *sonho*, das ideias universais que inflamam o ser humano e constituem poderosas forças econômicas e de ação social. Mas era nada comparado ao que ora experimentava com o Dreamer.

"Como pode um ser humano controlar eventos e fenômenos de dimensões mundiais, como o andamento dos mercados, as cotações da bolsa, o clima político, o quadro legislativo, as relações internacionais?"

Existe uma Arte de Sonhar, que é a arte de acreditar e de criar, uma capacidade de elevar o ser a níveis mais altos de responsabilidade para atrair novas ideias e maiores possibilidades de fazer e de ter.

A Economia, a Política e também a História obedecem às leis do ser. Uma mente condicionada ao limite, ao finito, não pode entender isso. Saiba, pelo menos, que o universo que o circunda é um grão de areia em relação ao ser.

Quanto mais você é, mais você tem. Um ser humano que crê em si mesmo recebe todos os recursos para enfrentar qualquer desafio, até aqueles impossíveis. A Economia de um ser humano corresponde perfeitamente ao seu grau de integridade. Quanto mais você é, mais você tem, e nunca o contrário.

Concedeu-me uma pausa e usei-a para refletir sobre Sua resposta. *Quanto mais você é, mais você tem... Quanto mais você é, mais você tem...*, eu repetia... mas o conceito, mesmo tão simples, tão forte, escapava-me. Não conseguia contê-lo, fazê-lo parte de mim.

Finalmente brotou o pensamento *A qualidade cria a quantidade*. Eis o grande segredo. Uma Economia qualitativa guiaria a humanidade futura e traria solução a todos os seus problemas. Uma cura planetária!

A qualidade do pensamento de um ser humano cria a sua Economia. Apenas uma Economia qualitativa pode produzir uma riqueza real, inalienável, permanente. Era maravilhoso! A filosofia do Dreamer estava anunciando um novo modelo econômico, estava doando-me a fórmula de um ensinamento totalmente desconhecido das escolas de Economia e do mundo dos Negócios.

A Economia não poderá ser guiada pelos economistas, disse, penetrando no meio daquelas ideias em ebulição. *Num futuro próximo, cada organização, da menor empresa à maior multinacional, será uma empresa ideológica, uma Escola do Ser.*

---

42. Giuseppe Palomba (1908-1986), notório economista napolitano. (N. T.)

43. Luigi Amoroso (1886-1965), matemático italiano, catedrático em Economia e autor de inúmeras obras. (N. T.)

De sua filosofia dependerá seu sucesso, sua longevidade, seu destino. No vértice de cada organização estarão filósofos de ação, poetas e visionários, utópicos pragmáticos, capazes de penetrar no ser e alimentar suas raízes. A menor ampliação da visão, uma pequena elevação da compreensão move montanhas no mundo da Economia e das Finanças.

Nós somos o arco, a flecha e o alvo

Desde que passei a residir em Seven Oaks, retomei a corrida diária. Bastava atravessar a estrada para me ver em Hampstead Heath, onde podia correr por suas avenidas, contornar seus lagos e descer os gramados inclinados do Parliament Hill. Naquela manhã, corri com raiva, sem me poupar, para desafogar a angústia e as dúvidas que cada vez mais me assaltavam e tentavam instaurar-se. Meses já haviam transcorrido da última vez em que vi o Dreamer. Após deixar o trabalho, vender a casa de Chiá e transferir-me para Londres, durante todo esse tempo não havia recebido nenhuma mensagem Dele. Sem uma função ou qualquer atividade profissional, sem encontros ou planejamento, não sabia dar um significado à minha existência. Jamais reconhecera antes, com tanta evidência, quanto era importante para mim o relacionamento com os outros e com o mundo externo, em todas as suas caleidoscópicas manifestações. Sobretudo, importantes eram a ansiedade, as preocupações – que eu ainda identificava como responsabilidade –, as divergências ou rusgas, para mim naturais, efeitos inevitáveis das relações entre as pessoas; enfim, estados e circunstâncias que assumiam o papel de uma droga, cuja privação produzia os efeitos de uma verdadeira crise de abstinência.

A dor é tudo aquilo que os seres humanos conhecem... dá sentido às suas vidas, faz acreditarem que vivem.

Tive como refletir longamente sobre isso. Por meses sentia na própria pele quão paradoxal é a condição humana. Nos estados de serenidade, de alegria, na ausência de qualquer dor, um ser humano sente-se anular. Certa vez o Dreamer disse-me que um estado de alegria, como realmente é, com sua intensidade, não pode ser vivido pela humanidade, porque um único instante de felicidade já seria insuportável. *A alegria, a serenidade, a gratidão, o amor são estados de ser que a humanidade como é não pode experimentar. Caso entrassem na vida de um ser humano comum, parecer-lhe-iam um inferno no seu inferno. A felicidade pode pertencer somente a quem conhece a Arte do Sonhar. Somente um ser humano que ama, sonha, pode suportar a energia que a ausência de dor gera.*

Ao final da corrida, entrei na Courtney Avenue a toda velocidade. Como sempre fazia, nos últimos metros eu acelerava o passo. O pensamento de um banho quente animava-me e renovava-me a força das pernas.

Subitamente senti Sua presença. Era uma sensação inconfundível. O Dreamer havia chegado! Dei uma olhada no meu macacão molhado de suor e no meu tênis enlameado. Decidi dar a volta na casa e entrar por trás, pela porta que dava para o jardim dos fundos. Dali, sem ser notado, poderia dirigir-me aos meus aposentos, tomar um banho rápido e fazer-me apresentável. Era o que eu pensava. Na verdade, a ideia de encontrar o Dreamer, especialmente depois de tanto tempo sem vê-Lo, produzia em mim sentimentos contraditórios. Vê-Lo, ouvir Sua voz, ou apenas recordar Seus ensinamentos eram uma aceleração do ser, uma compressão do tempo que me compelia ao *trabalho*. Amava e detestava o esforço repentino de dever recompor os fragmentos esparsos de um corpo que, na ausência do Dreamer, tinha se desarticulado. Era como um brusco despertar que me obrigava a reconhecer que no esquecimento perdemos nossa identidade e tornamo-nos massa, multidão.

Não tive tempo de apoiar o pé no primeiro degrau da escada que levava ao meu quarto e já Sua voz inconfundível alcançou-me, congelando-me no lugar.

Você está lamentando o passado!, disse em voz alta, dando um áspero início ao nosso encontro. O Dreamer sintetizava em poucas palavras toda a angústia dos últimos meses e meu estado de ânimo. Fui pego em flagrante. Sim! Estava lamentando com dor o passado havia meses! Como os hebreus do êxodo, prontos a trocar a liberdade, eu teria preferido a segurança das velhas restrições àquela solidão, àquela vida sem sentido. Eu precisava adorar o ídolo do mundo, precisava retornar à minha habitual confusão. Se tivesse podido, teria retornado ao já familiar seio da irresponsabilidade, da dependência. Teria mil vezes preferido a casinha de Chiá àquela rica residência londrina, a qual não me sentia preparado para possuir e fazia-me sentir pequeno, irreal.

Nos momentos de lucidez, entendia que o Dreamer me empurrava até limites que eu não teria jamais atravessado, colocava-me em situações que não teria jamais experimentado. Meu equilíbrio ao Seu lado era constantemente instável, como um sonâmbulo sobre o abismo. Embaixo nenhuma rede, o estígio da minha vida, uma fossa de águas pútridas e densas de mal-estar e rudeza.

Desde o primeiro encontro, o Dreamer me havia alertado quanto às insídias desse deserto, quanto às ciladas dos predadores invisíveis que encontraria em minha travessia. Recordei as palavras à véspera da partida para Londres: *'AIM'... 'I AM'... Nós somos o nosso objetivo... nós somos o arco, a flecha e o alvo... 'The aim',* o objetivo que parece sempre fora de nós é, na realidade, o anagrama, o outro perfil de *'I am'*, Eu sou. *Isto nos reporta ao instante, à compreensão do tempo, à eliminação de qualquer distância conosco mesmos. A arte suprema é a nossa mudança que pode acontecer somente neste átimo.*

A existência de um ser humano comum, por mais que possa parecer intensa e atarefada, é apenas uma contínua sujeição a uma repetitividade sem sentido. O objetivo de nossa vida é fazer de nós uma obra-prima. É uma viagem que todos, mais cedo ou mais tarde, no tempo de uma vida ou de cem vidas, deverão enfrentar. Não existe nenhum outro objetivo, assim como não existe nada mais excitante no mundo.

Lentamente, tirei meu tênis e o deixei ali onde eu estava. Descalço, segui a direção de onde me chegava a voz do Dreamer e silenciosamente do batente da porta estendi meu pescoço para olhar o interior da sala de visitas.

Vim para libertá-lo

A exposição ostensiva do meu cansaço pela corrida, dramatizada por uma exagerada necessidade de apoiar-me no batente da porta, mais a respiração ofegante irritaram o Dreamer.

Endireite as costas e não se apoie em nada!, ordenou. *Não permita que ninguém o veja cansado ou enfraquecido.*

Com um gesto imperioso, calou-me antes que eu abrisse a boca para justificar. *Não acuse a corrida... Mesmo que tivesse participado de uma maratona completa, você não teria o direito de mostrar-se castigado ou exausto. Diga a si mesmo: 'Teria podido fazer muito mais!'.*

Senti a chicotada e Seu poder de afastar meus pensamentos rapidamente e, com eles, a mentira e o cansaço. Quando me viu ereto e desencostado do batente, retomou o discurso. *Você está lamentando o passado*, repetiu. A ponta de desprezo colocada com arte na voz feriu-me cruelmente. *Lamentar-se o coloca de novo sob as mesmas leis de seu passado e anula todo o trabalho feito nestes anos... Na estrada da integridade não existe espaço para nenhum arrependimento. Uma vez iniciada a viagem, não volte atrás!*

Em seguida, Seu tom se transformou. *Você está procurando etiquetas*, disse interpretando aquela exagerada cortesia que os adultos ostentam ao se dirigir a uma criança. *Sem cercas nem limites você não sabe ao que se agarrar. Esse estado de incerteza e apreensão acrescenta ainda mais medo ao medo que você sempre carregou dentro de si.*

O Dreamer falava comigo de uma das poltronas ao lado da lareira acesa. Uma fivela de prata do seu sobretudo cintilou com o reflexo do fogo. Aquele raio de luz penetrou entre as dobras do ser e me chacoalhou, abrindo uma nova compreensão. Como todos os homens comuns, também eu amava a dor mais do que a vida. O Dreamer me explicaria que mais do que o susto de entrar naquilo que não se conhece, o verdadeiro medo do ser humano é o de perder o que já lhe é familiar: a dor, o sofrimento. É essa a fobia que cria uma insuperável barreira à manifestação da vontade, àquilo que possuímos de mais verdadeiro, de mais real, e nos faz pertencer ao mar escuro da massa

Depois do nascimento físico, com o corte do cordão umbilical, a criança é confiada a dois novos pais: a dúvida e o medo. Somente o encontro com a Escola permite um novo nascimento e o corte dessa terrível cordinha. É um retorno aos verdadeiros pais: o sonho e a vontade. A ausência de dúvida e de medo é um estado de êxtase, de liberdade, que somente um ser íntegro pode suportar. É isto que eu lhe estou oferecendo. A liberdade é árdua, seu preço é muito alto, mas não por isso inalcançável.

Você ainda procura entre as sombras do passado alguma velha máscara para usar... Você sente falta dos papéis que interpretava..., denunciou. Em Sua voz havia a compaixão que se pode sentir por um ser incapaz, indefeso.

Um homem não pode ser guiado pelo passado, nem pelas experiências que viveu. Passado é Pó! No caminho da integridade, deverá confiar nos novos sentidos: a intuição, e num sétimo sentido, o sonho.

Os papéis são prisões... Suas barras são invisíveis, porém mais sólidas que o aço.

"Mas eu Lhe dei atenção... deixei o trabalho, vendi a casa... O que mais deverei fazer?", estourei, desabafando a raiva acumulada em todos aqueles meses de espera. Senti aflorarem acusações, queixas, ressentimento por ter me metido naquela nova e incerta aventura que de qualquer lado que eu a olhasse não mostrava nenhum sentido.

Deixar o trabalho ou mudar de país sem entender não adianta... nem poderá fazê-lo livre, replicou com uma docilidade escondida em Seu modo seco, evitando dar peso ao meu estado.

Ao longo de todos os anos, posso reconhecer que, mais uma vez, o Dreamer havia chegado a tempo para me salvar. *Para poder sair da prisão dos papéis que desempenha, um ser deve sentir-se desiludido com a estéril repetição dos eventos e as circunstâncias da própria vida.*

Houve uma longa pausa. Eu estava em pé e escutava-O da porta da sala. Sentia-me mal. Estava suado, sujo da longa corrida... queria tomar um banho e vestir uma roupa limpa. O momento pareceu-me oportuno e pedi para me ausentar um pouco. O Dreamer, absorto, fez um leve movimento de cabeça, que interpretei como um assentimento. Retirei-me. Um banho e uma roupa limpa transformaram minha atitude. Quando retornei, a passo surdo, caderno na mão, encaminhei-me à poltrona ao lado da lareira em uma respeitosa distância do Dreamer. Suspirei fundo e senti que estava pronto. Antevia que aquela seria uma lição importante. O tom que o Dreamer escolheu para prosseguir era diferente.

Sobre pontes não se constroem casas, não se vive, foi a analogia com que começou. *Os papéis, como as pontes, servem para ultrapassar um limite definido, são feitos para serem superados. Os homens hesitam e em vez de atravessá-las permanecem ali, acuados, sem saída.*

Na senda da integridade, cada instante deve ser novo... cada instante deve servir para transcender o instante precedente... cada respiração deve ser um ato de gratidão dedicado a elevar o ser a novas zonas de liberdade.

"Como se faz para viver no mundo livre dos papéis ou das funções que se deve desempenhar ou cumprir?", perguntei.

Os papéis são máscaras para vestir. Vêm interpretados intencionalmente. Interpretá-los significa não acreditar neles.

Explicou-me que o primeiro passo na direção que estava indicando era entender a fundo o funcionamento dos papéis. Na visão do Dreamer, os papéis são ordenados hierarquicamente com base na complexidade e no nível de responsabilidade que exigem. Sobre um específico ponto foi categórico: uma pessoa não pode, de nenhum modo, passar a um papel superior se antes não contiver no próprio ser toda a pirâmide hierárquica inferior. Da Sua explicação sobre os papéis fiz a imagem de vários recipientes de diversos tamanhos empilhados, um dentro do outro, como caixas chinesas.

Libertar-se de um papel é condição a que se chega somente quando você aprender a interpretá-lo perfeitamente, esclareceu o Dreamer, e deu-me o exemplo de um maestro de orquestra que deve conhecer as possibilidades e as dificuldades de cada um dos instrumentos.

Um papel interpretado intencionalmente não somente nos liberta como também liberta o mundo de sua rudeza, de sua violência. Quando você se identifica com o mundo, acredita nele, não somente você se torna escravo dele, como também agarra-se a ele como se fosse a coisa mais real, sua única certeza.

Acreditar em um papel, qualquer que seja, significa mentir a si mesmo.

Sem precisar pensar muito, ficou evidente que, para se fazer tal percurso não seriam suficientes nem experiências nem o tempo de dez vidas.

É isso mesmo, confirmou o Dreamer. *Por isso, ninguém, seguindo um percurso comum, poderá libertar-se dos papéis... aliás, nem o desejaria!*

"Qual razão impede alguém de se libertar dos papéis?", perguntei. "Por que não agradaria a alguém desvincular-se dos afazeres e das responsabilidades que comportam suas funções de pai, marido, empresário...?" Em suma, expressei a convicção de que é o senso de responsabilidade que nos impede de abandoná-los.

Ao contrário, rebateu secamente o Dreamer, *para um ser comum, abandonar um papel é como pedir-lhe para renunciar à vida... abandonar o salva-vidas em mar aberto. Os seres humanos são ligados aos seus papéis e sobretudo aos sofrimentos a eles inerentes mais que à própria respiração.*

Transcorreu uma longa pausa e eu permaneci em silêncio.

Os papéis são escudos atrás dos quais os seres, fingindo estar entretidos naquela ação, defendem a própria falta de responsabilidade. Veja o seu caso!, indicou no tom de quem chega a uma demonstração conclusiva. Eu estava entrando diretamente na Sua mira. O anúncio não me pegou de surpresa, mas nem por isso foi menos doloroso.

Depois de anos de aproximação com o Dreamer, um sinal premonitório, em forma de uma penosa pressão no estômago, prevenia-me quando Seu discurso descia de um plano geral para se concentrar em mim.

Interpretar os papéis

É isso o que você deve transformar... exatamente o que você está sentindo agora!, disse o Dreamer, capturando meu ricto de dor. *Observe-se! Você pode continuar a acreditar que este estado seja provocado por Mim e pelo que digo. Na realidade, a dor está estagnada dentro de você... há muito, como um palude, um pântano de água morta. É o sintoma de uma ferida ainda aberta; é ela a causa de todos os seus desprazeres... Contenha essa dor... Compreenda-a. Ame-a. Não fuja!*

Estava ainda tentando entender, recuperar-me da explicação que dera, quando vi que Ele já se havia conectado ao discurso inicial, retomando de onde havia parado.

A partir do momento em que você se identifica com os papéis, você já esqueceu o jogo, disse. *Não há nem interpretação nem teatralidade. Um evento, uma situação ou um encontro desencadeiam em você reações mecânicas, como a mola comprimida de uma armadilha para ratos. Imagens mentais, pensamentos, emoções, sensações submetem-se a esquemas mecanicamente preestabelecidos; os músculos do rosto se contraem para assumir determinadas expressões; dos lábios afloram usuais e características palavras... e você se torna um refém... até que novas condições e novos encontros lancem-no em outra armadilha.*

Explicou-me que isto acontece quando um papel é imposto do externo, pelo mundo. Quando, ao contrário, é interpretado intencionalmente, não somos escravos, mas sim livres dele, e tornamos livre o mundo.

Um papel deve ser interpretado sem que acreditemos nele. É possível somente a quem conquistou certo grau de conhecimento e domínio de si mesmo: um resultado que requer ordem, disciplina e um longo trabalho de auto-observação.

Enfatizou que cada papel, para se fixar em nossa vida, exige a aprendizagem de uma linguagem específica: gestos, comportamentos, atitudes e toda uma gama de expressões faciais e verbais. Assumir um papel pressupõe a aceitação de inteiros blocos de ideias, pacotes completos de convicções para por meio deles sentir e pensar. A aprendizagem disso é uma questão complexa. Frequentemente, um só papel pode exigir de alguém a sua prática e aplicação durante toda uma vida, e esta pode passar sem que na pessoa amadureçam a vontade e a responsabilidade suficientes para poder superá-lo e ir além.

Disse-me que todo ser, pelas necessidades de sua existência comum, aprende e exercita um número limitado de papéis, cinco ou seis no máximo. Ao se modificarem as circunstâncias, ele passa de um ao outro como um autômato, sem intencionalidade, condicionado pela mudança das condições externas. Ao contrário de quanto ele possa acreditar, isso não tem nada a ver com liberdade de decisão.

Liberdade significa interpretar intencionalmente qualquer papel sem ser prisioneiro, enunciou. *Em um ser comum, esta capacidade, já quase nula, com a idade diminui sempre mais e mais, até desaparecer. A consequência é que, quando se apresentam situações apenas diferentes das habituais, fora daqueles poucos papéis que já conhece, ele não sabe mais que máscara usar.*

Percebi que esta é a razão pela qual nos sentimos continuamente deslocados, incomodados, ameaçados. Não sabendo qual máscara usar, não encontrando opção no nosso repertório, mostramos nossos limites como o cão de Pavlov que indeciso entre o círculo e a elipse enlouquece. Então cada faculdade – mental, física e emocional – caminha por conta própria; pensamentos, emoções e ações entram em um relacionamento espasmódico, e tornamo-nos uma marionete biológica. Sentimo-nos nus e terrivelmente envergonhados. O desejo é o de fugir. Porém são esses os momentos em que, através de um interstício entre a pele e a máscara, é possível observar-nos e reconhecer nossa essência, nossa parte mais verdadeira.

Quem percebe que tem um limitado repertório de papéis e reconhece a tirania dos vínculos que eles impõem à sua ação já deu os primeiros passos em relação à liberdade.

Mas o ser humano comum, imerso em um sono hipnótico, embalado por um canto de negatividade, continuará – por mais terrível que seja a sua vida – a mentir a si mesmo, continuará a ceder... e não encontrará nunca a energia suficiente para evadir-se.

O papel é um jogo prazeroso, se interpretado. Identificar-se, esquecer o jogo é fatal.

O Dreamer levantou-se e aproximou-se da janela. Por alguns minutos permaneceu em silêncio e olhou o jardim de Seven Oaks, a impecável grama, as plantas exuberantes debaixo dos últimos raios de sol do dia. Quando retomou Seu discurso, o tom da voz era estranhamente doce.

Os papéis são os degraus de uma escada. Não se acomode em nenhum deles. Use-os!, exortou-me. *Use-os para apoiar o pé e continuar a subida!*

Para o Dreamer, cada papel é a materialização de um modo de pensar. O abandono de um papel e a consequente passagem a um papel seguinte significa que sua superação já aconteceu no ser; cada degrau deixado para trás é uma aproximação da cura.

Aprenda a elevar a qualidade do ser e cada papel será velozmente abandonado como uma roupa que você despiu. Isto se chama consumar um papel e significa libertar-se definitivamente.

A nova expressão impressionou-me. O Dreamer notou minha perplexidade e explicou-me que *consumar* um papel significa apossar-se da essência, da responsabilidade que existe atrás de cada papel; significa liberar-se para sempre dele, não mais precisar dele. *Assim você libera o mundo da ingrata tarefa de revelar-lhe os infernos que você carrega dentro de si; você libera o mundo do imenso esforço de refletir cada falta sua, cada dor, cada morte.*

O caminho de retorno

Tudo aquilo que está fora de nós, o mundo que vemos e tocamos, as pessoas, as circunstâncias e os eventos que encontramos são uma revelação do ser, uma verificação do nosso modo de pensar... Os papéis nos quais estamos ainda enredados revelam nossas feridas que ainda não cicatrizaram.

Fez uma longa pausa. Em vez de compreender e fazer minha a energia do momento, refugiei-me entre as páginas do caderno, fingindo reler e corrigir as anotações. As quinas em que o Dreamer me esprimia eram duras. Também naquele momento eu tentava escapar. Fiz o mudo pedido para ter mais tempo... ainda tempo...

O Dreamer aparentemente desviou Sua atenção, e eu que por poucos instantes havia saboreado a verdadeira vida, voltei a inserir-me entre os objetos inanimados da sala, acomodado finalmente como sombra entre as sombras do mundo.

Os eventos servem para revelar os estados que os originaram. Somente uma Escola do Ser conhece a linguagem simbólica dos eventos e pode traçar o caminho de volta, passando por labirintos, desertos, infernos interiores até os estados mais internos, fonte verdadeira de cada acontecimento.

As primeiras sombras da noite assediavam Seven Oaks e pressionavam as grandes janelas, prontas a se infiltrarem e se apossarem do ambiente onde estávamos. O rosto do Dreamer resplandecia diante do reflexo do fogo enquanto colocava mais lenha sobre a brasa. Era um momento especial. Na semi-escuridão, já estava meio difícil fazer as anotações. Apoiei a cabeça no espaldar da poltrona e fechei os olhos para me concentrar ainda melhor.

Saia desta posição!, ordenou secamente. *Você seria capaz de adormecer até mesmo diante de Mim!*

Foi como um safanão inesperado. Uma profusão de pensamentos e sentimentos – autopiedade, acusações, ressentimentos – irrompeu com violência e embaraçou-se no ser, até formar um sentimento único, o mais inflamado e insuportável de todos: o de injustiça. No instante, num salto inesperado tal qual o de um inseto, coloquei-me no lugar do Dreamer. Observei a mim mesmo. Vi a vida que observava a morte morrer. Foram poucos os instantes, porém de uma lucidez extraordinária. Depois, me vi em estado de alerta, olhos esbugalhados e costas perfeitamente eretas. Uma sensação de formigamento percorria-me a pele e manteve-se por alguns minutos até se extinguir. Prometi a mim mesmo, mais uma vez, nunca mais baixar a guarda.

Reporto esse episódio para dar uma ideia das estratégias das quais inesgotavelmente o Dreamer se valia para me levar àquelas zonas do ser em que Seus ensinamentos e Sua energia tornavam-se carne da minha carne. Quando isso acontecia, sabia ter poucos instantes para reforçar as aduelas do meu reservatório, verdadeiras costelas de carvalho que gemiam e se arriscavam a ceder sob a força impulsiva daquele vinho novo e forte.

Você não está preparado!

Senti minhas resistências insurgirem e o sangue pulsar sob a pressão de Suas palavras. *Por muito tempo você renunciou à sua vontade, colocou sua vida nas mãos do mundo. O mundo externo representou para você a única realidade, e dele você fez uma divindade... um ídolo de pedra que guiou tiranicamente sua existência.*

Na realidade, o mundo é somente um reflexo... Pensamentos, emoções, atitudes tomam forma no mundo dos eventos e respondem a qualquer pedido seu.

Por muitos anos você acreditou que o mundo fosse real, tivesse vontade própria. Elegeu-o patrão e senhor de sua vida. Por muitos anos você conferiu poder a uma sombra que você mesmo projetou.

Havia chegado o momento temido... Era hora de abandonar antigas cercas e grades, de morrer para tudo o que era velho... Sentia sob os pés soprar o abismo de um universo de cabeça para baixo.

Coisas não mudam e não podem mudar... Somente você pode mudar. Interrompeu aqui. A pausa dilatou-se em mim sem limites. Uma inquietação seguida de medo irradiou de seu centro até tocar os confins do ser. Aparentemente não havia nada que justificasse esse alarme, embora pressentisse que atrás de Suas palavras, mas principalmente atrás daquele silêncio, preparava-se algo imprevisível. Tentei tranquilizar-me, mas não consegui. Finalmente, como se tivesse alcançado uma difícil decisão, o Dreamer anunciou a fase seguinte do *trabalho* que permitiria o próximo passo. Era o momento de início da aventura que infatigavelmente ocuparia cada momento da minha vida. Com o tom de quem comunica uma decisão longamente ponderada disse: *Foram necessários anos de preparação para fazê-lo perceber a fragmentação do seu ser... anos e anos para fazer você reconhecer o sono hipnótico que tiranicamente governa a existência de todo ser humano.*

Eu trouxe ordem à sua vida... Eu o liberei de compromissos e programas para que, agora, você possa dedicar-se a juntar os princípios de um sistema educativo que indique a via de saída dos infernos da mediocridade e do comum.

O Dreamer permaneceu meditativo por muito tempo. Depois, em tom resoluto, anunciou:

Existem homens e mulheres que você deverá encontrar...

"Quem são?... Onde estão?... Por que deverei encontrá-los?", perguntei apreensivo.

Não existe uma finalidade, respondeu o Dreamer com insólita docilidade. *É isto que torna o jogo dos encontros interessante, único... eficaz. Você deverá ter centenas de encontros sem nenhum outro objetivo senão o de reconhecer em cada um desses homens e mulheres um fragmento de você. Se você se recordar de Mim, da sua promessa, cada encontro que tiver será a oportunidade de confrontar-se com uma parte desconhecida, não resolvida de você mesmo.*

"Centenas de encontros?...Mas serão necessários anos!...", exclamei assustado diante daquela perspectiva.

O tempo que isso exigirá dependerá somente de você. O jogo dos encontros terá a duração da sua incompreensão e a rigidez das suas resistências.

Por meio do jogo dos encontros você perceberá que o mundo é uma criatura sua e que os outros são seu reflexo... E ainda que esse resultado exija anos de trabalho, pelo menos você enfraquecerá dentro de si a velha convicção de que o mundo tem o poder de elegê-lo ou de abatê-lo, de que os outros podem amá-lo ou combatê-lo, de que existe fora de você uma vontade hostil que controla e governa sua vida.

O mundo existe porque você existe. O mundo está vivo porque você está vivo, declamou o Dreamer. E continuou: *O mundo é sua sombra. O ser humano gostaria de encontrar nele a inteligência que sente dentro de si... e assim ele passa sua existência procurando a vida entre fantasmas... e crê numa realidade fora, além de si. Desperdiça seu tempo escavando entre as sombras!... Se você o faz e identifica-se com elas, tornar-se-ão sempre mais reais, e o mundo externo, um fetiche, um deus a idolatrar, a temer, a propiciar... porque você esqueceu qual é sua verdadeira identidade, porque você abdicou do seu direito de artífice.*

Depois, destacando as sílabas, disse: *Não se esqueça... os outros são você fora de você... os outros são reflexos de tudo aquilo que você não quer ver, sentir e tocar dentro de você.*

"Mas então... eu... e aqueles que Lhe são mais próximos?", perguntei-Lhe. "O que somos para Você?"

Tão logo falei, pela aceleração dos meus batimentos entendi ter ido além dos limites daquilo que eu podia ouvir e acolher. Seu olhar avaliou-me por instantes intermináveis talvez para aquilatar minha capacidade para suportar o que estava por transmitir.

Então recordei: *Nada é externo!...* A força dessa declaração arremessou-me na solidão de um universo do qual eu era habitante único, o artífice, dono e senhor absoluto de tudo e de todas as coisas. Estava petrificado, aterrorizado. Teria dado tudo para poder voltar atrás e não ter jamais feito aquela pergunta. As paredes do ser estavam vibrando sob a pressão daquele momento crucial.

Vocês são Eu, disse, *fragmentos de Mim... aparentemente em exílio.*

O atalho

Estava prostrado. O Dreamer tinha me colocado diante de uma tarefa impossível, tanto que já antes de começar senti-me esvaziado de qualquer energia.

... Comprimir o tempo é o que lhe permitirá o jogo dos encontros. Conhecerá de si aquilo que um ser comum não conseguiria reunir nem em dez vidas!, disse em tom exortativo. Mas mesmo assim a perspectiva de encontrar ilustres desconhecidos, de trabalhar por meses ou anos para esse fim continuava a me parecer absurda. Não seria possível um outro modo?

Para você, o mundo é muito real. Somente o jogo libertá-lo-á dessa descrição petrificada, rígida e permitirá o acesso a uma visão mais fluida, mais líquida do mundo.

O mundo é uma emoção, disse e esperou que a substância preciosa do comentário penetrasse em mim, em cada fibra.

Os encontros servirão para medir seu grau de responsabilidade, ensinarão a se conhecer em profundidade. Você perceberá que cada homem ou mulher que encontrar é uma parte desconhecida de você mesmo, uma oportunidade para ver em si mesmo uma ferida, uma doença escondida, e poder curá-las.

"Como eu os escolherei? O que falarei com eles?", insisti, sem ao menos tentar esconder minha apreensão. Esperava com todas as forças, ser poupado daquela tarefa.

Não tem nenhuma importância o que você vai falar, cortou o Dreamer bruscamente. *Você faz esta pergunta agora porque ainda continua a acreditar que os outros estão fora de você. Na realidade, os outros são estados de ser percebidos no mundo dos eventos... Os outros são o tempo.*

"E quem renuncia à própria vida pelos outros? Quem os *encontra* para ajudá-los, para curá-los? E os missionários?"

Também o missionário vai encontrar a si mesmo, suas dúvidas, seus medos, sua divisão. Ele se coloca entre os supersticiosos para vencer sua superstição. Vai ao mundo do sofrimento para curar suas chagas, para remontar à fonte, à verdadeira causa. E ainda que não sabedor disso e acredite estar fazendo pelos outros, na realidade são os outros que estão fazendo por ele, cuidando dele. Uma vez tenha ele compreendido quais estados em si mesmo tornaram necessária sua missão, ele se curará e deixará de ser um missionário. Colocará alguém no seu lugar e irá avante.

Eu estava transtornado. A resposta do Dreamer havia me colocado às avessas. Estava ainda tentando recuperar-me quando me dei conta de que Ele tinha abandonado o tema e estava respondendo à minha pergunta inicial.

Em relação a quem você encontrará, por enquanto basta saber que eu mesmo os identificarei e os indicarei a você. O importante é você aprender a ver. Se vir, terá feito sua a história daquele homem ou daquela mulher e rapidamente acrescentará a si o resultado de anos de experiência, esforços, sacrifícios, sucessos e quedas. Vê-los significa reconhecê-los dentro de você como feridas a serem cicatrizadas, órgãos a serem curados. Ver significa perdoar-se dentro. Então cada encontro se tornará um degrau para apoiar o pé e seguir adiante.

Ao Dreamer não havia escapado meu interesse por aquilo que então me revelava. Essa história dos encontros começava a tomar o aspecto de uma arte marcial, desconhecida e misteriosa. O mundo, com continentes e cidades, e o caleidoscópio infinito das atividades humanas, como argilas dóceis, estavam tomando o aspecto assombroso de um imenso agone no qual, a cada instante, se desenvolviam milhões de duelos invisíveis. Seus resultados decidiam, de acordo com as circunstâncias, quem devia dar a direção e quem, da outra parte, devia seguir.

Onde quer que se encontrem, por poucos instantes ou por anos, no deserto ou numa negociação, dois homens formam inevitavelmente uma pirâmide, dispõem-se em diferentes níveis de uma escala invisível, respeitando uma ordem interior, matemática, uma hierarquia planetária, constituída de luminosidade, órbitas, massa e distância do Sol.

Continuei a tomar nota e linha, após linha abandonando minhas resistências, assumi nova atitude. Do discurso que se seguiu, a vida emergiu como um traçado ao longo de um sistema de papéis em complexidade crescente até chegar ao seu ápice: a superação de cada papel.

A humanidade como é não busca sua cura. Não a quer. É obrigada a progredir mecanicamente, sob o impulso de forças desconhecidas... O sofrimento e a dor são a força motriz de sua evolução.

Embora pareça que a maioria das pessoas tenha trocado o próprio progresso pela aparente segurança de uma carreira, ou pela miragem da riqueza econômica ou de um sucesso artístico, na realidade até mesmo a mais comum dentre elas não pode escapar de um involuntário, mecânico, imperceptível processo de cura. O trabalho nas organizações, o afã dos papéis, os antagonismos, o sofrimento e os problemas que a vida inevitavelmente lhes apresenta no conjunto formam uma disciplina necessária que melhora o ser e o projeta em direção a zonas mais altas de liberdade. É um sistema muito lento!, concluiu o Dreamer. *Uma vida inteira poderia não ser suficiente para percorrer um só milímetro na verticalidade do ser.*

O *jogo* foi-me assim explicado pelo Dreamer como o modo mais veloz para escalar a pirâmide dos papéis humanos e transcendê-los à velocidade eletrônica. Por último, recapitulou as informações mais importantes e concluiu: *Você ainda está preso àquilo que pensa ser você. Por isso, o que verdadeiramente observará nos encontros não é quem você é, mas quem você não é, o homem que você tem acreditado ser.*

Poderia dizer que o estudo de si mesmo, a auto-observação, é luz. Quando a luz vem, as sombras desaparecem, e tudo aquilo que em você é verdadeiro e real permanece, enquanto tudo aquilo que não é, ou que você acreditou ser, desaparece.

Nosso encontro estava chegando ao fim. Senti o aperto no coração de quando padre Nuzzo me chamava ao quadro negro, momento em que – deixado o banco, a anônima responsabilidade e a afetuosa cumplicidade do grupo – eu devia contar apenas comigo mesmo.

Minha nova aventura estava por se iniciar. Teria desejado saber mais sobre as pessoas que deveria encontrar, sobre os temas a discutir, mas...

No jogo não há nada a planejar. Você deverá inventar na hora e interpretar intencionalmente papéis e linguagens de existências jamais vividas. O instante lhe sugerirá a estratégia, as palavras a usar e tudo o mais que deverá saber para satisfazer o encontro.

Contou-me de homens e mulheres especiais que em seus meios são verdadeiros mestres. Como máquinas perfeitas, altamente especializadas, atingiram, nos limites do "mundo-papel" que interpretam, uma absoluta impecabilidade... Sem erguer a cabeça do caderno, tinha enchido páginas e páginas. Relê-las fazia-me reencontrar toda a força e determinação que ora sentia ao lado Dele.

Começava a ficar claro que atrás de cada encontro, além da aparente superficialidade das relações sociais, existia alguma coisa de especial: o encontro com uma multidão de tipos humanos traçava a vereda em direção a uma cura que o Dreamer chamava *integridade*.

Os outros revelam você, medem-no e refletem impecavelmente seu próprio grau de responsabilidade.

Aparentemente, as pessoas encontram-se para tomar decisões, para concluir negócios, mas não são conscientes do que realmente acontece em suas relações. Encontrar-se é um pretexto. O verdadeiro relacionamento acontece em outro nível. Além das aparências, quando dois homens se encontram a aposta em jogo é bem mais alta.

Cada pessoa que você encontra é uma porta. Pode impedir o acesso ou transformar-se em um degrau para ir além. Cada encontro avalia e determina seu posicionamento na escala da responsabilidade humana, informou-me o Dreamer com a inflexão de quem indica precauções vitais às vésperas de uma iniciativa arriscada. *Recorde-se! Os outros são você!... No jogo não poderá encontrar nenhum outro senão você mesmo. No espaço de poucos segundos, deverá saber qual parte de você está à sua frente e deverá no mesmo instante entender o objetivo daquele encontro, qual máscara usar, e sustentar o papel que o outro, homem ou mulher, quer que você interprete.*

A diferença entre vocês no jogo é que você sabe estar interpretando, e o outro interpreta não sabendo. É uma distância infinita, uma diferença de eternidade. Uma diferença que lhe permitirá, em uma velocidade extraordinária, escalar verticalmente a pirâmide dos papéis humanos, conquistando posições que no mundo horizontal exigiriam anos ou muitas gerações para ser conseguidas.

Falou-me ainda do *atalho*, de uma via vertical que comprime o tempo e aproxima-nos rapidamente da coisa mais real em nós: o *sonho*.

Comprimir o tempo

Do ensinamento do Dreamer eu estava extraindo a percepção de um mundo no qual impera um desafio sem trégua e em que não existem espaços para hesitação. Dois seres humanos encontram-se, sem símbolos ou divisas, nus no deserto. Inevitavelmente, um decide a direção e o outro segue. Como dois animais numa região selvagem, por intermédio de uma linguagem biológica, transmitem-se mutuamente sinais de raça, força, território, condição social. Uma reação, uma atitude, uma postura, a expressão de uma emoção, um olhar, uma palavra, a menor alteração fisionômica, qualquer coisa denuncia a posição que cada um ocupa na escala evolutiva. Do mesmo modo, tal grau de compreensão é registrado no universo e decide os eventos da nossa vida, o saber, o fazer, o ter, enfim, nosso destino financeiro.

Seu tom fez-se imperceptivelmente mais familiar, e disse: *Quando dois se encontram, inevitavelmente um contém e o outro é contido.*

"O que significa *conter* uma pessoa?", perguntei.

Significa ser responsável por todo o seu mundo, pelos papéis, por sua vida e por todas as vidas que dependem dela. Significa conhecer a solução de qualquer dificuldade da outra pessoa, a resposta a cada pergunta que ela faça.

Se você não conseguir, deverá caminhar pelas vias comuns: o tempo e a experiência. Uma oportunidade de encontro não aproveitada poderá exigir anos e anos para se reapresentar e lhe permitir ter acesso a zonas superiores do ser, em direção à inteligência, à integridade. Aquele exame, então, você deverá repeti-lo, se tiver tamanha sorte, em uma outra ocasião.

Sentia fisicamente minha visão ampliar-se. Dispus-me a ouvir ainda mais atento, enquanto o Dreamer já se preparava para continuar a me comunicar outro elemento do ensinamento que estava modificando minha vida.

É um jogo difícil e perigoso, advertiu. *Um olhar, uma palavra, o menor movimento ou pensamento podem traí-lo e fazê-lo cair em uma armadilha mortal! Um homem sem Escola fica à mercê da circunstância: caminha pelo jogo dos encontros, mas não conhece as regras, não tem o mínimo conhecimento da verdadeira aposta em jogo nem mesmo sabe que é um jogo. Quem vê o jogo o conduz; quem não o vê é sua vítima.*

"Como farei para saber se superei a prova?... Ou qual foi o resultado do encontro?", perguntei com uma voz um pouco alta, como se já O visse distanciar-se no horizonte.

As coisas na vida de um ser humano reúnem-se no único modo possível e refletem seu grau de compreensão, sua impecabilidade.

Se você contiver o outro, não poderá errar: sentirá uma alegria imensa por ter levado luz, cura a um outro ângulo do seu ser. Quando isto acontece a alguém, o Universo inteiro sabe.

"Como outros podem saber de um encontro que aconteceu na privacidade e sem testemunhas?", perguntei.

Os seres humanos e as coisas fazem parte de um único tecido conectivo... Um sistema nervoso planetário liga entre si todas as células da humanidade. Sozinho, num canto de um quarto, um ser humano comunica a todo o Universo a sua condição, o seu próprio nível de responsabilidade, a sua intenção. Não há como trapacear, nem existe espaço para interpretações.

Os outros revelam você

O Dreamer deixou-me com a promessa de que nos reveríamos uma semana depois, no Spaniards Inn, o antigo pub de Hampstead. Passei os dias e as horas que me separavam do nosso próximo encontro repensando o que havia ouvido sobre o *jogo*. O pensamento que mais me importunava era o de me encontrar ocupado, sabe-se lá por quanto tempo, em levar adiante aquilo que ainda me parecia a mais extravagante das tarefas: encontrar centenas de pessoas para chegar a descobrir que... não existem.

Não disse que os outros não existem, corrigiria asperamente o Dreamer no curso do encontro seguinte, dizendo-o com uma expressão de dó que me transpassou como uma lâmina. Depois explicitou: *Eu disse que os outros não existem fora de você! Quando isto lhe for verdadeiramente claro, saberá para que servem os outros.*

Sabia, por *certeza analógica*, que o Dreamer estava me oferecendo uma oportunidade única, e que o *jogo dos encontros* revelar-se-ia um instrumento evolutivo insubstituível. Porém eu era assediado por um monte de dúvidas e de preocupações das quais não conseguia me libertar.

À parte a complexidade e o esforço de organizar tantos encontros, uma pergunta atormentava-me mais que qualquer outra: como faria frente às despesas se o *jogo dos encontros* me ocupasse todo o tempo, exigisse viagens e prolongadas permanências em países da Europa ou em outros pontos do planeta? Ademais, havia um aspecto que eu via como particularmente inquietante: a ideia de que os encontros fossem, na realidade, verdadeiros duelos. Uma vez Ele me disse que *não existe um só momento em que toda a sua vida não seja colocada em jogo.* Essa lembrança reforçava a ideia de competição e aumentava a ânsia que me assaltava quando pensava em encontros com desconhecidos sem um porquê. Vislumbrava no *jogo*, como através de uma filigrana, uma impiedade que me embaçava a imagem e me fazia pintá-la com tinta fosca. Em suma, parecia que seus termos fossem estes: ou é você a lançar uma mensagem de força, coragem, dignidade e ser nos embates da vida, promovido ao próximo nível, ou será o outro a colocar nos seus pés os grilhões das zonas mais baixas da existência e assim deixar na arena a armadura de um guerreiro derrotado.

Não ousei conversar de imediato com o Dreamer sobre esse tema, mesmo porque não me era ainda claro se a inquietação originava-se da minha preocupação em não estar à altura da tarefa ou de uma magnânima apreensão quanto a quem sairia *derrotado* do encontro.

Eram esses os pensamentos que me acompanhavam enquanto a pé eu alcançava a antiga taverna. A atmosfera que encontrei não devia ser muito diferente do tempo em que a frequentavam artistas e poetas, como Shelley, Keats e Byron.[44] Eu estava adiantado. O Dreamer ainda não havia chegado. Olhando à volta, tentei descobrir qual estratégico lugar Ele escolheria. No final, decidi por uma mesa num canto mais tranquilo. Na parede, um troféu de arcabuz[45] recordava as façanhas de um lendário brigante.[46] Continuei a refletir sobre os pensamentos que me preocupavam. A chegada do Dreamer pegou-me em flagrante. Antes que pudesse fazer alguma coisa, senti disparar no corpo a opressão do embaraço e provei a confusão de quem é pego despreparado ou desatento pelo próprio superior. Bastou ver o Dreamer para me *recordar* da atitude justa. Tentei rapidamente recuperar um comportamento mais digno e recolher os fragmentos dispersos do ser antes que Ele se aproximasse mais. Contudo, ainda à porta, o Dreamer fez um ligeiro sinal com a cabeça para segui-Lo. Deixei a mesa que havia escolhido e subi com Ele ao primeiro andar. Senti-me contrariado com a lotação daquela sala, o rumor dos clientes, o fedor de cerveja e ranço. Para a conversa privada que eu tinha em mente ter com Ele, a mesa no térreo teria sido muito mais adequada! Contudo, o Dreamer mirou uma bem no meio da sala – bem no lugar onde era mais alto o barulho das conversas – e convidou-me a sentar.

Não deixou passar inadvertida a condição em que me encontrou à Sua chegada. Fez algumas observações e advertências en passant, em tom divertido, gracejando, mas com um fundo de verdade.

---

44. Percy Shelley (1792-1822), John Keats (1795-1821) e Lord Byron (1788-1824), poetas ingleses. (N. T.)

45. Tipo de canhão do século XV suficientemente reduzido para ser conduzido e disparado por um só homem. Canhão de gancho. (N. T.)

46. Integrante de movimentos de rebelião político-social na Itália. Bandido. (N. T.)

Pensei em aproveitar, com cautela, da Sua boa disposição. Tinha aprendido – e já pago preço alto – quão repentina podia ser a mudança de humor do Dreamer e quão terrível podia ser Sua ira; bastava uma palavra, um modo de dizer ou o mais imperceptível movimento fora de lugar para fazê-la irromper. Queria levantar a questão que resumia meu estado de ânimo e tudo aquilo que eu pensava em relação ao *jogo*: o que acontece a quem perde?

A proximidade física com o Dreamer trazia por si só clareza. Dei-me conta de que aquilo que queria verdadeiramente perguntar era o que aconteceria caso saísse derrotado já dos primeiros encontros.

Não faça ideias erradas, disse, antecipando-se a mim. *Eu já lhe falei... No jogo não existem vencedores nem vencidos.* Sua resposta chegou-me clara e distinta, como se o vozerio tivesse repentinamente sido suspenso e no *pub* não houvesse outras pessoas senão nós. Sua voz não atravessava a multidão, não se sobrepunha ao murmurinho, mas me chegava de dentro. Como se remontasse ao curso daqueles pensamentos, chegou às Suas raízes, às velhas convicções e aos preconceitos dos quais originavam e acrescentou: *Sua visão é ainda o fruto de uma separação interna, de uma descrição do mundo que lê somente pelos opostos e antagônicos... Na realidade, o duelo acontece sempre e somente em você mesmo. A relação com o outro é apenas o aspecto mais superficial e visível daquilo que de fato sucede em um encontro. E ainda que você possa temer que o outro lhe tire de golpe tudo aquilo que você acumulou em anos de preparação, na verdade é em você, e somente em você que se decide a sorte.*

Continuou no conceito principal: *Conter alguém não quer dizer apenas compreendê-lo na própria responsabilidade, mas elegê-lo.*

O encontro com um homem de responsabilidade superior é sempre uma aceleração, confirmou, *mesmo que não o saibamos.*

Encontrar um homem que contém você é uma bênção. Quem apoia o pé e vai além não abandona o outro ao seu destino. Ao contrário, torna-se responsável. Ele sabe que a própria evolução é também a evolução do outro. O progresso de um ser humano, a cura de uma só célula acelera o progresso de toda a humanidade...

Pense quanto material de estudo e quantas oportunidades os outros lhe oferecem para perceber que não existe limite para o sucesso, porque a verdadeira vitória é vencer a si mesmo, por meio da harmonização dos opostos dentro de nós, neste preciso instante.

Na falta dessa inteligência, dessa vigilância interna, os seres humanos encontram-se no sono, isto é, atribulados pelas preocupações, obscurecidos pelas dúvidas e medos, perdidos no cotidiano. Encontram-se para conseguir objetivos ou adquirir vantagens insignificantes, superficiais, sem valor.

Com bom humor enfatizou que por mais que se esforcem, discutam negócios ou tomem decisões aparentemente importantes, do ponto de vista de um ser evoluído eles parecem pouco mais que selvagens atarefados em negociar e trocar bolinhas de vidro, espelhinhos e bugigangas.

Perderam o verdadeiro objetivo, anunciou, retomando o tom severo e grave. *Falta-lhes o conhecimento do jogo... esqueceram... não interpretam mais... tornaram-se o próprio papel.*

Certificou-se com um olhar de que eu estivesse na atitude justa para compreender e concluiu com este comentário: *Sobre a via da impecabilidade, no mundo de um ser de responsabilidade existe espaço somente para vencer a si mesmo, a própria mediocridade, a mentira, a identificação com o mundo.*

Interpretar intencionalmente. A Arte da Interpretação

Existe uma máscara justa para se usar em cada ocasião. A capacidade principal, no jogo dos encontros, é a arte que você deve desenvolver: a arte do disfarce. O tom que usou e a expressão do rosto indicaram que eu estava para enfrentar uma parte decisiva do Seu ensinamento.

Do antigo manuscrito *The School for Gods* e das pesquisas que eu havia conduzido sobre a vida e o pensamento de Lupelius, vim a conhecer sua lendária habilidade no camuflar-se. Na Sua Escola, a arte do disfarce era parte integrante da preparação de um guerreiro. Para Lupelius, os papéis eram hábitos psicológicos que ele vestia e fazia vestir também seus discípulos. Desse modo, ensinava-os como se *tornarem* aquele papel, como explorarem e conhecerem dele cada ângulo, cada segredo, sem jamais se esquecerem do *jogo*, sem jamais se deixarem envolver.

A áspera aproximação escolhida pelo Dreamer comunicou-me velozmente a importância desse elemento na minha preparação para o jogo.

A Arte da Interpretação é a capacidade de o guerreiro viver estrategicamente, disse. *É esta capacidade que lhe permite ser pontual, assumir a cada vez a atitude mais justa de acordo com a circunstância.* Reconheci no Dreamer os ensinamentos de Lupelius. Suas vozes fundiram-se, suas imagens sobrepuseram-se em minha mente até se tornarem uma só. Mil anos se comprimiam naquele momento. *Aprenda a viver estrategicamente, aprenda a interpretar intencionalmente, e saberá sempre qual imagem oferecer em cada situação. Somente quem interpreta pode manter presente as mil peculiaridades que tornam um encontro único, diferente de qualquer outro já acontecido ou que possa acontecer em toda a história do mundo.*

Deixou transcorrer uma pausa, depois Sua voz ecoou ainda mais imperiosa e intensa. *Aprenda a interpretar*, disse. *Somente quem interpreta pode governar a própria vida e a dos outros, pode vencer e ser livre!*

Senti uma instintiva repugnância por esses preceitos. Tudo aquilo que me tinha sido ensinado impelia-me a ver as coisas de um ponto de vista exatamente oposto. Um ser era livre se pudesse ser *ele mesmo* e não se interpretasse ou fingisse ser um outro. Disse-Lhe isso e ao término de minha argumentação exprimi veladamente a ideia que encontrar pessoas interpretando um papel, vestindo uma máscara era um modo insincero, falso de conduzir uma relação.

Entre gente comum, minhas palavras teriam passado como corretas objeções. Minha atitude pareceria aquela de quem na vida tem regras de retidão e princípios éticos irrenunciáveis, e que sabe defendê-los com coragem, mesmo diante de um superior. Mas no mundo do Dreamer dizê-las provocou o disparo de todos os sistemas de alarme, como se um ladrão tivesse entrado.

Cale-se!, exasperou-se o Dreamer num ataque de ira, sem nem ao menos me deixar concluir. *Ser você mesmo... ser você mesmo...*, repetiu imitando a minha presunção de saber. *Alguém como você, que viveu na falsidade, na prisão dos papéis por toda a vida, não sabe nem ao menos por onde começar a ser você mesmo.* Na voz percebi repugnância e certo desprezo. O Dreamer estava respondendo ao que eu dissera, mas se fazia de espelho à minha arrogância, à minha divisão. Atrás daquela argumentação e mais profundo do que eu pudesse ver vibravam minhas resistências à mudança.

Meu arrependimento deve ter sido total e imediato, já que o Dreamer pôde retomar Seu discurso e o normal tom de voz, como se não tivesse sido interrompido. Ainda uma vez observei Sua capacidade de entrar e sair de um estado de ser, modificando tom, linguagem, gestos, expressões do rosto, reações... sem deixar resíduos nem rastro.

Viver estrategicamente não é oportunismo e não significa mentir, mas é um ato de guerreiro, de quem assume as semelhanças, cumpre os atos que a situação exige e que o mundo está pronto a receber. Somente quem vive estrategicamente pode sobreviver.

Interpretar é liberdade.

Interpretar *perfeitamente* um papel significa ter superado aquele papel na vida, significa *compreender*, ter acesso a zonas superiores de responsabilidade.

O teatro, na sua origem, era uma Escola do Ser, uma escola de liberdade, em que os discípulos-atores aprendiam a interpretar os papéis e a superá-los; adquiriam a capacidade de entrar e sair deles sem ficar aprisionados. Interpretar significava, portanto, aprender a libertar o ser dos próprios pensamentos destrutivos e das emoções negativas. E essa zona catártica, purificadora, praticada pelo teatro, mesmo se desenvolvendo em benefício dos atores estendia-se ao coro, ao público, à cidade, até à nação, consolidando-a, unificando-a, criando as condições da sua liberdade e da sua riqueza. Essa função assegurou ao teatro o papel central que sempre teve em todas as culturas e que ainda fascina o ser humano e dá razão à sua magia.

A Grécia da idade clássica havia descoberto a centralidade do ser. Sabia que o segredo da prosperidade econômica, da concórdia civil, da maturidade e da longevidade das instituições estava na elevação do ser de cada pessoa, no enriquecimento de cada célula da cidade. Essa visão concebeu e produziu uma civilidade do ser, uma civilidade emocional sem tempo. Arte, beleza, música, esporte, busca da verdade eram colunas portantes da pólis e os grandes reguladores da sua vida.

Com a autoridade de um testemunho direto, de um ser misterioso sem geografia nem tempo, o Dreamer me contou que civilizações mais antigas que Grécia e Roma, ao fundarem uma nova cidade, antes ainda de traçar seus muros, escolhiam os locais para erigir dois edifícios públicos: o teatro, para purificar as emoções, e as termas, para purificar o corpo. Eram as duas glândulas vitais de depuração, os rins daquela sociedade. Como num ser vivente, a esses dois órgãos era confiada a missão vital de filtrar e purificar a linfa da cidade, de depurar e enriquecer cada célula.

O teatro não é um lugar físico, mas um estado de ser, um local da psicologia em que se harmonizam as grandes faculdades do ser humano, e no qual a palavra – fusão de pensamento e respiração – encontra o gesto!

Eu estava viajando em uma máquina do tempo, retornando a mundos desaparecidos em busca de civilizações sepultas. Ao lado do Dreamer, delas eu ainda podia sentir a respiração.

O jogo dos encontros

Foi assim que iniciei a fase do meu aprendizado que se revelaria das mais intensas.

Como um pai guerreiro, o Dreamer confiou-me armadura, escudo e as armas que deveria levar comigo com estas recomendações: *Seja vigilante, atento a todo instante, a cada abaixamento seu. Observe-se! Ocupe cada parte do seu ser com a lembrança da sua promessa. Quem não tem presente o sonho – a força real, misteriosa e invisível que guia o mundo – é um fragmento perdido no Universo.*

Do *jogo* ocupei-me por mais de dois anos. Por todo o tempo não tive outra função que não viajar e encontrar os homens e as mulheres que o Dreamer me indicara ou pusera em meu caminho, segundo escolhas estratégicas conhecidas somente por

Ele. Hoje reconheço que cada encontro foi o fruto de uma escolha precisa, a peça de um desenho lúcido, consciente, providencial. A cada encontro se seguiu um admirável progresso pedagógico. Todos, além de me ajudarem a descobrir e a curar as feridas mais escondidas do ser, criaram no mundo dos eventos os pressupostos indispensáveis para a criação e o desenvolvimento da nova universidade.

Seven Oaks foi a central de encontros memoráveis, um lugar refinado que recebeu a inteligência mundial, homens e mulheres dos vértices da cultura, dos negócios, da política, da arte. Seven Oaks foi um canto de vitória que convocou todos aqueles que se revelariam tão necessários à realização da grande missão. A beleza, o estilo daquela casa – que por meses me pareciam *opcionais* caros e dispensáveis – revelaram-se os elementos sustentadores de toda a estratégia, a moldura singular que acolheu e conferiu caracteres insubstituíveis a toda a história. Seven Oaks deu o tom do diapasão ao componente empresarial, ao estilo de vida, à responsabilidade e à liderança que acompanhariam, como uma constante, o nascimento de cada novo *campus* da universidade e traçariam as linhas de seus ensinamentos.

Seven Oaks foi casa, aliado, quartel-general, caixa-forte e guardião valioso das minhas joias familiares. Ali cresceram meus filhos e o afeto por Heleonore.

O *jogo dos encontros* ocupou uma parte fundamental na economia geral do meu aprendizado e durante os dois anos não foram raros os momentos de desconforto, quando Sua disciplina e austeridade tornaram-se muito duras para o meu grau de tolerância.

O Dreamer era perito na arte de usar a culpa. Usava a crítica e a acusação para extirpar dos meandros do ser aquele canto de dor que sempre me afligiu e me matou interiormente. Nada lhe escapava e à menor falta de atenção, ao menor desvio do Projeto, desencadeava Sua cólera terrível. Sabia entrar depois nas pregas, nas chagas mais escondidas do ser e cauterizá-las com um ferro incandescente. Desejo que cada ser humano que queira sair das trilhas do próprio destino possa encontrar o Dreamer e ter um guardião assim tão atento quanto impiedoso. Cada passo ao Seu lado tem o sopro da eternidade. Agora que falo disso reconheço que cada movimento feito com Ele foi unicamente, admiravelmente desenhado para mim e por meu intermédio dedicado à evolução de cada ser que percebeu o próprio estado de escravidão. Ao Seu lado, a existência inteira revelou-se uma Escola do Ser, uma *Escola dos Deuses*, aberta a quem quer mudar e fazer de sua vida a própria obra-prima.

Especialmente durante os primeiros meses, o *jogo dos encontros* pareceu-me uma extravagância e pôs minha determinação a duras provas. Antes das revelações do Dreamer, não teria jamais imaginado que se pudesse encontrar outros sem um objetivo *prático*.

Uma vez você me perguntou com base em qual critério eu escolheria as pessoas que você deveria encontrar, disse Ele. Estava reportando-se a uma pergunta que lhe havia feito antes e de que não se ocupou na ocasião em responder. *A característica fundamental é que devem ser impecáveis e impiedosas.*

Um dia você saberá que nenhum encontro pode acontecer fora de você. Os homens e as mulheres que encontrará revelar-se-ão fragmentos de você, que deverá juntá-los como peças de um único mosaico. Cada um deles representa uma de suas vidas possíveis... No oceano da humanidade, cada um deles é uma gota que reflete um aspecto da sua psicologia... Recorde-se: os outros são apenas espelhos. Não há ninguém a acusar ou criticar. Uma pessoa encontra sempre e somente a si mesma!

Seguindo Suas indicações e mantendo como base Seven Oaks, viajei intensamente. Em várias ocasiões tive de deixar a Inglaterra e em tantas outras o Velho Continente para viver situações as mais variadas e aproximar-me de pessoas diversas quanto à posição social, idade, inteligência, origem familiar ou poder econômico, com o único objetivo de observar-me, *ler-me*, conhecer-me.

Passei em revista o mais vasto mostruário humano possível de imaginar: artistas, diretores, industriais, consultores, curadores da humanidade e padres da Igreja, políticos, empresários, filósofos e professores, médicos, grandes advogados e banqueiros, prêmios Nobel e vagabundos, homens no ápice do sucesso e homens caídos em desgraça, gurus das finanças e investidores fracassados... em suas casas ou em seus escritórios, na rua ou em seus iates, em hotéis de luxo ou em modestas pensões, no trabalho ou em férias. Centenas de encontros que exigiam atitudes, linguagem, comportamento e até um vestuário adequado. Cada um desafiou a restrição da minha visão, a rigidez dos esquemas mentais, desnudou uma doença escondida, descobriu um ponto fraco do ser, exercitou uma qualidade interior ou cauterizou uma pequena ferida da alma, permitindo-me observar a mim mesmo nas mais diferentes circunstâncias diante de todos os espelhos possíveis.

Recordo a atenção que o Dreamer dava a cada mínimo detalhe, especialmente às vésperas de um encontro particularmente importante. Sua direção não era diferente daquela de um diretor no set antes das filmagens, ou de um treinador antes de uma disputa decisiva. Meus trajes, o tema que trataria e até mesmo a dicção ao pronunciar alguma palavra que usaria, tudo passava pela peneira de Sua atenção.

Cuide-se... em tudo... esteja atento! Cuide minuciosamente de cada aspecto de sua vida, dizia-me o Dreamer. *Olhe-se dentro!... Seja consciente de tudo aquilo que entra e sai do ser... Nosso Ser cria a Nossa Vida... O Ser cria o mundo... Um homem atento sabe que por meio do menor gesto está ajustando o Universo.*

O novo paradigma

Uma vez, depois de um paciente trabalho, cheguei finalmente a marcar um encontro em Paris com o fundador de uma multinacional, líder no setor da moda e da indústria de luxo. O pretexto que tive de criar para aquele encontro foi a aquisição de um imóvel de sua propriedade. As tratativas que eu havia semanas antes iniciado em Londres, tinham agora chegado à fase final e exigiam o nosso encontro. O nome daquele empresário francês encontrava-se na longa lista de personagens, *mestres* dos negócios daquele setor, que o Dreamer havia me pedido para contatar e encontrar. Era um período em que me via incansavelmente empenhado em transformar meu difícil relacionamento com o dinheiro. Segundo o Dreamer, era necessário que eu aprendesse a negociar com os mais duros homens de negócios sem temor ou sujeição. Às vésperas da minha partida para o encontro que aconteceria em Paris no "*sancta santorum*", o ambiente mais exclusivo de uma das grifes mais famosas do mundo, via-me irritado por não fazer nem ideia do que deveria dizer. Sentia crescer minha ansiedade e com ela também uma espécie de ressentimento em relação ao Dreamer, o culpado por me meter em uma situação tão crítica.

Pedi-Lhe que me encontrasse com a secreta esperança de que Ele me dispensasse daquela viagem e cancelasse o encontro já marcado na Rue de la Paix. Já estávamos havia alguns minutos reunidos quando esse estado de ânimo desembocou numa pergunta agressiva, sem que eu pudesse fazer alguma coisa para me controlar.

"Mas para que negociar um edifício ou uma indústria?", explodi em certo ponto, tentando esconder meu mal-estar atrás de um inatacável bom senso. "Para que discutir os detalhes da aquisição de um carro de luxo ou de um avião particular se depois não se tem o dinheiro para comprá-lo?"

Se você souber interpretar impecavelmente, respondeu o Dreamer com insólita cortesia e ignorando as condições em que me apresentava diante Dele, *se diante do exame do seu interlocutor você se apresentar convincente, então isso significará que aquele dinheiro já está no seu bolso.*

Eu não entendia. Achava que *agir seriamente* fosse coisa completamente diferente. Estava certo que se tivesse o dinheiro de verdade para comprar aquela propriedade em Paris não sentiria nenhuma ansiedade, saberia o que dizer e fazer.

Você está completamente enganado, rebateu mordaz o Dreamer. *Os conceitos recebidos em casa fizeram-no acreditar que se tivesse dinheiro e meios suficientes poderia fazer tudo o que desejasse e, portanto, sentir-se-ia seguro, seria rico, feliz, respeitado.*

Ter-Fazer-Ser é o paradigma dominante, a súmula da mitologia de uma humanidade degradada e a causa de todos os seus males e desgraças.

Dito isto, ergueu os olhos e fixou-me intensamente. Em seguida, sem abandonar-me com o olhar, com os dedos indicadores e médio da mão direita estendidos e unidos, golpeou lenta e repetidamente o próprio ouvido direito. O Dreamer estava repreendendo a minha dificuldade de compreensão e pedindo um "ouvir absoluto", sem divisões ou distâncias. Sua mímica me inquietou. Sob a aparente normalidade do movimento, senti a autoridade e o comando de um gesto trágico, teatralmente mágico, com o poder de imprimir tamanha aceleração que tive de usar a respiração para não entrar em estado de agitação.

Este esquema mental é comum a milhares de seres. Você deve invertê-lo! O paradigma de uma nova humanidade é Ser-Fazer-Ter. Quanto mais você é, mais faz, mais tem. Ter e Ser são a mesma coisa em planos diferentes da existência.

A descoberta que Ser é já Ter e que o Ser guia o Ter e é a sua verdadeira causa teve um efeito explosivo que mandou para o espaço e para sempre ideias e convicções de toda uma vida. Foi um daqueles choques de pensamento que tiveram a força de modificar meu destino. O discurso do Dreamer tornou-se denso, intenso. Peguei meu caderno e ali pelas ruas comecei a registrar o que Ele dizia. Enquanto a mão corria veloz sobre as folhas, recolhendo cada palavra Sua, eu memorizava e repetia mentalmente as frases que eu não conseguia transcrever a tempo. Receava perder uma molécula que fosse de compreensão do momento. Seria irremediável.

Reportando-se ao discurso inicial, disse-me que o encontro que estava para acontecer em Paris podia equiparar-se à visita a uma elegante loja de roupas ou a uma famosa joalheria. O importante não era comprar as roupas que havíamos provado, nem as joias mais valiosas que nos tivessem sido mostradas, mas sermos *reconhecidos* pelo ser, pelo invisível daquela loja. Explicou-me que o importante era que aquele mundo, aquela faixa de existência dissesse-nos *sim*.

É verdade, você não sairá com aquele relógio valioso no pulso, e aquele casaco não estará no seu guarda-roupa, mas terá exercitado a capacidade de possuí-los... Estilo é consciência... treina o ser... Cada esforço para entrar em faixas mais ricas da existência é útil para você vencer seu senso de escassez. Exercite-se abundantemente, eleve sua visão e sonhe o impossível, crie uma consciência de prosperidade, que é a verdadeira origem de toda a riqueza e a condição para poder mantê-la.

O dinheiro fabrica-se dentro. Sonhe, visualize constantemente a harmonia e o sucesso, e você os obterá. O dinheiro será somente uma consequência natural. E aí ele chega sem esforço... e você não terá mais medo de perdê-lo. O dinheiro deve chegar sozinho, naturalmente, por efeito da sua prosperidade interna... Então você o sentirá crescer e crepitar no bolso... como pipoca.

Devendo desta vez encontrar um mestre do bom gosto e ao mesmo tempo um homem de negócios, o Dreamer recomendou que especialmente minhas roupas estivessem à altura da ocasião.

O gosto é consciência, disse-me, enquanto juntos caminhávamos pela Via Condotti em Roma, e eu escutava Suas instruções para aquele encontro ao qual Ele dava uma especial importância. Eu deveria escolher um terno, e enquanto passávamos diante das vitrines mais famosas do mundo o Dreamer fez-me observar a beleza, a elegância, o estilo, o cuidado com cada detalhe que fazia daquelas lojas, daquelas empresas e de seus fundadores a síntese planetária da arte de viver.

Comprar um objeto ou uma roupa pode parecer o objetivo para entrar num negócio, disse o Dreamer. *É apenas um álibi. Aquilo que realmente você adquire é consciência.*

Entramos nas butiques mais elegantes, visitamos as agências imobiliárias mais importantes, joalherias e lojas exclusivas. Apresentaram-nos as propriedades, as coleções de roupa, os objetos mais valiosos e todas as vezes o Dreamer fez-me notar que as atividades que tinham atingido o topo em nível mundial caracterizavam-se todas por um denominador comum: a atenção. A atenção ao menor detalhe, da decoração à qualidade das pessoas que trabalhavam ali, a alegria e a luminosidade delas, o amor que mostravam pelo seu trabalho.

Tudo o que você vê concentrado nesta rua é a materialização de um grau da consciência humana, disse, e completou com uma recomendação: *Não compre nem mesmo uma agulha aquém deste nível de cuidado, de atenção, de amor.* Disse-Lhe que não poderia ter desejado melhor e observei que a todos seria um prazer servir--se apenas daquelas lojas e circundar-se de tanta beleza e riqueza. Foi então que recebi outra memorável lição. *Semelhante atrai semelhante,* enunciou o Dreamer. *Um ser encontra sempre a si mesmo e escolhe a si mesmo. Tudo corresponde perfeitamente ao seu grau de atenção.*

"E o dinheiro?", perguntei. "Não é ele quem faz a diferença entre aquilo que se pode ter e não ter?"

A consciência é dinheiro! O ser é que decide o ter. Uma pessoa pode ter somente o dinheiro que é capaz de sonhar, de visualizar, de imaginar... Quando você tiver feito um trabalho sobre o ser, quando tiver simplificado, enriquecido, sublimado sob todos aspectos, a abundância, a prosperidade, a beleza corresponder-lhe-ão. Isto se chama consciência de prosperidade. O dinheiro para permitir-lhe tudo isso virá sozinho, sem esforço, por atração da gravidade, como uma simples consequência da elevação que você conseguir.

Os objetos têm uma alma. Aparentemente somos nós a escolhê-los, mas na realidade são os objetos que escolhem quem os pode possuir. As coisas sabem com quem andar e quem abandonar... Você pode possuir somente aquilo pelo que é responsável.

Não deixe que a escassez o distraia. Coloque toda a sua atenção no sonho, nos bens inalienáveis que são direito de nascimento de todo ser humano: integridade, beleza, liberdade, inteligência, amor, verdade. Projete dentro de você riqueza, elegância, bom gosto, estilo.

Nossas compras continuavam e eu começava a me sentir muito relaxado. O encontro em Paris não me preocupava mais. Eu era uma criança em um parque de diversões. Notei que onde quer que entrássemos o mundo se inclinava, uma atmosfera de leveza se difundia à volta. O Dreamer enriquecia o ar de generosidade e poder, e todos o sentiam. Com Ele, o mundo celebrava e oferecia o melhor de si.

Quem é senhor de si mesmo governa o mundo. O mundo reconhece-o e é feliz em servi-lo.

Cada uma dessas lojas é um guardião do invisível, revelou-me o Dreamer, aproximando-se do meu ouvido enquanto um monte de vendedoras partia em todas as direções para satisfazer Seus pedidos. *Quando você tiver superado os limites e os obstáculos internos... quando tiver eliminado a dúvida e o medo que ainda separam você do invisível, todo o mundo será informado da sua passagem àquela faixa da existência. O mundo sabe tudo sobre você!*

Um rio de gente passava ao nosso lado. De um braço do céu, entre as molduras dos edifícios de nobre estirpe e o verde de seus terraços, um raio de sol, sutil como um laser, entre todos escolheu a nós. Imitei o Dreamer e levantei o rosto para acolhê-lo. Com os olhos entreabertos permaneci ali, com Ele, por átimos eternos, de asas abertas como borboletas transpassadas por uma agulha de ouro.

A repetição

Descobri rápido que a parte mais interessante do *jogo dos encontros* vinha depois. O Dreamer explicou-me que de um encontro derivava um material infinito que deveria ser trabalhado. Ele escolhia cuidadosamente sequências de imagens, fragmentos de colóquios. Como trechos do filme da minha vida, Ele me mostrava depois os fotogramas, um a um, sob a luz de uma sinceridade impiedosa. Pensamentos, emoções, atitudes da ocasião, cada pequeno detalhe acabava sob Sua lente de aumento. Uma contração do rosto, uma inflexão na voz, uma aceleração do coração, um estremecimento na alma, um movimento do corpo, uma reação mecânica, um trejeito recorrente, uma mesquinharia escondida na linguagem, no comportamento, nas emoções; o modo que me havia apresentado ou sentado, um detalhe do traje... Nada Lhe escapava. E mesmo depois de meses ou anos, se Sua impecável pedagogia viesse a considerar necessário, era capaz de reencontrar e projetar o fragmento mais remoto de um encontro. E então aumentava-o no microscópio para me mostrar o perigo ou a catástrofe escondida atrás daquela inépcia. Com Ele, descobria a armadilha mortal preparada atrás da tranquila e aparente normalidade de um gesto ou de uma palavra. Eu via naquilo cruéis mecanismos prontos a ativarem-se para me aprisionar. Esse trabalho incomum não foi indolor; foi, aliás, muitas vezes insuportavelmente penoso, mas teve a força de fazer descarrilar o meu destino dos trilhos traçados pela repetitividade e desatenção, e modificou-o para sempre. Devo dizer que no curso dessa prática regularmente afloravam minhas resistências e os preconceitos mais inveterados, e com eles a sujeira psicológica acumulada por anos. Todas as vezes eu me agarrava a algum pedaço do passado, um fantasma, e o defendia, temendo vê-lo desaparecer. Alguma coisa em mim não queria ser descoberta, escondia-se. Havia ainda tanta podridão que eu me recusava a ver... Todas as vezes, inevitavelmente o Dreamer se transformava em um caçador implacável, capaz de perseguir uma sombra do ser por meses até fazê-la sair de sua toca e eliminá-la para sempre.

Uma vez eu me encontrava no Hotel Maurice da Rue de Rivoli, em Paris. Atravessava o saguão para ir ao encontro de um empresário que me esperava. Por um instante entre nós se interpôs uma mulher, jovem e atraente, que chamou minha atenção. Foi um átimo! Aquele movimento de cabeça, meu olhar que por uma fração de segundo tinha acariciado o corpo daquela mulher, o Dreamer me fez revê-lo por centenas de ângulos diferentes, desde longe até a mais próxima distância, de alto a baixo, até enjoar.

Aquele homem, disse o Dreamer referindo-se a mim e colocando-me pela enésima vez diante daquelas imagens, *não vai conseguir nada! Já fracassou, antes mesmo de começar... Com aquele movimento ele colocou a cabeça na guilhotina!*

A questão não é se é certo ou errado admirar uma bela mulher, continuou o Dreamer, cujas observações nunca se relacionavam com valores éticos ou princípios morais, nem com tempo ou lugar. *Aquele movimento de cabeça, o comprazer-se do olhar revelam uma ausência de determinação... são sintomas de corruptibilidade... Aquele gesto é o resumo de toda a sua vida; afunda suas origens em estratos e mais estratos de desatenção, descuido, confusão emocional... sedimentados ao longo dos séculos.*

A última preocupação do Dreamer era ferir minha sensibilidade, mortificar-me ou produzir em mim estados de frustração. Passava por cima do meu ego com a gentileza de uma motoniveladora, mas, com o tempo, aprendi a bendizer Sua impiedade.

Descobri que Ele não era apenas o mentor, o guia valioso, mas também o justiceiro inflexível contra qualquer mediocridade. Representava a totalidade.

Aprenda a não tirar a atenção do alvo a atingir... Esteja vigilante, impecável, não se desvie...

Quem consegue fixar um ponto sem jamais se desviar dele – nem com o olhar, nem com a mente – pode tudo!

Cada instante tem seu alvo a atingir... Não perca a mira, enunciou o Dreamer. *Desviar é o verdadeiro e único pecado.*

Daquela vez especialmente me surpreendi com uma estranha excitação Dele. Era um cientista diante do resultado finalmente favorável após longas pesquisas e inúmeros experimentos. Disse-me que tinha em mãos, visível e observável, ainda vibrando, um vírus da alma... uma daquelas quebras no ser que constituíam a verdadeira causa de todos os nossos insucessos... Poderia ver de frente um de meus *inimigos*, um dos sabotadores, um dos assassinos que eu carregava dentro.

Senti-O acrescentar num sussurro: *Pode até pensar que isso seja exagerado, mas com um só movimento uma pessoa revela sua vida e seu destino. Aquele homem está denunciando sua inconfiabilidade.* Era como se estivesse falando de um outro qualquer, de uma pele que no curso da minha mutação eu estava deixando para trás. *A existência não dirige nada sobre seres dessa classe... Não somente não terão mais, mas perderão até mesmo aquilo que acreditam ter.*

Aqui silenciou. Tive a impressão de que Sua visão não fosse mais externa, mas dentro de mim. Pelos Seus olhos, era eu quem observava a mim mesmo. Eu era o observador e o observado, o cientista e a cobaia... até que um pensamento se impôs: não sei como, mas estava certo, certíssimo de que aquela mulher, surgida do nada entre mim e o homem que eu estava por encontrar, não passava por ali ao acaso... mas era fruto de Seu comando. Era um pensamento que me rodeava em uma realidade virtual, uma espécie de filme dirigido pelo Dreamer. Tremiam minhas pernas pelo turbamento. Aquela que eu chamava vida era na realidade um ambiente de aprendizagem total, uma Escola de trezentos e sessenta graus.

Esperar do mundo

Por meses, como o treinamento de um pugilista que se prepara para uma grande contenda, o Dreamer ordenou-me que procurasse quem me desferisse os golpes mais traiçoeiros, quem me ajudasse a descobrir os pontos fracos, quem pudesse fazer-se de espelho para eu reconhecer os limites que inconscientemente havia imposto às minhas possibilidades, e descobrir assim o que havia até ali guiado toda a minha vida. Comentando cada encontro, examinando cada fase, cada minúcia, o Dreamer ajudou-me a focalizar a atenção, a desenvolver a auto-observação e a conhecer-me. Penetrando sempre mais e mais nas regras do jogo, deixei de ver os outros como uma realidade separada de mim e comecei a percebê-los como degraus luminosos, insubstituíveis, de uma escada invisível, de uma via vertical à unidade do ser.

Encontro após encontro, verifiquei uma coisa incrível, algo para o que o Dreamer me havia despertado, mas que era muito distante da visão ordinária para poder aceitar. *Procure, procure alguém que sabe*, disse, *e descobrirá que ninguém sabe nada!*

Desconcertou-me descobrir que homens de respeito, líderes aclamados, senhores de aspecto grave e inteligente, com títulos e cargos de prestígio, não tinham ideia de para onde estavam indo. Guiavam os outros como o cego imortalizado por Brueghel.[47]

Em algumas ocasiões, caí no engano de acreditar que fossem felizes, conscientes ou livres, e convenci-me de que um ou outro daqueles doentes do ego, que aqueles prisioneiros dos papéis tivessem uma vida invejável. Quando me esquecia do real, o mundo das aparências corrompia-me, comprava-me; então eu ficava fascinado pelo poder daqueles homens ou mulheres, por suas riquezas, por suas capacidades. Era quando a descrição do mundo predominava e eu atolava meu ser.

Uma vez retornei de uma longa viagem, desanimado, sem um pingo de energia e com um sentimento de fracasso nas costas. Recordo-me que aquele encontro me tinha feito tocar com a mão meus limites e quão pouco ainda bastava para me sentir humilhado, ofendido, desmoralizado.

O Dreamer explicou que eu me sentia assim porque ainda ia ao encontro dos outros com uma expectativa, ainda alimentava em algum canto da minha imaginação a ilusão de que alguém pudesse me ajudar, me escolher. Ainda com muita frequência, especialmente no início daquele *trabalho,* tentava agarrar-me a alguém; ia ao encontro de outros procurando neles a confiança que faltava em mim. Para o Dreamer, era o sinal mais evidente de minha vulnerabilidade e a razão pela qual Ele não podia confiar-me nada ainda.

Não são derrotas, encorajava-me. *São apenas indicações do que e de quanto ainda há para fazer. O jogo é dirigido a fazer você perceber que não há ninguém a invejar*

---

47. Pieter Brueghel, o Velho: pintor flamengo (1530-1569). (N. T.)

ou a quem pedir ajuda; que não é você quem depende do mundo, mas é o mundo que pede sua clareza e direção. A realidade é uma criatura do sonho.

Anotei cuidadosamente Suas advertências sobre a questão da *expectativa* e durante meses trabalhei nisso. Observei e estudei os momentos em que ela era desencadeada, as formas que assumia e os mil estratagemas que tramava para escapar da minha observação.

Mantenha-se livre interiormente, sugeria-me incansavelmente. *Pare de ser reativo! Reagir ao mundo significa tornar-se vítima dele. Quem espera alguma coisa do mundo já está derrotado. O maior segredo é saber que todo o mundo está a seu serviço para melhorar você; é perceber que cada coisa, evento ou circunstância é alimento, nutrição, propelente para sua viagem.*

Só aparentemente eventos e pessoas estão ali para atrapalhar e impedir que você vá avante. Quem vê sabe que o mundo é um local de treinamento, uma academia do ser, lugar para agir e interpretar, experimentar e reexperimentar, até que a interpretação da existência fique impecável; é um local para treinar os músculos da responsabilidade até que o ser se torne mais íntegro, mais livre.

Cedo ou tarde todo ser humano deverá se encontrar com tudo aquilo que serve para equilibrá-lo e completá-lo. Acelere!

O Dreamer não se cansava de me cutucar. *Procure os outros, crie as ocasiões para dar logo cabo das falhas, para eliminar as incompreensões, para saldar as contas com o passado.*

Este livro é para sempre!

Escreva!, ordenou-me bruscamente. *Se escrever, sua vida não será inútil... Escute e escreva!...*, ordenou novamente, irrompendo nos meus pensamentos e mandando embora de golpe o lodo emocional que eu havia trazido à superfície.

... Escreva um livro que seja para sempre... um dia você saberá que sua vida teve significado só por isso... Um livro que possa ser lido somente por quem já estiver preparado, por quem já estiver no caminho em direção a um estado de cura, por quem já colocou em discussão a velha descrição do mundo conflituoso, mortal.

Escreva um livro corajoso, que conte fielmente tudo aquilo que você viveu ao Meu lado. Que faça o mundo entender que o sonho é a coisa mais real que existe. Um livro que elimine toda a superficialidade e a mentira e abale pelos alicerces as convicções mais radicadas da humanidade comum.

Escreva um livro que traga à luz as leis universais sepultadas no ser de cada homem.

Peguei de novo o meu caderno e na semi-escuridão, sem quase ver nada, comecei a escrever freneticamente as palavras que concluíram Sua visita a Seven Oaks.

O Livro será combatido e encontrará no establishment e na multidão os mais ferozes antagonistas. Porém, ao mesmo tempo, pode acreditar: alcançará aquela parte da humanidade pronta a escapar dos infernos do comum e da mediocridade.

10
A escola

A visão vertical

Uma espécie humana completamente transformada está para aparecer em cena, anunciou o Dreamer. Em Seus olhos brilhava a vida em sua plenitude. Senti uma emoção insólita. Para alcançá-Lo, eu havia feito uma longa viagem com escala em Buenos Aires e depois em Bogotá. Dali, um pequeno avião levou-me a uma cidadezinha aninhada no planalto colombiano, a dois mil e trezentos metros.

A *Casa del Pensamiento*, a solitária construção de bambu onde estava acontecendo o nosso encontro, era a perder de vista circundada pelo verde intenso de cumes majestosos. Nenhum lugar sustentaria com mais absorta participação palavras tão vigorosas. Órgãos arcanos de civilizações perdidas escutavam com atenção. No ar ainda palpitavam seus mitos: a lenda de Eldorado, as histórias de guerrilhas, cocaína e esmeraldas, até os mistérios da Cidade Perdida.

Sua voz tirou-me de minhas conjecturas etnográficas.

O novo ser humano rompeu o velho invólucro, furou o casulo mental que há milênios aprisiona a humanidade, disse com a ênfase de um cientista que vê demonstrada a hipótese na qual trabalhou por anos e em que somente ele acreditou. O elemento que distinguia a característica evolutiva da nova espécie era um evento novo sob o Sol, uma autêntica raridade cósmica: o nascimento no ser humano de um aparato psicológico livre do medo e dos conflitos. Essa característica sem precedentes, como um separador de águas mental estava produzindo no *Homo sapiens* uma verdadeira especiação. O gênero humano estava diante de uma bifurcação da sua evolução, e duas humanidades muito distintas estavam se delineando e se distanciando uma da outra. Os seres humanos continuariam a se chamar seres humanos sabe-se lá por quanto tempo ainda, mas dessa descoberta em diante pertenceriam para sempre a duas espécies co-habitantes, porém separadas, marcadas por um destino diferente.

A velha humanidade, enredada em uma visão plana da realidade, vê somente por intermédio do jogo dos opostos... percebe e sente somente por intermédio da polaridade, antagonismos e contrastes, disse o Dreamer, voltando-se a um ponto do horizonte. Tive a impressão de que mais que falar a mim, estivesse cumprindo um rito conhecido somente por Ele. Segui Seu olhar e pareceu-me que Ele distinguia, entre todos, um vale onde mais distante e profundamente precipitava a cadeia contínua de montanhas. Lá, das civilizações mais antigas dos maias e dos astecas, nasceu a centelha inteligente que agora fazia brilhar os olhos escuros do Dreamer.

Visão e realidade são a mesma coisa, enunciou, evocando uma das declarações mais emblemáticas, talvez a própria síntese da Sua filosofia. *O ser humano horizontal tem uma visão conflituosa do mundo, e esta é a causa primeira de toda a sua aflição A história da sua civilização é o reflexo fiel de uma psicologia fragmentada... uma história de guerras e destruição. Até mesmo sua ciência, a atividade da qual tanto se orgulha, é o produto do confronto entre dois conceitos antagônicos... bem e mal, verdadeiro e falso, belo e feio... como uma faísca que ainda nasce da fricção de dois sílex entre as mãos de um selvagem.*

O Dreamer continuou explicando que a humanidade comum ainda usa um aparato visual arcaico. Como rãs, que percebem o mundo somente como um movimento de sombras, assim os homens da velha espécie não podem conhecer senão por intermédio do contraste, da comparação entre elementos contrapostos. Sua lógica é conflituosa, sua visão do mundo é ainda o rudimentar resultado do jogo dos contrários.

A característica que distingue o ser humano é a consciência da ilusão dos opostos, afirmou o Dreamer. *Aqueles que a velha humanidade considera opostos são, com efeito, as duas faces da mesma realidade, como as duas extremidades de um mesmo bastão... Bem e mal, verdadeiro e falso, belo e feio não são modalidades contrárias da existência, mas graus ou níveis do real... Atrás dos aparentes antagonismos, incessantemente age uma força harmonizadora capaz de fundi-los e reconduzi-los a uma ordem superior.*

O fato antropogenético, a característica revolucionária que o Dreamer estava me revelando era o aparecimento em alguns indivíduos de um senso novo e transformador que chamou *visão vertical do mundo*. Tomado por uma vertigem, agarrei-me fortemente à balaustrada de bambu já lisa pelo vento dos *muiscas*[48] e entalhei no coração Sua incrível narração.

A esses primeiros exemplares, mostruário de uma nova humanidade, a realidade não se mostra mais unívoca, ilusoriamente definida pela polaridade e pela contraposição, mas feita de níveis. A esse novo sentido o Universo não se apresenta mais categoricamente separado em opostos, mas feito de estratos de realidade. Alguma coisa não é verdadeira ou falsa, mas é ao mesmo tempo verdadeira e falsa, nem verdadeira nem falsa, nem não verdadeira nem não falsa...

Anotei cuidadosamente tudo, ainda que a compreensão dos conceitos tardasse a fazer-se presente em mim. Acudiu-me um exemplo Seu sobre a mais clássica das antinomias: a que contrapõe o bem ao mal. Distintamente de quanto possa parecer a uma visão comum – a visão horizontal do mundo –, não existe alguma coisa que por si mesma, objetiva e permanentemente, possa ser classificada como bem ou mal.

O mal de hoje é o bem de ontem que não foi transcendido, declarou, e permaneceu observando-me enquanto eu anotava Seus ensinamentos, como fazia quando queria estar certo de que fossem registrados com absoluta precisão. Prolongou aquela pausa ainda um pouco mais, depois lentamente disse: *Aquilo que um ser humano indica como mal é sua condescendência com o bem de ontem. A perfeição de ontem nada mais é que um degrau em direção à nova perfeição.*

"Mas é preciso admitir", sustentei, na tentativa de manter em pé algum elemento das minhas certezas, "que pelo menos uma antítese seguramente existe... a vida e a morte são realidades antagônicas... dois verdadeiros opostos".

Assim as vê o ser horizontal, consentiu o Dreamer. Depois, baixando o tom da voz e aproximando-se como para confiar-me um segredo, evocou: *Na realidade, morte não existe... Somos feitos para viver para sempre! A prova mais evidente da onipotência do ser humano é o seu poder de tornar possível o impossível: a morte... O corpo é indestrutível. Somente a ausência de vontade, uma vontade involuntária, uma onipotência inconsciente podem destruí-lo.*

A morte é a imortalidade vista de costas.

Eu escutava e tremia. Era uma criatura ansiosa, suspensa na borda do abismo no instante que precede o salto que é ao mesmo tempo seu fim e seu renascimento.

Foi então que pronunciou as palavras que guiariam e ocupariam cada átimo da minha vida:

É preciso educar as células da nova humanidade uma por uma. A harmonização deve acontecer em cada ser humano, disse com intensidade. *Tanto em Economia quan-*

---

48. Indígena da Colômbia. (N. T.)

to em Política, é preciso preparar uma nova geração de líderes, uma aristocracia decisória... homens e mulheres que conheçam a Arte do Sonhar, a arte de acreditar e de criar.

Uma Escola para sonhadores pragmáticos

É preciso forjar seres humanos visionários, anunciou decidido o Dreamer. Pelo aperto que senti no estômago, soube que o que dizia estava imprimindo uma posterior aceleração ao nosso encontro. O tom era aquele de um comando sem réplica dirigido não a mim, mas a um exército invisível pronto a marchar sob Suas ordens. *É preciso escolas novas,* continuou o Dreamer, transmitindo-me aquela química febril que acompanha os grandes eventos quando seu tempo é chegado. *É preciso escolas de preparação para homens capazes de trazer soluções... escolas para homens solares, sonhadores pragmáticos.*

Esta expressão me penetrou na carne com a força de um paradoxo bíblico. No futuro, nos anos que testemunhariam a construção da nova universidade, eu a teria adotado em todos os documentos oficiais e conferências para anunciar sua missão. Mas já daquela primeira vez, escutando-a, estava certo de seu misterioso poder... *Sonhadores pragmáticos...* Eis a definição mais sintética e poderosa daquele exército luminoso que o Dreamer estava pedindo-me para reunir: milhares de moços e moças, estudantes especiais, apaixonados pelos seus sonhos sem fronteiras. *Sonhadores pragmáticos!*

Por longos momentos me detive nas duas palavras, saboreando mentalmente a cumplicidade que despontava atrás do aparente antagonismo que ambas sugeriam. Depois, como sutis cócegas da racionalidade paradoxal, deixei essa postura mental e elas se fundiram numa unidade sem tempo.

Esses serão os líderes de um novo êxodo, prosseguiu o Dreamer, *um êxodo psicológico de proporções planetárias. Milhares de homens e mulheres abandonarão a escravidão de suas lógicas conflituosas em troca de uma visão vertical do mundo, baseada na capacidade de harmonizar os antagonismos internos.*

Eu escrevia mantendo o caderno apoiado na cerca de bambu. A Casa del Pensamiento era uma arca perdida no oceano vegetal que se estendia até não poder mais, até prostrar-se longe, aos pés de gigantes andinos de pedra. *Unicamente líderes visionários... homens livres de qualquer ideologia ou superstição poderão transferir a humanidade da praia psicológica do ser humano comum, fraco e fanático, àquela do ser humano novo, íntegro, inspirado nos princípios de uma espiritualidade laica.*

O Dreamer parou Seu discurso e eu aproveitei para reordenar os apontamentos recolhidos. Estava inclinado sobre as páginas quando senti sobre cada centímetro do meu corpo uma crescente pressão, como o abraço verde e perigoso das águas do Castelo Aragonese[49] depois de um mergulho na minha infância em Ischia. Lentamente ergui a cabeça. O Dreamer havia se aproximado e estava a poucos centímetros de mim. Vi-me prisioneiro, capturado pelos Seus olhos, como um asteróide entrando na órbita de duas luas negras. O silêncio impôs-se solene... O Dreamer estava aproximando-se mais... e mais... Os pensamentos interromperam-se. Vi filas de naves góticas seguirem sem fim e escutei a música de órgãos seculares. Uma comoção incontrolável fechou-me a garganta enquanto ressoavam as palavras que dariam significado à minha vida:

Fundará uma Escola do Ser, anunciou, *uma universidade para quem tem um sonho a realizar. Nessa Escola se ensinará que o sonho é a coisa mais real que existe, que isto que o ser humano chama realidade não é outra coisa senão o reflexo do seu sonho.*

Senti-me perdido, como se tivesse sido aberto o alçapão sob os pés de um condenado. Se precisasse de um teste para descobrir os limites do meu ser, para tocar suas paredes, aquelas palavras do Dreamer teriam sido mais que suficientes. A vastidão da tarefa estava me esmagando antes mesmo de começar. Sentia meu corpo oscilar só de pensar na missão. *Criará uma Escola da responsabilidade*, continuou, *uma Escola para filósofos de ação, na qual se ensina que a felicidade é Economia, que a riqueza, o bem-estar e a beleza são direito de nascença de todo ser humano. Criará uma Escola que não terá fim, a Escola dos Deuses. Essa terá o Meu passo, o Meu alento.*

Não tema nenhum ataque. Aparentemente você terá obstáculos de todos os modos, mas todas as dificuldades ou todos os inimigos demonstrarão ser, na verdade, seus melhores aliados, parte integrante e insubstituível dessa construção.

O Dreamer calou-se e esperou. Como um bom músico, estava dando espaço para eu me exprimir. Naquela nossa solitária *jam session*, era o momento de eu tocar alguma coisa. O tempo passava e eu tergiversava na irracional esperança de poder escapar ao Seu convite. Mas o silêncio do Dreamer fez-se ainda mais insistente. Tinha vontade de gritar a minha insuficiência diante da amplitude daquele projeto e afastá-lo de mim. Esforcei-me, mas a voz não foi além de um balbucio: "Parece-me uma escola de Filosofia", consegui dizer, dando a entender que era algo além da minha capacidade.

E daí?, zombou de mim amigavelmente. Seu tom era divertido, benevolentemente irônico. *Uma escola de Economia é uma escola de Filosofia!... Você já deveria saber disso!*

---

49. Antigo castelo do século XV ligado atualmente por uma ponte de pedra a Ischia, ilha da Baía de Nápoles. (N. T.)

Havia nas palavras, no sorriso, no tom, na expressão de Seu olhar uma inocente malícia que inspirava cumplicidade. Alguma coisa de importante estava ali, nos limites da memória, e eu não conseguia captá-la.

O Dreamer aproximou-se um pouco mais, com o olhar fixo no meu, sem piscar. De repente, como o rompimento de uma membrana, o passado liberou-se das lembranças. A fita do tempo retrocedeu e sobre a tela da mente começaram a mover-se *flashes* distantes...

Revi os anos de estudo e de trabalho na Universidade de Nápoles ao lado de Giuseppe Palomba, o mestre amado que me havia introduzido na descoberta dos valores morais e das ideias como grandes motores da Economia e ainda me estimulado a pesquisar, no abatimento daqueles valores e ideias, a verdadeira causa da escassez e do subdesenvolvimento de imensas regiões do planeta. Os anos passados na Católica de Milão e na London Business School também atravessaram-me a mente não em sequência, mas em uma única explosão de imagens, de rostos, de sensações, de odores, de estados de ânimo. Minha universidade napolitana, o cubo de travertino espelhado sobre o mar de Santalucia transferiu-se sobre o prado inglês da LBS[50] no Regent's Park. O intenso estudo daqueles anos reuniu em uma só todas as Escolas do passado... os mestres... os companheiros... o auditório... a formatura... o louvor. Revi a comoção de Giuseppe e Carmela, o Tissot de ouro... a alegria pela bolsa de estudos da Fundação Giordani que me abria as portas da Columbia University... Depois, tão repentino quanto havia aparecido, o caleidoscópio de imagens modificou as cenas. Revi-me em um intervalo das aulas na LBS: era pouco mais que um menino. Devaneava, deitado debaixo de uma árvore, observando as nuvens que sulcavam o céu do campus. Um sonho esquecido lentamente ressurgiu... Aquela Escola sem fronteiras... a Universidade da qual me estava falando o Dreamer... suas sedes abertas em todo o mundo, de Xangai a Roma, de Nova York a Paris, e os rostos de milhares de estudantes que estudariam ali... Eu já os havia sonhado... A voz do Dreamer trouxe-me de volta: *Recorda-se daquele sonho de olhos abertos? É tempo de realizá-lo! É tempo de criar uma Escola para sonhadores, local em que os gigantes da Economia amarão ensinar.*

Essas palavras que nos anos seguintes eu leria mil vezes contagiavam-me, conquistavam-me, apaixonavam-me. Elas me apoiariam e me fortaleceriam nos muitos momentos de dificuldade que encontraria no andamento daquela ação.

Tudo aquilo que conta e é real em um ser humano é invisível. Assim também é em Economia. Existe um eixo vertical da Economia, um plano de ordem superior, um mundo das ideias e dos valores morais de que dependem os fatos econômicos. Revelou-

---

50. London Business School. (N. T.)

-me como ainda hoje condições de subdesenvolvimento e de estagnação econômica são associadas a um sistema de valores morais arcaicos. Tais condições de subdesenvolvimento são apenas a outra face de um problema que nas economias desenvolvidas manifesta-se por meio de fatos patológicos e doenças sociais.

É portanto no mundo invisível das ideias, dos valores ideológicos e morais, da filosofia e da linguagem que encontramos a origem, o motor dos fatos que se projetam visivelmente no mundo da Economia e dos Negócios.

... Além das pirâmides da indústria... além das torres das finanças... por trás de tudo o que se vê e se toca, atrás de tudo que de útil, belo e verdadeiro conquistou a humanidade... na origem das instituições, das conquistas científicas... existe sempre o sonho de um ser humano, de um indivíduo. Ao indivíduo, à sua preparação, dedique cada respiração! Coloque-o no centro de sua atenção. A massa é um fantasma... um mecanismo influenciado por tudo e por todas as coisas... Não há fé, não há uma vontade própria... não pode criar. E de fato nunca criou nada. Sua função, a razão de sua existência é destruir. O indivíduo e a multidão são as duas faces de uma mesma realidade, os pistões de um mesmo motor. O indivíduo cria, a multidão destrói. Cabe a você decidir ao que pertencer. O indivíduo é a única realidade... é o sal da terra.

Para o Dreamer, as únicas limitações estão no ser. Pobreza e guerra são o reflexo de uma consciência de escassez, de uma lógica conflituosa. Serão eliminadas do planeta somente quando as tivermos erradicado do indivíduo.

Funde uma Escola para indivíduos, uma escola sem fronteiras! Reúna os sonhadores de todo o mundo... sem distinção de nacionalidade, de cor, de credo, de classe socioeconômica... Uma Escola em que o sujeito mais importante a ser estudado é você mesmo, em que a capacidade de fazer e de agir é o resultado mais concreto do amar-se dentro.

Suas palavras fluíam velozes e eu custava a registrá-las. Mais que falar, o Dreamer estava ditando. Quando dei por mim, senti abrir-se uma ferida. Senti-me humilhado... tratava-me como um escriba. Uma ponta de ressentimento e o murmúrio de um lamento triste e mudo armaram-se no fundo do meu ser, sem que eu pudesse fazer alguma coisa. Mais que tudo, exasperava-me aquela Sua total falta de consideração pelo esforço a que me estava submetendo para acompanhá-Lo. Parecia que o fazia de propósito...

Pare com isso e escreeeva!!!, ordenou com voz assustadora, interrompendo na mesma hora aquele curso de pensamentos e a sequela do estado de ânimo em que eu me constringia. O grito do Dreamer chegou providencialmente a me segurar na borda do declive, enquanto eu já escorregava nas águas infernais da autocomiseração, da acusação, da queixa. "Escreva!!!", repetiu. Sua voz reduziu-se a um sibilo ainda mais terrificante que Seus gritos. *Este livro é para sempre! Um dia você saberá que sua vida teve sentido somente porque você Me encontrou, que escrever Minhas palavras é a única razão pela qual você nasceu.*

Sua intervenção teve o poder de me liberar. Num instante me senti puro e leve como um céu de verão varrido pelo mistral. Como sempre, as bordoadas do Dreamer eram terapêuticas, tinham o poder de eliminar os excessos, de expulsar do ser qualquer contaminação.

Retomou o discurso com um tom normal de voz: *As escolas e as universidades da primeira educação também ensinam a sonhar*. Depois de uma pausa, em tom amargamente irônico acrescentou: *...Mas o sonho que projetam é a escassez... os ensinamentos são a dependência, a dúvida, o medo, o limite... Atrás da máscara da presunçosa erudição escondem a dor e um canto incessante de derrota.*

O sonho do Sonho

Seu discurso foi ainda avante e não O interrompi, senão para um ou outro breve esclarecimento. Pensamentos basilares, pedras angulares de uma construção extraordinária estavam conectando-se diante dos meus olhos como peças de um mosaico, configurando uma visão de amplitude mundial.

Disse-me que Escolas do Ser sempre existiram, mas permaneceram desconhecidas. O clima político, o momento histórico quase sempre não lhes permitiram manifestação. Entre outras coisas, fascinou-me a narração da Fábrica[51] de Notre Dame e da sua verdadeira missão escondida atrás do pretexto de realizar aquela maravilha. Eu estava de boca aberta enquanto Ele me contava que arquitetos, artistas e escultores, operários e até peões eram todos eles estudantes daquela extraordinária Escola. Sonhei com os olhos abertos com aquela obra feita por homens a caminho da integridade, estudiosos, pesquisadores da própria indivisibilidade. *Naquela construção, cada detalhe, cada pedra fala da Escola e revela suas leis,* resumiu o Dreamer. Entendi que a Notre Dame e as grandes obras-primas de todos os tempos são a materialização da eternidade, a ponta do *iceberg* do verdadeiro *trabalho* de Escolas imortais.

Progressivamente, como pelo disparo sucessivo de um *zoom*, expandiu-se a visão e percebi que a tarefa que o Dreamer me confiava era somente uma peça, uma parte de um grande projeto. A criação de uma universidade que a partir dos

---

51. Expressão usada para a construção, conservação e manutenção de um edifício sacro. Por extensão, indica um trabalho que dura infinitamente. (N. T.)

alicerces subvertesse a educação tradicional do planeta era apenas o fragmento de uma ideia extraordinariamente maior. Qual era então o *sonho* do Dreamer? Não conseguia nem mesmo concebê-lo... O que poderia ser? Minha imaginação chegou ao seu limite e deteve-se diante da espada flamejante de um querubim... *Eu sonho, Eu sou...* Se, como Ele havia me ensinado, o sonho nos mede, e se ninguém pode alimentar um sonho maior que si mesmo, quem então era o Dreamer? Se provocar uma revolução capaz de incendiar o planeta de ponta a ponta e subverter a visão e o anúncio do ser *vertical* eram somente um passo do Seu caminho, então quem era aquele Ser? Qual era o Seu *sonho*?

"O que é?", perguntei sem ao menos definir o objeto da minha pergunta.

O Dreamer deixou transcorrer um longo e interminável tempo... Eu ainda prendia a respiração quando, aproximando-se do meu ouvido, sussurrou: *O sonho do Sonho é vencer a morte... e antes ainda aquilo que a tornou possível, a ideia da sua invencibilidade.*

Senti uma ligeira vibração sob a pele, um deslumbramento. Seu sonho derrubava limites milenares e se elevava lá onde o ser humano não havia jamais ousado chegar, nem mesmo com a imaginação. Ainda que fosse apenas para sustentar Sua declaração, tive de usar o máximo de minhas capacidades e servir-me dos anos de preparação transcorridos na Escola do Dreamer.

O paraíso portátil

O Dreamer, de repente, ainda na mesma posição, tão próximo que eu podia sentir Sua respiração, começou a cheirar o ar em torno de mim, primeiro com discrição, depois sempre mais teatralmente, até que não pude esconder de mim mesmo a evidência: Ele me cheirava! Um embaraço incontido invadiu-me quando sobre Seu rosto vi se desenhar uma expressão de desgosto, como se tivesse descoberto em mim a fonte de um odor nauseante. Senti uma chama devorar-me dos pés até a raiz dos cabelos. Quando um sorriso malicioso substituiu Sua expressão, entendi que estava brincando. Era uma de suas saídas pedagógicas. A pantomima sobre o mau cheiro do ser marcava a fogo a inaceitável facilidade com que eu ainda caía presa de pensamentos e emoções negativas. Ao falar de paraíso, Sua lição de mestre salientou minha inclinação a criar e alimentar um inferno portátil. Sabe-se lá por quanto tempo ainda o ser humano permaneceria um ser irritadiço, irascível, briguento; por quanto tempo ainda cultivaria e transmitiria às gerações essa fragilidade, essa vulnerabilidade. Distraí-me com essas reflexões. O Dreamer já estava longe. Com um esforço abandonei aqueles pesos e a grandes braçadas superei a distância de luz líquida que nos separava.

A vida é como você sonha. Sempre encontramos aquilo que sonhamos...
É inevitável que encontremos tudo aquilo que sonhamos, disse com entusiasmo. *A vida já é um paraíso terrestre para quem construiu e alimenta constantemente em si um paraíso portátil.*

Fez longa pausa, depois enfrentou de modo resoluto a parte conclusiva do nosso encontro. *A humanidade, aflita com a pobreza, com a criminalidade, com os infinitos conflitos, pode ser curada somente célula por célula. É uma transformação alquímica que deve produzir-se em cada ser humano a fim de que haja uma reversão das convicções e uma difusão por transfusão de vontade, de luz... Somente uma educação individual pode fazer isto.*

Sustentou que uma tarefa como essa não pode ser realizada pela educação em massa, uma educação que com tanto orgulho nossa sociedade ainda considera uma das mais importantes conquistas da modernidade.

Uma Escola para seres livres, dedicada a descobrir a unicidade de cada indivíduo, uma Escola de responsabilidade não pode ser de massa. A educação em massa é uma contradição nos próprios termos: se é em massa não é educação; e se é educação não pode ser em massa.

Faça de modo que a Escola seja acessível a qualquer um que tenha um sonho verdadeiro, sincero... O verdadeiro passaporte para a admissão é acreditar nele, com todas as forças.

A maior verdade econômica

O Sol adorado pelos quimbaya e pelos muísca estava escalando as distantes cordilheiras de cumes verdes e redondos como nos desenhos de uma criança. A voz do Dreamer pairava calma e solene naquele espaço consagrado a deuses.

Crie uma Escola baseada em princípios sem fim, ordenou-me com a solenidade de um viático, de um farnel espiritual, de quem faz as últimas recomendações antes de partir para uma grande aventura. *Crie uma Escola verdadeira, viva, que não seja livresca. No centro do seu ensinamento haverá a Arte do Sonhar.*

Estava por me deixar. Experimentei uma sensação de desorientação. A missão continuava a me parecer imensa, além da minha capacidade. Senti um nó na garganta, como um pranto mudo e desesperado, inconsolável. Ao confiar-me aquela tarefa, estava mostrando-me a coisa que mais amaria. Depois de uma vida de egoísmo, o Dreamer declarava que eu podia fazer alguma coisa de especial... uma escola para sonhadores...

Relembrou-me que a aventura de Ulisses, a viagem de Dante, as expedições de Jasão, as tarefas dos heróis de todos os tempos são o percurso de uma Escola

A ESCOLA

de transformação. Ulisses faz-se amarrar ao mastro do navio com os laços da Escola para manter sólidos e consistentes os princípios. Dante abandona o inferno seguindo Virgílio e transformando-se. Também isto é um movimento da Escola.

É preciso preparar seres decididos a conquistar a própria integridade, a libertar-se da dor, do medo, da angústia que cada um carrega dentro de si. Esta é a única esperança da humanidade.

O Dreamer previu que num futuro próximo todas as organizações, das grandes corporações à menor empresa, tornar-se-ão Escolas do Ser, Escolas de Integridade. Nelas os seres humanos aprenderão a continuamente transcender a si mesmos, eliminando qualquer divisão, sombra ou degradação do ser. Nos órgãos dessas empresas deverá ressoar o toque de diapasão que as fez nascer, a nota que ainda une e faz vibrar em uníssono cada uma de suas células.

Vejo milhares de estudantes, disse profeticamente o Dreamer, mostrando-me com um gesto amplo e lento o sagrado verde em torno da *Casa del Pensamiento*, um campo infinito de girassóis e o pequeno lago no centro. *Eles serão os gigantes da Economia, os comunicadores globais do futuro. Sua capacidade de criar riqueza será somente o efeito de um estado interior de liberdade.*

"Mas uma tarefa como esta poderá exigir um período muito longo", objetei, não sabendo que outro modo usar para desafogar a ânsia e a pressão daquele exército de dúvidas que tentava já assediar meus bons propósitos. O Dreamer estava me convidando a voar e como sempre encontrava minhas resistências. *O ser humano já está preparado!*, anunciou, fazendo rugir os motores do *sonho* e retirando em um golpe a mediocridade daquele meu exórdio. *A inteligência e o amor já estão no ser humano*. Isto não esqueceria mais: vejo hoje essa verdade em cada um de meus alunos e sei que não existe nada a ensinar aos jovens, senão tirar um pouco a casca da superfície e estimular para que se manifeste o conhecimento, a força da unicidade que existe neles, a verdadeira natureza de *seres alados*, de seres "re-ales".

Os ensinamentos externos são somente um pretexto. O verdadeiro trabalho de uma Escola é a eliminação de qualquer compromisso, limite, preconceito, hipocrisia, medo e dúvida acumulados desde a infância, fruto da velha educação, uma educação que parece unicamente ter o fim de suprimir a coisa mais real que existe: o *sonho*. Uma verdadeira Escola não pode pretender dar nada aos seus estudantes... sabe que não pode adicionar nada àquilo que já possuem no ser... É preciso somente levar a luz. É um trabalho de eliminação de tudo aquilo que põe obstáculos à inteligência. A verdadeira educação é *recordar* a própria unicidade, a própria originalidade, o *sonho*.

Economia é um modo de pensar.
O Dreamer anunciou que somente quem está realmente vivo pode criar riqueza.

A riqueza material é somente uma metáfora da verdadeira riqueza, a prova dos nove de um estado de integridade, de inteligência, de prosperidade interior.
Somente uma Escola baseada em tais princípios pode preparar economistas capazes de eliminar a pobreza de imensas regiões do planeta, de remover do ser estratificações de ignorância, as mesmas que lançaram nações e civilizações – antes opulentas – na escassez e no subdesenvolvimento.
Falou-me das fabulosas riquezas da Colômbia, de suas inesgotáveis minas de prata, jazidas de esmeralda, suas imensas florestas, ilimitadas planícies, grandes plantações de café e de tabaco.
Ainda assim é um dos países mais pobres do mundo, afirmou. *O ser desse país reduziu-se a níveis tais a ponto de não poder sustentar o seu ter... como acontece a um ser humano que se encontra em posse de uma riqueza maior que o seu nível de responsabilidade.*
Fez-me considerar que os países economicamente mais desenvolvidos muitas vezes são totalmente desprovidos de recursos naturais, mas têm um importante capital de ideias, de cultura, de história, de arte.
Economia é um estado de ser, proclamou, e deu a uma longa pausa a incumbência de acentuar a transmissão dessa lei. *A Economia de um país, o grau de bem-estar material atingido por ele é o reflexo do modo de pensar e de sentir daquela sociedade. O sistema dos valores, a qualidade do pensamento são a causa; a Economia é o efeito.*
A qualidade cria a quantidade, e jamais vice-versa.
Interrompido o sonho, esvaziados os valores, esvazia-se também a riqueza, sustentou o Dreamer. Falou então da necessidade de se educar seres responsáveis, capazes de se conectar ao sonho de seus países, de nutrir suas raízes. A vida de uma civilização depende da existência desses indivíduos. A amplitude da visão de cada um deles reflete-se ilimitadamente no universo econômico e expande suas fronteiras. Sem eles nenhum progresso é possível. O obstáculo principal contra o qual se chocam os projetos mais ambiciosos não são as riquezas financeiras ou naturais, mas a falta de seres capazes de sustentá-los com responsabilidade interior, de conter em si aquela ideia luminosa, de acreditar com todas as forças.
A Escola trará em suas raízes uma verdade jamais expressa no mundo da Economia: Visibilia ex Invisibilibus. A riqueza econômica é apenas o reflexo da invisibilidade de uma organização, de uma nação. Prosperidade vem de dentro. É um processo que como toda e qualquer cura procede do interno ao externo.

Ter é Ser

Ter e Ser são uma única realidade, mas sobre planos diferentes da existência. Ter é Ser, relembrou.

Para o Dreamer, o Ter é o Ser que se manifesta no tempo e no espaço. Essa descoberta abre as portas a uma imensa revolução na percepção ordinária do mundo e é um choque de pensamento capaz de modificar o curso de uma civilização inteira. O Dreamer pôs em evidência o notável fato de que toda passagem de época sempre, na história da humanidade, foi precedida de uma reversão de ideologias, de uma revolução do pensamento que de um indivíduo foi depois transmitida à massa.

A ideia heliocêntrica fez saltar os fundamentos do pensamento medieval ao tirar o ser humano do centro e colocá-lo às margens do Universo, iniciando a Idade Moderna. O protestantismo modificou radicalmente a visão do trabalho, da condenação bíblica como instrumento de evolução do homem, realizando as condições psicológicas da Revolução Industrial e do capitalismo racional.

Hoje nos encontramos diante de uma nova revolução, uma revolução psicológica fundamentada na ideia de que Ser e Ter são duas faces da mesma realidade, anunciou o Dreamer. *Tudo aquilo que vemos e tocamos, tudo aquilo que percebemos, tudo aquilo que nós chamamos realidade não é outra coisa senão a projeção de um mundo invisível aos nossos sentidos, do mundo das ideias e dos valores que corre verticalmente ao plano da nossa existência: o mundo do ser.*

O Ser não é contraposto, mas sobreposto ao Ter; é a causa do Ter. Isso explica por que países mais ricos em recursos naturais são muitas vezes também os mais pobres, e como o enriquecimento de alguém não é condição suficiente para tirá-lo de seu destino, caso não haja uma correspondente elevação do Ser. É reconhecível de fato a existência de um circuito regulador, uma espécie de mecanismo de homeostase que inelutavelmente reconduz o Ter ao nível do Ser. Uma pessoa não preparada, ainda que temporariamente favorecida por um evento ou por circunstâncias externas, é lançada na antiga pobreza caso o Ter exceda o seu nível de Ser. Isso é verdade também para as nações. Depois de mais de meio século de insucesso dos programas de ajuda internacional aos países do terceiro mundo, os economistas do desenvolvimento deveriam, a essa altura, também haver entendido: não é possível ajudar de fora um país que não esteja já pronto no Ser, que não tenha já alcançado um adequado grau de riqueza na própria invisibilidade, no seu patrimônio de ideias (éticas, estéticas, religiosas, filosóficas, científicas) e no seu sistema de valores. A muitos desses países bastaria conectar-se novamente à própria e antiga sabedoria, à essência de suas origens, e reconduzir linfa ao sistema de valores mais antigos para elevar suas condições de vida.

A compreensão de que *Ter é Ser* extirpa um dos mais antigos preconceitos do ser humano e revoluciona seus esquemas conceituais. Não é o Ter que permite Fazer e Ser, mas é o Ser que permite Fazer e depois Ter. A superação dessa forma de hipnose coletiva significa deixar para trás uma visão plana do mundo e aderir a um pensamento vertical: existem estratos do real e infinitos níveis do Ser. *Ter é Ser* é a chave para a compreensão das questões mais complexas e vitais que dizem respeito à vida do ser humano e dos sistemas organizativos de toda ordem e complexidade e explica a diversidade de seus destinos.

A história do ser humano é uma busca incessante de fazer e de possuir mais; o progresso da humanidade coincide com o desenvolvimento de capacidades sempre maiores de produzir, comunicar, viajar – e também de destruir – em sociedades hipnotizadas pelo desejo de possuir, guiadas por instintos predadores jamais satisfeitos, eco de uma nostalgia, de uma lembrança animal. Perpendicularmente a essa história, flui a dimensão invisível das ideias, o mundo das causas.

Toda conquista no visível, todo incremento da capacidade de Fazer e de Ter da humanidade sempre foi antecipado por uma conquista no Ser. Os conhecimentos científicos e o progresso tecnológico seguem no tempo o conhecimento que o ser humano tem de si e o nível de consciência adquirido. Ciência e consciência caminham juntas, contemporaneamente.

Seja de um indivíduo, de uma organização, de uma nação ou de uma civilização, a capacidade de conhecer, de Fazer e de Ter depende do nível de Ser obtido por aquela civilização, nação, organização ou indivíduo. O Dreamer concluiu estas reflexões com um simples e potente epigrama: *Quanto mais sabe, mais é, mais faz, mais tem.* Fazer e Ter dependem do Ser, assim como a sombra, para a dimensão e a forma, depende do objeto que a projeta.

O Dreamer fez-me notar que observando um ser humano ou uma organização, todos podem perceber em cada um a dimensão do Ter; poucos e com mais dificuldade percebem a dimensão do Fazer. Fica invisível a dimensão do Ser, da profundidade, da amplitude das ideias, dos valores, do *sonho*.

Aquilo que impede de ver o perfeito equilíbrio que existe entre Ser e Ter é o fator tempo que como uma cortina de fumaça ilusoriamente os separa. Se extraordinariamente conseguíssemos comprimir o tempo, os anos de vida de uma pessoa, ou os séculos de uma civilização, veríamos a perfeita correspondência entre Ser e

A ESCOLA

Ter. Estes são a mesma, idêntica realidade em planos diferentes da existência. O Ser materializado torna-se Ter e o Ter sublimado torna-se Ser.

A descoberta da identidade entre Ter e Ser marca profundamente também o pensamento econômico. Se o Ter, e portanto também a produção da riqueza, obedece o Ser, os conceitos fundamentais do Ser, dos estados de Ser e todo o trabalho de estudo e de auto-observação do ser humano deverão por direito fazer parte dos legítimos temas da pesquisa científica, junto à ética, ao sistema de convicções e valores morais e sobretudo à intuição e ao sonho.

Quanto mais ampla é a visão de uma pessoa, mais rica é a sua Economia. Isto vale para uma organização, um país, bem como para toda uma civilização.

Universidade significa *verso* o *uno*

Universidade significa verso (em direção a) o *uno*, revelara-me o Dreamer. No significado descobri uma valiosa indicação sobre a natureza das instituições que não tinha jamais antes surgido em nossas conversas, nem eu mesmo havia encontrado em livros. *No seu nome está ingênita a sua missão: levar adiante o trabalho de integração do ser humano... guiar sua viagem em direção à unidade do ser.*

Na visão do Dreamer, as universidades do futuro terão a tarefa de continuar em versões laicas aquele trabalho que conventos, sinagogas, eremitérios e mesquitas desenvolveram por milênios e abandonaram incompleto, tornando-se receptáculos de irresponsáveis, refúgios para homens e mulheres assustados com a existência.

Muitas universidades desaparecerão e somente a poucas dentre poucas será confiada a tarefa vital de preparar os novos líderes: líderes visionários, monges laicos, guerreiros impecáveis, invulneráveis, capazes de vencer por meio dos novos sentidos os desafios que afrontam a nossa sociedade: a intuição, a vontade, o sonho. O projeto educativo de um ser humano balanceado pelas qualidades aparentemente paradoxais é antigo, já de milhares de anos: um ser humano que harmonize em si astúcia e inocência, razão e intuição, poder financeiro e amor.

A universidade deve propor um sistema de ideias vitais capaz de interpretar o mundo, de revelar a real condição do ser humano e indicar a saída para uma sua possível evolução.

A universidade deve preparar as células de uma nova humanidade, indivíduos inspirados pelos princípios do sonho: indivíduos visionários, utópicos pragmáticos, indivíduos solares capazes de nutrir o sonho de uma economia global e de uma política de responsabilidade planetária.

Uma consciência livresca, imposta do externo igual para todos, é uma asfixia da essência... é falsa, é ilusória. O conhecimento *verdadeiro* já está em cada indivíduo. Conhecer significa recordar... é uma viagem de volta na memória vertical. Para o Dreamer, a nova educação – que Ele chama segunda educação – dista anos-luz da *primeira educação*, da tradicional. A sua tarefa não é agregar conceitos, mas recordar aos estudantes a unicidade, a originalidade, a inocência que eles já possuem.

Não se apoie em nenhuma instituição, recomendou o Dreamer em tom solene, como se estivesse me pedindo um juramento. *Não pegue dinheiro, não peça subvenções de nenhuma espécie a nenhuma entidade ou instituição pública ou assistencial. O sistema tradicional universitário não é apenas obsoleto, mas também extremamente susceptível, delicado, frágil, porque depende.*

Por isso você deverá abrir novos caminhos com o ânimo de um rebelde, de um revolucionário. A verdadeira educação é uma atividade subversiva aos olhos do establishment. Por isso você não poderá aceitar a autoridade da tradição e não poderá aderir a nenhuma das concepções educativas existentes.

A universidade que você fundará será uma tremenda revolução no mundo da educação, a ponto de fazer que velhas convicções e mentalidades desapareçam para sempre e com elas instituições e escolas obsoletas. Somente as que estiverem preparadas para uma mudança total, capazes de aceitar essa revolução, poderão sobreviver.

Cuide de sua integridade! Não permita que nada nem ninguém possa atacá-la. Permaneça intacto! O sucesso é uma natural consequência da integridade.

Explicou-me então a extraordinária ideia que nos faria cunhar o termo *universidade distribuída*, o modelo de organização responsável por tanto sucesso da Escola na afirmação de seu modelo educativo no cenário acadêmico mundial. As batalhas do futuro não seriam vencidas empregando-se grandes navios, mas uma frota de ágeis embarcações. Essa concepção não somente permitia dar atenção a cada um dos estudantes, acolhendo-os em pequenos ateneus, mas também realizava a condição ideal e paradoxal de uma instituição grande e pequena ao mesmo tempo. A nova universidade seria de dimensões planetárias, mas organizada em colégios e *campi* distribuídos nas capitais do mundo, dimensionados para acolher e preparar um pequeno número de estudantes que creem em si mesmos, no próprio *sonho*, e sabem que somente por intermédio da *Escola do Ser* poderão realizá-lo.

A nova Escola, inspirada nos princípios do Dreamer, indicou o modelo de uma universidade do futuro e antecipou o advento de um ateneu sem fronteiras, não mais aristotélico, radicado num território ou vinculado a uma cidade, a uma língua, a uma nacionalidade e a um fuso horário, mas articulado em faculdades distribuídas em muitos continentes fortemente unidas entre si por uma mesma filosofia.

Como as cidades gregas, que erguiam seus muros até onde se podia ouvir a voz de um orador e eram contidas no raio daquela comunicação, sugeriu-me o Dreamer, *assim os ateneus que você fundará deverão estar contidos em dimensões que permitam conhecer as aspirações, o sonho de todos aqueles que deles fizerem parte.*

O nascimento da Escola

Do dia da investidura recebida do Dreamer na *Casa del Pensamiento* havia se passado pouco mais de um ano. Nesse período, dediquei-me integralmente ao Projeto. A Universidade nascera e havia aberto o seu primeiro ateneu em Belgravia, no coração de Londres. Os primeiros estudantes foram recrutados e estavam felizes completando o primeiro ano. A Escola era uma realidade e crescia prodigiosamente. Na sua evolução, parecia esquivar-se – e de fato ignorava – dos ordinários vínculos e limites de tempo e espaço. A sua fórmula acadêmica continha os ingredientes do futuro. Nela, o internacionalismo inglês e um sólido pragmatismo americano eram admiravelmente temperados pelo estilo e pela cultura italiana, pela busca milenar da beleza e da perfeição da civilização clássica. Um intenso programa de experiências práticas ou estágios que os estudantes enfrentavam desde o primeiro ano levava-os a trabalhar, ainda muito jovens, nas maiores empresas do mundo. Fortalecidos pela filosofia da Escola, davam boa prova de si mesmos, demonstrando-se impecáveis e invulneráveis como os monges-guerreiros de Lupelius, os estudantes que dez séculos antes os tinham precedido na *Escola dos Deuses*. As características da nova Universidade, amalgamadas em um mesmo e único organismo pela filosofia do Dreamer, davam-lhe o corpo cintilante de uma astronave em voo e o coração antigo das mais veneradas escolas da Antiguidade, o mesmo coração que havia palpitado nas forjas dos guerreiros e heróis da Grécia clássica.

O Dreamer havia me colocado no comando de uma nave espacial que estava atravessando um mundo universitário arcaico, cheio de pó; uma concentração de coisas velhas alegoricamente veladas de arminhos, que encontrava sempre mais dificuldade em esconder o vazio de seus falsos conhecimentos e de suas anacrônicas concepções. A aparição da Escola no cenário acadêmico inglês e internacional, e ainda mais no italiano, quando aberta a primeira sede em Roma, podia comparar-se à descoberta do livreto de Plutarco sobre Educação. A tradução da obra em latim, tida como desaparecida, estabeleceu imediatamente o confronto entre o modelo educativo grego – projeção do espírito daquela civilização – e o obscurantismo dogmático das escolas religiosas medievais. Então, como estava acontecendo agora, entraram em comunicação dois mundos não divididos por séculos, mas por anos-luz na consciência.

A *Universidade do Sonho*, como foi rapidamente batizada a Escola, nascia como a herdeira única dos ideais educativos da Grécia clássica. Sua firme convicção e pilar de sua filosofia pedagógica é que o ser humano pode evoluir somente por meio de um trabalho de responsabilidade, a constante aspiração em direção à unidade do ser.

Os estudantes chegavam de todas as partes do mundo, atraídos pelo pensamento da Escola, pela sua mensagem nova e antiga. As palavras do Dreamer – ecoadas do material ilustrativo – eram notas de uma flauta mágica. Os sonhadores de todo o mundo as escutavam e se colocavam em marcha.

Sonhei uma revolução.
Sonhei uma Escola que recorde
que o sonho é a coisa mais concreta que existe.
Sonhei uma nova geração de líderes
capazes de harmonizar os aparentes antagonismos de sempre:
Ética e Economia,
Ação e Contemplação,
Poder financeiro e Amor.

Desde os tempos de implantação da nova universidade, indivíduos, acontecimentos e circunstâncias se conectavam prodigiosamente. Não deixarei jamais de me maravilhar como os recursos necessários chegavam: do modo mais justo, sempre extraordinariamente pontuais, com o aspecto miraculoso de uma gestação em que tudo, dos órgãos mais complexos até o mais remoto nêutron, obedece a um mesmo projeto de vida.

A missão da Escola

Naquele dia eu acordei antes da aurora, já consciente dos intensos compromissos do dia. Situações difíceis me aguardavam, incluindo uma reunião plenária com meu corpo docente, e acima de tudo todos os compromissos com os bancos que prometiam ser provas desafiadoras. Senti-me impelido a buscar inspiração nas palavras do Dreamer.

A ESCOLA

Escolhi ao acaso um dos meus cadernos de anotações e mergulhei longamente naquelas páginas abarrotadas de anotações que fui juntando durante os anos do meu aprendizado. O inequívoco arrepio que sempre senti em Sua presença percorria minha pele. Um buraco se abriu na boca do meu estômago; eu havia esquecido de algo vital. Havia muito tempo que não me alimentava dos Seus princípios; demorei demais a me banhar sob os raios daquela inteligência que fazia sentido no mundo do faz de conta. E passou muito tempo desde que eu inspirei a imensa força de Sua visão, capaz de reverter o mundo e reduzi-lo a um grão de areia. Não havia lugar na Terra onde eu pudesse observar as bandeiras desfraldadas ao vento, ou ouvir as trompetas anunciando Sua batalha solitária, Sua titânica investida contra o que Ele chamava de a *mentira da morte*, contra o preconceito da sua invencibilidade.

O Dreamer havia iluminado minha vida, no entanto, talvez eu nunca possa captar plenamente a excepcional fortuna por tê-Lo encontrado. Marquei algumas frases e as levei comigo para a primeira reunião com o corpo docente da Escola Europeia de Economia.

Eu conhecia pessoalmente todos os homens e mulheres que encontrei à minha espera ali: eram excelentes professores, com as melhores carreiras acadêmicas e rica experiência em prestigiosas universidades internacionais e britânicas. Foram selecionados um a um, no entanto, apesar de todos os meus esforços, aquela reunião plenária confirmaria como era difícil aproximá-los da filosofia essencial da Escola. Todos esses membros do colegiado haviam estudado em universidades tradicionais, muitas das quais patrocinadas pelo governo. A ideia de fazê-los mudar suas convicções para aceitar a pedagogia visionária dessa jovem universidade era como pedir-lhes que abdicassem de sua religião familiar, ou atravessassem o limiar biológico para se tornarem seres de outra espécie.

"O sonho fundamental da ESE, sua missão, é criar uma geração de jovens líderes, células de uma nova humanidade. Isso exige mais do que bons programas e bons professores - milhares de instituições já oferecem essas coisas", eu disse, abrindo aquela difícil reunião. Pelas amplas janelas da sala de reuniões eu descortinava o Royal Garden no Palácio de Buckingham, a me lembrar que, mesmo um reino poderoso como o Império Britânico, pode se dissolver quando prncípios são esquecidos e os dirigentes páram de sonhar. Palavras que eu ouvi o Dreamer pronunciar em nosso último encontro agora vinham clara e fortemente aos meus lábios: "A ESE é uma Escola do Ser. Precisamos nutrir nossos alunos com a ideia da imortalidade, derrubando o preconceito de que a morte é invencível."

Até hoje todos os sistemas econômicos lidaram com sobrevivência, com as necessidades básicas das pessoas: alimento, abrigo, vestuário e reprodução. A economia das próximas décadas lida não mais com sobrevivência mas com imortalidade.

"Você poderia por favor explicar-me por que a ideia da imortalidade é importante numa Escola de Economia, especialmente para cursos de Administração de Negócios?" A pergunta foi feita por uma jovem e brilhante instrutora em Gerenciamento Estratégico Internacional. Seu ceticismo quanto à possibilidade de receber uma resposta convincente era evidente no tom de sua voz. Em seguida, com ironia educada, ela acrescentou: "Talvez o sr. esteja planejando anunciar um novo Departamento de Filosofia?"

Era o mesmo ceticismo que manifestei ao Dreamer quando ele me revelou pela primeira vez quais seriam os fundamentais princípios da Escola. Meu impulso a reagir à arrogância daquela mulher foi interrompido pelo *Paaaaree!* do Dreamer.

Sua voz explodiu, como um grito de guerra ensurdecedor, silenciosamente dentro de mim, salvando-me de cair nas profundezas da identificação. Era a morte instantânea de uma velha mentalidade decrépita, o advento de uma nova atitude e o nascimento de um novo ser. Eu sabia que essas palavras eram dirigidas às raízes da humanidade toda. Então me dirigi a ela com compreensão e clareza.

"Visão e realidae são a mesma coisa". Era a minha frase favorita do Dreamer, e havia reaparecido entre as anotações que eu li naquela manhã. Eu não estava mais interessado em convencê-la: *a Economia é um reflexo do Ser,* eu disse, repetindo as palavras que havia pronunciado no Parlamento Europeu de Bruxelas anos antes.

Eu as havia anotado enquanto o Dreamer ditava, quando na época a ideia de falar do assunto de *"A Economia da Imortalidade"* pareceu não só paradoxal, mas também absurda e inimaginável. *A própria ideia da imortalidade física é suficiente para erradicar convicções e credos anciãos,* eu disse, em seguida continuei repetindo as palavras que o Dreamer agora sussurrava silenciosamente dentro de mim. *A morte é um mau hábito!* De uma tacada, a verdade mais inquestionável do mundo estava sendo testada e condenada. Eu estava perdido quanto à maneira de explicar essa afirmação, mas aquelas palavras fluíam no fundo do meu ser: *A ideia que a morte é inevitável é tão poderosa porque ninguém jamais a questionou! Basta questionar a ideia da inevitabilidade da morte para mudar o destino financeiro de um indivíduo, uma organização, uma nação inteira.*

O silêncio dominou a sala na expectativa do grupo por explicações de tal revelação estarrecedora.

"É a convicção de que a morte seja algo inelutável que nos limita; isto está na raíz de cada limitação nossa, de cada aprisionamento da nossa criatividade! Tudo que precisamos para nos livrar das garras do tempo é a idea da imortalidade.

A ESCOLA

Um homem íntegro, um líder visionário vive totalmente num estado de Agora, livre da hipnótica noção do tempo, eu repeti, citando o Dreamer. "A nossa civilização precisa desses sonhadores pragmáticos - seres humanos que se amam dentro e que fugiram da autocriada prisão do tempo - *uma nova geração de líderes, capazes de harmonizar aparentes antagonismos de sempre: Economia e ética, ação e contemplação, poder financeiro e amor.*

Enquanto eu falava, Chris H. balançou lentamente a cabeça, indicando perplexidade e uma crescente discórdia. O movimento fazia os cachos brancos do seu cabelo ondular levemente. Ele era um dos nossos professores mais influentes. Fingi não perceber esse silencioso - e seguramente não isolado - comentário e continuei recitando as lições recebidas há pouco do Dreamer:

Aquilo que chamamos de realidade é apenas o reflexo dos nossos sonhos, o espelho dos nossos estados de Ser. A mente do homem é conflituosa, sua lógica funciona por conceitos contrastantes, sua razão é armada. Por isso conhecemos somente uma economia de sobrevivência que acredita em limites. É isso que permitiu a morte se tornar a indústria líder do planeta; a arquitrave que sustenta a riqueza das nações. De manufatura de armamento até poluição ambiental, de produção farmacêutica até crime organizado; homens e nações estão a serviço de uma economia do desastre, a economia do conflito. A humanidade toda está na folha de pagamento da morte!

A verdadeira educação é liberdade de qualquer forma de hipnotismo, dependência, superstição. A verdadeira educação é o abandono dos seus conflitos interiores. Isso libertará o mundo de todos os opostos, libertará o mundo das contradições, violência e guerras.

"Mas você vive neste mundo ou em algum outro?" começou Chris H. logo que eu lhe acenei. "Com as guerras e as revoluções, ataques terroristas, guerrilhas, perseguição racial e genocídio enchendo os jornais e os meios de comunicação todos os dias - como é que você pode ser moral num mundo governado pela imoralidade?"

Eu me lembrei de fazer ao Dreamer a mesma pergunta. Chris H. era a personificação de minha própria arrogância e dúvida, a imagem espelhada que denunciava minha incapacidade de "ser" essas palavras, de fazê-las penetrar na minha carne. Minha recusa delas impediu-me de espalhar a visão do Dreamer não só a esse homem, mas ao mundo inteiro.

Mas de qual guerra você está falando? o Dreamer me perguntara. *Não há guerra acontecendo no mundo, somente aquela que você está projetando nesse exato momen-*

to. *As condições no mundo correspondem exatamente ao seus estados interiores. Então não se preocupe com o mundo, preocupe-se com você mesmo. Essa é a única maneira que você pode ajudar!*

"Mas no mundo todo existem indústrias que nesse exato momento estão produzindo armas que poderiam devastar o planeta, que poderiam até destruir todas as formas de vida..." Protestei na época e, em nome de toda a humanidade, eu ansiava perguntar-Lhe o que poderíamos fazer, como poderíamos proteger-nos de tal tenebroso poder destrutivo. Lembro-me de que o Dreamer interrompeu-me bruscamente, não me deixando nem enunciar essa visão calamitosa.

Nenhum poder fora de você pode destrui-lo. Ele disse, com palavras indeléveis. *Fora de você nada pode acontecer sem o seu consentimento. Vigie! Livre-se da ignorância, fuja da obscuridade. É a sua visão que precisa ser corrigida, não a humanidade. Condições no mundo correspondem exatamente aos seus estados interiores. Se você se integrar, se você se tornar uma unidade, o mundo inteiro está salvo.*

Eu sentia cada palavra me oprimindo com o peso de uma insuportável responsabilidade. Depois de ouvir Suas palavras, era impossível continuar se queixando, acusando poderes desconhecidos e forças incontroláveis e se refugiar no esquecimento de uma resignada incapacidade. Com Suas palavras agora frescas em minha mente, respondi:

"Não leve ao lado pessoal", comecei. "Mas o que vou lhe dizer, provavelmente você não vai gostar. Você é quem cria o mundo à sua própria imagem. *A única imoralidade que existe está dentro de você e não no mundo.*

Imoralidade significa autoesquecimento - fragmentação interior. Imoralidade significa autoprejuízo. Somente você mesmo pode ser imoral e se prejudicar esquecendo quem você é. Quando você se lembrar, todos os problemas e dificuldades desaparecerão do planeta. O mundo é feito à sua imagem - ele reflete seu ser interior e obedece a todos os seus comandos, quaisquer que sejam. Quando você pára de sofrer o mundo inteiro pára de ser imoral."

Virei a cabeça olhando atrás de mim, procurando por um fiapo que seja da Sua presença. Eu sabia que estaria lá, com o olhar admirador de sempre, e sua inabalável fé na Escola, no *sonho*. Somente agora percebi que Lucia, minha assistente, fora me dada por Ele. Caso o mundo ruísse hoje, amanhã de manhã ela estaria lá para assumir seu trabalho de novo, incansável, antes de todos chegarem, oferecendo sua tímida atenção e me protegendo com sua humilde austeridade, como se eu fosse seu bem mais precioso.

Ela era a única pessoa a quem falei sobre o Dreamer. Constantemente me fazia perguntas sobre Ele, apreciando cada palavra Sua. Era ela que supervisionava o manuscrito, passando suas noites transformando-o em um primeiro rascunho do Livro. Captei seu leve sorriso de encorajamento; sua cumplicidade, por poucos momentos preciosos, me trouxe de volta as palavras do Dreamer.

"É possível mudar nosso destino", eu disse, colocando toda a firme convicção que consegui na minha voz. "Temos que mudar a psicologia do ser humano - a hipnótica história do mundo arraigada em seu sistema de convicções e crenças. Devemos mudar seu *sonho*. E é por isso que há necessidade de uma Escola. Uma Escola do Ser, potente o bastante para fazer acontecer a revolução planetária na educação, para revirar programas e métodos de ensino, exaltando esta visão. Este é o caminho científico que empreendemos e no qual acreditamos."

Mas nossos professores eram as primeiras pessoas que precisariam mudar.

A humanidade como está não pode ensinar os jovens a se libertarem do pensamento conflituoso, nem dos preconceitos e ideias obsoletas, nem ensinar como derrubar uma cerca sequer para cultivar em si uma indomável paixão por grandeza. Não são os recursos que estão limitados, mas o ser humano que projeta suas próprias limitações e fronteiras para o mundo externo e faz com que sua própria propensão inconsciente para a escassez tome forma. A sala estava silenciosa. Fui concluindo com as palavras que o Dreamer tinha pronunciado para mim durante nosso último encontro:

A riqueza de uma nação, o poder de sua economia e o nível de prosperidade que ela pode alcançar é igual à qualidade de seu sistema de valores e, acima de tudo, sua capacidade de produzir indivíduos altamente emocionais, líderes visionários, sonhadores pragmáticos. A vida de uma nação, o futuro de uma civilização inteira depende da existência desses homens e mulheres. Os chefes das futuras organizações serão filósofos da ação. Essas pessoas trarão inteligência, sucesso e longevidade aos empreendimentos corporativos do mundo. Minha voz vibrava com a grandiosidade dessa profecia outorgada a mim pelo Dreamer. "Nossa missão é *criá-los*."

Mais do que perplexos, eles pareciam estarrecidos. A descoberta de que o mundo funcionava de dentro para fora ultrapassava em muito o choque da revolução anunciada por Copérnico, há mais de meio século. As revelações do Dreamer subvertiam não só as leis da economia, mas também tudo em que essas pessoas haviam acreditado até o momento. Sentiram a força ameaçadora de ideias capazes de desviá-los de um triste destino de Sísifo, de repetir e repetir até a morte a tarefa de instruir os jovens em medo, fastídio e sua própria negação da vida.

Ao me despedir de cada um individualmente, eu lia em algumas das faces as tácitas perguntas das quais algumas com certeza eram pertinentes a suas vidas pessoais. Eu os deixei com um afeiçoado aperto de mãos e a promessa de um comprometimento profundo com essa luminosa aventura, lembrando o que o

Dreamer havia me contado na nossa última visita com a certeza de que, embora não dita, a mensagem chegaria a eles apesar de tudo.

Não desanime se você ainda não obtiver sucesso ao aplicar a Arte do Sonhar. Você e eu, como filhos do tempo, ainda somos incapazes de entender a diferença entre sonhar e desejar. No desejar, você pode não perceber que está projetando na sua vida a experiência de querer, precisar, desejar, tentar e esperar, e que tal experiência revela no tempo o exato oposto daquilo que você deseja ou espera. O sonhar é uma experiência tão poderosa e criativa que basta alguns segundo de sua atemporal ação para criar tudo que você desejou durante anos e não conseguiu alcançar! Lembre-se! Somente sonhos podem ser verdade ... desejos, nunca.

A criação de um espaço acadêmico sem fronteiras, com ramos em capitais mundiais dos grandes negócios, foi uma tirada de gênio. A Escola que o Dreamer sonhou fundamentou-se em princípios e ideias imortais que revolucionariam não só o sistema educacional mas a própria humanidade. Quando parti, minha mente se voltou novamente para o banco e eu ouvi palavras do Dreamer que eram aparentemente mera recapitulação do nosso encontro, mas por razões desconhecidas para mim na época transmitiam uma silenciosa advertência.

Um indivíduo, uma organização, um país pode se desenvolver somente se esse indivíduo, organização ou país se ocupar em elevar a qualidade de seu povo. Toda escola ou universidade, empresa ou empreendimento corporativo precisa se tornar uma Escola do Ser - uma Escola de Responsabilidade, somente então será possível enfrentar e vencer qualquer desafio na vida e expandir. Lembre-se, você pode possuir apenas aquilo pelo que se responsabiliza.

Acreditar sem acreditar

Os bancos gostaram do projeto, testemunharam seu crescimento e continuaram a conceder crédito durante o tempo possível, mas não estavam prontos para apoiar os crescentes investimentos exigidos por sua expansão internacional, não só na Europa mas também em outros continentes. Era um empreendimento numa escala que nem mesmo as maiores universidades inglesas jamais confrontaram. Recentemente a pressão para reduzir nosso crédito se intensificou, e o nosso maior investidor já mandou dizer que nossa linha de crédito logo seria cortada.

Lucia me ajudou a vestir o sobretudo e me entregou alguns documentos enquanto eu saía pela porta. Desci rapidamente a escada para o intenso trânsito da Grosvenor Place e caminhei alguns quarteirões até o cruzamento para pegar um táxi. Meus pensamentos giravam em torno do possível resultado do meu próximo encontro com os bancos. Somente as palavras do Dreamer que ainda soavam claramente dentro de mim seriam capazes de transformar a obstinação daqueles professores. Minha própria distância daquelas palavras me levou agora a duvidar seriamente de que eu fosse capaz algum dia de resolver meus problemas financeiros recém-adquiridos.

Eu estava tão remoto de Sua presença, que não o reconheci por trás daquelas tarefas aparentemente instransponíveis que as pedras de toque do Dreamer colocavam cuidadosamente no meu caminho.

Percorri até a estação tubular do Green Park, meus braços pesados e cansados de tanto acenar. Pareceu que uma frota inteira de táxis pretos passou por mim como um enxame de besouros correndo para cumprir alguma importante missão. Pousei minha pasta na frente da banca de jornais, tirei a carteira e comprei não só o Newsweek, mas também um bilhete da Loteria Nacional UK.

Quando me virei para a rua, encontrei um táxi já a minha espera. Entrei e lhe dei o endereço.

Do outro lado da cidade, meus advogados esperavam por mim para celebrar os rituais funerários do meu casamento. As coisas não estavam indo muito bem entre Heleonore e mim. Períodos cada vez mais longos de separação levaram um dia, numa conversa ao telefone, ela na casa da mãe, à unica conclusão possível: uma separação definitiva. O pior, no entanto, que uma esperada separação consensual, um divórcio bem simples e direto, tornava-se cada vez mais complicado pela atitude de Heleonore. Ela foi mostrando-se cada vez mais agressiva e predatória, exibindo uma ganância irreconhecível. Como se, retirada de seu papel de esposa, e removida a fina camada de cor que o meu contato com o Dreamer pincelou no nosso relacionamento, surgisse uma monstruosidade; e eu vivi com isso durante um tempo, inconsciente.

Você mentiu para si mesmo, fingindo estar apaixonado por ela; e você a usou como pretexto para partir de Kuwait e voltar para seus próprios Infernos, o Dreamer me disse uma vez, quando eu ainda acreditava amá-la. Essa opinião me magoou, e achei que pelo menos quanto aos meus sentimentos, o Dreamer estava errado. Na época, Heleonore e eu estávamos trabalhando juntos, incansavelmente, pelo projeto da Escola, e eu teria apostado qualquer coisa pela solidez do nosso casamento. *Sua união nasceu da desobediência e da falsidade. Nasceu prematura. Nessas circunstâncias, não há nada a ser dado para você, e você também vai perder tudo que acredita possuir.*

A voz do Dreamer se apagou quase por completo da minha mente, e eu me vi afundado na minha nuvem de problemas, mas agora na vida pessoal, com seu séquito de aflições, dificuldades e amargura, sem consistência temporal, encapsulado numa gota de tempo sem *antes* nem *depois*. Esses vinham à mente não como situações e eventos separados, mas *em bloco*, apinhados, como uma única derrota constante, sem remédio.

Um sentimento de impotência me acometeu. Aquele táxi era a compressão da minha existência, uma armadilha física que me aprisionava, com a única diferença de a minha vida não ter porta alguma para escapar... Dúvida, medo da derrota, uma irresistível necessidade de desistir - tudo bem conhecido; eram como velhos amigos em cuja companhia o infortúnio é fermentado. Estes têm sido os inseparáveis companheiros de todos os meus anos e, somente na presença do Dreamer, fui capaz de os reconhecer, transformar e conquistar.

Num dos semáforos, com o interminável vermelho estagnado, olhei pela janela. Ali, ao lado de um ônibus, a nível do olhar, vi o slogan de uma nova campanha da autoridade de transportes de Londres: *A má notícia é que Deus está morto. A boa notícia é que você não precisa Dele*. Refletindo sobre o significado, algo que o Dreamer uma vez me disse veio à lembrança: *O desejo de eliminar Deus por aqueles que se chamam ateus é a tentativa deles, secreta até para os próprios, de exorcisar seu medo da morte. Um medo que os agarra e atormenta mais do que qualquer outro.* Assim o Dreamer reverteu o preconceito comum de o ateu ser uma pessoa forte, alguém que se recusa a se apoiar na muleta ilusória de um Deus, diferente do resto da humanidade. Ele afirmava que, na realidade, a fraqueza era seu denominador comum e o próprio fundamento dessa doutrina.

Para o ser humano comum, para aqueles que não alcançaram unidade interior, acreditar e não acreditar são a mesma mentira. O ateu primeiro transferiu a divindade para fora de si, e depois negou sua existência.

O pecado mortal do ateísmo portanto não é não acreditar em Deus, negação da Sua existência, mas não acreditar em si mesmo.

Essas palavras recordaram algo mais que o Dreamer havia dito sobre o assunto, algo de tal vastidão que eu mal conseguia acreditar que eu havia esquecido durante tanto tempo. Eu não conseguia visualizar onde, ou em qual dos nossos encontros, eu ouvira aquelas palavras Dele, mas estavam profundamente gravadas dentro de mim e agora vinham à tona.

Acreditar não é difícil... todos acreditam em alguma coisa... Mas obrigar-se (reconhecendo por dever) a acreditar é para poucos..., havia dito o Dreamer, expressando um conceito capaz de catapultar o pensamento além da razão. O paradoxo que Ele forjou, "acreditar sem acreditar", escondia a poderosa estrutura de uma catedral debaixo das asas da borboleta.

A ESCOLA

Na época não fui capaz de absorver a grandiosidade dessa mensagem, mas agora sua luz implacável me mostrava o quanto a retórica encomiástica se amarrava com crenças, e se aproximava perigosamente da raíz de todo fanatismo.

Todo credo, qualquer fé que você escolher abraçar alista você no exército dos mentirosos. Crença o transforma em seguidor de uma doutrina da mentira.

Na visão do Dreamer, acreditar induz associação com as massas daqueles que professam fé, a multidão de pessoas que passam a vida num estado de identificação, de pertencimento, que os gruda no papel cata-moscas do tempo. Até "descrença" em Deus, como os ateus afirmam, é uma crença que igualmente os afunda no *mare magnum* dos fundamentalistas, dogmáticos, intolerantes e ideólogos de todas as persuasões.

O Dreamer jamais quis encontrar nem ter qualquer contato com aqueles que se caracterizavam como pessoas espirituais ou "buscadores da verdade". Ele me disse: *Seria muito melhor para eles e teriam um benefício muito maior se parassem de procurar a verdade fora e encontrassem a mentira dentro de si mesmos.*

Uma vez perguntei ao Dreamer: "Por que você se recusa a encontrar buscadores espirituais?" Ele respondeu secamente: *Muitos deles estão presos num círculo vicioso, numa luta desnecessária, transferiram a luta por bens materiais para a luta por riquezas celestiais, mas nada mudou - eles mentiam antes e continuam mentindo agora: em vez de desfrutar do mundo e rir, eles resmungam, culpam e se queixam.*

Não na oposição e sim numa dimensão vertical à indolente crença rasa, existe o *acreditar sem acreditar*, a visão libertadora do Dreamer de emancipar o indivíduo, libertando-o do cativeiro da superstição e da credulidade.

Não há culpa, pecado, carma ou castigo. Não há vida além e nenhum julgamento universal, nenhum céu e nenhum inferno. Existe apenas este instante, sagrado, infinito e onipotente. Use-o bem! Você nunca terá outra chance.

Acreditar sem acreditar significa escolher seguir sua própria intenção até o fim, inabalavelmente. É um elevado estado de ser que exige a eliminação da falsidade, e pode ser alcançado por seres humanos íntegros que conhecem e praticam a *Arte do Interpretar (acting)*.

Agora eu me perguntava se já havia tocado esse estado de liberdade, se já fui capaz de acreditar numa ideia, doutrina ou princípio, ou desempenhado um papel, sem precisar me identificar com ele, sem me entregar escravo a ele. Na realidade, os slogans dos ateus denunciavam precisamente a crença na hipnótica descrição contada para o mundo, mais do que para a pessoa. Eu fui o ateu, o homem que pediu para fugir do ordinário, de todo tipo de dependência, para ficar perto do Dreamer e, em vez disso, continuei a acreditar em limites. Eu era o homem que prometeu fidelidade ao *sonho* que esqueceu por anos. Um pedaço de amargura que eu tinha que engolir.

Em diferentes ocasiões, eu juntei copiosas anotações sobre esse tópico de tal interesse que pensei em compilá-los num panfleto. Acabei decidindo guardá-los para mim e não fazer revelações que poderiam exceder a capacidade de aceitação do leitor.

E também, em relação ao conteúdo deste Livro, eu hesitei por vezes em relatar determinados episódios, fatos e circunstâncias; revelações do Dreamer que poderiam parecer ir longe demais, passíveis de despertar antagonismos de instituições políticas, acadêmicas ou religiosas ou fundamentalismos de todos os tipos. Portanto tentei selecionar aqueles que, embora revolucionários, podem penetrar o entendimento da humanidade de hoje.

Um dia quando você perceber mesmo que um átomo do meu mundo você escreverá páginas imortais que ninguém jamais escreveu.

Minhas palavras, as mais inaceitáveis, fluirão de sua caneta, e como um rio transbordante, varrerão todo obstáculo, até alcançar aqueles que estão prestes a ser impregnados, aqueles que já sabem.

O segredo do fazer

Mergulhado nesses devaneios, eu nem havia olhado para o motorista de táxi até que ele falou comigo.

"Você é italiano, certo?" perguntou com seu sotaque caipira e sorriso satisfeito de alguém que acabou de ganhar uma aposta consigo mesmo. "Meu pai era italiano", continuou sem esperar por minha resposta. "Foi ele que me deu o nome de Fiorello".

O carro prosseguia lentamente pelo trânsito da cidade, ele me contando a história de sua família: o avô analfabeto, que emigrou primeiro para a Austrália e depois para a Inglaterra, que fundou uma fábrica de sapatos e ficou muito rico. Seu pai, que se permitiu ser convencido por dois colegas de squash a investir tudo que tinha em ações e dentro de poucas semanas acabou sem um tostão. Fiorello confidenciou-me seu ressentimento para com o pai, sua decepção inesquecível de ter que largar o canto, quando muito novo ainda, para poder ganhar seu sustento. Ele me contou sobre sua licença de táxi, a única dádiva do pai; da sua esperança de seu filho poder alcançar o sonho que ele havia sido forçado a abandonar; sobre seus netos gêmeos idênticos, que demonstravam excepcional inteligência em seus estudos em casa, e que estavam certamente destinados para grandes feitos. Eles indubitavelmente reconstruiriam o império fundado por seu antepassado industrial.

A voz do motorista de táxi começou a esmaecer na retaguarda das minhas preocupações, e enquanto a história continuava, eu me vi criança na loja cheirando a talco de Don Saverio o brabeiro, com seu espelho empoado numa moldura trabalhada. Dentro dessa luneta somente poucos traços do antigo esplendor permaneciam, brilhantes ilhas flutuando sobre uma superfície escurecida. Nela, minha imaginação percebia um mapa de continentes desconhecidos, com os contornos riscados de novos arquipélagos. Quando menino, eu costumava observar Don Saverio trabalhando em meio a imagens repetidas ao infinito de meu pescoço ser impiedosamente barbeado de acordo com as instruções implacáveis da minha mãe. Essa procissão de *"eus"* no espelho levemente inclinado atrás de mim - *eu: de novo e de novo*, como as repetidas gerações na história do motorista de táxi, pareciam explodir de uma ferida no tempo.

Essa sucessão de vidas sem sentido, transmitidas de pai para filho, a miséria dessa imortalidade por prestações me enojava. Eu senti rejeição de uma existência nessas condições. Naquele momento, percebi com espantosa nitidez, a incessante recorrência de imagens e acontecimentos, sempre os mesmos, nas vidas de seres humanos comuns, esmagados pela ansiedade, oscilando entre horários e quantias, presas de emoções negativas. Seres humanos fadados a envelhecer, adoecer e morrer, um após o outro, de pai para filho, inexoravelmente.

Reconheci o labirinto da minha existência, essa insidiosa prisão que eu mesmo criei, da qual paradoxalmente eu era o carcereiro e o prisioneiro, e da qual - por definição - não havia saída. As dificuldades e os problemas que pensei ter resolvido e largado para sempre estavam ainda presentes, ainda recorrendo mais dolorosamente, sem solução aparente. Eu via em mim a vergonhosa repetição do meu impulso de fugir toda vez que detectava a dolorosa sensação de estar subindo - sempre que eu tinha que confrontar desafios e problemas aparentemente maiores do que eu, capazes de me esmagar.

Algo que o Dreamer havia dito lançou um facho de luz no meu medo.

Somente aqueles que são forçados a enfrentar seu próprio horror e aguentarem contemplar sua impotência e incompletude podem conseguir.

Eu não conseguia me fazer perseguir isto - eu tinha que interromper a análise. Eu via que ao realizar este escrutínio interior, eu estava de fato observando-me como um animal de laboratório, um porquinho da índia, uma forma de vida inata e grotesca, que jamais iria querer ver ou conhecer, mas ironicamente eu não tinha intenção de abandonar.

Impelido pela história de Fiorello, impelido por uma parte desconhecida de mim mesmo, reli uma das páginas escolhidas naquela manhã:

A memória cria destino... Destino cria memória... Enquanto você acreditar em suas lembranças e continuar internamente a contar a si mesmo a história imaginária de sua vida, você continuará projetando-a na sua frente, convencendo-se de que você tem um destino, que na realidade é apenas o passado se repetindo. A memória e o destino, passado e futuro são ilusões. Renconheça-os como nada mais que projeções simultâneas deste momento, do Agora, e você será livre. No Agora não há derrota - apenas vitória.

Nesse ponto Fiorello começou a cantar numa bela voz de tenor. A ária do último ato de *Turandot* de Puccini, quando o príncipe desconhecido, apaixonado pela bela mas cruel Turandot, afirma sua vitória: "*Tramontate, stelle! All'alba vincerò... vinceroooò...*"[52] Fiorello continuava a cantar, dando olhadas para mim, divertindo-se com a minha surpresa e esperando aprovação. Mas a singular coincidência dessa canção de vitória com as palavras do Dreamer, em justaposição aos meus pensamentos derrotistas, me lançou num estado de agitação. Percebi que este homem corpulento com o nome bonitinho estava encaixado entre o assento e o guidão de seu táxi. Ele preenchia tão completamente o espaço com a gelatinosa massa do seu corpo que parecia parte integrante do táxi, e jamais seria capaz de sair dele. Quando olhei para ele com mais precisão pelo espelho retrovisor, vi que ele olhava para mim, e senti o sangue gelar nas veias. Aqueles olhos nada tinham a ver com aquele rosto gordo. Era como se um alienígena tivesse tomado o corpo desse bom homem, e agora me estudava. Minha testa ficou molhada de suor, tentei engolir, mas minha saliva se tornara algo pegajoso, borrachudo e me sufocava. Eu via uma obscura ameaça naqueles olhos... expressando sagacidade e uma calma ferocidade... Aqueles olhos dos quais não conseguia fugir, aqueles olhos que me penetravam... aqueles eram os olhos do Dreamer. Senti como se de repente fosse despertado de um sono ancestral. Obedeci ao Seu chamado e mudei meus planos.

"Esqueça aquele endereço", disse a Fiorello, que parara de cantar e também, para o meu alívio, parara de olhar para mim. Eu não ia encontrar com ninguém, pelo menos não com o advogado para discutir meu divórcio, nesse estado. Num rodamoinho de pensamentos, conforme o táxi continuava sem destino, eu reunia febrilmente as peças daquele dia. Vi que desde os primeiros raios da aurora, quando sentira aquele tremor premonitório na minha pele ao ler as palavras do Dreamer, até esse exato momento, fora uma sucessão de passos, um itinerário no qual cada evento, encontro e pensamento, cada minúsculo detalhe, havia sido um degrau de uma escada invisível que me traria até Ele. Eu nunca senti desejo tão

---

52. Ponham-se, estrelas! Na aurora vencerei.... vencereeeeeeei. (N.T.)

intenso de vê-Lo. Eu teria me desdobrado para alcançá-Lo em qualquer parte do mundo, se ao menos soubesse onde. Num instante de estonteante, inesperada luz, do âmago do caleidoscópio das centenas de lugares em que encontrei o Dreamer, uma imagem explodiu dentro de mim. Agora eu sabia onde eu ouvira Ele dizer as palavras que marcaram aquele dia.

"Dê meia volta - leve-me à Spaniards' Road", disse. Fiorello teve que fazer um retorno tão apertado que as rodas internas do táxi se elevaram do asfalto suspendendo-nos por um átimo de segundo - nesse arco do tempo antes de os pneus voltarem a tocar o chão, deslizamos na borda de um novo *destino*. Lembrei-me das palavras do Dreamer quando Ele havia falado sobre derrubar rotinas e o *"Pare"* que ouvi tão claramente naquela tarde na reunião com os professores, e tive a certeza de que eu havia feito a reversão, mais uma vez, num naco de tempo.

Eu seguia meu instinto ao procurar por Ele onde nos vimos da última vez em Londres. Quando o táxi se aproximou do destino, seguindo essa única dica frágil, a absurda certeza crescia em mim de que eu iria encontrá-Lo naquela noite, bem ali, na velha taverna em Hampstead.

Eu aprendera do Dreamer que sonhar, acreditar e criar é o direito de nascença de todo ser humano. E agora eu sentia no meu corpo inteiro aquela sensação de certeza que transforma uma remota possibilidade no mais preciso encontro marcado, transformando o frágil fio que me ligava a Ele num cabo de aço. Isso era a integridade em ação que o Dreamer procurou me transmitir; a semente viva da Arte de Sonhar que durante anos encontrou em mim um solo tão infértil. Se isso era completude, vitalidade, eu estaria morto por meses e anos - num estado em que eu jamais seria capaz de encontrá-Lo. Eu começava a perceber que o dia servira como um tipo de câmara hiperbárica; seus variados momentos foram estágios na descompressão para eu emergir dos abismos das minhas mortes interiores até chegar a Ele, à integridade, à vida. Retive a respiração, tentando reter esta enorme descoberta. Manter-se ali, vigilante, vivo, sem permitir um único átomo de morte penetrar no Ser, era o *Segredo do Fazer*.

Quando o táxi me deixou à entrada da Spaniards Inn, eu tinha certeza de que o Dreamer chegaria, ou que Ele já estava dentro em resposta ao meu fervoroso pedido de Ele estar perto de mim nesse momento em que grandes ondas ameaçavam investir contra minha vida.

O passado é uma mentira

Detive-me na soleira para acalmar meu coração acelerado antes de entrar. Foi aqui que o "jogo dos encontros", com os inesquecíveis ensinamentos recebidos do

Dreamer haviam começado; entre aquelas paredes revestidas de carvalho manchadas de cerveja, com o cheiro de bacon rançoso e conversa barulhenta e despreocupada dos clientes do pub.

A área para jantar, envolta numa aconchegante meia-luz, era menor do que a das minhas lembranças. Vi apenas alguns clientes na sala de jantar, alguns sentados às mesas, mas a maioria em pé no bar, silenciosamente concentrados a beber de exageradamente enormes canecos de estanho. Vasculhei com os olhos rapidamente o salão, em cada canto, na esperança de que Ele já estivesse ali, em seguida subi firme a escada. Ouvia as conversas e um barulho geral crescente. Dessa vez, lembrando nosso encontro anterior e a preferência do Dreamer, escolhi uma mesa no meio da sala mais repleta naquele andar, onde o público movido a álcool era o mais barulhento. Ocorreu-me pedir ao host ou um dos garçons de me avisar quando Ele chegasse, e só então percebi que eu não tinha ideia de como descrever o Dreamer, nem poderia adivinhar que aspecto Ele poderia ter, nem mesmo Sua idade. Rapidamente abandonei essa ideia.

Lupelius costumava se disfarçar de escravo, vagabundo, político, banqueiro ou rico comerciante, e Ele usava esses papéis estrategicamente. Seja uma coroa real seja o hábito de sacerdote, Lupelius os usava e fazia seus discípulos usarem-nos, ensinando como se 'tornar' um dado personagem, com o intuito de explorar e conhecer cada canto escondido daquele sujeito, cada segredo, enquanto jamais esquecendo o jogo, jamais permitindo-se aprisionado nele.

Eu me sentei de onde podia ver da janela a rua, e o verde da Hampstead Heath. Sem noção de quanto tempo eu teria de esperar. Fechei os olhos por um instante, acalmando as emoções daquele dia, e me encontrei no Grande Hall da Escola. O Dreamer entrava, ladeado por duas asas de monges guerreiros. Vestia uma túnica, algo entre o hábito monástico e túnica real, Seu longo cabelo oculto por um capelo largo. Vi a figura de Lupelius se adiantar e mergir nEle. Através da distância de milhares de anos, a Escola dos Deuses transmitira o bastão de seus imortais princípios, testemunha de seus atemporais objetivos.

Aparentemente transcorreram apenas alguns minutos, mas agora eu via que lá fora estava escuro. Um esbelto garçom ruivo atravessou a sala, arrastando pesadamente os passos pelas tábuas irregulares; um senhor havia chegado e me aguardava embaixo.

Eu O vi sentado no canto mais distante da sala, ainda usando Seu casaco; um casaco curto, feito de algum material leve e macio, de corte impecável. Caminhei em passos curtos até Ele, hesitante de emoção. Vi que a mesa que Ele escolheu era a mais distante do bar; acima estava um troféu, uma exposição de antigos mosquetes, vestígio do século XVIII da revolta de Kenwood. Eu ansiava tanto em vê-Lo, mas agora, como frequentemente aconteceu no passado, eu estava rasgado entre a alegria em vê-Lo e minha ansiedade de ter de enfrentar aquele espelho impiedoso que denunciaria meu esquecimento, cada uma das minhas limitações. Nosso encontro começou sem necessidade de palavras ou preâmbulos, e como o silêncio continuava, eu sentia todas as distâncias se fecharem e todo o tempo encolher até desaparecer. Agora, sentado ao Seu lado, eu tinha tantas coisas para Lhe contar, mas o Dreamer fez sinal de manter silêncio, antes de eu abrir a boca.

Caso o sucesso acontecesse 'acidentalmente ou por acaso' em sua vida, como parece acontecer à maioria das pessoas bem-sucedidas do mundo, então 'acidentalmente ou por acaso', você o veria, mais cedo ou mais tarde, desaparecer dolorosamente, começou Ele.

Pense como é desconfortável a posição de um ser humano que acidentalmente alcançou fama ou sucesso - em primeiro lugar, medo e incerteza o paralizariam diante de qualquer decisão - ele não saberia o que fazer em seguida - e ele não saberia como aumentar sua fortuna, porém mais do que qualquer outra coisa, ele não saberia como manter, defender e não perder aquilo que ele acredita possuir maquinalmente.

Sucesso real é resultado de um longo trabalho interior focado principalmente na auto-observação e autopercepção - uma incessante luta contra autoprejuízo, imaginação negativa e emoções desagradáveis.

Sucesso real é a descoberta de um tesouro interno enterrado que é a Mãe de todas as vitórias: a Vontade.

Fiquei afogado em náusea. Ele leu e denunciou perfeitamente minha condição sem eu dizer palavra. O Dreamer criava uma oportunidade após outra para mim, e eu nada fizera para descobrir esse tesouro enterrado. Eu era esse homem sem uma Vontade.

O que aconteceu em Kuwait, quando você abandonou seu posto, trocando um reino pela ilusória proteção de um emprego, está se repetindo. E hoje, mais uma vez, você está prestes a abandonar tudo que lhe foi confiado para se salvar, disse o Dreamer. Seu tom era severo, impessoal, mas eu sentia o peso de Suas palavras como blocos de pedra. *A você foi dado muito, muito se esperava de você, no entanto você nada vez para merecer nem para ampliá-lo.*

Agora circunstâncias e eventos de sua vida se reproduzem, idênticas até o mínimo detalhe, numa perversa perfeição, seguindo um padrão de uma imaginária recorrência; um destino circular que não existe, mas que você acredita e do qual você não pode se livrar, continuou Ele.

Eu não precisei Lhe contar sobre as centenas de problemas causando tal tribulação na minha existência. O Dreamer sabia. Minha vida ainda era a mesma porque nada em mim realmente mudara. Pensei que eu viria aqui para ouvi-Lo me dizer isso, mas as palavras do Dreamer vinham para me libertar, varrendo a opressão vinda do pensamento de recorrência, tão próximo da superstição do carma, e junto o arrependimento e autopiedade já lançando uma sombra sobre o meu Ser.

Aparentemente apenas o passado se repete. Na realidade não há passado aqui, nem na vida de um ser humano nem na história de uma civilização. O passado é uma mentira. Não há carma e não há vida passada, culpa, pecado ou castigo. Não há vida pós morte nem julgamento universal, inferno, paraíso. Existe apenas este instante - sagrado, infinito, onipotente. Use-o bem! Jamais haverá outra chance.

Fora do Agora somos impotentes, dependentes do tempo - limitados, vulneráveis, mortais.

O passado é uma mentira. E tudo o que pertence à memória é ficção. Tudo que você acredita ter acontecido no passado jamais aconteceu realmente. Não há momento antes nem depois. Tudo acontece Agora porque nada está fora do Agora. Agora é o atemporal começo e infinito fim de cada ciclo, desde o átomo até Deus.

Estado é lugar

Durante esse encontro na Spaniards Inn, escrevinhei palavras atemporais no verso do menu e nos guardanapos que ainda guardo como lembranças preciosas.

De vez em quando Ele pausava, e nessa atmosfera mais leve, pensei poder contar ao Dreamer minha surpresa com Sua escolha dessa taberna tão fora do caminho para nosso encontro. O Dreamer via estrategicamente. Eu sabia que cada escolha Sua, mesmo as aparentemente menos importantes, estava a serviço da Sua intenção. Um riso silencioso precedeu Sua resposta. Provocante, Ele sugeriu que a principal razão era a qualidade da cerveja; este era um dos remanescentes estabelecimentos londrinos que podia se gabar de oferecer a melhor cerveja escura, ainda fermentada nas mesmas premissas dos últimos quatro séculos. Por alguns segundos, antes de continuar, Ele ergueu o caneco de estanho aos lábios, mas, assim como com alimento, mal o provou, nem deu um gole de fato. Então Ele me contou que a Spaniards Inn fora um famoso esconderijo, que gerações de bandoleiros, ladrões e salteadores jantaram a essa mesma mesa, e vários deles, sumariamente julgados e condenados, foram enforcados numa árvore bem em frente à porta.

Eu não via conexão entre minha pergunta e essa história até que, ao pronunciar a palavra "ladrões", o Dreamer deliberadamente pausou, olhando para mim em silêncio. Seu sorriso desaparecera. A ferocidade de Seu olhar era pior do que o presságio da mais terrível tempestade e eu instintivamente ergui minhas defesas.

Perfurado por Seus olhos, comecei a inspirar curto e rápido como um especialista em apneia antes de submergir no enésimo testes de resistência. Quando Ele recomeçou a falar, disse:

Agora você é o ladrão de seu próprio eu. Você está roubando-se de dentro. Nos negócios ou no amor, seus associados e parceiros sempre serão o perfeito reflexo da sua condição, seus estados de ser. Um ser humano pode possuir apenas o que ele é, e pode escolher e ser escolhido apenas pelo que ele merece!

Essa referência ao curso da minha vida não poderia ser mais explícita. A dor do que eu ouvia já estava insuportável quando o Dreamer investiu novamente, golpeando com mais dureza ainda.

O pior parceiro no mundo jamais seria capaz de enganar ou roubar você com maior precisão do que você está enganando e roubando a si mesmo.

Mesmo que cada um desses golpes acertasse o alvo, anotei cada uma de Suas palavras. Uma pausa me deu tempo para refletir sobre os eventos do dia - eu me vi na reunião de professores, e renunciar o encontro com meus advogados só para estar com Ele naquela taverna. No final, entendi - o Dreamer 'sabia' inexplicavelmente sobre o bilhete de loteria que eu havia comprado. Diante de Seus olhos, eu sentia o bilhete queimando um buraco no meu bolso dianteiro e marcando-me para sempre com um tipo de 'letra escarlate' destinada a ladrões e assaltantes do pior tipo.

O Dreamer continuou a falar, e eu, a escrever.

Um ser humano íntegro não acredita em loterias e não joga - jamais!

Quem compra um bilhete, quem aposta, já abdicou do poder dentro de si de ganhar esse dinheiro, de atrair essa fortuna.

A crença em eventos externos significa trocar a vitória certa por definitivo fracasso. Quem compra um bilhete de loteria está caçando o infortúnio; da mesma maneira, quem joga ou participa do mercado de ações se sujeita às mesmas leis. Quem, trabalhando em sua integridade, construiu dentro de si o poder de ter esse dinheiro, não precisa ganhá-lo fora de si... Essa força adquirida dentro criará poder fianceiro.

Se você não tem responsabilidade e joga, só pode ganhar acidentalmente - comprar um bilhete de loteria para compensar uma aparente falta de sorte é o ato de um ser humano fraco que não tem a responsabilidade interna para sustentar riqueza. Você não pode merecer se tornar rico de um dia para outro. Ao jogar, - ao se entregar ao acaso, você revela sua falta de generosidade... de responsabilidade... e de amor.

Pessoas como você, um dia, trairão e roubarão de si mesmas acreditando que podem roubar do mundo do Dreamer, e você é uma dessas pessoas... a pior!

Empalideci com a implacável análise que me colocava em meio a uma horda de pessoas ingratas, tentando tomar um pedaço do mundo do Dreamer por convencimento, e protestei. Ele parecia não me ouvir e continuou:

Podemos ter apenas aquilo pelo que nos responsabilizamos. O verdadeiro ter corresponde exatamente ao nosso ser. Poder financeiro apenas é uma consequência, a visível representação da consciência da prosperidade. Aquilo que externamente corresponde ao investimento interno, psicologicamente, se chama Comprometimento.

Em três palavras apenas, Ele distilou a inteligência desse momento:

Estado é Lugar, anunciou. *Um ser humano ocupa um espaço físico correspondente ao seu Ser. O lugar onde está, o ambiente ao seu redor, as pessoas que encontra - tudo demonstra uma notável correspondência com seus estados de Ser, a qualidade de suas emoções, de seus pensamentos.*

O silêncio que nos rodeou até então, selando nosso encontro dentro de uma bolha de discrição, rompeu-se, e a vida da taberna começou a correr por nós como imagens de um velho filme retinindo por um projetor entupido. Olhei à nossa volta, escrutinizando pessoas e objetos como se tivessem acabado de aparecer no meu universo pessoal e o Dreamer os inventara para mim nesse instante. A sala estava cheia de uma improvável mistura de humanidade, um universo segundo Toulouse-Lautrec, disforme como eu. Criaturas assustadoramente magras ou exageradamente gordas grasnavam e parleavam, ou fixavam o olhar desolado, perdido no silêncio e no vazio. Camisas puídas pendiam moles de ombros magros que poderiam bem ser apenas cabides humanos, e outras esticadas ao ponto de romper em corpos enormemente obesos. Lábios de um vermelho forte, abertos como feridas, imitavam sorrisos. Homens e mulheres, suas vidas jovens já simulacros murchos sem alento. Estavam ali buscando momento de suspensão do seu inferno, pairando entre duas dores: passado e futuro.

Um homem troncudo emborcava um pesado caneco na boca, engolindo o líquido espumoso; olhoso semicerrados e estupidificados, como se estivesse drogado. O estômago inchado o mantinha afastado do bar. Esses personagens de quem até esse instante eu me sentira separado, por um vidro pelo qual eu os observava flutuar, agora reconhecia pertencentes a mim. Vi fibras opacas originando no meu corpo, conectando-me com cada um desses seres, a cada detalhe desse ambiente, entretecendo-se a formar um intrincado e denso sistema arterial que nutria todos nós como se formássemos um único organismo, unindo-nos numa terrível e indissolúvel simbiose.

Eu tinha a sensação de que o Dreamer não estava mais ao meu lado. Não conseguia mover um músculo sequer, mas percebia que ele não estava mais no

A ESCOLA

meu campo de visão. Uma pressão atrás do pescoço remexeu meus cinco sentidos; agora eles não percebiam mais esse mundo mas o emanavam, como se pessoas e coisas e todos os átomos do universo se juntassem e se dissolvessem num piscar de olhos. Aqui a ausência do Dreamer tornou-se alento, som, voz.

O que você vê aqui é a multidão, a legião que você carrega dentro, disse. *Eles são seu Ser tornado visível, a representação física de sua condição.*

Na turba sem rosto, nesse ricto de dor além do tempo, vi distinções socias se dissolverem, junto com diferenças raciais e religiosas e todas as divisões entre seres humanos que por milênios foram pretextos para guerras e matanças. Vi os variados papéis derretendo diante de meus olhos, como máscaras de cera. Restaram simplesmente homens e mulheres cujo único propósito era retratar meu próprio olvido. Esse ruidoso circo multicolorido, esse espetáculo, fora arranjado de maneira a eu observar algo que nesse tempo todo jamais queria ver ou tocar em mim mesmo. *Estado é Lugar*, eu repetia, penetrando no profundos recônditos do lema que abatia a ilusão de um mundo externo, alheio, separado de mim. Eu me senti perdido.

Por meio de uma nova lucidez, consegui vincular o palco teatral do pub - esse armazém do desespero - com o que havia observado em salas de aula da escola e da universidade. A humanidade desgastada que frequentava aqui para afogar sua degradação no álcool era precisamente semelhante à categoria dos pedantes, senhores da perdição e do desalento, obsoletos repetidores mecânicos perpetuando a arcaica educação recebida. Eles fingem ensinar aos jovens aquilo que eles mesmos não sabem, e explicar o que não entendem e jamais aplicaram em si. Um teatro do absurdo em que calvos vendem loções garantidas de fazer crescer cabelo, e adoradores da escassez, economistas cujo Ser puído é remendado com toscos retalhos de instruções da Arte de Criar Riqueza.

A Escola que lhe confiei não está se tornando nada diferente do que este lugar de indolência e fastídio, disse o Dreamer. *Mude, senão isso se reproduzirá aonde você for, porque não está fora de você. Livre-se da podridão interna e você verá o mundo partir flutuando como pó que se assopra. O mundo que você vê e toca é produto do seu sonho. Seus pensamentos e emoções, crenças e ações, história e destino, os eventos e as pessoas ao seu redor são todos produzidos e moldados por seu Ser interior. Se você indulge em estados negativos, como medo e dúvida, será derrotado pelo mesmo mundo que você sonha e projeta.*

Faça uma varredura de limpeza, disse Ele. *Você pode cancelar esta degradação agora mesmo, nesse instante. Você só pode fazer isso Agora, um segundo antes, seria um mundo completamente diferente desse, e totalmente esquecido um segundo depois.*

Eu renovei minha promessa ao Dreamer. A nova universidade jamais cairia nesse abismo, nem seria sufocada por algo como uma multidão sem vida que testemunhamos. Seria uma Escola do Ser, um órgão planetário capaz de gerar novas células para uma humanidade curada do conflito, medo e da dúvida; ela geraria filósofos de ação, sonhadores pragmáticos, os líderes visionários que o Dreamer sonha, e que nossa civilização precisa.

Todas as ideologias existentes de esquerda e de direita estão ultrapassadas e obsoletas. Poderosas forças vindas do indivíduo e não das massas estão firmemente reescrevendo os fundamentos da vida. Você como indivíduo é convocado a criar por meio de sua integridade uma nova humanidade, e a redesenhar uma nova economia dentro de você; projetar uma nova era e lembrar um novo destino.

Seja um Rei, e um Reino seguirá

Foi o Dreamer que levantou o assunto da Escola. Agarrei a ocasião para falar-Lhe longamente sobre diversos aspectos de sua governança, seu desenvolvimento, suas necessidades. Tentei me ater aos fatos e manter um desapego saudável do relato, mas inevitavelmente as palavras e o meu tom começaram a degradar em queixa. Falando com Ele em particular sobre os aspectos financeiros do projeto, e a urgente necessidade de encontrar um novo capital, mencionei as dificuldades das nosss relações com os bancos.

Neste ponto o Dreamer interveio, interrompendo esse *cahier de doléances*[53] - minha queixa autoindulgente sobre problemas e obstáculos.

A Escola já aconteceu. Nada há que você possa fazer, nada a acrescentar, a não ser obedecer o desenho ditado pelo Sonho! Ele vociferou tão alto e furioso que eu fiquei com medo de que todos os outros clientes se voltassem para nos olhar. Mas ninguém parecia ter ouvido.

A Universidade é somente um fragmento do Sonho. Para você, para todos que fazem parte, sua realização não é o objetivo final, mas um instrumento para a mudança, um guia, um caminho em direção a uma visão superior de existência.

Então, com um olhar cansado, como um cientista observando uma experiência fracassada, Ele me disse:

Eu coloquei você no timão da Escola, no comando de uma nave espacial capaz de viajar à velocidade dos sonhos, mas sua indisposição para entender está transformando a Escola em algo que não pertence a Mim. Eu não posso permitir isso. Aquelas palavras proféticas revelavam-me um destino inevitável, mas o Dreamer continuou:

---

53. Caderno de lamentações. (N.T.)

Nosso ser é o verdadeiro Criador de tudo que acontece para nós. Eleve seu nível de responsabilidade interna, renove sua promssa, e verá que até a economia e os negócios obedecem às leis do Ser. Esta é a solução! Não culpe o mundo, circunstâncias e outras pessoas, procurando a falha fora de você; recupere o território perdido e reúna os fragmentos de sua integridade perdida. Esta é a solução. Integridade é um estado do Ser, um senso de certeza, de completude, de vitalidade e ausência do medo. Você o sente em seu corpo inteiro, em seu coração e em cada respiração. Governos e nações, organizações e empreendimentos guiados pela integridade são prósperos, e eles têm vidas longas e felizes.

Seja um Rei, e o Reino lhe será dado, disse Ele, pronunciando as palavras que se tornariam emblemáticas na minha vida e na vida de meus alunos.

A Realeza do Ser sempre precede o nascimento de um reino. Ser vem antes do ter, nunca vice versa. Jamais deseje que um reino apareça antes da realeza - o peso dessa responsabilidade seria devastador.

Essas palavras soavam tão claramente como tons de um grande sino ali na penumbra do pub, e me parecia que as próprias palavras erguiam escudos para me proteger contra um perigo iminente.

Quando você estiver diante de qualquer coisa que lhe possa parecer impossível enfrentar, algo insuperável... recorde-se de Mim!... das minhas palavras... dos princípios do sonho. Todos os aparentes obstáculos e limitações possuem raízes no nosso ser e em nenhum outro lugar. Quando você percebe isso, eles desaparecem! Não se preocupe com a falta de dinheiro. Dinheiro é um estado de ser. Dinheiro manifesta no tempo o que você conquistou por meio da responsabilidade interna e vitória criativa. Da mesma maneira, qualquer falha em seus ser o torna mais fraco e pobre. Qualquer rachadura em seu sonho abala os fundamentos de seu poder financeiro. Dinheiro, assim como o amor, é uma questão interna. Observe-se, e não saia desse momento. Tudo já está feito. Existe apenas um obstáculo: e é você.

O banco

Seu comprometimento procurará todos os recursos dos quais você precisa, foi a resposta do Dreamer à pergunta que me afligia. *Comprometimento é investimento... Comprometimento é riqueza... Coloque todas as suas fichas ali! Aposte tudo nisso! Não deixe um só átomo fora da totalidade do seu ser... Invista tudo que você tem, e tudo que você não tem, em você mesmo e seu sonho, e o mundo inteiro apostará em você.*

Recordei aquilo que me havia dito na *Casa del Pensamiento*. O obstáculo principal contra o qual se batem os projetos mais ambiciosos não é a falta de recursos financeiros, mas a falta de seres capazes de suportar a responsabilidade, de conter aquela ideia luminosa, de acreditar nela com todas as suas forças, de pagar-lhe o preço antecipadamente.

Quando você se deparar com um problema financeiro... não se desencoraje... Aquiete-se... Endireite a coluna... Respire profundamente... Dirija toda a sua atenção ao seu Ser Interior... Assuma o comando da hesitação, da agitação e em seguida afirme com determinação e certeza inabalável o que você mais quer alcançar. Isto dará infinitos recursos aos seus negócios e perfeita ordem e justiça à sua vida. Focalize toda a sua atenção em seu ser, e perceba suas mortes internas, que são a própria causa de todos os seus infortúnios... e vença! Você verá ajuda e prodigiosos recurso virem abundantemente e pontualmente com cada pedido seu.

Em quietude, secretamente e silenciosamente, a vitória se revela.

O ar fresco de uma noite de final de Agosto nos cercou ao segui-Lo ao jardim para uma breve pausa antes de nos despedirmos. Era tarde da noite. Eu via o luar nos ramos de uma cerejeira, sem frutos, e na pálida frente de camisa que aparecia sob o escuro casaco do Dreamer. Eu queria este momento, este tempo suspenso, este estado de liberdade que era tão raro para mim; eu queria que todas essas coisas que sentia em Sua presença não terminassem. Sua voz flutuava leve sobre o denso burburinho vindo de dentro.

Vamos embora, disse Ele, apertando seu casaco macio em volta de si. *Este jardim cheira a vômito!* Eu sabia que este brusco comentário tinha menos a ver com o jardim do que com um amargo veredito concernente à minha existência.

Caminhando ao Seu lado por alguns metros que nos separavam do final deste encontro, o Dreamer completou o discurso naquela noite, indo direto à sua essência.

Lembre-se, Dinheiro não é real. É apenas uma sombra fugaz de seu espaço interno, uma pálida manifestação de sua responsabilidade interna. Torna visível no tempo tudo o que o ser humano conquistou em seu Ser, por meio de seu comprometimento, sua responsabilidade e as vitórias sobre si mesmo que obteve. Da mesma maneira, a menor rachadura no sonho pode abalar as bases de um império financeiro.

Vá ao banco e peça aquilo que você precisa, acrescentou Suas palavras finais. *Do outro lado da mesa encontrará a Mim!*

Eu via essas palavras repassando na minha mente, como letras eletrônicas numa tela, ao subir a escada ao Banco M. Num dado instante percebi que eu as recitava como um mantra para espantar o enxame de dúvidas determinadas a penetrar o *sonho* e sabotar o poderoso mas delicado mecanismo do *maravilhoso*. O Dreamer sugerira a quantia que eu deveria pedir dizendo: *Conte a eles sobre o Sonho. Que eles transformarão a Escola em uma das mais importantes instituições do mundo - o banco sabe.*

A ESCOLA

Eu não imaginava que o mesmo banco que mal estivera disposto a apoiar o nosso crédito original decidiria de súbito a nos dar dez vezes mais, para fazermos novos investimentos requeridos pela expansão da Escola.

Novamente minha razão lutava contra os milagres que infalivelmente, dia após dia, acompanhavam o crescimento do projeto e transformavam minha vida em todos esses anos. Ao Seu lado eu vi gigantes sendo derrubados, levantando a poeira de um anão, e montanhas mudarem de lugar e se remoldarem em suaves montes que uma criança pode escalar. Quantas situações intrincadas, perdidas, sem chances de recuperação eu vi o Dreamer resolver, desfazendo os nós com os hábeis dedos de um timoneiro! E quantos impossíveis duelos eu venci com Ele ao meu lado.

E mesmo assim, eu ainda duvidava.

Os obstáculos que você encontrará fora são os limites que você encontra dentro.

Reconheça-se o criador de sua própria realidade, e seu sonho se tornará realidade.

Invista tudo que tem e tudo que ainda não tem, renuncie ao jogo do acaso, e volte à realidade, que é a Minha Vontade.

Aposte na coisa mais real que você possui - o Sonho.

Agora, na iminência daquele encontro, teria dado qualquer coisa para crer, para acreditar, para me impor aquela potente rendição, concordância... entrega... aquele estado mágico de ausência de dúvidas que o Dreamer chamava *yes attitude*, atitude positiva.

Se você 'deseja ter mais dinheiro', seu poder interior reconhecendo você como criador de sua própria realidade, deve remover 'dinheiro' da sua Vida para que lhe seja concedida a experiência de 'desejar' ter mais dinheiro, a fim de que você realize seu sonho de 'desejar' ter mais dinheiro.

Desejos jamais se realizam para que você realize seu sonho de desejar.

Quando você esquece os princípios do Sonho, só lhe resta desistir e desaparecer da Minha visão. Volte ao estado de integridade! Lembre-se!

O pensamento de poder de fato falhar, de trair a confiança do Dreamer em mim, era insuportável.

O banqueiro que você está para encontrar sou Eu. Eu envio você, Eu receberei você e Eu escutarei você. Se Me agradar, agradará também ao banco. Se você se recordar da Minha presença, das Minhas palavras, ele lhe dirá sim.

A fina crosta da existência diária se rompeu, e de repente eu espiei a fonte; a lanterna mágica que projeta as sombras da vida, fatos e circunstância que os seres humanos chamam de realidade.

Eu estava na soleira - não do banco mas do estreito portal ao invisível que só pode ser atravessado por uma humanidade livre da descrição do mundo e de seu hipnotismo; o buraco da agulha bíblico pelo qual passa mais facilmente um camelo do que um homem rico de ignorância, de superstições, dúvidas e medos.

Hesitei um instante antes de entrar no banco, e com um gesto resoluto, como alguém queimando suas pontes atrás de si, alcancei o bolso da frente, tirei o bilhete de loteria e, picando-o em minúsculos pedaços e jogando-os ao vento, cruzei o portal para o Infinito.

Dinheiro não é real

Dessa vez o Dreamer foi extremamente rápido, quase brusco, ao me dizer o que Ele esperava de mim.

Está na hora de trazer a Escola para a Itália, disse Ele num tom lapidar. *Ali você enfrentará o mais taciturno e impiedoso Antagonista que você poderia esperar. Com sua ajuda indispensável, você terá a maior chance de confrontar suas limitações e conquistar você mesmo.*

Desde o início, o Dreamer me informara que a Escola deveria ser um espaço acadêmico sem fronteiras, com filiais nas grandes capitais mundiais de negócios, mas eu jamais poderia imaginar que além da mansão em estilo georgiano no coração de Londres, o próximo local da Escola fosse um castelo no meio do nada.

A propriedade que o Dreamer sugerira era esplêndida mas isolada. Mais do que uma residência aristocrática de campo, Villa del Ferlaro era um palácio real. Napoleão a dera de presente à esposa, Marie-Louise da Áustria, a herdeira dos impérios. Durante anos a propriedade, o último remanescente de uma fortuna industrial que havia sido despedaçada num desastre financeiro, esteve sujeita a leilões judiciários aos quais ninguém comparecia. Apesar da beleza da Villa del Ferlaro e de uma proposta de preço constantemente reduzida, durante anos ninguém ousou adquiri-la, em parte por causa de uma superstição local sobre o infeliz destino de seus sucessivos proprietários, mas realmente por causa da poderosa máfia que dominava a cidade. Como descobri mais tarde, eles manobravam há muito tempo garantindo que os leilões ficassem desertos enquanto elaboravam um acordo sobre como dividir este saque milionário.

Enquanto eu me preparava para partir para a Itália, estar presente no leilão, juntei e estudei cada possível imagem da Villa, chegando a conhecer todos os detalhes do interior com seus lindos afrescos, os grandes terraços, o jardim inglês desenhado por Barvitrius dois séculos atrás, e o imenso parque que a circundava.

A propriedade me fascinou, mas também sobrecarregava meus pensamentos. Se a fórmula da nova universidade, além do rigor acadêmico inglês e da internacionalidade, devesse incluir uma cultura italiana e o senso de beleza, ninguém poderia imaginar um cenário mais apropriado; mas ao mesmo tempo, ao mantê-la na minha tela mental e explorar cada canto seu com o meu ser, achei difícil circunscrever e possuir. A visão de sua beleza era obscurecida pela névoa do medo e ansiedade ao pensar de se tornar sucessor de tantas vidas de homens e mulheres, e temia que seria mais difícil ainda de fato conquistar.

Quando descobri que, depois da queda de Napoleão, Marie-Louise viveu ali e criou seus filhos do segundo casamento com o Coronel Neipperg, percebi mais profundamente ainda que ganhar o leilão significaria não só adquirir o edifício e suas terras, mas participar de uma história de nobreza e estilo que poderia esmagar alguém que fosse incautamente tomar posse sem suficiente responsabilidade. Mais do que uma residência real, era um símbolo, a própria síntese da história de uma cidade inteira. Ir para lá de Londres e conquistá-la era uma das mais árduas tarefas que o Dreamer pudesse ter-me dado, uma tarefa que imediatamente me atingiu como impossível, não só por causa do escopo financeiro da operação, árduo em si, mas por causa da grande e local veneração que ainda persistia por cada vestígio dessa princesa imperial que amara seus súditos e foi amada por eles. Fora ela que havia construído a base da atividade econômica e cultural da região, atraindo as maiores influências científicas e artísticas do seu século.

O impossível é o possível visto de baixo, disse o Dreamer depois de ouvir minhas objeções.

Mire mais alto! Eleve seu ser! Você entenderá que a Arte de Sonhar, a Arte de Acreditar e Criar, é a capacidade de transformar o impossível em possível, e finalmente no inevitável. Esta é a primeira condição para voltar à sua integridade perdida.

As palavras que se seguiram foram articuladas com uma lentidão calculada, para penetrar pela grossa crosta de ignorância e recusa que me cercava e impedia o meu entendimento.

Você não precisa de dinheiro para adquirir essa propriedade. Você precisa de comprometimento - uma promessa interna. Seu comprometimento deve ser total. Sua responsabilidade e integridade interior determinam a extensão de seus recursos financeiros e produzem todos os recursos necessários. Dinheiro não é real. O real é a dedicação de um ser humano e a força de suas convicções... eles se alinham e assumem as proporções do seu sonho.

Essas palavras do Dremaer me revelavam algo extraordinário. Pela primeira vez eu percebia que jamais houve conquista social, científica ou econômica, nem qualquer empreendimento humano dentre os reconhecidos como os emblemas de sucesso, que fossem alcançados com dinheiro.

A Arte de Sonhar, a Arte de Acreditar e Criar, é um estado de liberdade, de certeza, de total ausência de dúvida, o Dreamer continuou. *Comprometimento interno é investimento, o único dinheiro real,* enfatizou. *É o seu comprometimento que faz as coisas acontecerem! É o seu comprometimento que atrai todas as oportunidades e os recursos necessários. O sucesso de suas ações no mundo externo é somente o reflexo de seu comprometimento interno.* Apesar da clareza com que Ele ilustrava esses princípios, eu não conseguia captá-los.

Jejuar na véspera da batalha

Ao pensar nesta tarefa eu sentia uma insuportável dor de estômago. A lucidez, a fria certeza que emanava de Suas palavras, aliviava. Após alguns segundos, porém, a dor voltou, mais aguda.

Minha mente correu de volta àquele dia com o Dreamer e Sua denúncia do meu apego àquela garrafa de água - como eu estava doente, a dor, e Suas instruções na Arte do Jejum como a melhor maneira não só de curar o corpo, mas de elevar o ser a um nível superior.

Você pode plenificar seu corpo com juventude e saúde sempre que quiser. Pelo jejum você permite que o sangue faça seu trabalho de limpar o corpo inteiro. Jejuar é um descanso psicológico do seu corpo. Lembre-se! Qualquer técnica ou disciplina que use, só é um meio, não o objetivo. O objetivo é o descanso, e não força. O objetivo não é dor, mas libertação da dor. Política, por meio do interminável falar, é um método de purificação. Sexo, filmes e TV são métodos de purificação. Trabalho físico e todo tipo de esporte são técnicas de purificação. Casamento é outra prática para a purificação, seja bem-sucedido ou não, disse Ele.

Cada evento de minha vida fora cuidadosamente planejado para me preparar e me trazer a este ponto - e esta medição do meu comprometimento. Recordei todas as minhas conversas com o Dreamer, Seus ensinamentos, Seus preceitos e minha cura por meio de compartilhamento de Sua iluminada visão em cada evento de minha vida, desde meus relacionamentos fracassados até meus problemas financeiros. A noite anterior ao leilão eu fiquei sem dormir e, lembrando os preceitos transmitidos por Lupelius, eu jejuei.

Jejum era usado nos tempos antigos à véspera de um importante empreendimento ou para evitar desastres iminentes. Pitágoras, Sócrates, Platão e Lupelius jejuaram.

Tudo que você faz é mecânico. Se você colocar atenção em um único ato sequer, comumente realizado de forma mecânica, você dobrará seus benefícios. Tudo que for intencional, consciente ou vindo de sua vontade o leva mais alto do que jamais pen-

A ESCOLA

sou que pudesse ir. Jejuar junto com respiração intencional fará emergir todo o lixo psicológico, dissolver emoções negativas e pode curar as causas da doença mais rápido do que o acúmulo delas. Comer ou jejuar, caminhar ou rir intencionalmente, são eficientes maneiras de multiplicar os benefícios de uma atenção interna. Tudo que acontece sem sua intenção consciente não deveria ser resistido nem negado, mas aceito, estudado e dominado.

Mas até esses rituais provaram ser ineficientes contra a ansiedade crescente em mim junto com a preocupação pelo resultado desse empreendimento. Só o depósito para participar no leilão limpou todo o crédito que eu tinha. O pensamento mais aterrorizante, porém, era que, se eu ganhasse o leilão, teria que pagar toda a quantia restante em dinheiro dentro de três meses.

Crer para Ver é a inexorável lei dos reis, é a lei do Criador... Ter fé e crer pertence à Arte do Sonhar e são qualidades inatas do Dreamer. Um ser humano dá um passo no abismo e tem de acreditar, sem um átomo de dúvida, que o solo se erguerá sob seus pés, dando razão a esse movimento ousado - à sua luminosa insanidade.

Ouvi estas extraordinárias palavras do Dreamer na minha saída - no entanto, ainda tinha a inabalável sensação de ser uma vela queimando dos dois lados. Se eu ganhasse, teria que me ver sem um tostão e lutando desesperadamente para cobrir as imensas despesas que a posse dessa propriedade e a fundação da escola incorreria, mas se eu recusasse a participar teria perdido uma irrepetível oportunidade, uma das mais importante que o Dreamer jamais criara para mim. No mundo do Dreamer - perder uma oportunidade significava inexoravelmente "voltar ao início" e começar tudo de novo.

Fiquei animado ao lembrar que em todos esses anos com o Dreamer, cada dificuldade que parecera insuperável - enorme como uma montanha - revelara-se apenas um minúsculo passo para se erguer acima e prosseguir além.

Eu invejava a força de Lupelius e seus monges-guerreiros, a ausência de medo que lhes garantia invulnerabilidade nas mais perigosas e mortais atividades. Faz anos que eu estudo o manuscrito de Lupelius, *A Escola dos Deuses,* e vivi como um equilibrista em corda bamba, suspenso entre o audacioso mundo de liberdade do Dreamer, onde Sua voz ressoava com o grito do guerreiro, e a impotência, a prisão para a qual fui banido pelo meu medo e minha dúvida.

A certeza só pode ser encontrada dentro de si, disse-me o Dreamer, como se lesse meus pensamentos errantes. *O senso de segurança é uma vitória interna que não pode advir de nada nem ninguém lá fora, somente de você mesmo.*

Suas palavras me inspiravam. Atentando a elas eu me sentia elevado acima do plano do ordinário, além de meus estreitos limites de possibilidade. Em seguida, mas somente por um instatne, eu senti a liberdade da "luta" e vi um cintilar de luz no final do meu túnel de pensamentos negativos e desespero.

Toda a determinação e coragem que consegui reunir desapareceu quando vi o tribunal cheio de pessoas e, acima de tudo, quando descobri que haveria uma saudável participação no leilão, quando esperava estar sozinho. O desespero apertou minha garganta quando o juiz convocou o registro, anunciando um por um os nomes dos outros competidores, e eu senti uma sensação familiar demais de derrota invadir meu ser como veneno - paralisando cada fibra, aflijindo cada átomo e roubando-me o último naco de energia.

Apesar de ser informação confidencial, a cidade não perdeu tempo em espalhar a notícia de que um estrangeiro de Londres estava registrado para o leilão.

Pela primeira vez em anos o tribunal estava entupido de espectadores disputando lugares para ver os onze competidores do leilão, que eram na maior parte meros testas de ferro das figuras e organizações bem conhecidas da região - o sindicato industrial, a Universidade Estatal, dois grandes bancos e todos os poderes superiores estavam presentes, cada um deles na retaguarda do seu chefe como parte de uma besta só - a Hidra própria da cidade - guardando ferozmente seu status quo e seu aleuto. Uma criatura monstruosa, de dez cabeças, para ser preciso, com a qual logo mais eu teria de lidar.

Tentei calcular mentalmente minhas chances de ganhar. Enfraqueci, imaginando que eles teriam ilimitados meios financeiros comparados aos meus, e que o preço seria elevado consideravelmente quando cada um deles desse o lance de arremate... Eu seria forçado a me retirar. Meu medo me transformava em anão e o mundo externo se tornava cada vez mais enorme e ameaçador.

O leilão

Dei o lance decisivo. A quantia ecoou nesse salão apinhado de pessoas e a audácia dessa nova tentativa propagou um murmúrio pela multidão, incitando comentários num tom febril. O burburinho cessou como uma onda retrocedente e por um longo momento o tempo ficou suspenso.

Nesse átomo de universo além do tempo, os gestos rituais do juiz aconteciam lentamente, solenemente. Eu o observei apagar a primeira vela, depois a segunda. Antes de bater o martelo, sinal de transferência da propriedade histórica no final do leilão, esse instante caiu, como uma gota do infinito. Toda a minha vida apareceu diante de mim. Vi a embriaguez da minha autodestruição, a inconsciente sabotagem por trás de cada rebaixamento, cada queda, e todas as possíveis vitórias que constelavam a tempestuosa viagem ao descobrimento de uma abertura pela qual eu pudesse escapar, mostrando a todos os seres humanos que é possível mudar nosso destino. Precisamos não aceitar sermos condenados a envelhecer, adoecer e morrer. Eu sentia infinita gratidão ao Dreamer, por ter me conduzido pela mão ao mundo da coragem e impecabilidade, onde o tempo e a morte não existem, onde a riqueza não conhece "nem ladrão nem ferrugem."

No silêncio seguido ao meu lance, quando começou a parecer que todos os outros competidores haviam cedido, senti um acesso de exultação diante da perspetiva de vitória. Aqueles poucos átomos de vaidade e egocentrismo foram suficientes para permitir a entrada da dúvida e do medo e dominar meus pensamentos. Um eclipse do Ser escureceu todas as minhas certezas, cancelando o senso de onipotência que me sustentara até aquele momento. Nas trevas desse instante, enquanto o mundo escurecia e suas cores e se tornavam lívidas, o que eu havia feito, agindo com determinação e coragem, agora parecia meramente imprudente e irresponsável. Na minha imaginação, agora despencando para fora do controle, o preço que eu oferecera cresceu a um tamanho enorme, algo colossal, impensável. E agora que eu estava a um alento de distância de ganhar e possuir esta propriedade que havia sido disputada com tanta amargura, sentia meus joelhos cederem. Tive que lutar com uma onda de náusea. Até amaldiçoei meu encontro com o Dreamer e a decisão de me envolver com este empreendimento precipitado.

Algo pegajoso forrava minha boca, e eu senti a inequívoca dor que sempre governou minha vida. O medo de perder se transformou em medo de ganhar, ainda manchado com a mesma doçura ingênua, a mesma aflição. Senti meu mundo ameaçado por pânico, terror, desolação, o sangue dos meus membros sugados por uma doença fatal. Eu teria gostado de abandonar meu corpo, deixá-lo ali como uma pele descartada, e ir embora.

Você pode pensar que o medo é uma reação natural a algo que ameaça você de fora, em outras circunstâncias havia me dito o Dreamer. *Na realidade, é o seu medo que é a fonte e a própria causa do que você tem medo.*

Eu culpava o Dreamer por ter me dado outra tarefa insustentável, outro oceano a atravessar, outro pico a escalar. Por que eu vim aqui? Por que eu ostentei uma confiança que não possuía?

O meu "sonho" que me conduziu a este lugar se dissolvia. Eu vi aquele infinito instante expirar, sua eternidade deslizar dos meus dedos, dissolver-se, uma gota no Rio Stix do tempo. Afundei no próximo ato dos procedimentos do tribunal, uma sombra entre as sombras a encher a sala, um desconhecido ator no meu drama.

Voltei a cabeça para olhar furtivamente a porta. Senti um laivo de alívio, ainda estava aberta.

Vi meu rosto, ridicularizado e distorcido de medo, projetado numa imensa pirâmide de cristal por um instante fugidio, antes de explodir com bramido de mar tempestuoso. O ar ainda chovia estilhaços de cristal quando ouvi a voz do Dreamer acima do estrondo desse golpe, mais perto de mim que meu próprio alento.

Aqui não há tempo nem morte, disse Ele. *No meu mundo não há espaço para dar meia volta, acusar ou lamentar. Aqui, próximo do Dreamer, não há espaço para indulgir em nenhuma fraqueza, dúvida ou medo.*

Essas palavras Suas ainda vibravam quando ouvi a voz de um dos últimos apostadores, alta e confiante, fazendo uma oferta muito mais alta que a minha. Senti um desespero crescente: a vitória desaparecia bem diante dos meus olhos. Uma sensação de derrota que sempre carreguei dentro de mim se materializava novamente. Outra fração de segundo, e eu perderia a aposta definitivamente.

Levou uma eternidade o juiz erguer seu martelo. Vi-o erguido, pronto para descer. Não era o leilão que terminava, mas um implacável julgamento que me condenaria à escravidão perpétua.

Uma repentina dor inexplicável me apertou o lado esquerdo do pescoço como garras de aço. Jamais senti algo tão atroz que me forçasse a erguer a cabeça buscando ar. O Dreamer mal havia me tocado.

Você está aqui por uma única razão - vencer a morte, sussurrou. *Nada mais importa! Eu sou a ameaça letal a tudo em você que decidiu morrer, e tudo em você que vive da morte!*

O ar escurecia. Nos rostos dos outros apostadores via os rictos de ferocidade e zombaria, eles eram a primeira onda da falange inimiga pronta a me esmagar. As paredes do tribunal desabaram e eu estava em campo aberto, cercado por clangor de armas e as trombetas convocando para o combate, enquanto a terra tremia sob a potente marcha dos exércitos e cascos de milhares de cavalos enlouquecidos.

Em meio ao terror dessa carnificina, entre braços e pernas decepados e espalhados, encontrei-me com os monges-guerreiros de Lupelius. Estavam armados com espadas, mas não usavam armadura e escudo como a Escola exigia. Eles passavam invisíveis pelas fileiras da milícia inimiga, protegidos por sua incorruptível crença em sua invulnerabilidade. As falanges oponentes eram ondas de um mar tempestuoso, paramentadas em cores gritantes. O ar pesava do cheiro de sangue e gritos dos feridos; era impossível respirar. Uma imensa nuvem de flechas, sibilando terrivelmente, voou para cima, escurecendo o céu.

Nesse supremo momento, o Dreamer apareceu ao meu lado.

Guarde a linha! gritou acima do fragor da batalha. Em Sua voz eu ouvia a indubitável força da certeza de alguém que reconhece as raízes de Sua vida.

Retome-se, ou você será eliminado! gritou ele. *Você é uma multidão voltando à totalidade do seu Ser, à integridade, recupere sua unicidade, somente assim você será invulnerável. Não hesite por um segundo sequer, porque o resultado dessa batalha, derrota ou vitória, depende totalmente de você.*

Lembrei o que li sobre a disciplina da invulnerabilidade no manuscrito de *A Escola dos Deuses*: *Os lupelianos não batalhavam por supremacia, controle ou poder sobre os outros. Lupelius convocava seus monges-guerreiros para lutar não pelos pobres, pelos necessitados, ou os oprimidos, mas como um teste de resistência para expressar na batalha suas conquistas interiores como verdadeiros conquistadores da morte. A disciplina lupeliana não preparava pessoas para darem suas vidas e se tornarem mártires ou heróis em nome de alguma ideologia ou fé, mas pelo único propósito de abrir um portal para a imortalidade, primeiro em seus corações, e consequentemente, em seus corpos físicos.*

Enxames de flechas caíam ao nosso redor, em ondas mortíferas, e eu observava o milagre da nossa segurança enquanto soldados e cavaleiros montados caíam em volta às centenas. A batalha alcançara o seu paroxismo. No centro do exército, mil bandeiras vitoriosas desfraldadas, eu atravessava as águas revoltas do Granico, nos portões da Ásia, perseguindo o inimigo em retirada. Em cada fibra eu sentia a coragem, a certeza, o senso de vitória que pulsara nas veias dos heróis desde o princípio do mundo, e por uma fração de segundo conheci a inefável alegria de um imortal.

Foi quando uma flecha, mais veloz que o vento e afiada como navalha, me atingiu, decepando o lóbulo da orelha e deixando uma dor atroz. Senti como um lembrete da minha vulnerabilidade, um aviso de morte. De repente o vento mudou. Ouvi o galope trovejante de um cavalo de batalha, precedendo a aparição de um enorme cavaleiro do meio da névoa. Sua armadura faiscava à luz do fogo. Ele se aproximou de mim, fazendo o cavalo empinar, tão próximo que um dos cascos passou raspando perto do meu rosto. Eu desloquei meu peso para trás, a tempo de evitar o golpe. Senti a inevitabilidade da derrota e minha resignação antes mesmo do mudo uivo de terror surgir dentro de mim. Com um rápido movimento, Ele tirou seu capacete e jogou-o longe, fazendo-o voar como um pássaro mecânico, e então puxou a espada. O longo cabelo cinza estava solto e ondulando ao vento, e agora eu reconhecia Ele. Esse inimigo mortal era Ele: o Dreamer. Não havia expressão em seu rosto, apenas uma faísca nos olhos, quando Ele ergueu a espada para me golpear. Senti a lâmina penetrar fundo na minha carne. A miríade de fragmentos que compuseram minha vida até esse momento se fundiram, e aqueles retalhos de mim emitiram um grito em uníssono antes de sua certa extinção. Com sofreguidão pus as mãos em torno do meu pescoço, numa desesperada tentativa de unir flancos daquela ferida mortal e interromper o golfo de sangue. Daquele mundo pulsante com épico e morte, com heroísmo e tragédia, eu caí de volta na irrealidade do tribunal.

Todos me olhavam, aguardando minha próxima jogada.

Senti a cobertura sonolenta do mundo afastada de mim, como uma cortina levantada na peça, externamente simbolizada pelo leilão, embora na realidade este drama fosse inteiramente interno. Agora eu sabia o que era um verdadeiro leiloeiro. Mal deu tempo para fazer a oferta final, imbatível, que deixou para trás o meu último rival, junto com o medo e a dúvida. A Villa dei Ferlaro e seu enorme parque circundante tinha um novo proprietário: *A Escola Europeia de Economia (European School of Economics).*

Era o final de longos anos de esquecimento nos quais essa residência real fora abandonada, e o início de seu novo destino. Um longo aplauso irrompeu aprovando a transferência dessa propriedade amargamente contestada.

Gerações de filósofos, ascetas, escolas esotéricas, monastérios e ashrams realizaram suas obras por séculos para trazer seu Sonho aqui, para trazer a Escola de volta para a Itália.

Era a única coisa que contava. Eu vi os jornalistas abrirem caminho no tumulto para serem os primeiros a dar notícia para a cidade; seria a manchete de todos os noticiários e apareceria nas primeiras páginas dos jornais locais que acompanharam a mudança de sorte dessa propriedade.

Enquanto um pêndulo balançava para o ponto mais alto, já juntava a força oposta, e o Antagonista começou seu aparente contra-ataque. Sua ação seria impiedosa e inestimável, bem como o Dreamer havia previsto.

"Tudo acontece em prol da sua vitória final", disse Ele para mim quando nos meses seguintes eu relatei a Ele histórias de poderosos antagonista que eu enfrentava, e obstáculos crescentes que pareciam ter sido colocados no caminho do crescimento da Escola. *Não existe antagonista - inimigo ou demônio - fora de você, mas nem dentro,* Ele disse. Ele me contou quando, nos meses posteriores ao leilão, eu lhe relatei sobre os poderosos oponentes que eu confrontava, a luta contra a Hidra de nove cabeças, e os obstáculos proliferando no meu caminho, plantados ali como escudos e barricadas contra o sucesso da Escola na Itália.

Até aqueles que parecem estar contra você desempenham um papel proposital na realização do Sonho e uma oportunidade muito significante para o seu crescimento e entendimento. Não existe antagonista, inimigo ou demônio fora de você. Desenterre o inimigo nos recessos mais recônditos do seu Ser, e conquiste-o. Não há milhares de inimigos, há apenas um, e também existe apenas uma vitória: a vitória sobre a morte.

Um tempo depois, o Dreamer, referindo-se aos outros apostadores no leilão, comentou:

Aqueles homens vinham, ou foram enviados, para comprar somente o que é visível. Eles ficaram hipnotizados pelo dinheiro, pelo valor da propriedade, a ganância de possuí-la. Desejo é tempo, e tudo que pertence ao tempo é falso. Nada pode ser possuído no tempo, nem existe solução ou remédio. Você só pode entender isso quando o Agora, o tempo verdadeiro, governar você.

Você, quando substituir o sonho por ganância e desejo, disse Ele, forçando-me a soltar aquele momento de eclipse do Ser que me diminuíra e me tirara toda a força no momento mais crucial da competição pela Villa, *você se torna um deles, e terá que sofrer o mesmo destino como todos que tentaram possui-la sem terem responsabilidade por ela. Uma derrocada financeira é sempre precedida por uma falha no Ser. Um ser humano só possui aquilo pelo que ele se responsabiliza.* Este aforisma no qual Ele suspendeu Seu discurso fez-me pensar em R. Salvi - o último proprietário da Villa del Ferlaro - e parecia o perfeito epitáfio para marcar o final de todo império industrial.

Conecte-se ao sonho, continuou. *O sonho é a ausência do tempo, é a ausência da morte... Você não está aqui para satisfazer algum desejo seu, ou sua possessividade, ou para adquirir um novo local para a Escola. Você está aqui para vencer a mais pavorosa de todas as superstições humanas, a mentira mais profundamente arraigada.*

Ele estava se despedindo, e na preparação tentava resumir os principais princípios e tudo que Ele conseguira transmitir para mim nesse longo aprendizado. Uma onda de dor se avolumou na região do meu coração. Cuidadosamente transcrevi Sua mensagem para poder transmiti-la a todos aqueles que buscam e estão preparados para ouvir o alento da enternidade, da imortalidade.

Quando Ele voltou a falar, Seu tom era grave, sua voz, vibrante.

Você está aqui para desviar seu destino inflexível, mudar o impossível: o imutável você! Aqui está a ocasião para você conquistar tempo e afirmar sua vitória sobre as mortes internas que são o prelúdio e a única causa da morte física. Você está aqui para o único propósito de abrir um portal para a vida sem morte, para a eternidade.

Quando você parar de morrer dentro, não haverá mais tempo fora de você.... um tempo que impõe uma cadência na sua vida, faz você envelhecer, adoecer e morrer. Quando você parar de morrer dentro, a verdadeira vida o arrebatará e ocupará todos os átomos de seu Ser. Não existem milhares de problemas para resolver, mas somente você! A verdadeira vitória, a solução, é uma volta a você mesmo! Volta para ser ín-

tegro, completo, único... Um guerreiro não pode permitir-se perder nem um único átomo de sua integridade... ele só pode ser completo! Ame-se dentro com toda a sua força, e tudo no mundo será perfeito. Tudo, eu digo: tudo, inclusive o passado, tomará sua aparência e será criado à sua imagem.

Ele parou e olhou duro para mim, como que buscando um sinal para continuar antes de transmitir uma potente mensagem. Ele estava prestes a revelar o estágio final da minha preparação, e os infinitos esforços que seriam necessários para viver perto Dele e da essência de Sua visão.

Seja muito cuidadoso! Você pediu para estar mais próximo do Dreamer, e isto não mais lhe permite fazer o que você costumava fazer, nem mesmo pensar ou sentir o que você costumava pensar e sentir. Viver perto do Dreamer é para poucos somente e é muito arriscado. Viver perto do Dreamer é a mais difícil tarefa que você poderia empreender. Aqui, se você esquecer-se, será instantaneamente catapultado para o seu passado infernal, e estará perdido. Aqui, perto do Dreamer, não há espaço para você indulgir em qualquer fraqueza, lamento, dúvida ou medo. Aqui, você deve ser forte. Aqui, perto do Dreamer, você só pode ser puro e inteiro.

Eu devo ter me mostrado alarmado. Sua voz se tornou paterna e encorajadora antes de esmaecer totalmente.

O Dreamer em você fala com você o tempo todo. Tenha consciência disso! Lembre-se de Sua voz e Suas instruções. Preste atenção a Suas lições, seja fiel aos Seus princípios, obediente aos Seus comandos. Torne sua Vida uma expressão de Sua inteligência e amor.

Prometi a mim mesmo que não *esqueceria* jamais!

Sonhe, sonhe, sonhe sem parar... A realidade seguirá.

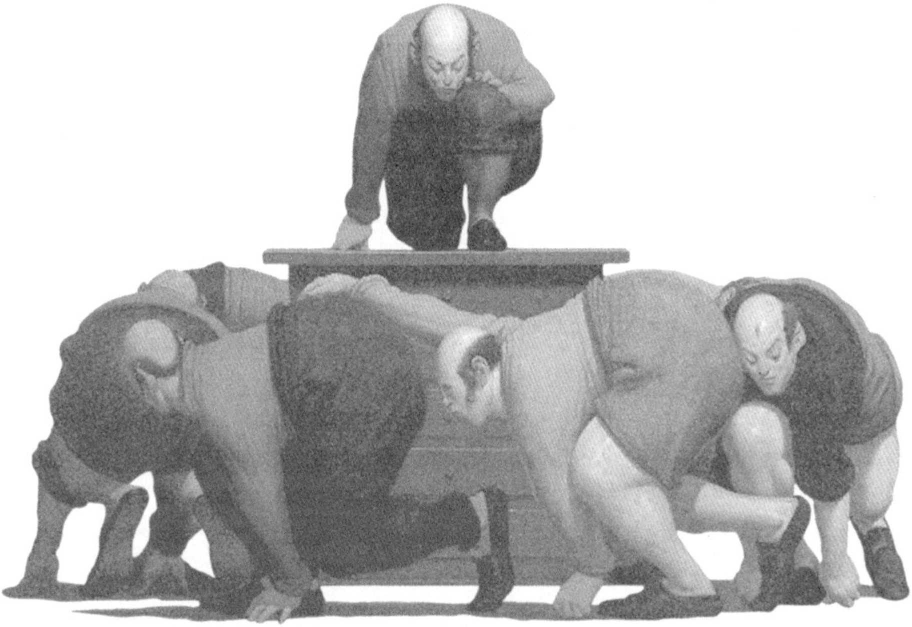

Sumário

Apresentação ao leitor brasileiro 7

Este Livro 9

Capítulo 1
O encontro com o Dreamer 13
O trabalho é escravidão – Sou uma mulher... – Uma espécie em extinção – O despertar – Mudar o passado – Perdoar-se dentro – Auto-observação é autocorreção – A morte nunca é uma solução – A cura vem de dentro – Os donos da casa – Judith, "a moça" – Obrigado, Luisa!

Capítulo 2
Lupelius 49
Encontrar a Escola – O mundo é uma lenda – A Escola da reversão – Lupelius – O encontro com padre S. – A doutrina de Lupelius – Ofereça um galo a Asclépio – Proibido matar-se dentro – A Escola dos Deuses – Mea-culpa – Estados e eventos (1) – Estados e Eventos (2) – Faça Deus trabalhar – A arte de manter-se acordado – Os maus hábitos – Você não vai conseguir! – Reverta suas convicções – A síndrome de Narciso – Um ser humano não pode se esconder

Capítulo 3
O corpo 103
O mundo é você – Os anões psicológicos – O canto de dor – O corpo não pode mentir – Seja frugal! – Um mundo sem fome – O mundo é como você o sonha – O pensamento cria – Pensamento é Destino

Capítulo 4
A lei do antagonista 129
A corrida – Os guardas da Main Street – Os muros – A lei do antagonista – Ame o seu inimigo – Aprenda a sorrir dentro – A suíte no St. James – Antes que o galo cante – O jantar com o Dreamer – O administrador desonesto – A vítima é sempre culpada – Os ingressos – No teatro com o Dreamer – *Os Miseráveis*

Capítulo 5
Adeus, Nova York 167
Pelas ruas de Manhattan – Os instrumentos do sonho – A mentira – Adeus, Nova York – Quem ama não pode depender – Não se pode sonhar e depender – Um futuro de segunda mão – O jantar com o xeique – Fuga na doença – A aranha e a presa – O esconde-esconde (cuco) da existência – A garrafa – Os verdadeiros pobres – O medo é amor degradado – A solução vem de cima

Capítulo 6
  Na cidade do Kuwait 207
  Isto é Economia! – Esquecer o sonho – Preocupar-se é animalesco – A fuga é para poucos – Programar sem crer – A agenda – Alô, quem sou? – Rasteira na mecanicidade – Vencer a si mesmo – O sonho é a coisa mais real que existe – Heleonore – A adoção

Capítulo 7
  O regresso à Itália 243
  A cláusula – Um brusco despertar – A ignorância está sempre a um palmo de distância – Retorno ao passado – A poluição psicológica – Na barriga da baleia – O acidente – A carta. Um rei Midas ao contrário – Dance! Vá... daaance! – Você é vivo e sincero apenas sob ameaça! – A cura pode vir somente de dentro – Elogio da injustiça – O mundo é criado pelos nossos pensamentos – O passado é pó – Vontade e acidentalidade

Capítulo 8
  Em Xangai com o Dreamer 273
  A perfeição não se repete nunca – A razão do ser humano é armada – O animal que mente – Torne-se um ser livre! – O pai de Buda – Depender é uma servidão intolerável – Visão e realidade são a mesma coisa – Uma raça a empregar – Faça somente aquilo que ama! – A direção terrível e maravilhosa – Apaixonar-se – Eu sou você – Uni-verso. Verso o uno – O rei é a terra e a terra é o rei – A realidade é o sonho mais o tempo – Ser tocado pelo *sonho*

Capítulo 9
  O jogo 311
  Crer para ver – Mude a sua viiida! – O pagamento – Nós somos o arco, a flecha e o alvo – Vim para libertá-lo – Interpretar os papéis – O caminho de retorno – Você não está preparado! – O atalho - Comprimir o tempo – Os outros revelam você – Interpretar intencionalmente. A Arte da Interpretação – O jogo dos encontros – O novo paradigma – A repetição – Esperar do mundo – Este livro é para sempre!

Capítulo 10
  A Escola 351
  A visão vertical – Uma Escola para sonhadores pragmáticos – O sonho do Sonho – O paraíso portátil – A maior verdade econômica – Ter é Ser – Universidade significa verso o uno – O nascimento da Escola – A missão da escola - Acreditar sem acreditar - O segredo do fazer - O passado é uma mentira - Estado é lugar – Seja um Rei e um Reino seguirá - O banco - Dinheiro não é real - Jejuar na véspera da batalha - O leilão

Este livro foi composto
na tipologia Adobe Garamond Pro 11p
e impresso em papel Pólen Natural 70gr
para a Barany Editora